Francisco Martín Moreno

La disculpa

Una novela política en tres actos

Grupo editorial Planeta
México

Colección CONTEMPORANEA (MEXICO)

Dirección editorial: Homero Gayosso A. y Jaime Aljure B.

Diseño de portada: Gerardo Islas
Ilustración de portada: Jorge García Lara
Fotografía de solapa: Faustí LLucià

DERECHOS RESERVADOS

ISBN: 968-406-378-4

Primera edición: noviembre de 1993

Impreso y hecho en México-Printed and made in Mexico

Impreso en   Corporación Metropolitana
S.A. de C.V., Parque Industrial Finsa, Nave 5, Periférico
          Oriente, Iztapalapa, D.F.
      Esta edición consta de 10,000 ejemplares

A mi padre,
por su coraje republicano,
con el cual he nutrido mi obra.
A mi madre,
por su contagiosa alegría de vivir
y por enseñarme a reír de mí mismo.
A ambos, por su amor a México

Vivo con el terror de no ser incomprendido.
Oscar Wilde

I

No hay excusa.
Jean Paul Sartre

—Tú serás el dios que me ayudará en la escuela cuando no haga mi tarea —pensaba en silencio Josefa Cortines mientras tapaba con una colchita de lana una figura auténtica de Huitzilopochtli, el dios solar de la guerra.

"Tú vigilarás mi sueño para que nunca vuelva a tener pesadillas —le ordenaba a una decapitada Coyolxauhqui, la diosa de la Luna.

"Tú harás que no me castiguen cuando me porte mal —murmuraba al oído de Xolotl, el dios con aspecto de perro, hermano de Quetzalcóatl, en tanto elevaba entre las palmas de sus manitas la deidad azteca como parte de un ritual sagrado que le atraería la protección divina. El acto litúrgico concluía después de rendir honor a Tezcatlipoca, dios del inframundo, la oscuridad y el frío, momento en el que Josefa, sintiéndose sacerdotisa, guardaba cuidadosamente bajo la cama, a un lado de la bacinica, el sinnúmero de piezas originales, de extraordinario valor histórico, para que no perdieran sus inmensos poderes mágicos. Así, en el armario, tenía un timbal de Cholula, un Ueuecóyotl, dios de la danza, una Títitl, madre de los dioses, con el bastón de otate y su pachtle; un teponaztli mixteco y un Tláloc original de más de 400 años de antigüedad, además de una Chalchiuhtlicue, diosa del agua, para que nunca deje de llover en el rancho de papito. Por allá, sentado entre múltiples muñecas francesas de porcelana y tul, vestidas con los más diversos colores y las mejores telas importadas, todas ellas también de colección, se advertía la presencia de una serpiente emplumada tallada en obsidiana, un Quetzalcóatl del siglo XV. Entrando, a la derecha, en lo alto, sobre un ropero, junto a un arlequín francés, se encontraban piezas únicas del Pleistoceno Superior, además de figurillas humanas del Horizonte Preclásico, una vasija zapoteca, un Cuauhxicalli, un recipiente para guardar corazones y una urna ritual maya que Josefa usaba como florero para poner las margaritas frescas que cortaba ocasionalmente durante sus recorridos por el rancho tomada de la mano de su nana.

Cuando Hercilia, la madre, exigía que las preciosas obras de arte fueran regresadas de inmediato a las vitrinas de la biblioteca del rancho, Silverio Cortines respondía con su "déjala mujer, la niña no le hace daño a nadie"

Josefa Cortines era la mayor de dos hijos: Josefa y Belisario. Josefa, sí, Josefa, asi de sobrio. Nada de Pepita ni de Jose, Chepis o Chepina de cariño, ¡qué barbaridad! Quien fuera tan irreverente de referirse a ella en presencia de su padre por medio de un apodo, por más cariñoso que este fuera, se arriesgaba a perecer sepultado bajo una fulminante catarata de argumentos, hechos y proezas relativos a la vida de una de las heroínas más destacadas de la historia de México. Si su hija respondía a ese nombre de gran prosapia no era en modo alguno por un capricho paterno —que quedara muy claro— sino para honrar y dignificar la ilustre memoria de doña Josefa Ortiz de Domínguez, a quien nadie osaría llamar Pepis, ¡por Dios!, ni de cariño ni de mote ni de nada.

—Se trata nada menos que de nuestra Corregidora, una de las pocas artífices femeninas de nuestra independencia política de España. A ver si somos un poco más serios...

"Fíjate bien: si ella no le hubiera salvado la vida aquella noche al propio Hidalgo, a Allende y a los Aldama, en fin, a los "conspiradores", no estaríamos aquí platicando, ¿me entiendes?

"Dale las gracias a doña Josefa de que no hablemos ceceando o zezeando. Agradécele a ella —y la invocaba como si se refiriera a su hija— el nacimiento de nuestra nacionalidad... Llámala Josefa, sí, Josefa, así, sin más..."

Tanto insistía Silverio en el tema ante el interlocutor en turno —para él un ignorante más de los orígenes del México contemporáneo— que éste, para expiar de alguna forma su inexcusable falta, se sentía obligado a besar con los ojos llorosos a Josefa Cortines, una verdadera réplica de nuestra heroína, en el momento mismo en que la viera llegar con los patines todavía puestos. ¡Irresponsables!, ya venía siendo hora de hacerle la debida justicia histórica a nuestra Corregidora...

Apenas nació Josefa, Silverio dedicó todo su tiempo a buscar el nombre con el que habría de registrarla oficialmente. Por su mente pasó el nombre de Coatlicue, la madre de Huitzilopochtli, pero Hercilia lo hizo desistir: ni siquiera sabría cómo llamarla de cariño ni podría permitir que en el futuro las niñas se burlaran de su hija en la escuela.

—No, no Silve, mejor pongámosle María, como María Conesa, la Gatita Blanca, aquella mujer que hiciera tan felices los días de mi abuela.

Silverio —a él lo habían bautizado con ese nombre en honor del tío Efrén, quien, por alguna razón desconocida, siempre lamentó no haberse podido llamar Silverio— cortó sin más la conversación sintiéndose profundamente ofendido. ¿Asociar a Josefa con la Conesa, la gatita blanca, cuando él buscaba un nombre de dimensiones históricas, de recia extracción nacionalista?

Guadalupe, la llamaría Guadalupe, sí, como la virgen de Guadalupe... ¡No!, imposible, podría lastimar su carrera política, sobre todo porque, constitucionalmente, el Estado mexicano es laico, y un funcionario público respetable jamás podrá darle un tinte eclesiástico a su trayectoria. Guadalupe pues fue archivado bajo siete llaves en el cajón de los recuerdos. Marina, otro nombre de mujer famoso, fue descartado de inmediato: jamás podría permitir que a su hija se la identificara con una prostituta, traidora, además, a la nación mexicana. ¿Y Juana, como sor Juana, la Décima Musa? Silverio dejó de considerarlo cuando un día llegó a sus oídos que la famosa monja y poetisa había tenido relaciones íntimas con la esposa del virrey. Ni hablar, buscaría otras alternativas... Marta Hernández, ¿como aquella valiente mujer que había vendido dulces envenenados a los invasores norteamericanos durante la guerra del '47?

—Marta... No —repuso Hercilia—. Tendría nombre de estola...

¡Carlota!, sí, que se llame Carlota... ¿Como la esposa del emperador francés? ¿Su hija honraría la invasión francesa? Eso sí que no... Silverio pensó entonces en Margarita, Margarita Masa, como la esposa del Benemérito de las Américas...

—Al ratito la andarás llamando la Benemérita —adujo Hercilia—. ¿No puedes pensar un nombre normal?

El nombre de Leona, como Leona Vicario, fue descartado sin que Silverio se atreviera siquiera a proponerlo, muy a pesar de los enormes méritos históricos que concurrían en esa otra gran heroína del movimiento de independencia.

—¿Leona?, ¿mi hija Leona?, ¿estás loco? —le hubiera objetado—. Inténtalo y verás cómo te diré yo a ti...

En esos momentos Hercilia abrazaba discretamente a su hija, la arropaba como si su marido hubiera perdido la razón e intentara dañarla a la menor oportunidad. Silverio jamás pudo convencerla tampoco de llamarla Clemencia, como la famosa obra de Ignacio Manuel Altamirano.

—Ni me importa tu Altamirano ese que lo conocen en su casa ni le voy a poner a mi hija Clemencia ni Amparo ni Soledad ni Socorro, ¿te quedó claro, rey?

Así pasaron lista, bueno, Silverio pasó lista a nombres de mujeres famosas o populares, entre ellos el de Antonieta, Antonieta Rivas del Mercado o Antonieta, la esposa de Luis XVI de Francia. No, no acertaba, como tampoco acertó con Adelita ni con Valentina, por más musicalidad y espíritu revolucionario que ambos nombres encerraran. Ni siquiera Frida y su vinculación al mundo del arte hicieron ceder a Hercilia. Cuando empezó a perfilarse el nombre de Josefa, ella finalmente aceptó en llamarla Josefa, sí, pero Josefa María del Señor. Fracasó. El nombre debería ser breve y sin musarañas, precisó Silverio, y menos, mucho menos si éstas estaban directa o indirectamente vinculadas al clero. De esa manera la niña fue registrada finalmente con el nombre de Josefa, a lo cual Hercilia contestó que, por el tiempo que le quedara de vida, ella la llamaría Mari, constara como constara en las actas del Registro Civil. Mari, sí, Mari y, además, de cariño se dirigiría a ella como gatita, mi gatita blanca...

Nadie hubiera apostado a favor de Josefa cuando, por ejemplo, la niña entraba a caballo en la misma sala del rancho que Silverio había hecho construir a su gusto pasando las pirámides de Teotihuacán. Ahí la chiquilla había sorprendido varias veces a los invitados entrando con todo y animal a través de un enorme ventanal corredizo que daba a un espléndido jardín estratégicamente iluminado en la noche, un oasis dentro del paisaje semidesértico de la comarca teotihuacana. Hercilia se quejaba inútilmente del daño causado por las herraduras de las bestias en sus tapetes persas: exigía un mínimo de respeto ante la suerte de sus duelas austriacas finamente barnizadas, donde el tal "Inquisidor" se encargaba de dejar "huellas" de todo tipo a su paso augusto por la lujosa estancia, mientras el padre le permitía cualquier atrevimiento con tal de ver sonreír a la pequeña Josefa. ¡Que venga Xocoyotzin a limpiar esto...!

—No se imaginan ustedes lo que es tener a una Corregidora en casa —decía para hacerse el simpático en tanto los comensales preferían guardar un prudente silencio, o si acaso pedían más vino, porque, eso sí, Silverio Cortines lo tenía, y de primerísima calidad: año con año recibía directamente de las cavas de *Chateau Mouton Rotschild* las primeras 15 cajas de vino tinto *mis en bouteille au chateau*, especialmente para él, según constaba en la etiqueta en donde aparecía, además de su nombre, el número de cada botella.

—Tomar un vino sin numerar y sin la firma del productor en la etiqueta me produce urticaria, ¿saben? —agregaba humorísticamente sin que nadie festejara ni con una leve sonrisa la ocurrencia.

"El agua, amigos, no sirve para beber, salvo si se es rana; mientras que el vino, fíjense bien, aclara el ojo, limpia el diente, mata el gusano, cura la gripe, hace sangre, entona el cuerpo, colorea las mejillas y llama a la alegría. ¿No es una maravilla? —concluía invariablemente con las mismas palabras que Hercilia ya había escuchado durante más de tres vidas...

A Josefa le era permitido hacer todo: invitar a una o a veinte amiguitas a pasar el fin de semana en el rancho. Comer o no comer. Acostarse tarde si era su capricho. Mascar chicle, devorar golosinas, nadar al aire libre o en la alberca techada. Montar, si así lo deseaba, el caballo favorito de su padre, El Cien Leguas, que, según aseguraba Cortines, era descendiente directo del Siete Leguas de mi general Villa; montar igualmente como un privilegio sin par al Trigarante, adquirido en una histórica subasta en Kentucky, al Insurgente, un caballo español de imponente estampa, al Independiente, al Conservador, al Liberal, al Tirano o al Revolucionario —toda la historia de México parecía pasar por las cuadras de Cortines—, la mayoría de ellos ejemplares importados, ya fuera trabajándolos en el picadero o en el campo, como ella quisiera, siempre y cuando saliera acompañada de cualquiera de los caballerangos de confianza.

Josefa podía maltratar al servicio, excepto a Macrina y a Juana, jugar incluso con las obras de arte de la biblioteca, en particular con las piezas precolombinas, auténticos originales dignos de estar, como sin duda habían estado, en el interior de las vitrinas de honor de varios museos regionales y que su padre había "coleccionado" por tantos años con gran esfuerzo y puntual esmero...

No sería aventurado concluir que buena parte de los orígenes de la decisión de Josefa de estudiar más tarde antropología bien podrían encontrarse en sus juegos infantiles, aparentemente intrascendentes. En su carrito de muñecas "mi pequeña Corregidora" paseaba, sin saberlo en un principio, a las más representativas deidades aztecas, así como a otros ídolos originales —toltecas, olmecas, zapotecas, mixtecas o mayas—. Siglos de historia de México, verdaderas joyas antropológicas reclamadas por varios museos de la república como desaparecidas, paseaban cubiertas por una chambrita tejida cariñosamente por las nanas de Josefa a lo largo de los pasillos, cocina, biblioteca, *living room* y *hall* del rancho Los Colorines.

Hercilia Bonilla dedicaba su tiempo a cuidar su permanente, a sus amigas y a jugar por las tardes canasta uruguaya, cuando todavía no se descubría la televisión, o bien asistía a cuantos desfiles de moda podía, haciéndose acompañar invariablemente de sus tías, para lo cual encargó a las criadas, desde el primer día de su nacimiento, el cuidado y crianza de sus hijos.

Nada mejor pudo acontecerle a la pequeña Josefa. Cuando la niña comenzaba con sus insoportables caprichos ahí estaba Macrina para disuadirla con argumentos que, como decía "la criada", pudieran tocarle el corazón.

—Deja que las cosas malas las hagan los demás, tú no, Jose de mi vida. ¿Para qué arrancas una flor si no la vas a regalar ni a ponerla en un florero? ¿Por qué hacer daño?

Macrina hizo desistir a Josefa de volver a entrar en la sala de Los Colorines con todo y caballo.

—¿Verdad que no te gustaría que alguien escupiera en tu comida?

En el interior de la niña empezó a formarse otra concepción del respeto.

Su sensibilidad a flor de piel facilitó la labor diaria de la criada.

—Dios, nuestro Señor, castiga a las niñas malas, las que a *juerzas* quieren que se les haga su capricho sin pensar en el daño que causan a los demás...

Años más tarde Josefa entendería que los consejos y puntos de vista de Macrina y de Juana, las humildes sirvientas, eran las voces del verdadero pueblo.

—Ellas, mis muchachas, eran auténticas representantes populares en mi propia casa —confesaba sin ocultar un marcado orgullo—. Ellas me convirtieron en persona, me hicieron un ser humano enseñándome a apreciar no sólo la delicadeza de nuestra gente sino la importancia de no desviarme en la vida con sentimientos de desprecio ni superioridad que estúpidamente te da el dinero, sobre todo el ajeno, el que nunca te ganaste tú...

"Yo viví a diario el mestizaje nacional en mi propia recámara cuando mi nana, Macrina, me repetía los mismos cuentos de cuna que a ella le contaron para dormirse. Ahí empecé a entender y a sentir a nuestros indígenas: el efecto de la fusión de dos razas lo seguimos viendo expuesto en los hogares mexicanos durante la convivencia diaria con el servicio doméstico. En antropología lo que cuenta es cómo se sienten las personas, no cómo son. Es el caso de un pequeñísimo laboratorio social reducido a su mínima expresión. Después, todo es cuestión de magnificar el ejemplo a nivel nacional para poder entender el abandono en el que tenemos los blancos de hoy a nuestra propia gente de piel cobriza. Lo mismo que acontece con las "criadas" en los hogares citadinos se da a nivel nacional con los llamados despectivamente "indios". Nosotros, los nuevos españoles, los nuevos colonizadores, los nuevos blancos, los hombres barbados de nuestro tiempo, hemos maltratado a los indígenas mucho más que los mismos conquistadores españoles. Mira nada más cómo los tenemos desde la Independencia. No tenemos excusa..."

Josefa empezó a platicar ocasionalmente con su padre en la biblioteca del rancho los domingos en la noche, al final de las intensas jornadas deportivas del fin de semana. La presencia de Silverio, aun cuando escasa, fue definitiva en aquellos primeros años de la existencia de su hija. El amor por México y por su historia, su sed de descubrir, su creciente afición por la lectura, la obligación de proteger a los desposeídos, la necesidad de ver por los desamparados en razón de una manifiesta superioridad educativa y material, la curiosidad por entender su postración y atraso económico, social y cultural, la desigualdad de México como país ante las potencias mundiales, toda esta problemática nacional e internacional, este interés por conocer el pasado, entender el presente y prevenir el futuro, fue dándose sin duda en aquellas conversaciones dominicales, entre aquellas paredes tapizadas de libros escritos en varios idiomas sobre los más diversos temas del saber y del acontecer humano.

En aquella biblioteca también había una colección de fotografías dedicadas por varios presidentes de la república a su padre, ordenadas cronológicamente sobre una larga repisa frente a un ventanal, la cual impresionó desde muy temprana edad a la pequeña Josefa. Mi padre debe ser una persona muy importante, se decía, repasando uno a uno los diversos letreros, todos con el nombre de Silverio Cortines, quien los había venido coleccionando de cuanto foro internacional tenía oportunidad de asistir en representación del gobierno mexicano. "Monsieur Silverio Cortines, Mexique." "Mr. S. Cortines, Mexico."

Y no escapaba a la atención de Josefa el sinnúmero de banderas tricolores de todos los tamaños colocadas encima de los anaqueles saturados de libros, unas de ellas tomadas como parte de su presencia en las reuniones internacionales, otras como recuerdo de su paso por las más diversas dependencias del gobierno federal, en cuyos respectivos escritorios encontraba ocasionalmente Silverio pequeños lábaros patrios, con los que fue decorando, sin darse cuenta, la espaciosa biblioteca, mi templo del saber, la cual había ido formando como una muestra simbólica de su autoridad e importancia política, misma con la que impactó a Josefa, quien llegó a ver en su padre a uno de los indiscutibles líderes mexicanos de todos los tiempos, un hombre que había sabido encumbrarse gracias al amor reverencial profesado a su país y a su gente, al pasado y al futuro de una nación que lo necesitaría siempre por su capacidad profesional, su talento, su imaginación y su coraje para ayudar a quienes nada tienen y todo les debemos, hija mía, ojo de mis ojos, ilusión de mis ilusiones.

—Somos víctimas de la ignorancia, Josefa. Nosotros, quienes hemos tenido el privilegio de la ilustración, debemos ver por quienes no lo tuvieron. Quien sabe, debe enseñar; quien puede, debe ayudar, no lo olvides, mi querida Corregidora: si tienes o sabes estás obligada en un país como el nuestro. Es mejor aceptar que debemos dar y repartir, antes de que un día nos vuelvan a quitar todo otra vez, como en la revolución —adoctrinaba Silverio a su hija según crecía y llegaba a la adolescencia impresionada por la figura paterna, cuyas dimensiones aquilataba con tan solo entrar a cualquiera de sus bibliotecas, la de la casa de Las Lomas en la Ciudad de México o a la del rancho Los Colorines.

"Yo he dedicado mi vida entera a investigar la historia, la situación económica y social de mi país para entregarle paso a paso lo mejor de mí. Tú sigue mi ejemplo, Josefita, da todo sin pensar nunca en recibir nada a cambio. Ábrete, sé generosa, sé, sobre todo, honrada en lo económico y en lo intelectual, reparte a manos llenas porque no hay ninguna gratificación supe-

13

rior en la vida que la de crear bienestar entre tus semejantes: siempre te lo agradecerán —repetía el funcionario público mientras su hija admiraba la cantidad de charolas y cajitas de plata de todos los tamaños con el inevitable texto: Al Sr. Lic. Don Silverio Cortines, con agradecimiento de los empleados del Rastro de Ferrería, de los de ferrocarriles, de los de Petróleos Mexicanos, entre otras tantísimas dependencias en las cuales había prestado sus servicios y de donde invariablemente había salido con la frente en alto—. Nuestro nombre, Josefa de mi vida, cuida siempre nuestro nombre, es nuestro máximo patrimonio...

"No hay nadie que nos pueda señalar; nuestro apellido está libre de mancha, es inaccesible aun para los malintencionados. Cuando hablen de nosotros enorgullécete y piensa como el poeta, hija mía: "Hay aves que cruzan el pantano y no se manchan, mi plumaje es de esos" —insistía Silverio Cortines contemplando satisfecho la mirada atónita de su hija, quien tal vez imaginaba a una garza de un blanco impoluto posándose altiva y serena y sin mancharse sobre una ciénaga."

¿Cómo tener tantos diplomas, tantos reconocimientos de tantos países y de tantas instituciones, tantas fotografías con tantas personalidades del mundo entero, tantas cartas firmadas por tantos dignatarios desconocidos por ella, todo ello colgado estratégicamente en las paredes de las bibilotecas, sin que su padre fuera, en efecto, toda una personalidad indispensable para la buena marcha de México? Si los hijos imitan a sus padres, Josefa imitaría al suyo toda su existencia.

La pequeña Josefa crecía —ya no permitía que Silverio la besara sin afeitarse, me raspas, papá, ni que la cargara frente a sus amigas, me haces sentir ridícula— viendo en su padre a un titán, a un coloso luchador de las causas mexicanas, a un auténtico defensor de los desamparados, a un incansable guerrero dispuesto a dar la vida a cambio de la justicia, a un hombre, en fin, amante de la cultura y de las artes, un decidido enemigo de la ignorancia, de la resignación, un feroz combatiente de la miseria, de la insalubridad, un lúcido intelectual conocedor de las más finas fibras de la mexicanidad, un convencido promotor del desarrollo de su país, un devoto de la cultura indígena, del verdadero México en sus tradiciones y costumbres. ¿Cómo no hacer suyas semejantes inquietudes, preocupaciones y valores a los cuales bien justificado, sí señor, estaba el hecho de dedicar toda una vida?

—Nadie tiene un papá como yo —repetía Josefa cada vez que el entonces subsecretario de Asuntos Agrícolas de la Secretaría de Agricultura y Ganadería la impresionaba o la sorprendía con algún nuevo conocimiento o una nueva revelación que incrementaba su admiración por él. Las enormes pinturas de José María Velasco, de Diego Rivera, de David Siqueiros, de José

Clemente Orozco, los mismos que tanto admiraban los invitados cuando visitaban el rancho, dichos tesoros nacionales, sólo los podía tener quien tanto quiere a México, pensaba para sí Josefa en busca de nuevos elementos para justificar la creciente admiración por su padre, un hombre que todas sus amigas de la escuela podrían envidiar.

Tanto creció en aquellos años la afición de Josefa por los ídolos y por conocer la identidad de cada uno de ellos, su magia, su hechizo, sus poderes para ayudar, castigar, iluminar o premiar, que después de superar con creces lo que podía aprender en casa y en la escuela, terminó por entregarse fanáticamente al estudio de las civilizaciones precolombinas registrándose en la Escuela de Antropología e Historia, desafiando las más ominosas predicciones que se cernían sobre su futuro y echando por tierra todos los pronósticos de deserción y vagancia. ¿Qué respeto puede tener por los libros y por la academia una niña que entraba con todo y caballo a la sala misma de su rancho? Bien pronto empezó Josefa a sorprender a maestros y condiscípulos con trabajos reveladores, proponiendo novedosas tesis y conclusiones en revistas especializadas o en conferencias dictadas en el ámbito universitario, en donde deseaba hacerse de un nombre; sí, sólo que su principal ganancia la vino a encontrar en el paulatino descubrimiento de sus niveles de ignorancia, una sensación vergonzosa que comenzó por humanizarla, enseñándola a escuchar, a prestar atención a los puntos de vista ajenos y a valorarlos: el contacto con el saber la condujo de la mano al terreno de la humildad. En el mundo de la ciencia no cuenta la prepotencia ni la arrogancia: sólo los hechos hablan, le contestaron en alguna ocasión en un tono que ella entendió como particularmente insolente, por sentirse arrinconada y sin la debida argumentación para refutar a su interlocutor durante el desarrollo de una mesa redonda. Jamás olvidaría la ofensa ni el nombre de su verdugo en aquellos primeros años de iniciación académica: Pascual Portes Obregón.

Fue cambiando su tono, su actitud, su comportamiento con terceros. Habló, ya no exigió ni gritó ni reclamó airadamente con arreglo a supuestos derechos sanguíneos. Compartió sin imponer. Discutió sin amenazar, apoyada en hechos, no ya en emociones ni mucho menos en influencias. Sugirió sin ofender ni agredir, y propuso tesis, opciones y alternativas con sorprendente modestia científica. Cambió radicalmente la importancia que anteriormente le concedía al dinero. Cambió su propia imagen, la de su padre, la de su madre, la de la familia en sí misma. Cambió de compañías, de amistades, de intereses. Cambió su conversación, sus actividades, sus rutinas, sus costumbres, sus pasiones y diversiones: empezó a tener contacto con la vergüenza por primera vez en su vida.

La intensa actividad intelectual, la necesidad irremediable de invertir tiempo en la lectura y en la investigación la retiraron gradualmente del ambiente frívolo de las capitales norteamericanas, de las compras extravagantes y dispendiosas en donde había llegado a conocer hasta los últimos aparadores y el nombre de cada una de las vendedoras y, por supuesto, el de los modistos más caros, los modelos de *l'été prochain*, así como las más diversas fragancias modernas que iban con su complexión, la textura de su piel, su color y su metabolismo, del que dependía la adaptación y permanencia del perfume. Dejó de acompañar a su madre a este tipo de viajes; se apartó de ella y de su sistema de vida. Lo rechazó, lo enterró, lo olvidó. Josefa cambió, día a día, según penetraba en el universo encantado e inagotable del saber. Si el estudio era una aventura intensa y renovadora, un juego lleno de sorpresas y emociones, bien valía la pena dedicarse por el resto de sus días a arrancarle a la antropología uno a uno todos sus secretos, por más celosamente que los hubiera guardado en la última urna de la noche. Cambió su indumentaria tanto para asistir a clases como para salir a reuniones sociales. Perdonó con el tiempo al tal Pascual Portes Obregón, quien además de llegar a convertirse en su eterno acompañante le despertó la curiosidad por el mundo fascinante de la sociología, una disciplina en la que abrevaría más tarde con similar entusiasmo. Cuando Pascual la invitaba a salir, despachaba a su chofer y juntos tomaban un autobús para moverse por la ciudad. Josefa cambiaba en todo, hasta de automóvil, contra los deseos de su madre, haciéndose comprar uno de segunda mano para llegar a la universidad, deseosa de prescindir de los comentarios burlones de sus compañeros. Su riqueza insultaba, de sobra lo sentía y entendía.

Cambió también su manera de hablar, de dirigirse a los demás. Cambió hasta la decoración de su habitación. Las muñecas de porcelana fueron a dar a un baúl. Su lugar fue ocupado por libros, catálogos y revistas siempre relativos al tema antropológico. Sacó el viejo armario de la abuela y compró un escritorio. Apareció repentinamente una máquina de escribir eléctrica que su madre mandó cubrir de inmediato con una tela de algodón rosita, como si se tratara de una mancha grosera dentro de la decoración de la recámara, pues chocaba con los colores de las colchas y de las cortinas, a juicio de los decoradores norteamericanos.

—Se vuelve loca, Silve, ahora ya no le basta con llegar a la universidad entre tanto pelado manejando ella misma esa pinche carcacha que le compraste —se quejaba Hercilia cuando su marido llegaba temprano en las noches—, ahora mete aparatos de hombre a su recámara, armatostes que no van con mis muebles *Bull*. ¿Qué dirá su tía Marta? Su tía Iris se burlará de mí hasta cansarse...

Hercilia empezó por no explicarse los cambios de conducta de su hija y menos los entendió cuando Josefa comenzó a regresar los ídolos precolombinos y el resto de las obras de arte a sus nichos y a sus vitrinas, a etiquetarlos una vez fotografiados y a respetarlos sin atreverse a jugar ya nunca más con ninguno de ellos. Macrina veía consumarse una obra que sentía totalmente suya. Ahora los reverenciaba, los admiraba mientras crecía su extrañeza y la devoraban las dudas respecto al origen de semejante tesoro cultural, patrimonio de la nación, en el interior de su propia casa. Compró candados y guardó ella misma las llaves para que nadie pudiera lastimar las piezas o extraviarlas. Ya casi no era posible entrar a la biblioteca sin su consentimiento, ni siquiera para limpiarla y asearla, se cayera o no de polvo. ¿Llevar amigos de su escuela a la biblioteca paterna? ¡Ni muerta...!

—Papá, yo nunca te he pedido nada —bastaba pronunciar esas palabras mágicas para que el recinto pasara a ser de su absoluta propiedad. Una bóveda particular. Ni el propio Silverio osaba acercarse más allá de 15 pasos de la puerta de entrada para no contrariarla. Fue entonces cuando se percató de las dimensiones y calidad de la biblioteca de su padre. Sí que estaba bien integrada y perfectamente catalogada, al extremo de que las obras jamás se habían movido de su lugar original, es más, muchas de ellas todavía permanecían envueltas en papel celofán con el que se habían adquirido: nunca nadie las había abierto ni siquiera hojeado. Por ningún lado se encontraba una tarjeta, un párrafo subrayado, una señal, la marca de alguien interesado en un determinado párrafo. Nada. Ni una sola huella ni rastro de un lector empedernido. Sin acabar de digerir tan desagradable sorpresa, Josefa, por su parte, se habituó a vivir entre libros, a discutir en silencio con sus autores, a refutarlos. A iniciar diálogos interminables con los investigadores, a tratar de superarlos, a dar siempre un paso más allá. A aventurarse, a encontrar una mejor prueba, audaz, temeraria. A romper con los viejos patrones de la academia, a oxigenarla, a animarla, a ventilarla. A salir más que nunca al campo apartándose de los estudios de gabinete burocráticos. A visitar los centros de civilización precolombinos, a buscar señales, rastros e indicios en pirámides, tumbas y palacios. A interpretar jeroglíficos, a ratificar una hipótesis en los lugares más diversos, desde el escritorio, el centro ceremonial y el expediente, o a comprobar supuestos a través del estudio y análisis de una inscripción, o a concebir una nueva teoría en el baño, en el periférico, en la cama o a caballo durante sus recorridos dominicales. La mente, siempre inquieta, una máquina en marcha, ya nunca dejaría de trabajar ni de procesar datos ni de arrojar conclusiones en los momentos más curiosos y en los sitios más impredecibles.

La pasión por la ciencia no admitía pausa ni reposo. El viraje en su personalidad era ciertamente notable. Indudablemente ya no era la misma persona. Tenía sed, una sed permanente y agobiadora a todas horas del día y de la noche. Una sed que no conocen los resignados ni los apáticos ni los frívolos. Una sed, un vicio que se manifestaba con la existencia de libros encima del buró, algunos abiertos, otros apilados sobre el escritorio, en el automóvil, artículos de revistas recortados, un desorden imposible de papeles sobre el escritorio, plumones, pequeñas cajas de madera abiertas para guardar las fichas, hojas arrugadas en el piso con el coraje de no haber dado con la conclusión esperada, un expediente desgastado, otros olvidados, la eterna prisa y la lectura siempre a la mano, los silencios incomprensibles y las largas horas de necesario aislamiento y otras tantas acompañada invariablemente de Pascual analizando y discutiendo los más diversos aspectos dentro de sus respectivas especialidades. La propia Hercilia llegó a comentarle a la tía Tachis, una comadre suya de los tiempos de La Ventosa, Oaxaca, del mismísimo Istmo de Tehuantepec, donde ella había visto por primera vez la luz hacía ya más de cincuenta años:

—Una las trae al mundo, las cuida, las apapacha, crees conocerlas porque son sangre de tu sangre y carne de tu carne, y al final de cuentas hasta parecen hijos recogidos —confesó con amargura en tanto tamborileaba con sus enormes uñas moradas la cubierta de la mesa de té colocada a un lado del jardín de su casa de Las Lomas.

—Es otra generación, Chila, acéptala como es —propuso resignadamente la querida comadre Tachis.

—¿Tú qué pensarías, Anastasia de mi vida, si tu hija está en la biblioteca con un muchacho y cierra la puerta quesque pa' que la dejen trabajar? —preguntó Hercilia confundida.

—Pues que se van a dar un par de arrumacos, ¿no? —contestó sonriente Tachita interesada en conocer los detalles de algún manoseo, una buena anécdota salpicada de morbo, conocedora como era de las costumbres de Hercilia de escuchar tras de las puertas, levantar las extensiones telefónicas para oír conversaciones ajenas o espiar por el ojo de la cerradura tal y como hizo en aquella ocasión cuando Josefa exigió que se la dejara a solas con Pascual.

—Pues fíjate que no —repuso echando un cubetazo de agua helada sobre la cabellera de su comadre, petrificada por los baños de aerosol—. ¿Sabes qué hicieron después de cerrar la puerta con llave? —cuestionó indignada.

—No, qué, acaba de una vez, Hercilia, me tienes loca.

—Pues se acomodaron uno frente al otro en el escritorio de Silverio y sacaron papeles y más papeles, libros y más libros, fotos y más fotos y ahí se quedaron horas y más horas sin tocarse ni con el dedo meñique. ¿No te parece horroroso?

—¿No será mariquita el tal Pascual? —adujo en busca de explicaciones.

Hercilia sintió de pronto unas manos heladas en el cuello, se asfixiaba. ¿Mi hija con un maricón? ¡Ni Dios lo quiera!, repuso tragando difícilmente saliva. ¿Pascual, maricón?, se preguntó ahora en silencio mientras un escozor le recorría el cuerpo entero. No, claro que no, respiró de nueva cuenta, sé que tiene novia, eso es, tiene novia, no seas mal pensada, reclamó aliviada después de salvar a su hija de la vergüenza y del chisme.

—¿Y entonces a qué tanto va a tu casa el tal Pascual si no quiere nada con tu niña? —volvió a la carga la comadre desconfiada.

—Vete a saber, ahora les da por encerrarse a hablar —concluyó todavía confundida—. Imagínate si Josefa se la pasa revisando piedras con una lupa en la mano y metida en tumbas malolientes de quién sabe cuánto pinche indio, ¿a qué horas va a tener interés en los hombres?

Las dos amigas soltaron tremenda carcajada que sólo concluyó cuando Anastasia preguntó:

—¿Qué le habrá dado a esta niña por irse a rascar cuevas teniéndolo todo, Hercilia? ¿Qué todavía no habrá entendido aquello de que más vale tonta feliz que viva desgraciada?

—¿Rascar cuevas? —jamás se les había ocurrido a ambas algo tan gracioso. Tan fue así que Hercilia y Anastasia tardaron mucho tiempo en poder contener la risa con tan solo imaginar a la antropóloga rascando cuevas. A partir de entonces, entre aquello de que a ti te toca robar y yo me bajo y gano la polla, las "Tiburonas", apodo con el que Silverio se dirigía a las "canasteras" para hacerlas rabiar, empezaron a referirse a Josefa como La Rasca Cuevas, eso sí, en absoluto secreto, que no se entere Silverio, ¡por Dios!, me mata, manas, me mata...

Silverio Cortines había comenzado su carrera burocrática como un humilde abogado en la delegación Milpa Alta de Telégrafos Nacionales. Más tarde llegó a ser Jefe del Departamento de Intendencia en la propia Secretaría de Comunicaciones. Posteriormente alcanzó la Subgerencia de Organización y Métodos en Petróleos Mexicanos, de donde salió a la Secretaría de Comercio como Director de Proveeduría y Servicios Conexos. Tenía una capacidad mágica para aparecer sexenio tras sexenio en los puestos más extraños con los nombres más raros. Su habilidad para jugar varias cartas a un mismo tiempo y su talento indiscutible para perfilarse como nadie cuando de ocupar un nuevo cargo se trataba, le dieron cierta popularidad, al extremo que en su círculo íntimo de amigos empezó a ser conocido como El Chambitas. ¿Yo, El Chambitas? ¡Carajo! Cortines podía desquiciarse con tan sólo escuchar semejante apodo. ¡Menuda injusticia! ¡Vergonzosa calumnia! ¡Algún día me las habrán de pagar todas juntas y al contado! ¡Patanes egoístas! ¡Inútiles! Sí, sí, pero la realidad era innegable: abogado de profesión, maestro de Teoría del Delito —su adjunto siempre daba las clases, Silverio siempre se negó a ser catedrático por oposición—, candidato permanentemente frustrado a la Dirección de la Facultad de Derecho, telegrafista, petrolero, experto en cuestiones ganaderas, en abastecimiento y compras. Años más tarde, Subdirector General de la Constructora Nacional de Carros de Ferrocarril, Subdirector de Adquisiciones del Departamento del Distrito Federal, Gerente de Productos Pesqueros Mexicanos, especialista en el atún de ala dorada, Oficial Mayor de la Secretaría de Turismo y finalmente Subsecretario de Asuntos Agropecuarios, todo un reconocido perito en cuestiones agrícolas, la última responsabilidad pública con la que un buen día había amanecido dejando boquiabiertos a vecinos, colegas, amigos y parientes de todos los grados, latitudes, sexos y corrientes políticas y niveles económicos, quienes, por supuesto, ignoraban que el nuevo cargo de Cortines se debía a la liquidación de una deuda que el sistema político había contraído con él: el flamante funcionario había asesorado al PRI en la última campaña por la gubernatura de Chihuahua habiendo alterado el recuento de los votos, levantado actas al vapor, rellenado las urnas con boletas falsas, falsificado firmas, inventado cientos de miles de credenciales electorales apócrifas, organizando la operación "carrousel" para que votaran las mismas personas en tantas casillas fuera posible. Al sacar la elección "blanca y limpia", es decir sin desórdenes callejeros ni escándalo público, la recompensa política no se había hecho esperar: fue nombrado subsecretario de Estado. Las deudas había que saldarlas. Y tan fueron saldadas que Silverio Cortines y Brambila fue nombrado para desempeñar dicho cargo en la siguiente administración federal que comenzaba con las manos llenas de promesas y esperanzas... ¡Ahora sí se haría justicia...! El sistema sabía ser agradecido con los funcionarios que le habían dispensado lealtad... Las deudas había que saldarlas...

Silverio, en su calidad de funcionario, cuidaba hasta los mínimos detalles en sus relaciones con terceros, *sus semejantes superiores,* más aún, si se sentía visto o escuchado. La sola presencia de un tercero, fuera quien fuera, alteraba su conducta. La preservación de su imagen constituía una de sus preocupaciones torales, el principal activo de un político, su patrimonio más preciado. Aquella debía cincelarse en todo momento, perfilarse en la menor ocasión, pulirse en cualquier oportunidad y exhibirse con el máximo cuidado y sutileza. A un político se le medía por su capacidad para manejar su imagen, desdoblarla, proyectarla, lucirla y esconderla de acuerdo a la ocasión. Igual que un banquero debía ser un hábil administrador de recursos para obtener de ellos el mejor rendimiento posible, igual que un banquero no podría hacer nada sin capital, un político mexicano debería enfrentar el derrumbe de su carrera y de su porvenir si su imagen pública resentía un daño irreparable a juicio de la familia revolucionaria, el tribunal inapelable, la conciencia de la nación, el depositario de la voluntad popular.

¿A quién con dos dedos de frente se le iba a ocurrir levantar en brazos a un niño callejero, descalzo, semidesnudo, sucio de 10 siglos, con el vientre protuberante, totalmente parasitado y la nariz escurrida si antes no se había hecho acompañar de un fotógrafo de la prensa que recogiera la escena para la posteridad? No, no existía la naturalidad. Cada acto debía responder forzosamente a un propósito ulterior perfectamente definido, concreto. Lo contrario era estúpido, torpe, un desgaste inútil, impropio de un profesional. Por la misma razón, Cortines hacía uso de un lenguaje de consumo popular viajando invariablemente en el asiento delantero de su automóvil, a un lado de Tristán, su chofer de toda la vida... Al ocupar uno u otro asiento se dejaba testimonio público de una exquisita sensibilidad social, de su auténtica vocación de gobernante y, a su juicio, de una clara identificación con el sentir del pueblo, sus causas y sus razones. Sí, claro que sí, cuidar las formas hasta en sus mínimos detalles hacía la diferencia. La genuina espontaneidad era un atrevimiento, una temeridad de graves consecuencias.

—Haz sentir iguales a tus inferiores y superiores a tus superiores —cincelaba una y otra vez en la mente de sus hijos para enfilarlos rumbo al éxito sin pérdida tiempo, a la conquista de aquellas alturas que él ya jamás alcanzaría porque su generación había sido ya rebasada y su declive político era inminente, la edad lo había traicionado y la ausencia de una especialización empezaba a ser incongruente con la marcha de los tiempos. Había llegado el momento de las caras nuevas. Las de sus hijos Belisario y Josefa sí que lo eran. Sólo que Josefa estaba descalificada políticamente en razón de su sexo. Hábil o no, talentosa o no, audaz o no, culta o no, capaz o no, la Presidencia de la República, la máxima responsabilidad en la nación estaba reservada por la tradición para el uso y disfrute exclusivo de los varones. ¿Una mujer, la Jefe del Ejecutivo y en México? ¡Vamos hombre!, hablemos de otra cosa.

Belisario contaría con todo el tiempo necesario, con los conocimientos técnicos, con la probada experiencia paterna y la que él hubiera podido adquirir a lo largo del difícil y jabonoso ascenso hacia la cumbre, para eso le enseñaría a su único hijo varón a aprovechar al máximo sus sentidos desarrollándoselos como la leona a sus cachorros, para que pudiera olfatear el olor de la presa o percibir oportunamente el peligro a la distancia. Belisario sería un rostro nuevo, limpio, promisorio. Gozaría de buena escuela. Su perfil, Silverio podía jurarlo ante las Siete Tablas, sería tallado cuidadosamente de acuerdo a las costumbres y necesidades políticas mexicanas, presentes y futuras, un evidente producto del medio, extraído de las mejores esencias. ¡Claro que participaría en política! ¿Cómo iba a ser posible que con ese apellido fuera comerciante en ultramarinos, agente vendedor de línea blanca o de carne de res? ¿Un Cortines corredor de casas y terrenos?

¡Ni hablar! Las dinastías debían continuarse con o sin la voluntad de los herederos. ¡No faltaba más! ¿Cómo se iban a encadenar las tradiciones de un país si no era porque alguien siempre unía los eslabones? Yo comencé, él continuará. ¿Aun cuando tenga que sacrificar su propia vida? ¡Pamplinas! Esas son pamplinas, todavía no conozco a nadie que no se embriague con el elixir del poder. Que lo pruebe, déjalo que lo pruebe una sola vez y ya verás como la vida adquiere otra dimensión insospechada para él... Abandonará todo lo que le rodee a cambio de unas gotas más. Se las habré de administrar en las debidas proporciones. Donde yo no pude, él podrá. Donde yo resbalé él saltará. Donde yo fracasé él triunfará. De eso me encargaré yo...

Para Silverio, un político que no gozaba de buenas tragaderas estaba tan limitado como una víbora sin veneno, un chango sin cola o un tigre sin colmillos. La naturaleza le había socorrido con este imprescindible atributo, sin el cual perecería indefenso en una selva plagada de peligros, trampas y acechanzas. Si de supervivencia se trataba tanto las tragaderas como el estómago eran unas de las armas más apreciadas para no morir en el primer enfrentamiento ante un enemigo insignificante. Un buen político debería poder masticar sin pestañear un arácnido peludo y patudo recién extraído de un pantano, si el señor presidente había apostado a que nadie en el mundo sería capaz de semejante hazaña...

Sí, así era. La naturaleza había concedido al águila una vista excepcional, al perro un olfato espectacular, al tiburón una dentadura sin igual, a la paloma un sentido de la orientación, al toro fortaleza, al conejo agilidad, al elefante memoria y a los animales políticos tragaderas, sí, tragaderas. Éstos últimos fueron proveídos debidamente con herramientas propias para resistir el combate en aquel amanecer cálido del día de la Creación. Cada criatura recibió sus armas e igualmente le fueron impuestas sus limitaciones. Unos volarían, otros nadarían, otros se arrastrarían, o treparían o andarían erguidos o encorvados. Unos lograrían imponerse por su fortaleza, otros por sus mañas, algunos más lo harían en razón de la unión de ambos elementos. Unos vivirían en el agua, otros en las alturas, otros en los pantanos. Unos devorarían la carne fresca, otros disfrutarían la carroña. Ninguno mataría a menos que tuviera hambre ni comería por gula ni mucho menos se exterminaría en masa. En el reino animal todavía se daban diferencias. El sadismo y el masoquismo fueron reservados para una sola especie... La posibilidad de venganza, la de estructurar una revancha le fue concedida alevosamente a sólo uno de los especímenes, los demás se quedarían sin conocer las excelencias de un festín selvático que sólo el tiempo sabría sazonar convenientemente.

La política era un mundo donde la semántica tenía otra connotación. A la intriga se le llamaba talento. La camaradería se entendía como conveniencia y la traición, el cinismo, la insolencia y el desprecio recibían un calificativo distinto si el éxito llegaba o no a coronar la obra. Las palabras tenían otro significado. El pez grande no siempre se comía al chico. Las apariencias por lo general engañaban, ¿o no? Los principios de cada individuo, esos elementos perturbadores de la evolución y del crecimiento, esos imponentes obstáculos que aparecían eventualmente a lo largo de la carrera, debían ser sorteados ágilmente, detectados oportunamente para evitar pérdidas inútiles de tiempo. Las convicciones personales debían canjearse por aquellas establecidas por la costumbre. Había que adoptar un uniforme con medidas ajenas y aceptar las reglas de convivencia vigentes en la nueva comunidad estuvieran o no reñidas con la personalidad del concursante. ¿A tolerar las antesalas, los estados de ánimo inestables de los superiores, a aceptar sus insinuaciones y resistir los portazos en pleno rostro, los castigos y las reprimendas por más injustificados y soeces que fueran?, ¡a tolerarlas! ¿A saber esperar, a controlar los impulsos, a poner buena cara frente al mal tiempo, a domar el temperamento, a conocerlo y dominarlo, a saber agradar y conquistar? Pues sí, en efecto, a controlarse, a dominarse, a fingir para ascender, a seducir para escalar, a convencer para evolucionar, a impresionar para triunfar... Si esa era parte indispensable del precio, a pagarlo y a pagarlo al contado, en efectivo metálico...

El señor subsecretario tenía tendencia natural a dejar boquiabiertos a sus interlocutores. Imposible que él, Silverio Cortines, pudiera pasar desapercibido o perdido en el anonimato: había que hacerse notar. A Silverio le gustaba ser identificado como un buen conversador, un hombre bien informado, un *connaiseur universel*. Quien llegara a tener contacto con él debía quedar profundamente impresionado por su versatilidad, por sus conocimientos, por su simpatía, por su trayectoria política, por su manera de vestir, de hablar, hasta de voltear, de ver, de recitar, de cantar, de dibujar, de coleccionar o simplemente por su estilo de ser, de estar, de convivir o de reir. Porque, eso sí, hasta para reír o morir había que ser oportuno...

Hombre o mujer, nacional o extranjero, niño o niña, pobre o rico, judío o protestante, político o artista, famoso o desconocido, debía ser conquistado. Quien tuviera la fortuna de conocerlo de cerca debía quedar "tocado" para siempre por su arrolladora personalidad. Silverio Cortines parecía estar permanentemente en campaña política. Para tal efecto trataba de dejar a toda costa una huella, una referencia para recordar el día del encuentro. Tendía nuevos puentes sin detenerse a considerar si los utilizaría o no en el resto de su existencia. El mundo es redondo, nos hemos de volver a encontrar. Cualquier persona puede hacer las veces de puente en el futuro: puentes, puentes, tiende un puente cada vez que puedas...

Al señor subsecretario ya sólo le faltaba ser obispo. La vida lo había llevado de la mano por los más diversos caminos, ejerciendo los más diversos oficios, teniendo contacto con personas de todas las razas, edades, sexos y niveles socioeconómicos en todas las latitudes y creencias religiosas, dominando la mayoría de los secretos ignorados por los mortales.

Conocía casi de todo y había estado casi en todo. Era cierto, para él no había casi nada nuevo bajo el sol. Igual decía distinguir si un piano estaba afinado o no con tan sólo poner la mano sobre la tapa laqueada, que adivinar el nombre de un compositor y el de una obra musical con pasar la yema de los dedos sobre el pentagrama. ¿Hablamos de Shakespeare, de Praxíteles, de Acamapichtli, de Churchill, de Einstein, de Herodoto, de Galileo, de Herbert von Karajan, de Pisístrato, de Verdi, de Rafael, de Trujillo, de Nerón o de Carlos V? Di, di: ¿te parece que discutamos el último partido de los choriceros de Toluca? ¿Apostamos a los Bravos de Milwaukee? ¿Cómo se llamaba el toro que mató a Manolete o de qué marca era el coche de Humberto Maglioli cuando ganó la quinta carrera Panamericana?

Silverio Cortines no era un cualquiera ni estar a su lado podía ser en consecuencia un hecho irrelevante. Conocerlo debía significar una experiencia fascinante. Un parteaguas en la vida del afortunado interlocutor. Silverio bailaba el jarabe como nadie, la raspa, mambo, salsa, tango y nunca nadie le había ganado a bailar rock. Él había escalado el Popocatépetl por el Espinazo del Diablo, había llegado muchas veces a la cima del Himalaya, desde luego sin oxígeno ni sofisticados equipos. Había sido preseleccionado olímpico en Roma pero no había podido asistir a última hora como representante del equipo hípico por razones de trabajo, porque, eso sí, también montaba, nadaba, buceaba, esquiaba en agua o en nieve sobre pistas negras, las imposibles, o lo hacía en pasto o en lo que se pudiera; patinaba, cazaba, ¡claro que iba cada año al Fox Hunting a Escocia!, corría o jugaba tenis, golf en Spy Glass Hills, polo o rugby o practicaba el budismo para tranquilizarse según una técnica que había aprendido en el Nepal con un amigo suyo, bonzo de profesión, nacido en Kachemira...

Su cultura era, pues, universal. Su capacidad física todo un ejemplo. ¡Qué mundo! ¡Qué vida! ¡Tantos conocimientos, tantas experiencias únicas...!

—Hay dos tipos de hombre —solía repetir—: quienes sufren los acontecimientos y quienes los generamos. Con mi banco de datos puedo orientar conductas, convencer, tranquilizar, sublevar, incendiar, apaciguar, vengar y adormecer. Todo puedo, todo...

El *Esto* o *La prensa* eran guardados de inmediato en la cajuela tan pronto eran devorados a escondidas por el señor subsecretario. Eso sí, ¡oh, dolor!, el día en que la primera plana de la sección deportiva anunciaba la derrota de los Alacranes de Durango o de Los Iguanodontes de Tlaxcala, su rostro se enlutecía de inmediato, entrando en aguda depresión. Nunca nadie lo supo pero cuando nació Belisario, su primer hijo varón, fue a registrarlo antes como socio de los Vampiros de Tehuixtla que en el Registro Civil de la localidad. Bien sabía Tristán, el chofer, que si perdía el equipo favorito de su patrón era mejor no hablar. Si algo podía descomponerlo eran los marcadores finales de las contiendas deportivas nacionales o internacionales de fin de semana, en donde por supuesto también era un connotado experto. A las cinco de la tarde de los lunes su secretaria le pasaba en sobre cerrado los resultados del hockey sobre pasto de los partidos en Madrás o Calcuta. Había que estar informado...

Por razones inherentes a su alto cargo público Silverio Cortines pasaba muy poco tiempo en casa. O estaba de viaje en la Huasteca, en el Bajío o en la Chontalpa o salía de gira repentinamente a Washington, Nueva York, Toronto o Buenos Aires con el objeto de comprar trigo, leche en polvo o maíz. Por lo general solía decir para justificar sus reiteradas ausencias que el propio Presidente de la República le había llamado personalmente por la red pidiéndole, suplicándole, que él y sólo él concluyera una negociación internacional estancada o fuera a destrabar un conflicto con la Unión Nacional de Productores de Huevo o de carne como sólo él podría hacerlo: sólo a usted le tengo la confianza, Silverio, en sus manos no fallaré, nunca me ha ido mal con usted. Yo sabré agradecérselo al igual que la patria entera en su momento- le repetía una y otra vez Silverio a Hercilia para explicarle el modo que supuestamente utilizaba el presidente para dirigirse a él ordenándole tareas tan delicadas. Sin embargo, a pesar de semejantes reconocimientos mesiánicos, cuando sonaba la red, el maldito teléfono rojo, se levantaba catapultado como si hubiera recibido un latigazo en pleno rostro, engolaba la voz, se revisaba las uñas de las manos, la línea del pantalón, se apretaba inconscientemente la hebilla dorada de sus zapatos y arreglaba el escritorio como si una gigantesca cámara de televisión hubiera entrado por la ventana. Jamás se negaría a cumplir con sus responsabilidades ni siquiera a diferirlas unas cuantas horas, aun cuando para ejecutarlas fuera preciso abandonar transitoriamente a la familia... La patria era primero.

—Ningún sacrificio es suficiente cuando se trata de la soberanía nacional —aducía en el seno de la familia para justificar sus escapadas, empezando en realidad el rescate de la Patria envolviéndose hasta el amanecer en la cabellera perfumada de María Antonieta o machihembrándose con las piernas de Helda o con las de cualquiera de las mujeres que estuviera en turno. De aquí que las pocas ocasiones que encontraba despierta a Hercilia o saludaba a Josefa en la mañana cuando ya se disponía a irse a la Escuela de Antropología, no hiciera sino exhibir su mejor sonrisa cediendo al menor requerimiento, en particular si provenía de su hija.

Cedía más aún porque su única hija era de piel blanca y rubia, rasgos tal vez heredados del bisabuelo de Hercilia, un francés enamorado de México quien se había negado a regresar a su país después de los años aciagos de la intervención y del Imperio de Maximiliano. Josefa era una mujer alta, de porte realmente distinguido, de finos modales y un físico irresistible para cualquier hombre. Podía someter al que se le diera la gana, bastaba con que se lo propusiera. Si se trataba de echar mano de sus encantos femeninos, los tenía todos y exquisitamente tallados por la sabia mano de la naturaleza, que había sido excepcionalmente generosa con ella. Josefa no tenía el pelo negro ni usaba permanente ni se maquillaba ni se pintaba las mejillas al igual que su madre como un "payaso mal pagado de circo" ni se ponía esas gigantescas arracadas doradas, malditos arillos, ni llevaba ropa de alguna manera elegante pero siempre con algún contraste inevitablemente aldeano, un toque pueblerino que podía descomponerle el ánimo en dos segundos al buen Silverio, tal y como sin duda lo lograba Hercilia, "Chila" cuando lo devoraba el complejo de culpa; "la madre de mis hijos" cuando quería ser solemne; "mi domadora" cuando tomaba el primer tequila; "mi señora esposa" cuando se encontraba en círculos diplomáticos; "mi amor" cuando estaba presente el señor secretario, ya ni hablar si la comida era en los jardines arbolados de Los Pinos... "Oye", cuando estaban a solas; "Pst", cuando no quería hablar y "Sol" cuando andaba con problemas y deseaba algo de su esposa. Un nombre para cada ocasión, un apelativo para cada circunstancia. Un traje, un sombrero para cada fiesta. Una personalidad para cada coyuntura. Hasta en eso revelaba Cortines una tremenda capacidad de adaptación. ¡Qué creatividad!

Hercilia no tenía el menor concepto ni la más elemental idea del ridículo. Josefa, por contra, sabía expresarse con propiedad, escribía como la décima musa, ¡ah, bárbara!, sabía pensar, estructurar sus ideas, armarlas sólidamente hasta obtener un puño de acero. Pasaba cada palabra a la báscula cuando se dirigía a un auditorio culto o a un interlocutor de respeto. Refutaba sin clemencia ni pausa a sus opositores cuando se sentía en poder del mejor argumento con el que golpeaba como si fuera un marro hasta que de rodillas le concedían la razón. Jamás dejaría pasar una sola hasta que supieran tomarle respeto y distancia.

Según se especializaba Josefa, Silverio deseaba aparecer ante su hija como un distinguido profesor de la Universidad de Oxford, poseer treinta títulos académicos colgados en la pared, contar con fotografías dedicadas por sus profesores de posgrado en diversos idiomas, aparecer sonriente a un lado de sus colegas de generación, presumir con diplomas extendidos por los más remotos centros de enseñanza, por los institutos más acreditados universalmente. Un homenaje tras otro, un claro reconocimiento a su trayectoria profesional y a su infinita sabiduría. ¿Qué hubiera dado a cambio con tal de ser año con año candidato al premio Nobel en cualquiera de sus múltiples especialidades y una vez premiado seguir siendo nominado, como si nadie hubiera superado sus aportaciones en bien de la humanidad? El nobel del nobel. Con qué prisa había guardado y luego destruido el único título universitario legítimo que había podido obtener en su vida y que tanto orgullo le había reportado en su momento: el de porrista del equipo de futbol americano de los Pumas de la Universidad Nacional. Con qué gusto hubiera cedido toda su fortuna, bueno la mitad de su fortuna, o al menos algo de dinero, para borrar su pasado y haberse mandado a hacer uno nuevo a su medida y de acuerdo a sus necesidades.

¡Cuántas veces pensó en lo afortunados que son los pintores cuando pueden adquirir un cuadro pintado en sus años de iniciación en el arte, un cuadro que les avergonzaba y que era necesario destruir! ¡Cómo le agredían algunas situaciones irreversibles de su dolorida existencia que ya no podría cambiar ni con todo el dinero de la Reserva Federal Norteamericana! Una de ellas, sin duda la más severa, confesémoslo dentro de la más hermética intimidad, consistía en que Hercilia, precisamente Hercilia, su esposa, fuera prieta, sí, prieta, prietísima. ¡Horror! Un problema irremediable de imposible solución. Una dolorosa realidad irreversible aun para el cirujano más destacado y para el más robusto de los bolsillos. Al tener su propia mujer la piel morena delataba no ya la verdad de su origen, sino que acusaba sin duda el de ambos. Algo intolerable, irresistible, una huella, una cicatriz dolorosa e imborrable, inocultable ante propios y extraños. Una prueba en poder del dominio público, sobre todo cuando trataba socialmente con extranjeros en viajes oficiales. ¡Qué desgracia! Tantas veces él había negado el racismo de los mexicanos y ahora caía como una víctima más. Eso sí, que quedara muy claro, no confesaría semejante sentimiento aun cuando una familia de antropófagos lo amenazara con desollarlo vivo en un caldero. Por otro lado nunca se divorciaría porque semejante decisión podría perjudicarlo gravemente en su carrera política...

Desde luego ya no se oía en el interior de la regia residencia de Las Lomas ni en el del rancho Los Colorines ni en la casa de Acapulco ni en el piso de Miami, comprados a nombre de una sociedad extranjera integrada por prestanombres, un trust norteamericano inaccesible a cualquier fisco, a prueba de curiosos y de inspecciones vinieran de donde vinieran, nada de aquello de mi ¡prieta linda!, como le decía cuando eran jóvenes y disfrutaban un noviazgo acaramelado y ciego. Las expresiones tiernas del enamorado galán en los días de La Ventosa, donde paseaban los domingos tomados empalagosamente de la mano y daban vueltas toda la tarde alrededor del zócalo municipal comiendo barquillos con helado de limón, se fueron agotando con el paso del tiempo hasta quedar enterradas bajo catorce capas de olvido en el panteón de la vergüenza. Hercilia ya no oía ni siquiera el me permito presentarle a usted a mi señora esposa, porque ya sólo salía con ella cuando no existía ninguna otra alternativa. Sólo te resisto en la intimidad de la habitación siempre y cuando estés dormida, amor de mis amores, vida de mi vida...

Cuando Silverio estaba al lado de Josefa quería olvidar a la mayor brevedad posible aquellos años en La Ventosa, Oaxaca. Al surgir inopinadamente el tema prefería referirse a la migración de los druidas o a la del atún de aleta dorada, ¿no has oído hablar de eso? Mira... Para poder hablar con su hija debía abrocharse muy bien los zapatos antes de iniciar cualquier conversación con ella. Su madre parecía haberle dicho desde muy pequeño: Te guste o no en esta casa naciste... Quedaba muy claro: Silverio se avergonzaba de su origen. ¿Pruebas? Lucía a su máxima expresión un anillo en el dedo meñique de la mano izquierda con el cual se sentía extraído de alguna rama de la realeza europea. En particular intentaba deslumbrar con el escudo de armas de *su familia*, que un pariente suyo de la rama paterna perteneciente a la muy noble corte de Carlos V había hecho grabar sobre un escarabajo egipcio encontrado en la tumba del faraón Tutmosis IV, del siglo II a. C, dejando constancia del gran blasón, del poder avasallador de la heráldica y del apellido, la importancia de un pasado y de una cuna real cuyas raíces se perdían en Castilla La Vieja, aun cuando él hubiera nacido en Tehuantepec, en la Ventosa, Oaxaca, hacía cincuenta y cuatro años, siendo el noveno hijo de una muy modesta familia encabezada por don Bulmaro Cortines y doña Eufemia Brambila, ambos nativos de la localidad.

Hasta la propia Josefa había tratado de convencerlo durante sus reuniones dominicales en la biblioteca de Los Colorines respecto a las veladas tendencias discriminatorias de los mexicanos sin llegar en apariencia a ningún acuerdo. Silverio nunca cedería.

—Yo lo he estudiado, te lo puedo comprobar, papá —insistía la antropóloga cargada de razones. ¿Cuántas, cuántas veces había discutido el tema con el querido Pascual? ¿Cuántas? Con él había confirmado a su vez que sí era posible una relación de amistad, desinteresada y noble entre un hombre y una mujer.

Al abordarse el tema ¿el racismo en México? Silverio se erigía como un muro de granito. La defensa era a muerte. Empleaba todos los recursos para obtener el éxito sobre todo cuando surgían tópicos de esa naturaleza en donde, a su juicio, se ponía en juego el honor y la dignidad nacionales. En esos momentos alzaba la voz para intimidar o golpeaba enfurecido la mesa con la mano abierta y la mirada iracunda, todo un actor, practicando un chantaje emocional sutil pero demoledor —¿por qué no?— al hacerse el ofendido ante las convicciones decepcionantes vertidas por una persona a la que supuestamente tenía en alta y distinguida estima y gran consideración intelectual y moral.

—No, no, nunca lo pensé de tí, yo te creía una mujer culta y sensible... ¡Que decepción! Otro día seguiremos hablando, me has hecho polvo —exclamaba mientras se cubría los ojos con ambas manos para ocultar su pesar. Cualquier estrategia era válida.

La antropóloga, excelente conocedora de los caminos paternos, tampoco cedía terreno ni admitía evasivas ni menos toleraba extorsiones esgrimiendo a cambio diversos argumentos a diestra y siniestra.

En una de tantas ocasiones Josefa planteó la existencia de una pirámide racial en cuya punta estaban eminentemente personalidades de piel blanca habiéndose excluido de los niveles de mando de la sociedad mexicana a la gente de piel oscura como si se tratara de una selección natural. Ahí estaban para mayor evidencia la composición histórica de los gabinetes de los gobiernos federales, la de los ministros de la suprema corte, la de los altos ejecutivos de las compañías mexicanas, la de los líderes de las cúpulas empresariales, la de los medios masivos de difusión integrados en su inmensa mayoría por blancos, casi todos blancos papá... ¿Por qué en los anuncios de la televisión aparecían sin excepción mujeres rubias hermosas ofreciendo todo tipo de bebidas embriagantes desde la cerveza al ron? ¿Por qué los pañales de bebé los anunciaban niños güeros y de ojos azules exclusivamente y no pequeños de tez oscura, pelo negro y ojos de obsidiana? Muy sencillo: se aceptaba de antemano un proceso de imitación de las costumbres de los blancos. Gente blanca, gente bonita, una aspiración en la vida, un modelo a seguir anunciaría los productos en la televisión sin darle cabida alguna a personas de piel oscura porque antes que nada se trataba de vender *status*...

Silverio Cortines podía enloquecer sintiendo a veces que tenía en el seno de su propia casa a una futura nazi. La ilustración universitaria laica y libre la separaba a diario de él. Lo peor que me podía pasar es ver a mi Corregidora convertida en una comunista, tú...

El éxito en nuestro país, extraña paradoja en una comunidad mestiza, está asociado al color. El color hacía la diferencia en materia de trabajo, distinciones y privilegios. Los blancos los disfrutaban, el resto los envidiaba. Unos mandaban, otros obedecían. Unos se imponían, los otros se resignaban. El fenómeno subsistía hasta nuestros días. Las diferencias en las tonalidades de la piel producía sentimientos de superioridad en el blanco y de inferioridad en el indígena. El color determinaba la conducta, pues o se era sumiso y pasivo, rencoroso y vengativo después de tantos años, siglos de malos tratos y de subvaluación o se era altivo, autoritario y déspota no sólo en el hablar o en el hacer sino precisamente en el *no-hacer* hacia nuestros indígenas. Nuestra sociedad cerrada pretendía lavar sus culpas con declaraciones, manifiestos y aboliciones, sí, pero en la práctica y en el inconsciente colectivo de la nación operaban diferencias inconfesables. Ni las leyes ni la costumbre ni las tibias intenciones habían logrado modificar una realidad vergonzosa. Las diferencias raciales habían continuado causando estragos a pesar del liberalismo mexicano. Ya no había esclavitud, ahora había servidumbre...

Josefa tenía el arrastre de cien locomotoras juntas sobre todo porque sus conocimientos poseían, además, una formidable carga pasional. ¿A dónde iba uno sin pasiones sobre todo cuando de estudiar y de aprender se trataba?

La energía de decenas de millones de mexicanos, su fuerza y su talento se desperdiciaba absurdamente, según Josefa Cortines, porque no habíamos podido incorporarlos al proceso productivo de México y todavía nos negábamos a hablar, a abordar públicamente el desprecio soslayado que se dispensaba a los indígenas, ignorándose con ello a más de la mitad de la nación y reforzándose con ello un sentimiento de minusvalía, de desvaloración y despersonalización de catastróficas consecuencias económicas, sociales y culturales. Estábamos frente a otro *tabú* más a los que éramos tan afectos los mexicanos. Resultaba inaplazable darle difusión a este tema a través de la televisión, el cine y la prensa, ventilándose abiertamente por todos los medios posibles, analizándose, discutiéndose la magnitud del conflicto social, el precio presente y pasado de dicha escisión racial para que nuestro país pudiera empezar a trabajar, ahora sí, a toda su capacidad, sin lastres ni apatías ni resignaciones evangélicas ancestrales que frenaban a cada paso nuestro tortuoso proceso de desarrollo económico. Esa gente jamás producirá, papá, ni hará mayores aportaciones a la comunidad mientras se sienta menos o se le haga sentir menos. Si esa gente es apática más lo somos nosotros respecto a ellos...

Josefa parecía encontrar elementos de comprobación de sus inquietudes en todo el mundo exterior que le rodeaba. Para ella las páginas de sociales a todo color contenían un gran significado porque invariablemente aparecían en ellas "gente bonita, gente bien", como si fueran personajes del norte retratados en Acapulco o en Cancún, europeos o americanos ajenos a la composición étnica de nuestro país. ¿Ocultábamos nuestra extracción mestiza? La gente de piel oscura aparecía en blanco y negro en las páginas interiores de la prensa, en fotos que la comunidad blanca consideraba francamente ridículas, además de inspirar una evidente lástima. El lenguaje también podía tener una trascendencia antropológica definitiva. ¿*Güerita*? ¿No era un típico elemento probatorio de claro origen popular vinculado al color de la piel? ¿La voz *patroncita* no hablaba de una sumisión y de una dependencia de nuestra gente? ¿Y los ofrecimientos de empleo en los periódicos cuando exigían "buena presencia, inútil insistir?" ¿No estábamos frente a un fenómeno de evidente discriminación? ¿Y el "*naco*"? ¿No etiquetamos a la gente, clasificándola, apartándola o reuniéndola en función de ciertos criterios de selección? ¿Verdad que no te imaginas a un "*naco*", a un "*pelado*" de esos sentado en la sala de tu casa acariciando a tu hija? Tu definición de naco es la definición de tus prejuicios. ¿Un naco con la Corregidora...? ¡Horror! ¿Verdad...?

Silverio levantaba la cabeza al cielo en busca de una señal, de una luz, tal vez de un motivo para no reirse y provocar aun más a su hija o bien para concluir la santa tortura de esas conversaciones sin distanciamientos ni asperezas.

—A los mexicanos no nos gusta vernos reflejados en ese espejo, nos sentimos agredidos, hasta humillados, si alguien se atreve a imputarnos una conducta de esa naturaleza. ¿Racistas? ¡Jamás! Nosotros sí tenemos corazón. Es más, si te fijas —expresó con una sonrisa cáustica —es uno de los temas que nunca se abordan, un tabú, el velo sagrado de la virgen, la incuestionabilidad de la santa maternidad. Así lo tomamos, así de mal lo vivimos. No cedemos ni reconocemos nada en ese sentido y por eso, entre otras razones, no logramos integrarnos como país ni como nación. Por eso tenemos dos Méxicos desunidos y distanciados, compruébalo si no por tí mismo —sentenció confiada—. Háblale al mexicano que tú quieras de racismo —desafió al señor subsecretario— y te llamará loco o malvado. En ningún caso admitirá razones. Negará pruebas, realidades, evidencias. Se irritará, te llamará amarillista y luego, si bien te va, empezará a ofenderte, a gritarte para limpiarse de culpas. Es lo más fácil. Preferimos seguir metiendo la mugre bajo el tapete y así jamás sabremos quienes somos ni con quienes contamos para entendernos y mejorar nuestra situación. Si tuviéramos corazón no tendríamos a nuestros indígenas así. Y si no es un problema de corazón, ¿de qué es? A ellos, sí, precisamente a ellos les debemos nuestra riqueza arquelógica, nuestra tradición culinaria, nuestra música y nuestros bailes, nuestras fiestas multicolores con las que impresionamos a propios y extraños y resulta ahora que nos avergonzamos de ellos cuando sin duda les debemos lo mejor que tiene este país...

Silverio rumiaba sus ideas. Por alguna razón pensó en su hija: si por lo menos fuera fea, tendría yo mayores elementos para defenderme y contestarle. La sentiría yo más cerca de mí, pero guapa además como es esta en-

31

demoniada, es más difícil, mucho más. Con las feas te puedes medir más fácil, están más a tu alcance, pero por donde ésta vuela yo no puedo ni respirar. Su irritación crecía mientras avanzaba este tipo de conversaciones, en tanto sus argumentos se estrellaban ante una realidad ciertamente difícil de refutar. Nunca confesaría una humillación moral y espiritual de semejantes proporciones.

México se enorgullecía, según Silverio, de su tradición liberal, antiracista de viejo cuño. Hidalgo y Morelos habían derogado la esclavitud a través de la guerra de Independencia adelantándose medio siglo a Estados Unidos en esta conquista del hombre civilizado. Ése era un hecho que no se debía soslayar tan fácilmente. En México la constitución establecía la igualdad de todos los hombres ante la ley suprema... Los segregacionistas eran los gringos, esos sí que practicaban la discriminación, a ellos sí que había que hacerles esos cargos inhumanos. Negar la igualdad racial prevaleciente en el país no solamente revelaba una ostensible ignorancia histórica respecto a una de las grandes conquistas mexicanas del siglo XIX, sino además una agresión infundada y de absoluta mala fé a la que no había que molestarse en prestar oídos, remataba su intervención soñando con que el Presidente de la República lo hubiera podido escuchar en esos momentos..

Para Josefa la promulgación de leyes no implicaba su eficaz acatamiento. Claro que el padre Hidalgo había abolido la esclavitud en el papel, sólo en el papel, porque operativamente, es decir, en la práctica, poco se había logrado y mucho menos en el sentimiento de la nación. En realidad seguíamos viviendo dentro una estructura colonial con claras distinciones sociales. Clases, sí, clases con otras denominaciones, pero al fin y al cabo clases petrificadas muy difíciles de romper o de penetrar en ellas. La discriminación en México, así como una esclavitud disfrazada se daban de hecho aun cuando los ordenamientos legales dispusieran lo contrario...

¿Más pruebas de esta escisión moral, psicológica, estética y social? Josefa había analizado la problemática situación desde diversos ángulos. Nuestro ideal de la belleza humana era a todas luces blanco en razón de los trescientos años de dominación española. Una sociedad mestiza como la nuestra debería tener un ideal de belleza mestizo y en ningún caso un ideal europeo divorciado de la realidad como era lamentablemente el caso. Ahí estaba una herida todavía sangrante, un choque entre razas, entre sangres distintas que se remontaba más allá de 500 años. Un peligroso divorcio entre nuestros ideales y nuestros principios. Ya los propios indígenas hablaban de la llegada de un dios blanco y rubio, alto, fuerte y barbado, mejor conocido como Quetzalcóatl. ¿Por qué no un dios maya chaparrito, con los pómulos salientes y el pelo oscuro u otro mixteco zapoteca? ¿Por qué en lugar de haber heredado el ideal de belleza que disfrutaban los aborígenes antes de la conquista había subsistido y permanecido entre nosotros el español? ¿Aceptaríamos el día de hoy el modelo de belleza indígena, es decir una estatura baja, una piel oscura y unos ojos y un pelo intensamente negros? ¿No verdad? Ni los propios indígenas la aceptarían porque reconocían en sus patrones estéticos una aspiración diferente. ¿No era esto una pérdida de identidad alarmante en la que deberían haber trabajado intensamente todos los gobiernos pre y posrevolucionarios para lograr la reconciliación del país?

Silverio Cortines no estaba de acuerdo con el ejido ni con que el PRI hubiera acaparado durante tantas décadas el poder cancelando el juego democrático de la nación ni estaba a favor de la división Estado-Iglesia ni dejaba de coincidir en el fondo con su hija respecto a los ideales de belleza indígena ni en la fractura de una sociedad mestiza ni le concedería la razón respecto a la realidad de la sucesión presidencial ni reconocería el desprecio por las instituciones manifestado a través del "dedazo": pero eso sí, convencido o no, defendería invariablemente cualquier flanco que pudiera dañar su carrera política, apoyando al sistema aun con consignas fanáticas. Los dogmas eran los dogmas y los haría respetar a cualquier precio. Su larga trayectoria política había sido su mejor escuela.

En aquellos años de intensa formación universitaria la conversación entre padre e hija cayó muchas veces en el análisis de la identidad nacional como fuente de explicación de una conducta colectiva. No se aceptaba la existencia de una sociedad indígena ni la de una sociedad mestiza ni mucho menos podríamos ser etiquetados como una comunidad europea. ¿Si no éramos indios ni mestizos ni españoles? ¿Qué eramos? ¿Qué efecto social, económico y cultural ocasionaba este desenfoque, esta distorsión histórica y racial?

—¿Y Benito Juárez no era indio y prieto, bien prieto y sin embargo, había llegado a la Presidencia de la República? ¿Y Díaz? ¿Qué me dices de Porfirio Díaz casi un indio de piel oscura de la sierra de Oaxaca. ¿Cuál racismo? Nuestra sociedad es abierta, abiertísima, tan lo es que puede llegar hasta la mismísima Presidencia de la República quien se lo propusiera y contara con los merecimientos para ello, tuviera el color de piel que tuviera. Te pregunto, a ver sí, contéstame si un negro ya llegó a la Casa Blanca, ¿verdad que no?, ¿verdad que ni tú ni yo lo veremos? —concluyó satisfecho por haber encontrado un hecho de difícil refutación para su hija. Con que midiéndose con papá, ¿eh? Pues ya verás lo que hago con tus libros, tus expertos, tus conocimientos y todos tus malditos marxistas andróginos escondidos tras sus greñas y su lodo.

Benito Juárez era una excepción, como también lo era Porfirio Díaz, aun cuando este hubiera llegado a la presidencia apoyado en las armas, como correspondía a un tirano de su ralea —Josefa nunca perdería oportunidad de azotar al dictador con lo que tuviera a su alcance— sólo que con dichos ejemplos no se iba a derogar toda una realidad social actual.

En primer lugar, se trataba de conocer el problema, luego de aceptarlo para finalmente resolverlo. Tres pasos muy sencillos. Tres pasos muy difíciles si ya se partía del supuesto de negar la evidencia.

Según Silverio Cortines nadie debería atreverse a tocar una leyenda, a desmitificarla, a quitarle su lustre, su baño de oro. Sería un hereje quien lo intentara, un conspirador contra las instituciones nacionales: Un miserable quien hablara mal de Cuauhtémoc, por ejemplo, un héroe que ya no se podía defender por sí mismo...

¡Qué bien se sentía Silverio en el interior de ese recinto donde estaba su pata de elefante macho de la Africa septentrional que él utilizaba para dejar sus copas! Prefería no intervenir mientras repasaba igualmente su galería de retratos: Silverio tenista, Silverio jinete, Silverio golfista, Silverio orador en la FAO, en la Cámara de Diputados, Silverio boy scout, futbolista, maestro, graduado en leyes, cocinero, atleta, con uno, con el otro, con todos. Silverio era un ser universal en la más amplia acepción de la palabra. Ahí estaba su colección de monedas así como las de cartas de hombres famosos desde una que le escribió Gutenberg a su madre, hasta otra dirigida por el Pajarito Moreno al Toluco López en donde le confesaba su avidez por el alcohol y el malagradecimiento de la afición que lo estaba dejando morir solo: "No le creas a la gente, no, no le creas..."

En otra ocasión Josefa y Pascual prepararon un trabajo respecto a algunos de los orígenes del atraso en México. Encontraron una explicación importante en la brutalidad de la conquista, en la Inquisición, porque los mexicanos todavía no habíamos podido superar dicho traumatismo a pesar de haber transcurrido ya muchos siglos desde los dolorosos acontecimientos. Todavía seguíamos con que si el conquistador español violó o no violó a nuestra madre en lugar de ver para adelante, sanear nuestras heridas y cicatrices para dedicarnos a construir nuestro país sin partir del supuesto inexistente de las razas puras, del indigenismo puro igualmente perverso que la defensa de una raza aria pura. Ningún conquistador había sido jamás benévolo, como les constaba a los propios españoles, a los alemanes, a los soviéticos, a los japoneses y a los polacos. ¿Dónde terminaba la culpa de los conquistadores, de los encomenderos, de la iglesia fanática y retardataria, la del virreinato y su absurda e intransigente centralización, su insaciable y costosísima sed de oro y plata? ¿Por qué no habíamos podido salvar tantos atavismos anacrónicos?¿Donde comenzaba la culpa del México independiente que no había logrado restañar las heridas o las de los gobiernos posrevolucionarios que tampoco habían logrado la reconciliación del país? ¡Qué fácil resultaba responsabilizar a terceros de nuestros males...!

—México estaba anclado en el pasado sin haber podido convalecer de las heridas espirituales del siglo XV al XIX y por lo mismo estábamos enfermos. El inconsciente colectivo de la nación no había superado la violencia de la conquista ni el rompimiento de ídolos ni la imposición de una nueva religión con un nuevo Dios y sus vírgenes ni la incineración con leña verde de los nuestros en las plazas públicas ni la tortura ni los azotes ni las mutilaciones impuestas a los condenados por la Santa Inquisición... Peleábamos contra un fantasma. Sobrevivimos con una pierna puesta en el siglo XV y otra ya casi en el siglo XXI.

Los temas eran de lo más diversos pero siempre soportados por un común denominador: México. Sin embargo, al finalizar una de las últimas conversaciones en la biblioteca, por más interesantes que éstas fueran, Silverio había empezado a rehuir a su hija. Ya no quería escuchar por qué se les llamaba despectivamente indios —según afirmaba Josefa dejando entrever un coraje imposible de disimular—. ¿Por qué no se hace nada por ellos, por qué han permanecido así por los siglos de los siglos? Si ellos no han podido evolucionar por la razón que sea, si a ellos no les importa, menos a nosotros... ¿Al carajo?, pues ¡al carajo! ¡Mil y un veces al carajo!, reventó Josefa en un desplante inusual en ella. —Los seres inferiores no tienen nuestras necesidades y si ellos no las reclaman ¿por qué nosotros vamos a satisfacérselas ni mucho menos a despertárselas? Míralos cómo están, parece que nunca sufren. Igual que un caballo cuando masca aburridamente su forraje no extraña un buen plato de mariscos, ni una *boullabaise*, un indio no debe extrañar ni un regaderazo bajo un chorro generoso de agua caliente ni un buen libro ni un buen concierto ni el jabón ni los perfumes ni un filete Wellington ni una camisa de seda. Con que no se ha hecho la miel para la boca del asno, ¿verdad? ¿Crees que una señora enjoyada de las Lomas, cualquiera de mis tías, llegaría a quitarse el guante para estrechar la mano agrietada y tieza de un campesino mixteco sin correr a lavársela con alcohol a la primera oportunidad junto con todos sus prejuicios? ¿Verdad papá que así piensa la gente? ¿Somos distintos?¿No nos parecemos en nada...? Dime tú —se preguntaba cáusticamente.

Seamos claros: La sociedad mexicana pudiente ve como seres inferiores a los indígenas, quienes no han podido superarse ni aun contando con la presencia permanente de un tutor, ¡qué tutor ni qué tutor!, de una nana que bien puede ser una nana idiota, una redomada estúpida como lo ha sido el gobierno. Silverio aclaraba la garganta o suspiraba durante estos episodios.

—¿No les dijo el otro día mi mamá a mis tías que se habían "cogido" a una de sus gatas?, papá. ¿Cómo es posible que alguien se exprese así de otro ser humano? —preguntó indignada mientras su padre negaba con la cabeza a punto de estallar en una carcajada. ¡Ay! Chila, Chila, nunca cambiarás...

"Ni son gatas ni indios ni nacos —decía con el rostro descompuesto. Si ya los grupos acomodados, la parte supuestamente más civilizada de México se expresa así de esos desgraciados muertos de hambre, imagínate el caso de los sectores reaccionarios como la iglesia o —iba a decir el propio gobierno donde tú trabajas pero se abstuvo por un sentimiento de afecto y respeto muy confuso y para evitar un desenlace que bien la hubiera podido obligar a utilizar argumentos que tenía retenidos a veces con clavos otras tantas con alfileres en su más profundo subconsciente.

"No, nosotros claro que no discriminamos al estilo norteamericano ni tenemos perros adiestrados para morder a la gente ni tenemos Ku Kux Klanes ni practicamos la segregación racial en camiones, escuelas y hospitales, claro que no, quien lo entienda dentro de ese contexto no habría entendido nada de lo que hemos dicho. No, por ahí no hay nada que hablar. Sólo que en México la división es natural, económica: los prietos viajan en burro o en mula, si acaso en camión, los blancos, en automóvil...

Josefa caminó unos instantes por la biblioteca sin dejar de hablar. De pronto se dirigió a las vitrinas donde reposaban Tezcatlipoca, Coyolxauhqui, Quetzalcóatl, y Huitzilopochtli entre otros tantos, además de urnas, pipas, ídolos y un sinnúmero de piezas de todas las épocas y civilizaciones que habían poblado Mesoamérica. Un agudo malestar revivió en ella. ¿Cómo había podido hacerse de semejante colección? Las cuentas pendientes con su padre no las había olvidado. Estaban ahí, insolutas, guardadas en su mente en espera del momento preciso que ella nunca deseaba enfrentar...

—Nosotros segregamos en silencio, excluimos veladamente, nos apartamos con suavidad sin ayudar a los indígenas ni elevarlos al nivel propio de la dignidad del hombre. No nos consideramos acreedores a ninguna responsabilidad porque a los indios no los sentimos parte de la familia, son distintos, extranjeros con los que no hay que mezclarse como si pertenecieran a un ghetto. Ellos que vivan apartados, desvinculados de nosotros. No queremos salir en la misma fotografía, como tampoco mi mamá quisiera salir en la misma foto con sus *gatas*, salvo que se tratara de un acto de caridad cristiana, ni comer como ellos comen ni donde ellos lo hacen ni vestirnos como ellos se visten ni hablar como ellos hablan. México no es así, no es como ellos, no generalicemos: que no nos retraten juntos, ¿verdad? ¡Muérete fotógrafo del infierno, fotógrafo de la historia! Déjame hacer astillas tu cámara para que no exhibas mis vergüenzas por el mundo. ¡Por favor, que no nos retraten juntos, que no somos iguales! Nunca lo fuimos ni lo seremos.

¡Cómo deseaba en ocasiones desahogarse y poder decir, gritar, pero claro, era su padre!: Tú y tu señor Presidente de la República, tú y tu señor secretario, señor ministro, tu señor subsecretario con nombres tan retumbantes, tanto boato y artificio para no ser sino unos vendedores de ilusiones, unos embusteros profesionales. Han mentido al campesino a través de la CNC, al obrero a través de la CTM y a la ciudadanía al ocultarle el verdadero destino de los fondos públicos y el auténtico resultado derivado del recuento de los votos electorales. ¿Por qué los indígenas y campesinos están igual o peor que durante el Porfiriato? ¡Qué manera de despedazar un país!, ¡mira cómo acabamos!, igual de ignorantes, igual de desnutridos, igual de olvidados, igual de miserables, igual de resignados, nada cambia ni ha cambiado ni parece que cambiará en la vida de estos desgraciados. Siguen viviendo en la vergüenza, engañados, confundidos y escépticos porque las promesas nunca se cumplen, los programas rara vez se ejecutan y si alguna vez se desenpolvan es para volver a leerlos en las campañas políticas pueblerinas, mientras a los campesinos los abandona hasta la esperanza cuando agitan obligados las banderas tricolores y el sombrero...

—¡Xocoyotzin! —gritó de repente Silverio cuando vio pasar a su caballerango de siempre, me has salvado la vida parecía decirle por el timbre de voz—. Ensíllame al Trigarante y tú llévate al Tirano al picadero —ordenó sin voltear a ver si su hija entendía la insinuación—. Tenlos listos en 15 minutos en el patio de Las Cariátides mientras me cambio —concluyó en tanto el capataz emprendía una carrera apretándose el sombrero con la mano derecha contra la cabeza.

—¿Por qué le dices Xocoyotzin a Carmelo? —preguntó intrigada La Corregidora al constatar la fuga de su padre.

—¡Ah! —repuso mientras ya abandonaba la biblioteca en busca de sus botas inglesas— es que antes corría a estos imbéciles a la primera tarugada que hacían y el nuevo que llegaba me salía mucho más bruto que el anterior —concluyó tratando de desahogarse por algún lado— hasta que me resigné a quedarme para siempre con Carmelo, pero eso sí, le cambio de nombre a cada nueva animalada que hace. ¿Cómo ves?, así al menos siento que tengo nuevo capataz —exclamó al perderse tras la puerta— en lo que va de la mañana ya le cambié a este subhumano seis veces de nombre y nada, todos son igual de bestias, ya no sabes ni a quién irle...

Belisario Cortines era diferente. Desde pequeño se había manifestado como un niño hermético, solitario y distante. La expresión de su rostro, precozmente ojeroso, y su pelo rubio, abundante y desordenado, respondía más bien al físico de un pequeño poeta: delgado, de complexión muy fina, enfermizo, eternamente pálido, apático y distraído. ¿Su mirada?, para quien supiera leerla, inspiraba una paz interior contagiosa, un vigor sorprendente que no lograba manifestarse, una generosidad cautiva, retenida. Su comportamiento retraído y confuso le impedía tener amigos y compañías. Si alguna afición tenía ese chiquillo, en efecto, era una marcada inclinación por la lectura: siempre se le encontraba leyendo, principalmente en su recámara, o bajo la sombra de su pirú favorito en el rancho durante los fines de semana, o a un lado de la alberca de su casa en la ciudad de México, entre clase y clase en la escuela, cenando casi siempre solo porque su padre estaba en el trabajo, su madre jugando con sus amigas a la canasta uruguaya y su hermana mayor, Josefa, peinando una y otra vez a las muñecas, lavándolas, vistiéndolas y desvistiéndolas o hablándole a sus ídolos y cambiándolos de sus improvisados templos para reducir o aumentar sus poderes, su magia y su hechizo. Solo, eternamente solo, igual desayunaba acompañado de algún cuento, porque Hercilia no se había levantado a esas horas de la madrugada en que abren las escuelas, o su padre no había llegado a dormir nuevamente porque una gira de última hora o una instrucción repentina para viajar a algún sitio le había impedido presentarse según sus planes, ya luego les explicaría, era la cantaleta que recitaba de memoria Margarita, la secretaria, para disculpar al señor subsecretario de sus deberes, o comía solo, invariablemente leyendo, al extremo de desesperar a sus propios padres, quienes le invitaban repetidamente a vivir su momento, a divertirse como los otros chamacos, a hacer amigos, a jugar en el jardín, para eso tenía su padre uno tan grande, a montar a caballo, para eso tenía su padre tantos y tan caros o que se fuera al cine, a fiestas, que se rompiera incluso los pantalones como los otros niños al recoger la colación durante las noches decembrinas en que se celebraban las posadas. Nunca lo lograron. Hercilia lo hubiera felicitado de haberlo visto llegar al menos una vez lloroso y preocupado sin poder explicar el estado desastroso de sus pantalones. ¡Al diablo con los pantalones! Hazlos pedazos Belisarito...

Con dificultad sabía andar en bicicleta, ya no hablemos de patinar ni de trepar a un árbol. ¿Atrapar una pelota, nadar o patear un balón? ¡Bah! Parecía más bien alérgico a la diversión y al ejercicio. Sólo ocasionalmente acompañaba a su madre a comprar el árbol de navidad, pero eso sí, no era capaz de colgar una sola esfera ni de sacar una triste vaca de su caja para ayudar a poner el nacimiento. ¡Jamás rompió una piñata!, es más, nunca se animó a tomar el palo de escoba para tratar de golpearla ni permitió que le vendaran los ojos ni mucho menos que le dieran vueltas para marearlo y desorientarlo. Desde pequeño quiso ser muy dueño de sí. Si su conducta se interpretaba como cobardía, timidez o apatía le era absolutamente igual, en ningún caso golpearía la cazuela ni permitiría burlas de ningún tipo si fallaba en el intento. Cuando se le pedía formar parte al lado de los peregrinos frente a la puerta principal de la residencia de los Cortines, él sabía muy bien cómo provocar a su madre para irse a leer desde el momento en que ponía cara de descomposición estomacal, se negaba a prender la vela y guardaba un irritante silencio mirando impaciente hacia el cielo estrellado en espera de la conclusión del santo suplicio mientras los invitados entonaban la odiosa letanía. Tanto se irritaba Hercilia con el comportamiento de Belisario que terminaba por jalonearlo furiosa hasta sacarlo del grupo:

—Eres odioso, escuincle, me pones con tus tías en ridículo, ni parece que yo te parí —exclamaba furiosa gritando en voz baja mientras lo tironeaba de una oreja hasta su recámara, donde, tras un fuerte portazo, lo abandonaba a su suerte: todo esto lo hacemos por ti, ingrato, mira nada más cómo nos pagas, sobre todo después del trabajo que le cuesta a tu padre darnos todo esto...

Belisario corría entonces a sacar el libro en turno, cerraba las ventanas para que ni los santos peregrinos ni el dale, dale, dale, ni letanía alguna pudieran distraerlo, y se evadía, se fugaba a un mundo maravilloso. Emprendía a diario viajes fantásticos, sus grandes travesuras, en donde nadie podía acompañarlo ni castigarlo ni descubrirlo. En un principio vivía disperso porque difícilmente podía digerir durante el día o en la escuela la cantidad de pasajes contenidos en un cuento leído la noche anterior. Vivía permanentemente ensimismado. No terminaba de entender cómo era posible que un príncipe pudiera despertar de un sueño eterno a una princesa con tan sólo besarla en los labios. ¿Qué tendrían sus labios? No cabía en su mente el hecho de sacar de la panza de un lobo a una persona viva ni de concebir la belleza del jardín de un gigante enemigo de los niños o el dolor de un ruiseñor que se encarnaba una espina en el pecho para abonar con su sangre el crecimiento de una rosa roja en pleno invierno, cuando ya veía los dibujos, las viñetas relativas a la vida de un rey, a la de un pescador o las de un tapete mágico o de una lámpara maravillosa que no lo dejaban volver a la realidad. Siempre se encontraba ausente, pensativo y callado, invariablemente callado. Su imaginación no le permitía desprenderse de los paisajes celestiales que él pintaba en su mente alucinada con todos los colores a su alcance ni de los caballos voladores ni de la lucha de poderes entre el bien y el mal, entre las hadas madrinas y las brujas maléficas envueltas siempre entre las luces, los vapores y los lamentos del infierno y las de las lejanas tinieblas sin origen ni fin.

A los cuentos siguieron las fábulas y los primeros libros de poesía. A la Sonatina de Rubén Darío debía su introducción en ese mundo encantado de fuga y apacible ensoñación:

Calla, calla princesa, dice el hada madrina,
que hacia acá se encamina,
el feliz caballero que te adora sin verte
y que viene de lejos vencedor de la muerte
a encenderte los labios con un beso de amor.

¿Quién pudiera escribir así? A partir de ese momento empezó a buscar rimas, a armar oraciones, a jugar con las palabras, a redactar en secreto sus primeras composiciones, a soñar con los poetas capaces de semejantes hazañas y proezas, a narrar, a sentir como ellos, a imitarlos tanto en su manera de escribir, si esto fuera posible, como en su manera de vivir. Bécquer no pudo impresionarlo más:

...pero mudo y absorto y de rodillas,
como se adora a Dios frente a un altar,
como yo te he querido,
desengáñate, así, no te querrán.

Sus ilusiones superaban cualquier realidad. Su capacidad de abstracción crecía con el tiempo. Empezó a construir en su soledad y con su imaginación un reino amurallado en donde sólo él podía ingresar. Un mundo aparte divorciado de su hogar y de sus padres, de los amigos y de la escuela, de los parientes y de los maestros. Un mundo de fantasia al que su madre lo proyectaba cuando azotaba furiosa la puerta. ¡Bendito portazo! Él divagaba entonces, retozaba, navegaba, emergía entre sonrisas, vértigos y pánico cuando se precipitaba en el vacío o en espacios inalcanzables e insospechados donde él era el amo y señor, el protagonista, el niño tembloroso que el gigante lograba finalmente tener en sus brazos o el genio que surgía del incienso y que podía conceder todos los deseos de quienes creyeran en él o la golondrina que retiraba los ojos convertidos en zafiros de la estatua de un príncipe instalada en el centro de una plaza medieval para entregarlos a los pobres y a los enfermos. Jamás confesaría sus pensamientos. Si ya tenía pasajes leídos y releídos en su peregrinar por los cuentos, y además ahora descubría el uso y la importancia de las palabras, ya tenía las tijeras, el papel y los colores, los elementos para trabajar, para construir, para idear y componer, los ingredientes de la felicidad, la riqueza de un mundo interior pleno, inofensivo e inagotable. No le faltaba nada: en su mente encontraba lo necesario para vivir. No dependía de nada ni de nadie. Sólo pedía soledad y silencio, una súplica inentendible para sus padres pero que él exigía lloroso a la menor oportunidad. ¿Estará loco un niño que quiere estar encerrado en su recámara todo el santo día? ¿Y la bicicleta? ¿Los patines y las pelotas? ¿Los primos? ¿Los árboles y las playas?

—¿Qué crees Chiquis, lo llevo con el obispo? —preguntaba confundida Hercilia a sus amigas.

A los libros de poesía vinieron los primeros de aventuras, luego los de historia y algunos de filosofía. Se aficionó más tarde por la novela —los cuentos de los adultos, llegó a comentar en alguna ocasión. El padre compensaba sus ausencias mediante la entrega de cantidades importantes de dinero. Su presupuesto para libros era entonces interminable. Poco a poco, día con día se iba perfilando la personalidad de Belisario Cortines. Optó por hacer y no discutir. Empezó a advertir las diferencias abismales que lo separaban de su padre pero la lectura le compensaba de cualquier malestar. Sonreía por dentro al sentirse inaccesible. Empezaron a llegar los clásicos griegos, llegó Cervantes, Shakespeare, Dante, Bacon, France, Zolá, Baudelaire, Flaubert, Pérez Galdós, Blasco Ibáñez, Shaw, Mann, García Lorca, Ibsen y todos los compañeros de un viaje que sería largo, muy largo, empezaban a acomodarse en una biblioteca que no tardaría en ser respetable y selecta. Se rodeaba de amigos inseparables. Los problemas pedestres adquirían otra dimensión. No merecían su atención. Es más, los despreciaba. Mejor, mucho mejor pensar en un río de leones, recrear un horizonte de perros, despertar unos pechos dormidos, escuchar el canto de la sangre o contemplar un diluvio de azucenas...

Silverio, por su parte, aceptaba las inclinaciones intelectuales de su hijo como un elemento formativo, si acaso decorativo y práctico para facilitar su acceso a la presidencia de la república, la meta obvia para cualquiera que tuviera el honor de llevar un apellido con la sonoridad, la musicalidad natural para captar la simpatía de la nación en el feliz evento de una campaña política. Ningún agente de seguros podría llamarse Cortines, ¿verdad? En latín clásico, Cortines era proa, la proa poderosa e indestructible de un barco rompehielos según un estudio de la evolución etimológica de la palabra, que Silverio había mandado hacer con unos expertos monjes tomistas que vivían en un monasterio en el norte de Italia. Un nombre impoluto como el mío, con una imagen minuciosamente cincelada, reconocida públicamente, acreedora de un sólido historial de mexicanidad, tenía todo para triunfar, incluso el *glamour* del que carece un García o un Fernández o un Pérez, por más prosapia que pudiera concurrir en esos apellidos vernáculos, ¿o no? Belisario no podía desaprovechar por ningún concepto una ventaja de semejantes proporciones, no se lo permitiría, era un pecado, un desperdicio inadmisible patear a la suerte en la boca, manosear a las santas musas que tan diligentemente habían acompañado a Silverio Cortines y Brambila a lo largo de toda su vida, siempre por los caminos del sol.

Desdeñar la aureola de Silverio, su halo, despreciar la obra de un elegido,

41

sustraerse a la inercia, al impulso creado por el jefe del clan, era tanto como ignorar la luz de la estrella de la familia, el puntual lucero vespertino que había alumbrado las rutas nocturnas en los momentos aciagos del ascenso al poder, a la cima donde llegan exclusivamente los triunfadores después de salvar uno a uno los obstáculos, las dificultades y la adversidad con una sonrisa, con un coraje oculto, con una ejemplar fortaleza digna de encomio, de imitación. El premio a la tenacidad, al esfuerzo, a la honradez, a la disciplina, a la lealtad y al compañerismo. ¿Quién se va a cortar toda esta fruta tan cara que yo he cosechado con trabajo e insomnio, paciencia y talento? ¿Nadie?, ¿te lo crees tú? ¿Crees que me he tragado lo que me he tragado a título gratuito?

Mira, ven. Aquí no se trata de que quieras. Mientras Papá esté a tu lado siempre serás muy pequeñito para escoger lo que más te conviene en la vida: harás lo que yo diga. De modo que sígueme, acompáñame, imítame: yo conozco las veredas secretas, los atajos. Sé salir como nadie del fondo de los laberintos, aun en las noches sin luna y sin ovillo; advierto la presencia de las trampas y percibo el peligro mucho antes de que se traduzca en amenaza para los míos. Déjame llevarte de la mano para mostrarte la síntesis final que justifica la existencia de los hombres, sí, sí, el poder, claro que el poder, la verdadera plenitud, el manantial de la felicidad, el auténtico camino de la realización reservado a los incansables buscadores de la verdad. Ven, ven, hijo mío, yo sabré poner la luz en tus manos y en tu cabeza. Te haré una corona con ella para que te distinga la historia y nuestro nombre se escriba siempre con nubes blancas impolutas a lo largo y ancho del hermoso cielo azul encendido de México.

Belisario Cortines tuvo que estudiar leyes para honrar el abolengo de la familia. Rehuía las discusiones: las consideraba inútiles. De acuerdo, ingresaría en la facultad de Derecho, pero en la tarde cursaría la carrera de historia, ¿a ti qué más te da? —fue el argumento demoledor con el que convenció a su padre. De sobra lo sabía él: en el fondo se saldría con la suya. Prefería la acción a la palabrería.

Belisario terminaría con dos especializaciones, una, desde luego, en Inglaterra; dos títulos, dos licenciaturas, probablemente dos doctorados, luego iría a Francia, a la Maestría en Administración Pública, y ¡ya está!, su formación académica sería impecable como incomparable su porvenir. ¿Quién podría con él?

Por si fuera poco, sería el primer presidente políglota en la historia de México. ¡Falso!, ¡mil veces falso!, aquello de que los presidentes no hablaban inglés en público por la misma razón que jamás se les vería en México con *smoking* ni *jaqué*, es decir, por no herir a la gente humilde del campo con conocimientos y actitudes burguesas. ¡Qué va!, ¡pamplinas!, no hablaban inglés porque no sabían, no lo dominaban y tenían miedo a la crítica, al humor negro de sus paisanos y a cualquier comparación o similitud con los malditos gringos... Complejos, puros complejos y más complejos. No iban a ser menos mexicanos por hablar inglés o francés. Al contrario, la gente los admiraría más porque se podrían medir con cualquiera en cualquier terreno. Qué lengua de Shakespeare ni qué lengua de Shakespeare; si los presidentes de México hablan inglés, entonces Pancho Villa, mi general Villa, el Centauro del Norte, pertenecía a la Sagrada Orden de las Carmelitas Descalzas...

Silverio aceptó gozoso la feliz condición establecida por su hijo. Nada podía halagar más su vanidad —después de la Sorbona, Harvard u Oxford —concluyó convencido —por lo pronto a una subsecretaría; un tiempo prudente más tarde a la secretaría misma y finalmente a Palacio Nacional, señores, al trono reservado nada menos que a los Cortines de hoy, mañana y siempre.

El poder político es un halo, un baño de luz ante el cual la gente se arrodilla. ¿Tú que prefieres, que se arrodillen ante ti o que te den una patada en el culo? ¡Escoge, hijo mío!...

¿Mujeres en la vida estudiantil de Belisario? Salvo una que otra trenzuda que en su vida había usado zapatos, como decía Silverio, en efecto, nada, ninguna era espectacular ni digna de llevar el apellido. Una Cortines es una Cortines, al menos debía ser una Cortines: No podrás esconderla en un hotel en Washington o dejarla en el automóvil. Tendrás que lucirla o sufrirla en tus viajes al exterior. Si te avergüenza estás muerto porque, lo quieras o no, habrá de acompañarte como tu propia sombra, Napoleón —exclamaba recurriendo a un viejo apodo cariñoso con el que se dirigía a su hijo de pequeño para empezar a acostumbrarlo a las grandes alturas, suprimir el vértigo y ensalzar las esperanzas que tenía puestas en él.

—El físico de tu mujer, hijo mío, hablará de ti mismo, te exhibirá, te delatará —le secreteaba al oído—: A Los Pinos, fíjate bien, no puede llegar una chancluda como las que has traído aquí, a la casa, a descubrir la comida caliente...

"No, no menosprecies a tus amigas ni te acostumbres a salir con alguna de ellas por hábito —le advirtió en una ocasión cuando al terminar de dar un paseo a caballo en los alrededores de Los Colorines caminaba todavía nervioso de un lado a otro de la sala golpeándose las botas con el fuete, poseído de una violencia inexplicable—. Desconfía, no hay enemigo pequeño, cuando menos te des cuenta puedes entramparte, enredarte irremediablemente.

"Cuando yo quiero echarme a la bolsa a algún banquero, político o periodista nacional o extranjero —concluía su exposición— trato de conocer de

43

inmediato a su mujer. Esa simple observación te permite descubrir la mitad de la personalidad de tu presa, adelantar un buen número de conclusiones. Escúchame, por lo que más quieras, todavía no nace el que te pueda aconsejar mejor que yo. Si ignoras mis comentarios puedes echar a perder tu carrera política, amadísimo hijo: ¿quién en México aceptaría, por ejemplo, a una primera dama gringa, por más rica que estuviera en carnes y en depósitos bancarios, Napito? *¿No querer comiter tú una eror tan terible, verdad?*

"Nunca pierdas de vista, Belisario querido, que cualquier mujer que tenga la fortuna de salir contigo deberá reunir forzosamente las calificaciones necesarias para ser la Primera Dama de la Nación. No pierdas el tiempo —insistió preso de una repentina angustia, como si fuera el último deseo de un condenado a muerte, mientras le acariciaba paternalmente la cabeza, que no se casara ¡por favor! con una señora a la que tuviera que enseñarle a usar la cuchara o pretendiera asistir a las reuniones oficiales con pantalones vaqueros y un libro de teoría marxista bajo el brazo. ¿Me lo prometes?

"Cuidado, ten cuidado con las decisiones irreversibles, hijo mío —sentenciaba agobiado—. Un divorcio en política es grave, son puntos en contra, revelan una incapacidad evidente para elegir a título personal, ya ni se diga cuando la decisión es a nivel nacional. Si ni siquiera pudo controlar a su esposa —dirán los perversos— menos, mucho menos podrá controlar ni dirigir un país, repetía devorado por la inquietud, mientras arropaba cariñosamente la última esperanza de su vida.

Las diferencias entre padre e hijo se manifestaban a simple vista con tan solo observar la personalidad de ambos, los universos tan apartados en que vivía el uno y el otro. Sus motivos, las fuentes de ilusión, de placer, de esperanza, sus propósitos, gustos y apetitos, sus inclinaciones, sus visiones del mundo, hábitos e intereses.

Varias veces al año Belisario encontraba el vestuario de invierno de su padre si estaba por entrar la primavera o el de verano si estaba próximo el otoño, todo dependía de la temporada y de la estación. De golpe aparecían sobre su cama, en el closet, colgados sobre la manija de las puertas, en el baño, en su vestidor o hasta en el suelo un buen número de camisas de seda de doble puño con las iniciales S.C. grabadas al lado superior izquierdo. El joven estudiante universitario podía haberlas usado sin problema alguno porque su nombre completo, así constaba en el Registro Civil y en la fe de bautismo —Hercilia lo había bautizado a escondidas— era Silverio Belisario, y si hubiera tenido otros hermanos igual hubieran podido usar las camisas paternas porque habrían sido llamados Silverio Benito, Silverio Venustiano, Silverio Lázaro, para que si uno de ellos llegaba a lanzarse a la campaña presidencial utilizara sólamente el de Silverio, sí, siempre Silverio, Silverio el único, el grande, el escogido por las musas para dejar una huella inolvidable en las doradas páginas de la historia política de México. No había espacio para equivocaciones cuando se hablaba de la inmortalidad. Silverio Cortines... ¡qué hermosas palabras!, ¡qué ritmo!, tarde o temprano alguien las escribiría con letras de oro sobre un gran muro de mármol negro, con la Constitución de Querétaro, aún sin oxidarse, abierta a sus pies en cualquiera de sus páginas...

¿Y la pobre Josefa? ¿No podría llamarse Silveria Josefa o Josefa Silveria o algo por el estilo? ¿Para qué?, ¿para la presidencia? ¡Vamos hombre!, las mujeres lo que deben hacer muy bien, y casi siempre les falla, es el pastel de manzana, o se les quema la pasta de hojaldre o se les agrie la crema batida. Dejémonos de cuentos, la política es demasiado seria como para dejarla en manos inestables, asustadizas, enamoradizas o frágiles. La reciedumbre, el temple, el coraje y el temperamento temerario de un soldado defensor de la patria no se encuentra en las maternidades ni entre comadres pintarrajeadas ni en el convento de Santa Clara. Además, cuando las mujeres piensan por lo general piensan en otra cosa...

Pero Belisario, un afortunado por tener el cuerpo de su padre, recibía además los sacos de pelo de camello, los del más fino casimir inglés, los de seda italiana, los de alpaca, los de lana gris Oxford, similares a los de los ejidatarios del Valle del Yaqui. Ni qué decir de los zapatos de gamuza suiza, beige oscura, escrupulosamente cepillada alrededor de su hermosa hebilla dorada, ¿sería realmente de oro? o de las botas inglesas. ¿Zapatos? ¡Qué vicio! Había de todas las marcas, colores y confecciones al igual que corbatas, esas sí con el mismo diseño, el mismo corte, una más conservadora que la otra, como si fueran parte de un uniforme del gobierno...

Al principio Belisario trató de colgar esa ropa tan fina por pudor y respeto, luego, mientras pudo, la guardó discretamente en cajas, pero era tal la cantidad que recibía trimestralmente que bien pronto pensó en la necesidad de empezar a regalarla, ¿pero a quién? Un traje de vez en cuando estaba bien, pero 10 o 15 o 20, y al trimestre ya era para poner un negocio, sobre todo con tanta corbata, chaleco, camisa y zapatos, ¡horror!, de verdad, cuántos zapatos... Pero carecía de la fibra del comerciante. Desde luego no destacaría por su ingenio mercantil: por sus venas no corría sangre fenicia. Era claro. Cuántas veces su madre había sacado a colación aquella anécdota, cuando aún siendo un niño de escasos 7 años, había regalado por la tarde una chamarra de piel de ternera suiza comprada en la mañana a un niño descalzo que se la había pedido así porque sí? Menudo castigo recibió el pobre Belisario al explicar semejante detalle que ya perfilaba las dimensiones de su generosidad.

—¿Y a quién se la diste?

—A un niño pobre que pasó frente a la casa.

—¿A un niño que pasó?... ¿Y qué te dijo?

—Que le diera un taco.

—¿Y tú qué le dijiste?

—Que no tenía y entonces me la pidió.

—Y tú qué hiciste?

—Se la di.

—¿Se la diste?... ¿Eso es todo lo que sabes decir?

—Sí, creí que él la necesitaba más que yo.

—Ya verás lo que vas a necesitar tú cuando me hagas 40 planas de castigo y aprendas a respetar el esfuerzo que hace tu padre por darnos todo lo que nos da. ¡Estúpido!

¿Pero asistir a la facultad de historia o a la de derecho con una indumentaria principesca? Un sentimiento de pena, de vergüenza le anunciaba el divorcio de su padre. Día a día se separaba más de él. Día a día quedaban al descubierto los mundos apartados en los que ambos existían. Día a día su proyecto de vida, las expectativas de ambos al enfrentarse chocaban entre sí. En el universo donde vivía Belisario, donde él daba rienda a suelta sus fantasías, los valores vigentes eran muy distintos. Su padre se asfixiaría. La tenencia de dinero, la exhibición de condecoraciones, galardones y medallas, las cartas credenciales y pergaminos al igual que las camisas de seda y los zapatos de gamuza café oscura con la hebilla dorada, no pasaban de ser meras frivolidades, intrascendentes, inútiles, huecas. ¿Para qué? No tenía sentido. Mejor, mucho mejor, vivir para adentro. Mejor, mucho mejor hacerse de un mundo propio, informarse, cultivarse y estudiar y estudiar. La verdadera riqueza era la intelectual. Prescindir del exhibicionismo para incursionar dentro de uno mismo, para descubrirse y conocerse lo más posible y lo más pronto posible. La vida era muy breve. No había ya tiempo que perder. El dinero y el poder inspiraban temor, la cultura en todo caso, respeto, el auténtico respeto, indispensable entre los hombres. Sólo mediante argumentos era posible abrir espacios en el seno de cualquier comunidad. Una imagen se perfilaba con pruebas, con hechos palpables demostrables empíricamente, en ningún caso con palabras. La retórica y la verborrea mordían rabiosas las puertas donde sesionaba una comunidad científica o artística. Un párrafo bien logrado, una pincelada bien dada o un acorde bien compuesto reportaban más satisfacción que una billetera saturada para comprar el todo y la nada. La indumentaria de los ponentes, la de los colegas, era irrelevante, intrascendente. El acaparamiento de bienes materiales resultaba incomprensible, como también lo era la ostentación de fuerza y de influencia. En esta aula te desnudas como un franciscano para hablar de tú a tú. En el interior de un laboratorio bastaba sólo una bata blanca. En una reunión de expertos sólo la toga y el birrete. Belisario no los hubiera cambiado ni por todos los cortes de vicuña del mundo, por más que ésta fuera de primerísima categoría. Dentro de un estudio, sólo tinta y papel, un violín o unos pinceles y unos óleos. Era todo. Los conocimientos no se adquirían con dinero ni se demostraban con la posesión de una impresionante biblioteca con miles de títulos apabullantes ni se acrecentaban por alguna recomendación o con diplomas nacionales o extranjeros. Con un traje no arribaría más rápido a una conclusión ni con un saco de pelo de camello se descubriría una nueva teoría. Para la ciencia, para el arte, para la literatura y la poesía, para la historia y sus caminos, todo ese ropaje no significaba sino banalidades, superficialidades con las que se pretendía enmascarar el verdadero rostro o esconder una terrible realidad, una doble personalidad como la del payaso que lleva una vida en el escenario y otra muy distinta cuando finalmente abandona la carpa y se sienta a conversar con nosotros: ¿éste era el payaso?... ¡Bah! ¡Se es tan feliz aceptándose uno mismo...!

Belisario fue conociendo de primera mano las dos caras, ¿las dos? las tres, las cuatro o las cuarenta caras con las que su padre se exhibía en sociedad. El tiempo, la edad, la madurez y la experiencia fueron retirando gradualmente los afeites, los maquillajes del rostro de Silverio, por más que él insistiera en usarlos y en usarlos cada vez con colores más llamativos para hacerse notar. ¡Aquí estoy!, véanme, ¡carajo!, parecía gritar según pasaban los años y se resbalaba sin poderse sujetar de las paredes internas de un pozo cubiertas con un musgo húmedo. Sus armas iban quedando al descubierto. Sus verdaderas realizaciones también. Su figura, ya sin la luz del halo que le había concedido generosamente la inocencia durante sus años infantiles o adolescentes, adquirió finalmente dimensiones humanas, tan reales como dolorosas. El arcón del tesoro estaba vacío. Alguien lo había saqueado. Le habían mentido, estafado, engañado. Esto estaba lleno, saturado de joyas y de secretos. No quiero ver esta caja sucia y abandonada. ¡Que se la lleven! ¡No quiero verla! ¡Que me traigan la que siempre me enseñaron!... Nunca llegó. Una sorpresa trajo de la mano a la otra. Se descubría una penosa realidad. En la universidad no sólo había adquirido conocimientos jurídicos o históricos o filosóficos. Además de Kelsen, de Homero, de Maquiavelo, de Vico, Spengler y Toynbee, de Anaxímenes y de Kant, había sabido por primera vez cómo era visto desde afuera por su círculo de amigos y conocidos. Aprendió a leer sus miradas, a interpretar sus silencios, a descifrar sus insinuaciones y a enfrentar una terrible realidad que le acompañaría toda su vida.

—¡Ay Cortinitos, cuánta lana se habrá clavado tu papacito!, ¿eh? —escuchó en una ocasión sin poderse defender pues las tijeras se abrían y cerraban incansablemente para privarlo de su cabellera castaña durante las novatadas de ingreso al primer centro académico del país.

A Belisario le tocaba desempeñar un papel que a él no le correspondía, defenderse de cargos de los que era totalmente inocente, recurrir a argumentos que negaba de cabo a rabo, usar una indumentaria ajena a su comportamiento y a sus convicciones, rechazar airadamente culpas, responsabilidades y agresiones imposibles de escuchar serena y resignadamente: era un Cortines y tenía que conducirse como tal. ¿O no era un Cortines? Si renunciaba a su identidad familiar, traicionaba a sus padres; si por contra la aceptaba, en ese caso se traicionaría él mismo. ¿Seremos unos vulgares bandidos vestidos de etiqueta?

Un sentimiento de nobleza se empezó a apoderar de Belisario. No podía traicionar a sus padres, a ellos les debía la vida, las posibilidades de estudio, los cuidados, las atenciones, los afectos. Yo también me llamo Cortines. Existían muchos elementos para sentir gratitud, y si no para sentirla, sí al menos para tratar al menos de exhibirla. Todo menos parecer un mal nacido, un mal agradecido hijo de mala madre. Decidió entonces pasar por encima de sí mismo, ignorarse, desconocerse, traicionarse una y mil veces, caminar de largo frente al espejo. Dejó de ser para servir una causa superior a sí mismo: la de sus padres, la de su familia. Se abandonó, renegó de sus voces internas, les pidió silencio, comprensión, tolerancia. Un debate íntimo, mudo, surgió violentamente dentro de él. Se libraba una batalla feroz en el interior de su hermoso castillo amurallado que él había construido a prueba de invasores, de intrusos y de sabotajes. Aquel remanso de paz celestial, su refugio dorado, el reino encantado donde lo que él tocaba se convertía en oro, el mundo de fantasías donde se enfrentaba, conversaba o convivía a diario con filósofos, historiadores y poetas y se combatía con argumentos, inteligencia y sensibilidad, el palacio de la bondad y del saber estalló un buen día por los aires, de golpe, así, sin previo aviso, seguido además por un pavoroso incendio que empezó a destruir aquel templo sagrado de reposo, recuperación y bienestar. Su intimidad más cara fue asaltada, azotada por unos gladiadores brutales que irrumpieron salivando, con los dedos crispados y las lenguas de fuego para raptar a las doncellas ingrávidas, a las frágiles bailarinas que interpretaban el baile de las mil máscaras que él antes podía cancelar o iniciar con tan sólo tronar los dedos. Las llamas devoraron entre chillidos de horror, chasquidos y gritos infernales uno a uno sus valores. La humareda le impidió conocer por lo pronto la magnitud de los daños. La confusión le cerró el paso a los caminos, a las vías de acceso para salvar al menos algo de lo que le era tan querido y tan necesario.

El ruido, las carreras agitadas, los atropellamientos, las voces de auxilio de sus pensamientos, los me muero de sus alegorías, los me quemo de sus mejores metáforas, el socorro exigido por sus fantasías infantiles, se los suplico, los llamados inútiles a la calma, la desesperación por toda respuesta, el terror, el pánico, el sálvese el que pueda y el caos impusieron finalmente su ley. Belisario abandonaba su mundo íntimo para complacer a terceros. Él mismo trató de detener a sus ideales frente a los gigantescos portones de la entrada real. Se interpuso pero lo ignoraron, lo desconocieron, algunos de ellos se atrevieron incluso a escupirle a la cara por no haber sabido defender ni custodiar un baluarte como el que él había llegado a poseer. Corran, fue lo último que alcanzó escuchar cuando lo empujaron de lado como a un estúpido bufón causante del incendio de la carpa. ¿Cuál castillo, palacio o templo del saber? Tú hiciste de esto una triste carpa, ¿lo has oído?, estúpido payaso, le dijeron los últimos pensamientos que abandonaron en tropel su sagrado recinto todavía con libros bajo el brazo, llevándose también los encuadernados en cuero rojo, sus preferidos, los que supuestamente nunca abandonaría, sus compañeros inseparables, sus amigos favoritos, así como pinceles, partituras, violines y muchos instrumentos musicales más. Nadie se llevó ni una triste tortilla. Ninguno fue a la cocina para hacerse de los víveres necesarios para llegar a un nuevo albergue. ¿Para qué la comida? Ni siquiera recogieron las joyas de las princesas creadas en su imaginación cuando era todavía un niño. Las coronas, los collares, las pulseras, los zafiros que la golondrina había retirado de los ojos del príncipe instalado en aquella plaza medieval de sus recuerdos se convirtieron en dos gotas de agua azul y se evaporaron de inmediato. Las pérdidas fueron totales. Las arcas se incineraron completas sin que nadie hubiera perdido su tiempo en rescatar un peso, ni un triste peso. ¿Para qué un peso? Esos quédatelos tú, le gritaron a la cara, tú sí los necesitarás. Donde nosotros vamos ni siquiera existen las monedas, tú lo sabes mejor que nosotros. Cambiaste los libros por las camisas de seda con las iniciales de papá, ¿las de papá? ¿Pero quién eres finalmente tú, Belisario? ¿Belisario Silverio o Silverio Belisario? Adiós lo que seas. Fuiste un mago, nos engañaste a todos. Felicidades. Ganaste y ganarás, nosotros no conocemos esos juegos ni queremos conocerlos. Eres un ruin. Un embustero. Cambiaste el mundo de las ideas por unas tristes monedas con las que habrás de hartarte en la nada.

De golpe empezaron a derrumbarse las torres más elevadas, los depósitos de sus mejores sueños. Las más altas sucumbieron al calcinarse sus cimientos junto con lo mejor de su imaginación. Los minaretes, sus ideales literarios, cayeron pesadamente al suelo después de haber apuntado orgullosos al cielo por tantos años. Las atalayas, orientadas a los cuatro puntos cardinales, a donde había elevado lo mejor de su poesía y desde donde Belisario trataba de adivinar su futuro en las tardes soleadas de verano o subía a meditar durante los castigos impuestos por su madre, se vinieron abajo todas de repente. El estruendo ocasionado por el desplome le retiró a Belisario el color del rostro para siempre. La traición en contra de sí mismo causaba efectos devastadores. Pero no quiso sucumbir. Los Cortines no sucumbimos ante nada ni ante nadie. Lloró su desgracia inconsolable sentado sobre una piedra como un general derrotado contempla el campo de batalla cubierto por los restos agónicos de su tropa envuelta por una tenue neblina que según se dispersa lentamente va revelando la verdadera dimensión del desastre. Una densa humareda se elevaba al infinito entre patéticos lamentos. La catástrofe fue total. Nada se pudo salvar. Su mundo fantástico parecía haber desaprecido para siempre.

Su ejército antes bien uniformado y optimista, las banderas ondeantes y altivas, su infantería invencible con las bayonetas en ristre, su artillería insuperable amenazando el horizonte para convertirlo en fuego instantes después, la caballería compuesta por blancos corceles, briosos y dispuestos al ataque, la feria de los colores y el llamado de los tambores, de las cornetas y de los clarines se convirtió horas más tarde en un cementerio abierto donde el delirio de los moribundos y los ayes de los heridos, los andrajos y las bestias muertas con el vientre estallado por la metralla, las banderas rotas y ensangrentadas pintaron un panorama dantesco, una calma infernal, que ya anticipaba el futuro de Belisario Cortines, la magnitud de su desolación, el precio de la traición de sí mismo. ¡Qué desplome de las esperanzas! ¡Cuántas aves heridas de muerte se precipitaron al suelo de un solo tiro! ¡Qué tragedia!

En aquellos momentos Belisario no comprendió la magnitud del daño ni la gravedad de las heridas. Ni siquiera lo intuyó cuando encontró muerto a uno de sus trovadores, el futuro narrador en sus novelas, con una expresión macabra en el rostro, tirado a un lado del talúd hecho astillas. Prefirió voltear al infinito y defender como un buen soldado el nombre de la familia.

Continuó sus carreras de historia y derecho hundido en el hermetismo de siempre. Nadie podía hurgar en su interior. Menos ahora que nunca. ¿Asomarse a ver los restos calcinados de un cadáver, de un escritor en ciernes, de un hombre o de una pequeña civilización de la que nunca nadie había tenido noticia? ¡Ni hablar! A estudiar y a trabajar. A acomodarse en la trinchera de los Cortines, oliera como oliera. ¿A tragar veneno? ¡A tragarlo! Al fin y al cabo me lo administra mi padre. Él me quiere, sabrá lo que hace. ¡Quiero una corona! La luz, pónganme la luz en mis manos. Cúbranme los ojos con una banda espesa de terciopelo negro, la más negra que encuentren. La mente puede esperar. No quiero ver nada. Me dejaré conducir. Ropa, saquen la ropa de mis armarios, dispónganla para que yo pueda escogerla a diario. Un valet, quiero un valet para que me vista y me muestre mis relojes para que yo use el más adecuado según mis estados de ánimo. Un chofer para que me saque el coche de la semana. Mancuernas, dame mis mancuernas, las de diamantes. No te pedí esas, ¡animal! Ya les enseñaré a todos a respetar a un Cortines. ¿Querían prender una mecha? Pues ya la prendieron, aténganse a las consecuencias, imbéciles, ahora conocerán la fortaleza y la dureza de nuestro puño: Yo no soy ningún traidor, defiendo lo mío, mi medio, a mi padre y a mi madre. No soy ningún descastado por estar de su lado, por asumir el papel al que me llama la sangre, al que me convoca el corazón. Blasfemias y sólo blasfemias, las que me piden renunciar a lo mío, a lo que me ha rodeado durante mi existencia. Las voces internas son las voces del mal. He de acabar con ellas, silenciarlas de una buena vez por todas y para siempre. No son voces de mi conciencia, son las demoníacas, las infernales. Todos tenemos voces buenas y malas en nuestro interior, ¿no? Bueno, pues de mí se habían apropiado las del mal. Vayan a la mierda. ¡Ahora seré yo! He vivido traicionado, negado, cuando en realidad siempre he querido ser como mi padre, mi máxima aspiración...

¿Pero crees que tu padre ha logrado amasar la fortuna que tiene solamente con su sueldo de burócrata? No seas iluso. Ni ahorrando todo el dinero ni sumando todos los ingresos legales obtenidos como empleado del gobierno por más puestos que haya ocupado en su carrera sin gastar un quinto, podría soñar en tener el patrimonio que tiene y que ya lo quisieran muchísimos hombres de empresa que han dedicado su vida entera no al servicio público sino al acaparamiento de bienes y de riqueza. ¡Vamos hombre! Tú lo sabías, ¡claro que lo sabías!, pero preferiste estudiar las teorías filosóficas del existencialismo francés a enfrentar la vergüenza de tu familia. Enfréntala como hombre. Grítatelo a la cara: Eres igual a tu padre. Tan culpable es el que roba como el que encubre, tolera y disfruta el botín y el producto del hurto. No hay excusa, te hiciste de la vista gorda porque te convenía semejante bienestar con independencia de su origen. Se estaba tan bien así, ¿verdad? Para qué complicarse la vida y tener que tomar a Papá de las solapas para gritarle su precio a la cara. Eres igual, Belisario, no te engañes ni te pongas una toga encima del traje de etiqueta robado. Has compartido el fraude, has llevado un apellido manchado y no te ha importado, lo has consentido, te has embarrado. Fea palabra, ¿no es así? Bueno, pues aquí te va una expresión más suave para que te haga sentir mejor: Te has hundido en la mierda y no te has quejado.

Envidia, envidia, te mueve la envidia, tan pronto sientas la caricia de la seda en tus carnes invitarás a la reflexión y cambiará tu tono y tu actitud insolentes. Ten lo que yo tengo y aprenderás a callarte, parecía responder Belisario.

Los seres humanos —continuaron sus voces implacables— han buscado siempre una explicación cómoda para ocultar la verdad y evitar el malestar. A la puta no le gusta que la llamen así, con tanta aspereza y brusquedad; después de todo cumple con una función social desde que comenzó la historia. Llámala tal vez casquivana, mujer de la vida alegre, galante y feliz, pero no puta, por Dios, ¿qué manera de hablar es esa? Como ves, Belisario, se recurre al engaño para escapar de uno mismo y no confrontar una realidad ingrata y frustrante. Es más fácil y cómodo darse una maquilladita, recurrir a adjetivos menos ásperos, menos descriptivos, que encuerarse uno frente al espejo, así, sin más, con arrojo y valentía para estar en posibilidad de reparar el daño inmediatamente. Engáñate tú mismo y te extraviarás irremediablemente. No creas que por agredirme te purificas. No por juzgarme te exhoneras. No por atacarme te liberas. Sólo lograrás distraer tu atención y confundirte una vez más. Tú eres lo que eres con independencia de lo que yo sea y en ese caso eres un bandido que solapas los hurtos de tu padre. Eso es lo que eres, ¿fui claro?

"En efecto, si —continuó su conciencia sin replicar— los mexicanos también llamamos negocios a las actividades fraudulentas de los políticos, a la coacción, al chantaje, al fraude, al peculado más flagrante, es un mero problema de semántica... ¿Te das cuenta? Los hombres como Silverio Cortines son un subproducto de nuestro medio social, sólo aquí pueden desarrollarse y crecer estas especies pintorescas. En otros países se darán otros fenómenos de inferior, igual o mayor calidad, si el ambiente es otro. En nuestra atmósfera por lo pronto proliferan estos especímenes que por ningún concepto podrían darse en otras latitudes, de la misma manera que el alacrán es de tierra caliente y los pingüinos de clima frío. ¿De dónde salen los gusanos cuando la carne se descompone? ¿No es cierto que se dieron las condiciones necesarias de degradación en los tejidos para su aparición? Pues bien, aceptado ese presupuesto, hombres como tu padre se dan por las mismas razones, las condiciones sociales son favorables para su surgimiento y aparecen para devorar los restos de un organismo en franco estado de descomposición. ¿Por qué las aves de rapiña no sobrevuelan a un animal vivo? ¿Por qué? Pues porque no despide los hedores ni arroja las señales que atraen a estas bestias que se solazan con la carroña. ¿Lo entiendes, muchacho? Los Silverios Cortines aparecen por las mismas razones que aparecen los gusanos, son un subproducto del medio ambiente...

¿Sabes por qué tu padre es recibido con todos los honores en el seno de algunas familias mexicanas? Muy sencillo: quien lo recibe es igual que él, de otra manera en lugar de darle vinos espumosos, consentirlo y avalarlo dentro de nuestra sociedad, se le debería detener, aprehender judicialmente durante el agasajo para enviarlo sin más trámite a prisión, a la cárcel, para tratar de ser congruentes con nuestras quejas y lamentos respecto a la inexistencia de la justicia mexicana, cuando la misma sociedad, nuestra sociedad, es la primera en impedir que se aplique la ley por estar involucrada ella misma en negocios inconfesables que por un lado lamenta pero por el otro aplaude. En México sólo condena la corrupción quien no puede disfrutarla...

No muchacho, no, no hay culpas absolutas. Los bandidos roban y seguirán robando porque tienen garantizada la impunidad jurídica y política, la familiar y la social. La corrupción no es de un órgano, es del cuerpo en su totalidad. Por esa razón no hemos acabado con ella, porque a nadie le conviene que esta inmoral borrachera nacional concluya, ya que todos lucran con ella a su manera. Los hijos como tú son beneficiarios directos, igualmente culpables porque conocen o suponen el origen ilícito de su bienestar y sin embargo, impiden a cualquier precio que alguien o algo les eche a perder el feliz momento de la abundancia. Ustedes son los primeros defensores del patrimonio familiar. Los primeros en no hacer preguntas comprometedoras y en aceptar dócilmente los hechos, la feliz realidad. Las personas como ustedes han convertido a la familia mexicana en una vulgar pandilla. En pandillas, sí, en eso se han convertido muchas de las familias de políticos desde la revolución hasta nuestros días, en vulgares pandillas. Por esa razón la corrupción nunca se erradicará de México, Belisario, porque el mismísimo núcleo de sociedad, como sin duda lo es la familia, está integrado por cómplices del delito de peculado que disfrutaban el producto de hurto sin la menor culpa ni carga moral.

Las esposas, lo saben o lo intuyen y son igualmente cómplices desde el momento en que vieron ascender a sus maridos desde la pobreza o al menos desde la escasez y ahora sin explicación alguna reciben tarjetas internacionales sin límite de crédito para hacer sus compras en el extranjero o viajan en aviones privados o disfrutan las casas de fines de semana o las de verano o los ranchos sin extrañarse ni atreverse a cuestionar tampoco el origen de semejante riqueza tan repentina y gratificante.

Si el sistema no hace nada con los estafadores de los ahorros públicos entonces nosotros, el pueblo, al menos no les hablemos, no les abramos la puerta, no les demos de comer ni de beber, rechacemos sus invitaciones, excluyámolos de nuestra comunidad, apartémonos de ellos como si fueran enfermos peligrosamente contagiosos, escupámoles a la cara, salgamos de los lugares donde coincidamos, condenemos a quien los haya invitado, despreciemos a quien se haya atrevido a hacerlo, hagamos nosotros mismos un pacto social contra ellos, ignoremos a los delincuentes, a los defraudadores, démoles la espalda, tratémolos como si fueran invasores gringos, aun cuando de sobra sabemos que en casos aislados, ahora sí muy concretos continuarían los festejos de la desvergüenza.

¿No te acuerdas que en Monterrey se sirvieron cenas en honor de Zachary Taylor, el comandante del ejército invasor norteamericano en 1847? ¿Se te olvida que a Winfield Scott le obsequiaron ambigús a su paso por Veracruz, Puebla y en la propia Ciudad de México, tanto durante la guerra contra Estados Unidos como a su conclusión? ¿Has perdido de vista que el propio Scott se alojó en casas propiedad del arzobispado mexicano en Tacubaya para que tuviera en México una estancia confortable? ¿Cómo es posible que seamos benévolos y gentiles anfitriones con los grandes enemigos de México? Nunca dejes de tomar en cuenta que los reyes aztecas en lugar de encajarles en el cuello sus agudos cuchillos de obsidiana a los conquistadores, todavía les obsequiaron sus mujeres vestidas con collares de oro y plata y sus penachos multicolores decorados con todo tipo de plumas de aves tropicales colocadas artísticamente. ¿Qué manera tan particular de tratar a nuestros invasores, no?

Mientras no se le llame puta a la puta, ladrón al ladrón y robo y peculado a los negocios de los políticos y las puertas de la familia mexicana sigan abiertas para recibir con todos los honores a los bandidos en lugar de denunciarlos, no sólo se carecerá de derecho a la querella sino que el cáncer acabará un día con todos nosotros.

Tú, Belisario, tú, contéstame: ¿rechazarías tu derecho a la herencia si te demostráramos que el patrimonio repentino de tu padre responde al ilícito, a los trafiques más descarados, a estafas conocidas, a trampas evidentes y a un comportamiento ilegal además de ostensiblemente cínico? ¿Renunciaría tu madre? ¿Donaría sus bienes a la caridad, a la iglesia que tanto ama, a los niños desamparados, si supiera que su patrimonio completo es producto evidente de un hurto cínico y que dichos bienes pertenecen desde luego a la nación en su totalidad? ¿No sabrá doña Hercilia que no debe practicar la caridad con bienes ajenos? ¿Tus tíos cederían al Estado sus empresas, sonrojados por la vergüenza? ¿Los socios de tu padre, todos ellos depositarían sus utilidades en la Secretaría de Hacienda convencidos finalmente de su error y de su enriquecimiento ilegítimo? ¿Tú qué crees? Tú, tu madre, tu hermana aunque no cuente, tus tíos, amigos y socios, ¿devolverían sus ganancias o sus bienes mal hallados? ¿Los devolverían?¿Los devolverías, Belisario querido? Con la mano en el corazón, si todavía tienes, ¿los devolverías? ¡Di la verdad! Contéstate tú mismo, a mí ya ni me respondas...

Por supuesto que sí, tronó desde su interior. Yo no soy cómplice de nadie...

Belisario Cortines Bonilla por toda respuesta optó por la fuga imprimiendo un sello y un gran coraje en sus estudios. ¿Ignorar la realidad? Su personalidad experimentaba un giro radical, un viraje sensacional, salía del ensimismamiento, de la soledad, se desprendía de la timidez, dejaba de ser el muchacho retraído y distante para convertirse de golpe en un entusiasta promotor de grupos y de ideas. Se anotó como candidato por la plantilla azul para ser Presidente de la Sociedad de Alumnos de su generación.

Su hijo, su único hijo varón, el que llevaba su nombre, Silverio Belisario Cortines, finalmente se había decidido a seguir sus pasos. La bruma se disipaba, la visión del futuro empezaba a ser más clara, los caminos se despejaban, se escogía una ruta, una meta, un objetivo evidente e indiscutible. El amanecer llegaba a su vida con una cálida sensación de paz. Las huidizas sombras nocturnas, los fantasmas del insomnio escapaban perseguidos y latigueados por fulgurantes haces de luz. Un tapete confeccionado con pétalos de rosa color blanco cuidadosamente seleccionados le invitaba a iniciar una marcha jubilosa rumbo a las estrellas.

Belisario comenzaba a mostrar cualidades de líder antes escondidas en la última capa de su temperamento. Desplegaba una ejemplar energía, absorbía información, se hacía de fuerzas, tomaba distancia, medía cautelosamente los obstáculos, evaluaba sus capacidades como si se prepara para dar un salto espectacular, el gran momento de su vida. Ya no quería vivir de fantasías, ahora iría en busca de realidades, a materializar el sueño dorado de la familia Cortines, a hacer de la existencia de los perversos envidiosos un mundo insoportable, a terminar de un plumazo con las competencias, pues a donde él llegaría ya no habría competencias ni rivalidades, todos inclinarían respetuosamente la cabeza, la humillarían, igual amigos que enemigos rendidos ante su poder avasallador, aplastante, demoledor. A dar una muestra de buen gobierno, a reestructurar el país, a encaminarlo por la senda del crecimiento armónico, a revivirlo, a revitalizarlo, a generar mejor la riqueza y a distribuirla. Igual estudiaba el derecho de asilo que se cuestionaba la eficacia de un orden internacional en ausencia de un verdugo que pudiera imponer coactivamente una norma aun en contra de la voluntad política de las grandes superpotencias a pesar de contar en sus arsenales con armamentos nucleares capaces de destruir la tierra un millón de veces.

Se abría paso, se ganaba un lugar. El interés repentino por los destinos de la vida nacional ocupaba la mayor parte de su atención y de su tiempo. Empezó a intervenir en mesas redondas, en seminarios, sesiones académicas. Participaba en cuanta oportunidad se le presentaba. Sus ponencias bien pronto llegaron a ser reclamadas por la prensa escrita. Su figura crecía. Mientras tanto y sin comentárselo a nadie empezó a preparar una bomba de manufactura casera de extraordinario poder explosivo. Estructuraba un libro, su primer libro, un minucioso estudio comparativo: *La Imparti-*

ción de *Justicia en México y en Estados Unidos. Un Abismo Entre Dos Mundos. Orígenes y consecuencias*. Intentaba buscar en el sistema judicial explicaciones válidas para demostrar las razones del desarrollo acelerado de Estados Unidos, así como una de las causas adicionales del postrante subdesarrollo mexicano. El reflejo económico de la división de poderes en Estados Unidos. Otro trabajo más: *La Democracia: Marco Inevitable para el Desarrollo*. La combinación de sus conocimientos como historiador y como abogado poco a poco se convirtieron en instrumentos imprescindibles de trabajo. Efectivamente adquirían la forma de un puño demoledor, un arma digna del más escrupuloso respeto.

Tiempo después de su graduación y de una breve práctica profesional, le fue ofrecida una subdirección en la Secretaría de Relaciones Exteriores. Silverio lo animó, lo presionó sutil y abiertamente, lo manipuló hábilmente, le razonó detenidamente la importancia de la aplicación de los conocimientos, de convertir la teoría en práctica, de ejecutar en la vida real los ideales personales a nivel nacional, constituirse en un verdadero agente de cambio, poderoso, útil, digno e imprescindible para sumarse al rescate del país.

—Gente como tú es la que necesitamos, con tu preparación y tu inteligencia, tu soltura y confianza para no dejarse intimidar en ningún foro de ningún tipo, nacional o internacional.

—¿Para qué quieres ser un sabio si nunca utlizarás tus conocimientos ni sabrás para qué sirven, Napo, Napito, hijo de mi vida y de mis esperanzas?

Belisario accedió. Si ese era el precio para ser aceptado familiarmente lo pagaría, sí, lo pagaría, pero por favor, quiéranme, pero quiéranme de corazón. Me someteré, pero véanme, admírenme, sirvo para algo y formo parte de lo que algún día será una verdadera dinastía de poderosos políticos mexicanos. Haré lo que sea, me humillaré si es preciso, pero quiero que se sientan orgullosos de mí. No podría vivir sin reconocimiento. Belisario Cortines ingresó en el gobierno, en la Secretaría de Relaciones Exteriores. Ahora estaba en la ruta correcta, en el camino marcado, lanzado a su destino, a la conquista de los tiempos y de la felicidad...

Hercilia Bonilla también tenía su encanto, un encanto que bien podía matar de risa a Silverio si estaban en privado o de rabia si estaban en público. ¡Imagínese usted! En una ocasión, acompañada por La Decana, doña Chole, Lupis y Tachis, sus tres comadres favoritas, fueron a inscribirse en el PUP como socias honorarias y cuando a Hercilia le dieron su credencial vitalicia, no se le ocurrió otra cosa que solicitar una adicional para su marido, Silverio Cortines y Brambila, Subsecretario de Asuntos Agropecuarios encargado del despacho, a lo que la dependiente le contestó de inmediato como si hubiera estado esperando semejante solicitud, que si ella ya era socia de por vida, por esa simple razón, su marido quedaba registrado automáticamente por el mismo período. Silverio Cortines miembro del PUP y de por vida. ¡Y si lo llegaba a saber el Presidente...!

Lo mejor vino cuando un día Hercilia se atrevió a contar en público dicha anécdota, que Silverio había llegado a saber bajo las colchas, en el más absoluto secreto, supuestamente amparado en la intimidad matrimonial. En esa ocasión Cortines, sin sentirse visto, creyó enloquecer de las carcajadas. Con que ella se inscribiera, él quedaría automáticamente registrado. ¡Qué gracia! ¡Ay, Dios!, el sentido del humor de los mexicanos nos hacía indestructibles y nos ayudaba a soportar todas las calamidades. El día que lo perdiéramos estaríamos muertos, irremediablemente muertos. Un pueblo que no se sabía reír se amargaba y los mexicanos nos sabíamos reír de nosotros mismos a mandíbula batiente. Ahí radicaba parte de nuestra fortaleza. Sí, claro que sí, pero no era como para que Hercilia le contara precisamente a la esposa del embajador inglés, *of all people*, la anécdota del PUP durante una cena de gala a la que asistieron en representación del señor Secretario de Agricultura y su señora esposa, vestidos de rigurosa etiqueta, él de frac y cola de golondrina, mancuernas y botonadura confeccionada de ojo de tigre, hermosas piezas que hacían juego con el reloj de pulso, un prodigio más de la ingeniería suiza, y ella con un traje largo escotado en V, color gris perla y una estola blanca de armiño, un collar de esmeraldas y brillantes sólo para lucirlo en ocasiones tan distinguidas y selectas —Silverio lo devolvería a primera hora la mañana siguiente a la misma caja de seguridad del banco, de donde lo había retirado por la tarde antes de despertarle tentación alguna a su mujer— como sin ningún género de dudas lo era la celebración del aniversario del nacimiento de su Majestad la Reina Isabel II de la Gran Bretaña, precisamente en la misma sede de la elegante representación diplomática.

Aquella noche, si bien sobradamente exitosa en experiencias humorísticas, no lo fue en la evaluación de sus resultados finales donde la buena fortuna decidió brillar por su ausencia, según se menciona a continuación:

Silverio Cortines, excepcional maestro en el arte del disimulo, un experto en el ocultamiento de emociones, escasamente logró controlar sus músculos faciales ni proyectar el menor sentimiento de malestar en sus mirada cuando el embajador inglés, el propio Jefe de la Misión Británica lo descubrió en el momento mismo en que el señor subsecretario trataba de embolsarse, "como recuerdo", un pequeño cuchillo de oro que estaba colocado a un lado de las copas de *Baccarat*, un objeto decorativo, precioso por cierto, uno de los grandes orgullos de Lord Mc.Vaullinwaugh, la única herencia de uno de sus antepasados, un vizconde del siglo XVII. El embajador hacía que colocaran solemnemente dos piezas similares sobre la mesa, una frente a él y la otra a un lado del Decano del Cuerpo Diplomático acreditado en México para honrar la presencia.

Las piezas, talladas a mano con leyendas en latín, llamaron poderosamente la atención de la concurrencia y circularon varias veces por la mesa para la contemplación y deleite de los invitados. Silverio Cortines las admiró una y otra vez con mucha más atención que el resto de los convidados. Sí que eran hermosas. Él también coleccionaba abrecartas, de hecho abría su correspondencia en la secretaría con una vértebra de mamut hembra del Pleistoceno, o con uno de plata que había pertenecido a Kant o con otro de obsidiana del preclásico mesoamericano. Eso sí, no contaba con uno inglés del siglo XVII y sintió que jamás lo tendría si no se las ingeniaba esa misma noche...

El diplomático, feroz defensor del patrimonio de sus antepasados, amante devoto del arte inglés, destacado mecenas en el archipiélago británico y profundo conocedor de las tendencias e inclinaciones de ciertos "coleccionistas", no dejó de revisar siempre de reojo la existencia de sus amuletos —como decía llamarles— sobre la mesa. Podría atender una conversación, participar activamente en ella, reír, cuestionar, refutar y aceptar pero siempre leyendo las intenciones de sus comensales, adivinando sus propósitos, adelantándose a ellos. Que si tenía experiencia en los actos de magia. Había visto desaparecer tantos objetos de su vista...

Silverio empezó a jugar con el abrecartas a la hora del café, cuando ya nadie deseba tenerlo en sus manos ni echarle una ojeada. El asunto estaba concluido. La atención dispersa. Supo esperar. Un político que no sabía esperar ni era político ni era nada. Cuando ya había dirigido unas palabras el señor embajador inglés y se levantaba el Decano para agradecer el convivio, aprovechó el señor subsecretario la oportunidad para dejar caer involuntariamente el hermoso abrecartas al piso. El embajador no perdía detalle de la escena pero no podía, por elemental consideración y elegancia, interrumpir las palabras del representante del Cuerpo Diplomático. También sabría esperar, aunque, justo es decirlo, empezaba a acusar un pequeño dolor en la parte más baja del escroto. Silverio había tirado al suelo previamente una cuchara de café y para hacer sentir que recogía algo, la puso sobre la mesa guardándose hábilmente en otro momento la obra de arte, el orgullo del anfitrión diplomático en la bolsa derecha de su frac. A su juicio nadie lo había visto. Eran tantos los invitados que a saber quién había sido el culpable, el victimario de la felicidad, de la salud, de las ilusiones de McVaullinwaugh. A partir de entonces, hombre acabado, en pena, un fantasma desprovisto de su fetiche, de su mascota, de su querido abracadabra que ahora llenaría de alegría otros hogares. El diplomático debía resignarse a aceptar todo género de males, enfermedades y calamidades.

Nadie había observado la maniobra de Cortines salvo el directamente interesado, el afectado que constató con su mirada de lince cómo su insustituible amuleto iba a dar al bolsillo del distinguido representante mexicano. Vinieron los aplausos tan pronto el Decano concluyó su engolado discurso. Los comensales se pusieron de pie para brindar por la larga vida de Su Majestad la Reina. Elevaron al unísono sus finas copas labradas en vidrio con filo igualmente de oro apuntando hacia un hermoso candil de mil brillantes que iluminaba estupendamente el comedor y fue ahí, después del brindis, en el preciso momento en que parecía empezar a dispersarse la reunión para tomar el té en cualquiera otra estancia de la residencia, cuando el embajador llamó la atención de los asistentes para anunciarles un acto de magia a modo de despedida:

—Señoras y señores —les dijo con el rostro enrojecido por el efecto del alcohol— ¿ver ustedes *éstou cuchillou*? —y levantó a la vista de la concurrencia el otro de los abrecartas—, ¿lo *ver* bien? —preguntó asegurándose la atención de todos.

—Sí —contestaron los comensales risueños esperando una broma sajona tan común y corriente para clausurar los eventos sociales, mientras algo le anunciaba a Silverio el advenimiento del desastre; sin embargo ya era tarde para cualquier reacción. Además qué tal que si su olfato le engañaba. Siguió entonces la broma sumándose a la algarabía de los invitados, uno más de los que estaban dispuestos a pasar un buen rato de flema inglesa. Sonrió y sonrió en espera del desenlace, un desenlace evidentemente grato del que no había nada que temer. Hasta le guiñó el ojo a Hercilia que esperaba igualmente atenta un comentario feliz o algo chusco para contárselo a sus comadres de canasta uruguaya.

McVaullinwaugh continuó con el truco. —Si lo haber *vistou* bien, ahora voy demostrar cómo ser capaz de guardar *estou cuchillou* en mi bolsa y *aparecerlou* en la de mi amigo Cortines, amigous.

Silverio sintió que le perforaban la tráquea con un cuchillo cebollero. No podía ponerse serio. Debía sonreir en todo caso. Prestarse a la broma encantado como quien no tiene nada qué ocultar. ¡Qué simpático era el señor embajador! —¿En qué bolsa? —todavía se atrevió a preguntar sintiendo que en cualquier momento se precipitaría al piso. La fuerza le traicionaba. Imposible tenerse en pie un momento más.

—¡Ouh!, yes, en la derecha, en la *boulsa* derecha de su *traji* —respondió el diplomático antes de sacar el conejo de la chistera.

Silverio no tuvo más remedio que meter la mano a donde le habían indicado y mostrar sorpresa en tanto sacaba el abrecartas hijo de puta y lo mostraba con el orgullo del matador que exhibe los apéndices del toro a la concurrencia que empezó a abandonar el salón entre felices comentarios mientras el embajador extendía la diestra para guardar celosamente sus adorados amuletos ahora bajo siete combinaciones en bóvedas de seguridad.

Mc.Vaullinwaugh dispensó un cálido golpe en la espalda a Cortines para decirle: —¿No *ser* yo un gran mago, señor *subsecretariou*?

—Ni hablar —contestó Silverio con tal temperatura en el rostro que amenazaba con hacérselo estallar en cualquier descuido. Las brujas de la inquisición no estaban mejor que él cuando las conducían a la pira de leña verde. Le faltarían días para borrar de su mente un momento tan ingrato del que sólo Mc.Vaullinwaugh y él conocían la más absoluta verdad.

También la señora esposa del embajador inglés saboreaba con verdadero deleite la gracia de los mexicanos. Su abuela, por una de esas extrañas jugadas del destino, había sido yucateca, casada con el cónsul inglés en Mérida y de ella había aprendido entre otros valores su amor a lo mexicano, a su cultura, a su comida y desde luego su concepto de la diversión y de la vida. ¡Cuánto le debía ella a su abuela, cuánto!

Ambas mujeres habían trabado una amistad que sorprendía y ruborizaba por diferentes razones a los respectivos maridos: las unía el mismo sentido del humor, un poderoso vínculo. Se frecuentaban poco en realidad, pero cuando coincidían en algún sitio se apartaban del grupo para conversar y reír, intercambiando pasajes, cuentos y anécdotas, pero nunca nadie las había oído reír tan escandalosamente como lo hicieron la noche de tan distinguida recepción en que además pudieron remojar sus comentarios una y otra vez con Martinis preparados con ginebra Tanqueray, la más seca, la favorita de la señora embajadora, servidos con aceitunas rellenas con anchoas. ¡Qué manera de gozar una compañía! Ya no sólo Silverio y el propio embajador inglés volteaban ocasionalmente molestos por las risotadas que soltaban sus cónyuges sin el menor recato, amenazando incluso varias veces con caerse de las sillas doradas Chippendale tapizadas con motivos wagnerianos, no, no sólo ellos, también la gente exquisitamente vestida giraba escandalizada para contemplar tan grotesco espectáculo, pero la verdad sea dicha, había motivos sobrados para reír y para reír de verdad, sin posibilidades de tenerse de pie ni permanecer siquiera sentado guardando al menos las formas. ¡Qué barbaridad! ¡Qué comentarios tan atrevidos!

Hercilia le había contado a la esposa del embajador aquella ocasión cuando Silverio la había invitado a una comida muy elegante servida por uno de sus socios en un jardín bellísimo de las Lomas, en donde la anfitriona había apostado, por lo visto, a que todos los comensales se someterían a cualquier indignidad con tal de no enfrentarse al poder de su dinero y de su influencia. Te demostraré las dimensiones de las miserias del hombre, parecía haber dicho en su temeridad. Hercilia le contó a la mujer del diplomático cómo la dueña de aquella casa había subido a un pequeño perro de nombre "Dior" con el pelo teñido de rosa a la mesa donde todos habrían de comer, una mesa, por cierto, exquisitamente puesta con lujo de cursilería, pero eso sí, la distinción y la categoría estaban presentes. El perro rosita de origen francés con un pequeño collar hecho con piel de cocodrilo y un auténtico centenario de oro pulido en ambas caras para grabar su nombre y fecha de vacunación, se había subido jugueteando a cada una de las mesas del jardín y como era el animalito consentido de la anfitriona nadie se había atrevido a molestarlo a pesar de que el pinche animal de los demonios se había cagado y meado cuando menos en dos platos de los invitados, a lo que éstos habían dicho palabras más o menos: "¡Ay! que simpático bichito", aun cuando la cagada sobre el plato, decía Hercilia, pudiera hacerte vomitar de a madres... Eso sí: jamás se quejarían por miedo al rechazo de un préstamo o a la pérdida de un jugoso negocio con su marido o simplemente a la negativa de un determinado favor gracias a la influencia de su fortuna.

Nadie, absolutamente nadie se había atrevido a tocar al animal cuando la anfitriona había ido de mesa en mesa saludando a sus invitados para constatar su humillante teoría. Nadie, absolutamente nadie hasta que al animal se le ocurrió orinarse en la servilleta de Hercilia. Más aún, ésta ya no pudo contenerse cuando vio que el "poodle" de moñito morado en la orejita abría las patas y se disponía a cagarse en el mismísimo plato de la señora subsecretaria. ¿Se imagina usted, cagarse en mi plato? —le preguntó a la esposa del embajador, quien atendía atónita a la narración.

—¿Y qué pasó?

—La ricachona esa, dueña de la casa, me veía a la cara para ver si yo soportaría con toda simpatía la nueva hazaña del bicho ese infecto.

—¿Y qué hiciste, Chila?

—Pues en un momento dado que se volteó, como dice Silverio, la anfitriona, me prendí un cigarrillo aun cuando yo no fumo...

—¿Para qué? —preguntó la señora Mc.Vaullinwaugh con estupor en el rostro, el mismo que ponía la tía Luchis cuando su Chila del alma contaba alguna anécdota.

—A mí no me iba a ofender así esta hija de la chingada, ¿usted sabe lo que es una hija de la chingada? —le preguntó al oído a punto de reventar junto con Misses Mc.Vaullinwaugh, a esas alturas "mi Lordita", quien no salía de su asombro.

—Sssiíí —asintió encantada por el humor y la confianza que le dispensaba la esposa del alto funcionario mexicano—. ¿Pero qué hiciste?

—Pues ya que nadie se atrevía a bajarlo al piso y todos celebraban las ocurrencias del animal...

—¿Y qué pasó? Cuenta, cuenta Chilita...

—Pues mira mi Lordita del alma, yo no me iba a quedar quieta, ¿verdad?, pues tan pronto la dichosa señora se volteó envuelta en mil colgajos de oro, yo le quemé el culo con el cigarro al mismísimo chingado animal ese amariconado con todo y su pinche pelo pintado de rosita: Quemado, pero bien quemado que le quedó el culo, "mi Emba" —alcanzó a decir enjugándose las lágrimas con una servilleta— ya verás los aullidos que va a dar cada vez que lo traten de subir a una mesa... Si a mí me vuelve a ver saldrá disparado como pedo de indio, te lo juro, "Miss", te lo juro...

La señora Mc.Vaullinwaugh parecía morir de la risa por la anécdota y por el florido vocabulario de Hercilia... ¡Ay! Chila, Chila, tú poder acabar conmigo de los carcajados...

Ambas personalidades recordaron diversas anécdotas, unas más divertidos que otras, sin permitir que nadie las interrumpiera hasta caer entre copa y copa en el tema íntimo de los apodos sin importar la cantidad ni las combinaciones de las bebidas. Sólo que se referían a aquellos apodos inconfesables concebidos por ellas mismas en la más absoluta intimidad matrimonial y que hacían referencia curiosamente a la encarnación de la virilidad de sus maridos, ¡por favor!, al orgullo de su masculinidad.

—¿Cómo dices que le llamas al cosito de Sir Henry? —le preguntó Hercilia reventando en carcajadas.

—¿Te refieres al cosito de Sir Henry Mc.Vaullinwaugh, embajador de Su Majestad? —preguntó a su vez la mujer enjugándose las lágrimas con un pañuelo empapado lleno ya de rimel y maquillaje mientras se contorsionaba de un lado al otro de la silla. Los invitados no ocultaban su estupor ante las escenas que daba la señora embajadora. Varios monóculos se hicieron astillas al caer contra el piso sin contención alguna.

—Mira —le contestó a pasitos a punto de estallar en otra risotada, jamás había hablado de algo tan gracioso— yo le llamo Mister Sadman... como la canción —alcanzó a decir cuando ya Hercilia parecía desintegrarse en sonoros espasmos alejada ya de toda consideración.

—¿Y tú?, cómo le llamas al *aparatitou* de tu Silverio —cuestionó la representante del Reino Unido lista para derrumbarse junto con su interlocutora al piso con tan sólo oír la respuesta que no podía ser menos que genial después de haber conocido ya la experiencia histórica del PUP.

—¿No se lo dices a nadie? —preguntó Hercilia precavidamente en voz baja, en tanto apuraba el último trago de Martini y paseaba instintivamente la vista por la sala en busca de Silverio—. Es que el subsecretario me mata *Lorda* —le decía a la Mc.Vaullinwaugh, a falta de un título como el de Lord pero en femenino para dirigirse a ella.

—Nada, qué va, dime, dime —insistía la inglesa corriéndose al filo del asiento para no perder detalle de la confesión.

—Mira —repuso finalmente Hercilia dando la última revisada y acercándose al oído de su querida amiga para evitar riesgos— yo le llamo la Pescue... —pero no pudo concluir, se echó para atrás muerta de la risa, apoyándose en el respaldo del fino asiento como si fuera la primera vez que pronunciara semejante palabra.

—¿La qué... tú? —demandó la *Lorda* esperando ansiosamente la respuesta mientras la otra casi perdía el sentido.

—¡La pescuezona! —aclaró finalmente la señora Cortines sin más—. ¿Tú saber lo que ser un gran pescuezo...?

La ilustre señora Mc.Vaullinwaugh creía desmayarse de la risa. Sus carcajadas, que se agotaban hasta que volvía a respirar alarmaron al embajador y a Silverio, quienes ya no podían concentrarse durante sus conversaciones entre los diversos grupos integrados por representantes diplomáticos del mundo entero, hombres de negocios, intelectuales y políticos nacionales. Hasta un pequeño cuarteto de cuerdas Mozartiano se sintió incomodado por la actitud y las sonoras risotadas soltadas por ambas damas, que trataban de cubrirse inútilmente la cara mientras se escurrían en los asientos y zapateaban el piso sin pudor alguno.

Cada uno decidió por su parte tomar suavemente a su pareja del brazo para llamarla cariñosamente al orden dentro de la etiqueta más refinada:

—Come, come my love, dinner is ready.

—Ven, ven, Chilita de mi vida, la cena está servida, luego seguirás platicando...

Ninguna de las dos había bebido de más, simplemente se trataba de mujeres eufóricas sorprendidas en un momento de diversión. Ni un solo momento dejaron de reír durante el tiempo que duró el fastuoso ágape. Bastaba que sus miradas llenas de picardía, las de un par de niñas traviesas, se volvieran a encontrar accidentalmente para que un nuevo brote de hilaridad se apoderara de ellas. Varias veces corrieron el peligro de escupir el canapé de salmón o el *champagne rosé* sobre la indumentaria condecorada de varios de los ínclitos invitados de rostro apergaminado e impecable presencia, que en su andar augusto y solemne por la estancia real, bien pudieron encontrar repentinamente opacados sus monóculos con arillo de oro o manchados sus regios uniformes con tiernos recuerdos de su participación en ese alegre festín de la inocencia.

Hasta en el coche siguió caracajeándose Hercilia, mientras Silverio, intrigado por el origen de la algarabía, se mordía furioso la lengua.

—¿Se puede saber cuando menos de qué se reían así? —preguntó Cortines demacrado, con voz grave, serio, tocado de muerte.

63

—Cosas de mujeres Silve, cosas de muje... —volvió a reventar Hercilia sin poderse contener con tan sólo pensar en el rostro de estupor de la *Lorda* cuando le habló de la Pescuezona de Silverio. ¡Qué cara, Dios me perdone, pero qué cara! Dios mío...

Frente a Tristán no podía emprenderla con su esposa, ya habría tiempo para eso. La ropa sucia se lavaba en casa. Me has exhibido, me has ofendido públicamente, me has ensuciado —pensó para sí sujetándose fuertemente las manos para evitar un desenlace irremediable como el que sin duda se avecinaba—. Nosotros —continuó cargándose de ira— somos una familia de políticos y de intelectuales y tú te has comportado como una vulgar borracha. ¡Piruja!, ya te enseñaré yo ahora cómo se trata a las putas pueblerinas, a las de cantina. Te enseñaré modales de dama, de una dama como la que yo me merezco a diferencia de una mujerzuela como tú. ¡Zorra! Jamás había sufrido Silverio una vergüenza así y juraba por las barbas de Cristo no volverla a sufrir...

Jamás había recibido Hercilia una golpiza tan salvaje como la que le dio Cortines aquella noche al concluir los actos de Conmemoración del Natalicio de la Reina de Inglaterra.

Tan pronto cerró Silverio la puerta y se sintió fuera del alcance de terceros, incapaz ya de ninguna reflexión ni de considerar por supuesto si Belisario o Josefa o el servicio doméstico estaban en casa, devorado por una rabia fuera de toda proporción, sin mediar palabras ni aclaraciones, sin jalar a Hercilia de la mano como a una chiquilla malcriada o tirarla de los cabellos como a un animal salvaje hasta encerrarla en la habitación como era su costumbre, obligándola a subirse las faldas, bajarse las bragas, ordenándole ponerse boca abajo sobre la cama para darle en las nalgas con el rebenque brasileño que había comprado durante un viaje en las inmediaciones de un rancho cercano a *Río Grande do Sul*, sin advertencias siquiera, le dio por sorpresa un tremendo golpe en la quijada que proyectó a su señora al piso haciéndola rebotar contra el barandal de madera de la escalera tallada a la usanza victoriana. Silverio vivió siempre enamorado del arte inglés del siglo XIX, del que alardeaba ser también todo un especialista.

Atónita, percatándose de lo que se le venía encima, la infeliz mujer trató de escapar a la ira de su marido arrastrándose escaleras arriba, pero Silverio la jaló violentamente de una pierna sin preocuparse de que Hercilia se golpeaba una y otra vez en la boca y en la cabeza contra los escalones, ni mucho menos inmutarse con los lamentos desgarradores que profería. Todavía la recibió dándole a diestra y siniestra con ambas manos, rugiendo como una bestia, emitiendo sonidos guturales incomprensibles: parecía vengar las afrentas de una generación, de dos, de diez, de toda la historia del matriarcado, de la humanidad entera. Sus brazos poderosos, acostumbrados al ejercicio, encontraban puntualmente el rostro de la madre de sus hijos. Los viajes recurrentes hacían blanco sin fallar una sola vez.

A pesar de su edad y de la absoluta inmovilidad en la que vivía, Hercilia logró evadirse ágilmente de la zona de peligro y correr aterrorizada, aturdida, rumbo al *hall*, gritando desaforadamente, suplicando auxilio, más aún cuando sintió el sabor de la sangre en la boca, así como la ausencia de varios dientes. Pero el funcionario público no estaba satisfecho con el castigo. La volvió a derribar a un lado del *Steinway*, un piano de tres cuartos de cola que nadie usaba. Ahí la pateó sin misericordia alguna en el vientre, en la cara, otra vez en la cabeza, en el pecho, como a un perro roñoso, llenándola de improperios de insuperable procacidad. Hercilia se ocultó bajo el piano como pudo, invocando perdón y más perdón, suplicando piedad en nombre de las mil vírgenes, pero aun ahí la alcanzaban una y otra vez los zapatos de charol negro de Silverio, los indicados para el uso del frac.

—¡Estúpida de mierda, la próxima vez vas a poner en ridículo a tu padre. ¡Cabrona! Te dejaré sin dientes, te romperé la boca para que no la vuelvas a usar en tu perra vida, animal de los demonios! —repetía el señor subsecretario mientras jalaba a su esposa de los pelos en busca de más castigo.

El instinto de supervivencia salvó nuevamente a Hercilia. Esta vez se dirigió al comedor buscando desesperada una salida hacia la cocina, sin percatarse de que ya dejaba a su paso huellas de su calvario, unas manchas enormes de sangre sobre los tapetes de seda chinos. Hasta allá la alcanzó la rabia sin igual de su marido. Cuando ya casi se fugaba, Silverio se avalanzó contra la puerta para tratar de ganarle el paso, atrapándole a Hercilia los dedos contra el marco. La mujer lanzó un pavoroso grito de dolor que ni mucho menos intimidó a un Silverio realmente embravecido y en plenitud de facultades físicas. ¿No montaba a caballo todos los días? ¿No hacía pesas y nadaba y corría y hacía todo tipo de deportes para estar en forma atlética sin un gramo de grasa en el vientre?¿Para qué tenía esos brazos herculeos?

La espantosa congoja de la señora aumentó a más no decir cuando sintió que había perdido un dedo e intentó como pudo revisarse la mano. La furia de Silverio se hizo entonces verdaderamente presente: fue golpeada brutalmente por la espalda, con los puños cerrados, como debe golpear un hombre, sin piedad —se es o no se es— llamándola cobarde, empujándola, pateándola, escupiéndola, volviéndola a patear una y otra vez hasta que la infeliz mujer se desplomó sin más:

—Maldita pelada, te has de acordar de mí para siempre. Nunca me volverás a faltar al respeto en público, ¡júramelo!, ¡júramelo ahora mismo! o no respondo... ¡Toma!, ¡toma! —le daba hasta perder fuerzas sin percatarse de que Hercilia ya no se defendía y lo que era de sorprender, ya no se quejaba ni oponía resistencia alguna ante la feroz cólera del guerrero.

Tuvo que intervenir la cocinera, la querida doña Macrina, para impedir que la siguiera pateando y sólo después de derribar con un golpe a la pobre anciana que había trabajado con ellos desde que se habían casado, sólo cuando esa valiente mujer sin acusar dolor ni llanto se le enfrentó nuevamente gritándole a su vez, el señor subsecretario, encargado del despacho, pudo volver en sí para darse cuenta de los extremos de su arrebato:

—La has matado Silverio, la has matado, mira, mira nada más lo que has hecho...

Un frío helado se apoderó de Silverio Cortines y Brambila al tener frente a sí el cuerpo inanimado de su mujer tirado en una esquina del comedor con una expresión macabra en el rostro, la imagen viva de los últimos instantes de pánico, de miedo cerval sufridos por aquella infeliz.

Efectivamente, Hercilia ya no se movía. Un hilo de sangre oscura asomaba por su boca y otro escapaba por su oído. Le faltaba el dedo índice de la mano derecha y tenía los ojos abiertos, en blanco. El vestido gris perla totalmente manchado y hecho girones, dejaba al descubierto unos ligueros negros y unas pantaletas rojas. Silverio la podía haber seguido golpeando, ella ya nunca se hubiera defendido.

—¡Hercilia!, hija de mi vida, hija de mi corazón, respira, por favor, te lo pide tu Nana que siempre te ha querido —suplicaba de rodillas la servidora doméstica que la había visto nacer. Poseída de un llanto desolador y sombrío, elevaba inútilmente sus brazos esqueléticos al cielo, invocando la compasión Divina. El mandil de tela corriente contrastaba con la fina seda del vestido de su patrona y con la dureza de su patrón que no pronunciaba palabra ni hacía movimiento alguno—. Bien lo sabe Diosito Santo, que nunca te he mentido... Respira, niña de mis entrañas —gritaba la cocinera tirándose los cabellos enloquecida, no nos abandones así...

Paralizado, Silverio, absolutamente perplejo, sin saber qué hacer, se quedó idiotizado viendo la dramática escena. Le faltaría vida para arrepentirse si algo le había pasado a Hercilia.

Helado de arriba a abajo, con las manos manchadas con la sangre de la cara de su esposa, cayó también de rodillas al lado de doña Macrina. Se vio acusado de homicidio, encarcelado, declarando tras las rejas al ministerio público, retratado en primera plana tras los barrotes de un penal. Su carrera política obviamente destruida, odiado por sus hijos, por sus amigos, por sus socios, despreciado y repudiado eternamente por el Presidente de la República y por todos aquellos que le sucedieran en el ilustre cargo mientras Silverio Cortines tuviera vida: tanto él como los suyos serían vergonzosamente expulsados de la familia política revolucionaria hasta el último día de la existencia de la nación mexicana. Ya se podía olvidar de que Belisario

Cortines llegara algún día a Los Pinos. El nombre de Cortines que él tanto había cuidado estaba enlodado, ensuciado y desprestigiado para siempre. De golpe se había agotado el capital político de la familia. El apellido de gran prosapia se había convertido en un apellido vinculado al delito, a la infamia, al ejemplo de lo que no se debía hacer en la vida, al deshonor, al salvajismo y a la villanía. Era el fin, irremediablemente el fin. Además y por si fuera poco, todavía había testigos, más aún cuando aparecieron las otras 8 muchachas del servicio aterrorizadas al oír los gritos de pánico y de dolor de su patrona, de su ama. Todas habían acudido para impartir auxilio. Todas tenían frente a sí la trágica escena final. Dantesca. Dolorosa. Vesánica. Todas lloraban al contemplar el estado del cadáver y no ocultaban su susto al observar atónitas el rostro del asesino.

Silverio acercó su oído al pecho de su mujer. No pudo oír su corazón. Ya no latía. Buscó su muñeca, de inmediato su yugular para sentir su pulso. Nada, no sintió nada. Por contra Hercilia estaba fría, muy fría, pálida, muy pálida, inmóvil, absolutamente inmóvil. La boca abierta en forma grotesca inspiraba un pánico helado. De pronto Silverio advirtió cómo salía más sangre del oído de su mujer, sangre, más sangre: Jamás pensó que la contemplación de la sangre podría provocarle si no alegría, al menos sí esperanza: los muertos no sangraban, no sudaban, de sobra lo sabía él. Nunca olvidaría el texto contenido en una tarjeta preparada por sus asesores de la secretaría por medio del cual se demostraba la falsedad del Santo Sudario. Si a Jesucristo lo habían envuelto supuestamente en dicho sudario después de desprenderlo ya totalmente muerto de la cruz, jamás podría haber manchado con sudor esa tela, simplemente porque los muertos no sudaban y si contenía sudor dicha prenda, era desde luego falsa, mil veces falsa. Los muertos tampoco sangraban. En consecuencia Hercilia vivía, vivía todavía.

Levantó como pudo en sus brazos el cuerpo inanimado de su señora, cuidando de no lastimarla más, la recostó sobre un sillón de la sala y corrió a llamar una ambulancia. Él no podría llegar a un hospital con su mujer en brazos, si un fotógrafo llegaba a verlo el efecto público sería desastroso. Era más conveniente pedir una ambulancia. Esa posibilidad contaba con más salidas, más explicaciones, probablemente alegaría que unos bandidos habían tratado de robar a Hercilia y ella se había resistido con los consecuentes resultados. Al servicio doméstico le daría vacaciones indefinidas, lo mandaría a sus respectivos pueblos con los morrales llenos de dinero. ¿Hercilia? Hercilia lo perdonaría. Si ya lo había hecho varias veces, ¿por qué no lo iba a hacerlo ahora? Ella me comprenderá. Siempre me había comprendido. Los hijos le disculparían el exceso cometido, no en balde era su padre, sólo su padre, ¡qué caray! Por otro lado convenía más esperar a la ambulancia y no manejar en el estado de nervios en que se encontraba. ¿Y si chocaba? Realmente era peligroso. Tomaría sus precauciones.

La ambulancia privada llegó de inmediato. A Silverio le parecieron momentos eternos, sobre todo cuando intentó vendarle el dedo o contenerle de alguna manera el sangrado. Mientras sangrara estaría viva. Hercilia, Cie, no dejes de sangrar, te lo pide tu Silve. Las manos expertas de los doctores subieron a la desgraciada mujer a una camilla extremando las atenciones y salieron apresuradamente rumbo al hospital más cercano.

Tan pronto le trataron de dar los primeros auxilios poniéndole el estetoscopio sobre el pecho, ya a bordo de la ambulancia, uno de los médicos gritó angustiadamente:

—Se me va, se me va, no podemos esperar a llegar a nuestra base, pide sala en el sanatorio más cercano —ordenó tonante—. ¡Apúrate!

Hercilia parecía iniciar un largo sueño. Su rostro ya no delataba miedo, por el contrario, revelaba una gratificante sensación de placidez que contrastaba con la hinchazón de su cara.

Silverio veía las manos de los médicos, apretaban botones, giraban llaves, sacaban jeringas, las cargaban, pónle esto, quítale aquello, descúbrele el pecho, saca los electrodos, dame los resucitadores, dame vena, revisale el fondo del ojo, mascarilla, oxígeno. Trabajaban a una velocidad impresionante mientras la sirena aullaba recorriendo media ciudad en busca del fin del mundo.

Le administraron a Hercilia una violenta descarga eléctrica en el pecho. No reaccionó.

—La pierdo, la pierdo —gritaba desesperado el joven médico oprimiéndole el pecho compulsivamente, se esforzaba como si la vida de su propia madre estuviera en juego.

—Otra, ¡démosle otra! —ordenó cortante a su subalterno que ya se resistía a seguir luchando según leía unos indicadores indescifrables.

—Se acabó, Ricardo, se acabó —le contestó patéticamente por lo visto el ayudante, mientras le ponía la mano en el hombro para invitarlo a la resignación— mira cómo ya no tiene pulso, llegamos demasiado tarde. ¡Malditos asesinos, hijos de perra! —exclamó buscando un desahogo el médico auxiliar. ¡Miserables!... y con una mujer mayor como esta... —La sirena no dejaba de sonar ajena al drama interior.

El tal Ricardo volteó efectivamente hacia una pantalla para ratificar las mediciones. No acusaba ninguna señal, no aparecía oscilación alguna, se trataba de una mera línea, un solo sonido que no registraba movimiento alguno. La vida de esa pobre mujer masacrada se había apagado para siempre.

Silverio perdía la razón y un nudo en la garganta no lo dejaba hablar. Parecía que de un momento a otro le estallaría la cara, más aún cuando trataron de cubrirle a Hercilia el rostro con una sábana blanca. Sé Dios, Silverio, sé Dios, jamás reveles tus sentimientos ni decepciones mostrando una debilidad propia de los mortales. ¡Cuidado!, ya nunca jamás serías reverenciado.

—¡Qué pulso ni qué pulso —replicó enérgicamente el jefe de la unidad— vayamos al final —insistió categórico aventando sábanas y cuanto había a su lado—. Dame las terminales otra vez —se encaramó como pudo sobre el cuerpo exangüe de Hercilia, las colocó a la altura del corazón y ordenó—: ¡Venga!

Recibió una fuerte descarga. Nada.

—¡Otra vez!

—¡Venga! —ordenó desesperado.

Una nueva descarga, más fuerte aún. Nada.

Volvieron a colocarle la mascarilla con oxígeno. La miraban fijamente.

—Luche, señora, por lo que más quiera luche, no se rinda, ¡venga!, ¡venga!, ¡venga!...

Un sonido lejano apareció en la pantalla verde opaca. Hercilia enviaba una breve y lejana señal de vida.

—¡Vive! ¡Vive! —gritaron al unísono los dos jóvenes médicos entusiasmados, uno de ellos ya casi lloroso.

—¡Venga!, señora, ¡venga!, un paso más, deme la mano, ¿me escucha? —le preguntó Ricardo cuando el sonido aquel aumentó de volumen y las gráficas empezaron a surgir en la pantalla.

—Apriéteme la mano si quiere vivir —aventuró el joven doctor oprimiéndole la mascarilla.

Un débil movimiento de dedos le empezaba a insinuar la respuesta cuando se abrió brutalmente la puerta trasera y otros médicos retiraron a toda velocidad la camilla llevándose a Hercilia al interior de un nosocomio.

Silverio Cortines descendió de la ambulancia también a toda prisa hasta que una puerta blanca flanqueda por un policía le impidió el paso: Lo lamento, tendrá que permanecer aquí afuera. Se inició una interminable espera, agónica, durante la cual no se le ocurrió que Josefa o alguien más deberían ir obligadamente a la casa y serían informados de inmediato por el servicio de todo lo acontecido. Y así sucedió. Josefa iba aquella noche con la ilusión de hacerle saber a sus padres que habían nombrado a Pascual Portes Obregón, su inseparable compañero de estudios, Director General de Educación Superior en la Secretaría de Educación Pública y de inmediato la había invitado a ingresar en la misma dependencia oficial a nivel de la Subirección General no sólo por afecto y respeto académico, sino como un reconocimiento a sus investigaciones, a su obra publicada, en particular a su famosa trilogía: *El Mexicano Frente al Espejo, Autoimagen Nacional, un Enemigo a Vencer y Trascendencia Antropológica de la Conquista de México.* Ella había rechazado el ofrecimiento, no creía en la política, pero estaba feliz por el meteórico ascenso del gran Pascual, su talentoso y noble amigo.

Momentos después Josefa llegaba apresuradamente al hospital con una marcada expresión de angustia en el rostro. Silverio, al verla, no sabía si levantarse o quedarse sentado o besarla o tirarse de rodillas ante ella para suplicarle perdón. Estaba totalmente extraviado.

—¿Vive?, ¿vive mi madre? —le preguntó llorando de desesperación tomándolo de las solapas del frac. Parecía la indumentaria de un triste payaso de carpa.

Alguna fuerza íntima impidió que lo abofeteara y lo arañara.

—Me dicen que sí —contestó avergonzado y con un hilo de voz en tanto veía al piso sin dejar de atender las amenazantes manos de su hija que por primera vez en su vida le expresaban un sentimiento retenido muchos años atrás.

—¿Qué posibilidades le ven los médicos? —reclamó demudada.

Silverio no contestaba.

—Te estoy hablando —tronó ávida de respuestas. Contesta, ¡cobarde! —agregó furiosa sin retirar la vista de la figura desvanecida de su padre.

El señor subsecretario continuaba sin hablar.

—¡Habla como si fueras hombre! —ordenó sin contemplaciones—: Quiero saber qué le has hecho a mi madre, ¿cómo está?

—Antes de 24 horas será imposible dar un diagnóstico si es que logra sobrevivir ese término —repuso un médico muy joven vestido con una bata blanca decorada con las iniciales del hospital—. Tendremos que constatar que no haya estallado alguna víscera y que no haya un derrame interno. El cuadro —reconoció el traumatólogo— es de suma gravedad. Tiene fracturada la base del cráneo. Entró clínicamente muerta. La revivimos con resucitadores y electro shocks directos al corazón. Todo depende ya de ella. Por el momento está en terapia intensiva, concluyó como quien insinúa algo más...

—¿Se salvará doctor? —preguntó Josefa con el labio superior tembloroso.

El especialista dejó caer con la máxima suavidad posible su respuesta:

—No es de desacartarse un desenlace fatal en cualquier instante.

Los ojos de Josefa se anegaron de golpe. Un feroz estremecimiento la recorrió de golpe. Por su mente pasaron un sinnúmero de escenas con las que siempre recordaría a su madre. De pronto la vio reír, bromear con todo género de picardías, jugar con sus comadres de toda la vida, después de todo ella era una gran líder en su grupo, un reducido grupo, sí, pero donde era reconocida y amada por su sentido del humor y porque invariablemente estaba detrás de cada una de sus amigas cuando se presentaba algún problema de cualquier tipo. Hercilia era un centro de concurrencia. Hacia ella se encaminaban todas en busca de ayuda, de alivio, de consejo o simplemente de ternura y comprensión. Para cada una de las "tías" tenía siempre una palabra amable, una expresión cordial cuando se encontraba con ellas. Si las recibía en casa las colmaba con detalles personales que iban desde halagar su aspecto en relación a la ropa, al maquillaje, con un simple cómo te ves bien hoy, ¡qué bárbara!, ¿qué te hiciste?, aun cuando viera o sintiera todo lo contrario, hasta los platillos confeccionados por Macrina o preparando la bebida o poniendo la canción favorita de sus invitadas. Si un hijo se enfermaba, ahí estaba Hercilia: la primera invariablemente en el teléfono, en la casa, en el lecho a un lado del enfermo o en el hospital según la gravedad del caso. ¿Flojera? Ninguna cuando se trataba de alguna amiga. Imposible para ella levantarse temprano salvo que se tratara de un compromiso de amistad. Ahí si no cabía omisión posible. Si a una de ellas le daba por deprimirse, un mal que estaba tan de moda en estos tiempos, ahí estaba Hercilia confortando, animando, estimulando, recordándole a la enferma todo aquello que le rodeaba y por lo cual valía la pena vivir. Si la pena era por el marido, entonces con un manda a la chingada a ese pendejo, arrancaba una sonrisa de su amiga. Nada ni nadie vale la pena para que te pongas así, le murmuraba al oído, ¿entiendes? ¡Nada!

Hercilia siempre era la primera. La primera en ponerse de luto ante la falta de cualquier ser querido de las suyas. La primera en llegar a la funeraria y en quedarse la noche entera al lado de los deudos velando al difunto. La primera en llegar a las fiestas cuando se festejaba algún acontecimiento familiar de cualquiera de ellas. La primera en pedir durante sus misas diarias cuando alguna de sus amigas necesitaba la ayuda divina ante un problema de índole personal. La primera en ofrecer ayuda en el sentido más amplio de la palabra. La primera en reconocer el menor esfuerzo ajeno orientado a halagarla en reciprocidad. La primera en comprender las debilidades y hasta las miserias de sus semejantes concediendo siempre tolerancia, buscando una explicación, una salida para aliviar el peso de los afectados. La primera en ser, en estar, en disponer, en consolar; la primera en comprender, en ayudar, en sofocar y en estimular. La primera, siempre la primera. ¿Qué le importaba a Josefa en ese momento que su madre no le hubiera dedicado de pequeña toda la atención que tanto ella como Belisario necesitaban? Bueno, después de todo nos había enseñado a reír, a no tomarnos en serio, a ver el ángulo favorable de los acontecimientos, a contemplar la vida con sentido del humor, acuérdate que mientras más insistas en demostrar que no eres ningún pendejo, más lo eres, de modo que acéptate como eres y apártate de la perfección que sólo le corresponde a Dios, nuestro Señor que todo la sabe y lo conduce...

—Lléveme al lado de mi madre —le pidió Josefa al médico en forma tal que éste no pudo negarse.

—No debe molestarla, se lo suplico, su situación es sumamente delicada.

Josefa aceptaría todas las condiciones con tal de ver a su madre en vida por última vez.

—No se preocupe —respondió con sorprendente entereza.

Josefa no imaginó el estado deplorable en que encontraría a su madre: La parte del rostro visible estaba completamente amoratada, la cabeza vendada, los pómulos irreconocibles, los labios deformes, una ceja rota y tres dientes delanteros ausentes. La escena era ciertamente dantesca. Pasara lo que pasara, Josefa jamás podría olvidar ni borrar de su mente la imagen mutilada de la mano de su madre. Un intenso estremecimiento le recorrió de golpe todo el cuerpo despertándole hasta el último poro. ¿Por qué precisamente la mano? Sería difícil descubrirlo, tal vez ni ella misma llegaría a saberlo. La contemplación detenida de aquella extremidad vendada y enyesada, otra prueba de escalofriante vandalismo vino a despertarle un sentimiento confuso entre ternura y furia, a provocar de inmediato el estallido de una poderosa bomba en su interior que hizo volar por los aires los restos de la figura paterna convirtiéndola en astillas, ¡qué en astillas!, ni hablar de astillas, en polvo, sí, en polvo, en polvo irreductible.

Acarició con la mano helada y temblorosa la frente de su madre, mientras escurrían por sus mejillas unas lágrimas incontenibles que borraban por instantes toda la escena. Le recorrió con el dorso de sus dedos una y otra vez la piel sana de su rostro cuidando de no despertarla. No pronunciaba una sola palabra. Ni retiraba la mirada de la autora de sus días. Sálvate por lo que más quieras, pensaba para sí, sálvate, no te puedes morir, parecía repetir sin enjugarse las lágrimas ni esconder su llanto al médico que la contemplaba impertérrito con las manos colocadas tras la bata blanca. Nunca sabría Josefa el tiempo que estuvo Josefa Cortines frente al cuerpo de su madre. Hundida en sus reflexiones y en su dolor, de pronto se vio fuera de terapia intensiva llevada del brazo del doctor, quien la condujo de nueva cuenta hasta la presencia de su padre.

Si cuando lo encontró en el hospital después del pleito no lo golpeó, cuando estuvo frente a él después de ver a su madre no pudo evitarlo.

—Nunca, nunca te perdonaré lo que has hecho con ella, nunca, ¿me has entendido? —gritó fuera de sí dirigiéndose a Silverio con la voz ahogada por el llanto, en tanto recordaba la mano vendada de una Hercilia adormecida por el efecto de unos sedantes.

"Te desprecio como hombre, te desprecio como ser humano, te desprecio como padre —reventó desesperada teniendo presente el cuadro de barbarie.

El señor subsecretario se quedó paralizado viendo firmemente el piso con la cabeza humillada. Los músculos de la cara se endurecían en tanto apretaba la quijada soportando el castigo.

"Eres un salvaje —tronó de pronto desaforada— ¡un animal! —insistió fuera de sí, con el rostro cubierto de lágrimas que Silverio ya no intentó enjugar como lo hacía cariñosamente en sus años de niña, cuando Josefa, su adorada Corregidora se caía por ejemplo del Trigarante y venía corriendo en busca de consuelo.

"Me avergüenza ser tu hija" —escupía furiosa lanzando por la boca un fuego, un malestar largamente retenido. En un momento más empezaría a jalonear como una perturbada las solapas de su padre. Si pudiera estrellarle la cabeza contra un muro, si pudiera hacerle justicia al cuerpo anestesiado de su madre.

Sin poderlo controlar y movida por un impulso de impotencia y coraje, Josefa elevó las manos descontroladas para abofetear una y otra vez a su padre. Silverio resistió estoicamente sin mover un dedo ni pestañear siquiera. Una, dos, tres y las que fueran, seguidas de un animal, salvaje, cobarde, eres un miserable, repetía en tanto los golpes perdían fuerza y ella misma parecía desplomarse sin poderse contener ya de pie. Lloraría a los pies de su padre, con la frente pegada al piso la peor bellaquería sufrida en su existencia. En aquel momento el señor subsecretario no podía evitarlo, estaba confundido, profundamente abatido. Simplemente agachó la cabeza y guardó silencio. Se dejaría hacer. Se sentía merecedor de todos los castigos, de los insultos, del desprecio de los suyos, aun del de su hija. Sí, ella tenía razón, escúpeme, me lo merezco. He sido un ruin.

—No sólo eres un cobarde, escúchame bien, también eres un ratero, ¿me has oído?, ¡un ratero! —reventó Josefa desahogándose de una buena vez por todas y para siempre. Había esperado tanto, ocultado tanto coraje, tragado tanto veneno durante tanto tiempo que no pudo controlar un poderoso impulso, la feliz inducción que la llamaba al vómito, a la expulsión de antiguos tóxicos para recuperar la paz.

Cortines giró bruscamente para encarar a su hija. Su pañuelo blanco geométricamente colocado en el bosillo superior derecho del saco de su frac de seda negra despedía su conocido aroma a lavanda inglesa. Silverio siempre usaba la misma. Sus pantalones y sus zapatos de charol del mismo color coronados por una hebilla de plata auténtica, hacían de él todo un personaje distinguido y elegante. Sin embargo, se negaba a creer lo que acababa de escuchar. Perdió por completo el color del rostro. Los ojos enormes parecían salirse de sus órbitas.

—¿Qué has dicho? —preguntó amenazadoramente mientras cerraba los puños de nueva cuenta, dejando entrever sus mancuernillas sudafricanas

73

de ojo de tigre.

—No me das miedo, ni me impresionas —le gritó su hija a la cara sin dejar de llorar—. ¿También me pegarás a mí? ¡Hazlo!, ¡hazlo!, sólo te falta dejarme como a mi madre para que puedas estar ahora sí totalmente orgulloso —le reclamó sin mostrar la menor vacilación—. Pégame a mí también, ya se ve que el respeto lo conquistas con las manos —insistió desafiante mientras la rabia y la lástima escapaban mezcladas en su mirada y en sus expresiones.

Si no fuera Josefa, precisamente Josefa y en estas malditas circunstancias, Silverio hubiera dado cuenta sin más de su enemigo. Lo desfiguraría. ¿Quién se iba a atrever en vida a ofenderlo así? ¿Quién? ¡Todavía no había nacido!

—Enamoraste a mi madre con trampas —continuó la antropóloga sin mostrar la menor clemencia— ascendiste en tu carrera con trampas, impresionaste a tus amigos con trampas, te hiciste de una gran fortuna con trampas y quisiste engañar también a tus hijos con trampas, proyectando la imagen de un gigante a través de tus puestos para impresionarnos a cualquier precio —continuó indignada—. En el fondo —disparó Josefa purificándose para los restos— eres un homicida frustrado, ¿me has oído, un enano que quiere aumentar sus verdaderas dimensiones mentales parapetado en el poder público?

"Ven, ven, sí, golpéame, atrévete —insistió cuando su padre adelantó un paso con el rostro crispado— un político farsante sin vocación de servicio —exclamó sin dejarse intimidar— un exhibicionista que jamás ha leído un libro, o ¿crees que soy idiota? —se preguntó en tono lastimoso— y por si fuera poco te has enriquecido disponiendo de bienes ajenos...

—¡Josefa! —tronó Silverio a punto de perder la compostura.

—Josefa, ¿qué?, sí ¿qué?, ¿a quién quieres engañar?, ¿a ti mismo? —has pretendido hacer del respeto y de los afectos mercancías baratas —concluyó enjugándose las últimas lágrimas en tanto adquiría una ejemplar fortaleza. Siempre dudó en la conveniencia de tener una oportunidad para hablar así. En realidad lo deseaba pero al mismo tiempo lo temía. ¿Para qué?, se preguntaba, no tiene sentido destruir por destruir. ¿A dónde iba con estos comentarios? Nadie hubiera podido imaginarlos.

Cuando Silverio se disponía a contestar con el resto que pudiera tener de voz —una máscara de porcelana, su favorita, se había caído al vacío haciéndose añicos al estrellarse contra el piso— Josefa decidió abandonar la habitación del hospital. Dos enfermeras habían llegado apresuradamente para entonces pensando que los gritos se debían a alguna emergencia. La antropóloga desistió repentinamente de su intento arrojando su bolsa de mano contra el respaldo de un sillón.

—Vete de aquí —reaccionó impetuosamente—, ¡vete!, he dicho, no tienes derecho a estar al lado de esta mujer ni a dolerte de su estado. No quiero volver a verte —tronó furiosa al recordar los labios hinchados y la falta de tres dientes de la boca de su madre.

Silverio volteó a ver a las enfermeras que esperaban un desenlace y permanecían atónitas en el interior del cuarto.

Cortines clavó entonces su mirada en Josefa y finalmente en las enfermeras.

—¿Qué esperas? —exigió Josefa, ¿no has oído? No eres nadie para permanecer al lado de mi madre. ¡Lárgate!

Silverio permaneció enmudecido. Las enfermeras se cuestionaban con los ojos si no se trataba precisamente del señor Cortines, esposo de la paciente. Humillado, sin proferir palabra alguna abandonó furioso el nosocomio. No existía sobre la faz de la tierra argumento ni justificación posible que autorizara a un hijo a dirigirse así a un padre, ¡qué barbaridad!, en ninguna circunstancia, pasara lo que pasara, sin excusa ni pretexto, no faltaba más. Sólo soy su padre... Ni aun cuando hubiera matado a Hercilia gozaba Josefa de licencia alguna para ofenderlo de esa manera. Un padre era un padre. Invariablemente debería buscarse el espacio para la gratitud, el respeto y la benevolencia. Cortines ignoraba que empezaba a pagar solamente una parte del precio.

Todo lo hubiera podido soportar Silverio, menos las últimas palabras de Josefa cuando ya rendido salía del hospital. Hubiera preferido mil veces sustituir a Hercilia en la cama del sanatorio en lugar de haber tenido que escuchar semejantes agravios nada menos que en boca de su querida hija:

—Me apena llamarme Cortines, pero yo no te escogí como padre...

El daño era enorme e irreversible. La herida quedaría abierta por muchos años más, la cicatrización sería un largo y penoso proceso para ambos, sí, para ambos, ya que Josefa —no debía pasarse por alto— había osado poner la mano en su rostro llamándolo además ratero, ignorante y farsante, reclamándose ella misma su triste destino por haber tenido que ser su hija, precisamente la hija de Silverio Cortines y Brambila, hija del subsecretario A de Asuntos Agropecuarios, encargado del despacho. ¿No era una afortunada, una elegida?

Belisario llegó momentos más tarde al sanatorio. Estaba mucho más pálido que de costumbre; su rostro cetrino, su piel transparente, el maxilar desencajado, evidenciaban la angustia que lo devorababa.

Josefa lo recibió al abrir tímidamente la habitación dispuesto a recibir la peor las noticias. Tenía deshecha la corbata y la mirada inyectada de sangre.

Josefa se le avalanzó. Lloraba copiosamente según lo abrazaba. El le acariciaba la cabeza ávido de información.

—¿Y mamá?, ¿cómo está mamá? —preguntó con un gesto agónico—. ¿Habría muerto ya?

—Vivirá, mamá vivirá, se salvará —repuso viendo a su hermano a la cara con el rostro congestionado por las lágrimas. Belisario empezaba a respirar de nuevo. Una transformación interior operaba violentamente en él. La ansiedad se convertía gradualmente en ira. El susto y la desesperación adquirían la forma de un coraje incontrolable. No había espacio ya para más contemplaciones. Más tarde podría estar con Josefa para consolarla y ayudarla. Por lo pronto tenía que saldar de una buena vez por todas y para siempre, una vieja cuenta pendiente de muchos años atrás. Belisario iría en busca de su padre...

—Lo he corrido, lo he corrido, he corrido ya de aquí a ese animal -alcanzó a decir al intuir las intenciones de su hermano.

"No por favor, no más sangre —lo detuvo besándole las manos al interpretar sus intenciones— no somos una familia de criminales —repetía en tanto se acariciaba con los puños de su hermano sus mejillas humedecidas. Por ningún concepto lo dejaría salir en ese estado de la habitación.

Belisario la retiró con brusquedad: —Jose de mi vida —le dijo con el labio inferior tembloroso— esto no se puede quedar así, perdóname, perdóname —alcanzó a decir mientras se dirigía a la puerta de salida. Sus brazos parecían dos piedras.

—¿Qué harás si lo encuentras? —inquirió poniendo ambos brazos en jarras y enjugándose el rostro en tanto Belisario tomaba el picaporte—. ¿Matarlo? —le dijo a gritos cuando se percató que su hermano ya no la escuchaba—. ¿Golpearlo como él le hizo a mamá?

Belisario se detuvo sin voltear. Reflexionaba. ¿Matarlo...? ¿Golpearlo...?

—Te lo encuentres donde te lo encuentres habrá sangre, mucha más sangre, Belisario y no, no somos una familia de criminales. Lo único que harás si logras dar con él es complicar las cosas...

Belisario dejó caer la cabeza contra el pecho. Su hermana aprovechó la ocasión para tomarle la mano.

—No, no saldrás en ese estado de ánimo. No dejaré que te llenes las manos de sangre: Tú, no, Belisario, tú, no, no, no, no...

Pero el desenlace fatal no llegó afortunadamente para la familia Cortines. Hercilia se salvó y no gracias a unas yerbas milagrosas que le había traído de Acatlipa doña Macrina: los médicos mexicanos habían hecho proezas, inclusive le habían salvado el dedo amputado con el portazo, uniéndoselo a través de una novedosa microcirugía. Un mes tuvo que permanecer recluida en el hospital, pero salió finalmente escoltada por todas sus comadres quienes se dejaron ganar a la canasta durante tres partidas, porque era bien sabido que Hercilia era una pésima jugadora y siempre le quitaban los tres pesos que apostaban con suma facilidad, pero eso sí, cómo se divertían.

Jamás se le oyó a Hercilia expresarse mal de su marido ni aun en la intimidad de sus amigas. Ahí no las dejaría pasar. Después de todo Silverio era el padre de sus hijos y ella lo seguiría respetando en público como desde el primer día, tal y como le habían enseñado desde muy pequeña en sus años de la Ventosa, lo que debería ser invariablemente el comportamiento de una mujer. Silverio venía superando con promesas y juramentos los terribles acontecimientos que se produjeron después de la cena servida en honor de la Reina de Inglaterra en la Embajada del Reino Unido. De cara a la policía y sobre todo a la prensa el señor subsecretario había diseñado la coartada perfecta para salir del entuerto ante el mundo político: Hercilia había sido asaltada por unos delincuentes y al defenderse y tratar de impedir que la secuestraran y la robaran, la habían golpeado salvajemente. ¡Miserables dementes que la habían dejado así! ¡Criminales despiadados, cobardes asesinos que no tenían respeto ni por una mujer de su edad! Se hubieran metido conmigo que tengo puños de acero. Desde luego no hubo investigaciones penales ni persecuciones porque Silverio no quería represalias, fue la respuesta con la que endulzó Silverio el oído del procurador y con la que se dio el carpetazo definitivo al asunto en el orden moral, social, político, familiar y jurídico. A otro asunto. Cosa juzgada. Quien quiera problemas que los busque en otro lado.

Las relaciones futuras con el matrimonio de Hercilia y Silverio se vieron modificadas sólo al principio mientras ambos convalecían de sus heridas físicas y el otro de las morales, después, todo había continuado igual que siempre, la rutina volvió a hacer de las suyas. El señor subsecretario volvió a su enorme despacho saturado de teléfonos, secretarias, asesores, choferes y ayudantes, la llegada a casa a altísimas horas de la noche, a sus viajes repentinos por el país y por el extranjero para rescatar la soberanía alimentaria de la nación, cuando en realidad se escapaba con María Antonieta o con cualquiera otra mujer que trajera "a vistas", mientras Hercilia volvía a sus barajas, a sus telenovelas y a su eterna convivencia con sus comadres.

Silverio intentó, sólo intentó para reconciliarse con Hercilia y lavar de alguna forma su sentimiento de culpa, que uno de los mejores artistas franceses la pintara acompañada de siete perros *french poodle*, todos exactamente iguales con el pelo teñido de morado y moños rojos. En la mente de el señor subsecretario, su mujer debía aparecer sentada con una enorme falda al estilo del siglo XIX, en el bosque de Chapultepec con el castillo al fondo, rodeada de los animalitos que tanto quiso en vida, con un libro en la mano y con la mirada perdida en la inmensidad del horizonte del Valle del Anáhuac: Hercilia reflexionando sobre la grandeza de México, intitularía Silverio la obra maestra que bien pudiera haber sido realizada por el genio incomparable de José María Velasco.

Fracasó, fracasó absolutamente fracasó. Hercilia se negó de principio a fin: ¿Estará pendejo este?, se preguntó antes de empezar a burlarse de él.

—Mira Silve —agregó conteniendo una primera sonrisa— ni me gustan los pinches perros esos que dices ni menos si son amariconados como los de tus amigos ni quisiera saber cómo me veo retratada con un vestido ampón de esos del siglo pasado que me andas diciendo ni voy a posar ante nadie, menos mucho menos pareciendo la abuela de la emperatriz Carlota ni me voy a sentar en el pasto cagado y meado por tanto cochino que va al bosque a hacer sus necesidades ni tendré un libro en la mano como si yo fuera una sabihonda ni perderé la vista en ningún horizonte que no sea el formado con mis comadres hoy en la tarde para nuestra canastita ni me importa la grandeza de México, ¿cuál grandeza, tú? Para locuras las mías, mi rey, déjame en paz con las tuyas que sí son de a de veras... ¿Me harías el favor de irte dentro de quince minutos al mismísimo carajo? Gracias, rey, muchas gracias, eres muy amable, gracias por tu comprensión...

—¿Por qué quince minutos? —le preguntaron sus amigas.

—Porque él no debe irse al carajo cuando quiera sino cuando yo se lo pida. De otra manera no tiene chiste, manas...

Los años pasaron. Las incansables manecillas de los relojes continuaban su monótono peregrinar por las carátulas despintadas y oxidadas de las torres de las catedrales del mundo, mientras sus campanas anunciaban con no menos aburrimiento el fallecimiento o el nacimiento de una nueva hora.

La vida se encargaba de enfrentar a Silverio y a Hercilia —éste último había salido recientemente con el invento de que su apellido tenía origen francés, provenía de Cortineau (se pronunciaba Corrrtinó), de una familia de gran prosapia dentro de la nobleza radicada al sur de Avignon, la ciudad de los Papas, exhibiendo con meridiana claridad todos aquellos trofeos que habían logrado coleccionar a lo largo de su fructífero matrimonio. Hasta la propia doña Macrina, la amable anciana nana de Hercilia, había decidido irse a vivir con Chepina, sí, Chepina, Chepis, nada de la Corregidora y quién sabe cuántos cuentos más, aunque se enoje el señor, tan pronto ésta se casara, que terminar sus días en los horrores de la soledad, el silencio, las tensiones, los gritos y la inagotable violencia que surgía cuando decidían ocasionalmente acompañarse a la hora del desayuno, o durante la cena si

Silverio había llegado temprano y Hercilia no había podido ir a jugar a la canasta uruguaya por alguna indisposición repentina.

Si los hijos los distraían formando en apariencia un hogar, cuando estos los abandonaran para encabezar sus respectivas familias ambos empezarían a percatarse de la diferencia existente entre casa y hogar. Tenían una casa, sí, pero no un hogar. La vida comenzaba a pasarles al cobro una pesada factura que ambos debían solventar en su intimidad. No habían entendido que solamente cuando se sentaba un tercero a la mesa se producía una charla. Si Josefa y Belisario habían constituido un parapeto, un sostén, una asidera, esta se desplomó sin más cuando ambos iniciaron su vida universitaria y entre sus estudios y sus actividades sociales escasamente se les veía ni a la hora de la comida ni de la cena ni mucho menos los fines de semana. Silverio y Hercilia se quedaban entonces viendo cara a cara sin saber qué hacer ni qué decir ni qué comentar ni qué sugerir. Tenían el comportamiento de un par de extraños. La conversación se reducía a una serie de preguntas cuyas respuestas casi nunca se escuchaban: ¿Me pasas el azúcar? ¿Quieres más? ¿Vienes a comer? ¿Te alcanza con la quincena?

Nada. El puente una vez existente por donde fluía la comunicación se había derrumbado hacía muchos años sin que la rutina les hubiera permitido evaluar la trascendencia de los daños. Ahora se saludaban esquivamente de un lado al otro, cruzándose tímidamente las miradas, rehuyéndose en el rancho, buscando el menor pretexto para refugiarse en la costura, a Hercilia le había dado por coser y a Silverio por especializarse aún más en cuestiones agrícolas que acaparaban todo su tiempo, si es que no buscaban desesperadamente a alguien para que pasara con ellos el trago amargo del fin de semana y los distrajera evitándoles el martirio del silencio y de las interminables comidas monosilábicas.

Curiosamente Hercilia no había cambiado a pesar de que el rebenque que Silverio había comprado en Río Grande do Sul permanecía colgado en la pared de su habitación en espera de una oportunidad para ser utilizado con el objeto de imponer de nueva cuenta el orden doméstico tan necesario e imprescindible en la convivencia diaria. Mucho antes de que Cortines, o Corrrtinó —un nuevo toque de elegancia y distinción en su personalidad— ascendiera al puesto de subsecretario de Asuntos Agropecuarios, ya echaba mano del rebenque con relativa frecuencia para hacerse respetar en casa. La respuesta se advertía de inmediato durante la noche: movida por un complejo de culpa feroz Hercilia buscaba bajo las sábanas a Silverio en busca del perdón. Su marido aprovechaba cabalmente ese sentimiento de culpa aprendido en el interior de los templos católicos para castigarla en la cama haciéndole el amor como un salvaje, con un coraje desbordado de toma, toma y toma, ahora voltéate y ten, ten, ten, similar a los golpes infligidos por el cinturón que Hercilia recibía ahora entre las piernas como una penitencia que debía cumplir para ser exonerada de su falta. A la mañana siguiente le eran preparados a Silverio unos huevos rancheros servidos en abundante salsa de jitomate bien picosa acompañados de una buena ración de frijoles refritos cubiertos por una capa de queso Chihuahua gratinado sobre la que se encajaban unos cuantos totopos para empezar a comerlos sin necesidad de usar el tenedor. No faltaba una cerveza bien fría al lado, las tortillas o el pan tostado y los bizcochos, particularmente los Garibaldis, una de las locuras gastronómicas del buen Silverio, mismos que engullía remojándolos en una tasa de chocolate caliente batido por las santas manos de Hercilia hasta dejarlo verdaderamente espumoso. ¡Ay!, Silve, Silve de mi vida, nunca me abandones: cambiaré, te lo juro que cambiaré, te casaste con una pecadora, perdóname, nunca jamás te volveré a causar disgustos. Pídeme lo que quieras, lo haré con tal de merecerte, lo haré, lo haré, lo haré...

Josefa habló una y mil veces con su madre después de la tremenda golpiza que le propinó su padre el día del aniversario de la reina Isabel II. Le insistió en la necesidad de hacerse respetar, de mostrar su dignidad, de exaltarla, resultaba imposible permanecer al lado de una persona que resolvía los problemas con las manos y no con la cabeza y el corazón como correspondía a cualquier matrimonio donde el amor y la decencia fueran el marco de convivencia civilizado. ¿Cómo puedes tolerar que nadie, ni mi propio padre te ponga una mano encima, mamá? ¿No te ofende? ¿Cómo es posible que lo resistas y todavía te apresures a hacerle sus huevos rancheros al día siguiente? ¿Estás loca?

—!Ay!, hija mía, a mis años es tarde para reaccionar —contestaba Hercilia resignadamente con la cara de una monja enferma en espera de la suprema instancia de la confesión—. Existen momentos para reaccionar y los míos pasaron hace mucho tiempo, ahora ya no puedo desviarme del destino que me trazó el Señor con su Divina Sabiduría —concluía como si fuera una beata recibiendo la última bendición antes de perecer incinerada con leña verde en una plaza pública—. Debo sufrirlo y pagarlo irremediablemente —continuaba su respuesta en tono apostólico—, está escrito que así sea y que por lo mismo se me habrá de premiar en la eternidad por tanto sufrimiento, querida Jose, eres muy joven para entenderlo, pero no lo olvides jamás: tu padre es mi cruz y deberé cargarla toda mi vida mientras tenga fuerza para hacerlo, es la voluntad de Dios.

Josefa podía incendiarse como un bonzo ante actitudes inquisitoriales de esa magnitud que debían haber sido superadas cuando menos tres siglos atrás, pero no, seguían vivas, profundamente arraigadas en la mentalidad católica de nuestro pueblo, enraizadas hasta la fibra más íntima de la idiosincrasia nacional, dominándonos, controlándonos, rigiéndonos en forma siniestra y aviesa.

—Ninguna cruz mamá, ¿de dónde sales con esas expresiones? Nada, absolutamente nada está escrito —aducía encendida en esos instantes la antropóloga— y por lo mismo no existen destinos ni cruces ni cuentos. Deshazte de la cruz esa que tú misma y nadie más te has puesto a cargar sin que nadie te lo pidiera —exigía desesperada en su impotencia—. ¿Quién te va a recompensar por un sacrificio inútil que tú misma te has impuesto? —se cuestionaba con el ánimo en los suelos—. Menudo Dios el tuyo si es capaz de ordenar que te golpeen al extremo de que llegue a ser necesario internarte quince días en la terapia intensiva de un hospital para que acumules méritos de ingreso en la eternidad: ¡por favor, es de locos, mamá, reacciona, por lo que más quieras! ¿No te das cuenta —preguntaba tratando al menos de echar mano de la razón— que estarías en ese caso frente a un Dios vengativo, morboso e injusto que exige pruebas salvajes para aceptarte en el reino de los cielos? —concluía totalmente descompuesta por el nivel tan lamentable que adquiría la conversación.

Hercilia reaccionaba tímidamente ante la posición extremista de su hija pero no la combatía ni se empleaba a fondo para refutarla. De alguna parte habría adoptado Belisario la estrategia de oír y oír y sonreír y volver a sonreír, siempre escuchando como los chinos, para luego hacer exactamente lo que se le viniera en gana sin oponerse a nadie ni discutir ni agotarse en conversaciones inútiles sobre todo cuando ella ya había tomado una decisión final.

—No dejes que te vuelva a tocar mamá, sepárate de él si vuelve a intentarlo, ¡prométemelo!, te lo suplico. ¿Cómo consientes que el látigo ese continúe colgado en la pared de tu habitación? ¡Quémalo hoy antes de que llegue y tírale los restos a la cara, pero ¡ya! —insistió siempre Josefa sabedora de antemano de su fracaso rotundo antes de comenzar siquiera a hablar. Algo quedaría, al menos eso pensaba... Nunca era tarde para reaccionar, para darse su lugar. No podía hablarse de un destino porque presuponía la existencia de una inteligencia superior a la humana con la capacidad de ordenar, de premiar o castigar a los miles de millones de personas que habían puesto sus pies sobre la faz de la tierra desde la misma mañana en que el viento había soplado por primera vez. Todo eso era una inconsecuencia, una injusticia, agregaba vehementemente con tal de convencerla, pero era inútil, irremediable. Hercilia no reaccionaba, las mentalidades dogmáticas estaban muertas en vida. ¿Por qué Dios creaba débiles mentales y al mismo tiempo potencias intelectuales que llegaban a encumbrarse como premios nobel? ¿Por qué hay quien nace mutilado y otros ganan concursos de belleza? Si alguien había definido desde las alturas destinos tan distintos

81

y diferencias tan severas, se estaba frente a un claro fenómeno de perversión insufrible. ¿Cuál imagen y semejanza cuando nacen niños con dos cabezas? Seamos serios.

Hercilia seguía con su bordado y repetía: no eres nadie para criticar ni para interpretar la suprema gracia de Dios, y agachaba la cabeza para no perder ni una puntada.

Josefa se rindió al mismo tiempo que Hercilia dejó de contarle las cuerizas que recibía con el rebenque. Silverio se cuidó mucho de volver a tocarle la cara a su mujer ni con las manos ni con cualquier otro objeto después del susto aquel de la noche de la conmemoración del natalicio de la reina británica. La socióloga pensaba siempre en las mujeres que habían viajado con sus maridos, los colonizadores norteamericanos de los siglos XV y XVI. Ellas habían venido para crear otra civilización en el Nuevo Mundo, mientras los conquistadores españoles habían llegado solos, dejando a sus mujeres del otro lado del Atlántico y entendiendo a las indígenas como un festín sexual, como objetos despersonalizados de uso y de placer creando severos complejos de sometimiento hacia la figura masculina que perdurarían hasta nuestras días. ¡Qué ventaja tan grande les llevaban las mujeres norteamericanas a las latinoamericanas en materia de libertad, de autonomía y de autorespeto! ¡Qué trabajo tan grande tendría que hacer un gobierno progresista para rehabilitar a las mujeres incorporándolas al sistema productivo de la nación con los mismos derechos y obligaciones! ¡Qué difícil restablecer el sentimiento de igualdad! ¡Cuánto!, cuánto se tenía que hacer para evitar el gigantesco desperdicio que significaban las mujeres encerradas tras las siete puertas de su hogar, mientras su vida transcurría sin justificar su existencia ni promover el generoso desarrollo de sus facultades con arreglo a propósitos distintos a la lactancia! Si Josefa pudiera cambiar ese triste estado de cosas...

Hercilia se apoyaba en dos polos para no derrumbarse y mantenerse en equilibrio. Uno: había encontrado un sinnúmero de distracciones que la hacían inmensamente feliz, como las barajas, su querida canasta con sus amigas de toda la vida, quienes se turnaban el traje negro, el del luto, según iban desapareciendo sus maridos. Tenía que haber una causa, una razón ciertamente grave para no asistir a la canasta vespertina. Otro, su sentido del humor. ¿Creen que ya había regresado sus credenciales del PUP? Claro que no: cuando intentó hacerlo le indicaron que quien las devolvía todavía sería más pendejo que cuando se había inscrito; ella, por toda respuesta soltó una carcajada y guardó su credencial a colores en su cartera. Pidió que borraran el nombre de su marido de los registros y le aseguraron que lo harían de inmediato pero que no por esa razón sería más inteligente...

Para Josefa su madre reflejaba a la perfección la idiosincrasia nacional:

82

se burlaba de todo en el anonimato, se burlaba inclusive de su marido siempre y cuando no se pudieran desprender consecuencias para ella. El pueblo de México hacía lo propio a través del chiste: masacraba materialmente con comentarios hirientes a sus gobernantes, con chistes no menos crueles que ingeniosos lanzados desde el anonimato, sintiendo con ello la materialización indirecta de un viejo sueño de justicia. La destrucción de la personalidad política a través del chiste compensaba el malestar popular por el atropello, la arbitrariedad y la corrupción histórica que había padecido el país. El chiste era una vieja manera de ejecutar la venganza sin represalias.

Ya no hablaba del *cosito* de Silverio con la esposa del embajador inglés, ya no, pero comparaba las dimensiones de la virilidad de Silverio con las de los esposos de sus compañeras de juego entre carcajadas que se oían más allá de los linderos de la casa donde se reunían a apostar. Era divertida, seguiría siendo divertida toda la vida. La niña que habitaba en ella jamás envejecería. Hercilia se encargaba de cuidarla devotamente todas las mañanas buscando el lado cómico a todas las anécdotas de su vida, aun aquellas en apariencia trágicas que hubieran hecho ruborizar a cualquiera. La ocasión propicia para el comentario, el feliz momento de las confesiones se daba especialmente después de hacer las cuentas, guardar las fichas y recoger el dinero colocado sobre el paño verde, testigo mudo de conversaciones incendiarias, de hechos inenarrables, irrepetibles, de pasajes de la vida real dignos de aparecer en los anales de la historia. ¡Cuántas intimidades se dijeron sobre esa mesa que hubieran causado verdaderas revoluciones en la sala de redacción de los periódicos!

Las risotadas que produjo Hercilia entre sus amigas y tías cuando recordó la ocasión en que Silverio le había dicho que ella, precisamente Hercilia, la nacida en la Ventosa, Tehuantepec, era deípara... ¿Deípara? —le pregunté extrañada a este con sus palabras de domingo—. ¿Qué es una deípara, Silve?

—¡Tú!, Chila de mi vida —repuso emocionado—, eres la virgen, o sea, la madre de Dios...

—¿Yo la madre de Dios? —clavó la mirada en el rostro de Silverio, experta como era en detectar sus niveles de alcoholismo.

—Sí —insistió Silverio.

—Y si puede saberse, ¿quién es Dios para ti, o mejor dicho, quién es mi santo hijo, Silve querido? —cuestionó como si su marido hubiera perdido de golpe la razón.

—Nuestro hijo Belisario es Dios, mi amor, ¿no te habías dado cuenta, Cie? Belisario, Belisario está cada día más cerca de la perfección, Chilita, él llegará a donde nadie, ningún mexicano, ningún ser humano ha llegado...

Para mí él es Dios y, por lo mismo, tú eres deípara, mi amor: dei, Dios; para, la que pare, la que da a luz, Cielito; en síntesis, la que pare a Dios...

—¿Tú qué dijiste? —cuestionaron las mujeres en coro sin soltar las barajas a punto de estallar en una nueva carcajada de las que provocaba Hercilia.

—Mira, Silvercito, si yo soy una deípura o deípara, como se diga la cosa, tú eres un pendejo... ¿Cómo se dice, mi amor, tú que todo lo sabes, al que es el señor padre de un pendejo? —repuso como pudo a punto de caer privada de la risa.

Las risotadas se podían escuchar en la esquina. Nunca en tantos años de jugar juntas a las cartas Hercilia había estado tan graciosa...

—¿Te imaginas tú, Luchis, que yo haya dado a luz a Dios? Este Silverio es un pendejo —insistía sin poder controlar la risa sintiéndose muy satisfecha por la diversión que producía en sus amigas que tanto la admiraban.

Josefa había terminado sus estudios como antropóloga y se había inscrito a continuación en sociología, profundamente preocupada por la educación en México, especialidad en la que fue adquiriendo un merecido reconocimiento profesional. El tiempo se encargaba de delinear con mayor perfección y delicadeza los rasgos de su fisonomía según ingresaba en una edad madura. Su físico se transformaba. El corte de su rostro, fino y distinguido, su cabellera rubia ceniza, sus intensos ojos azules, su estatura, sin llegar a ser una mujer alta, superior desde luego al término medio femenino de México, su imagen esbelta gracias a la observancia de una rigurosa dieta, la distinción de sus modales, de su trato, la nobleza de su sonrisa y la elegancia en el vestir sin complejos ni prejuicios, dejaban al descubierto la presencia de una persona singular desde luego en los medios académicos y no menos única en los sociales y políticos que frecuentaba por cuestiones de trabajo a esos veintiséis años de edad en que todo es posible.

Josefa era exquisita y discreta. Cuidadosa en su arreglo personal igual para impartir sus cátedras cargadas de razonamientos, hechos y emotividad, a las que muy pocos alumnos se permitían faltar, que para asistir a un concierto, a un recital o a una tienta de reses bravas, una de las grandes atracciones de su vida.

Cuando se encontraba en el campo y a caballo, el viento le murmuraba al oído despertándole intensos sentimientos, gratificantes emociones que no era posible descubrir en las aulas ni en las tumbas mixtecas enterradas bajo 7 capas de historia. En realidad no se trataba del viento, ¡que va!, era un hombre, el hombre ideal, el de sus sueños, que sentado en la misma silla charra la sujetaba firmemente, rodeándole la cintura con una mano, mientras con la derecha llevaba virilmente las riendas para obligar a la bestia a trotar por donde él había decidido con tal de ganarle la carrera al toro enjundioso, a superar su bravura, a medir su casta, a catalogarlo, a darle un nombre para figurar en la gran tarde, la de la boca seca, la del paseíllo y las palmas, la de los pañuelos blancos y los clarines del miedo, la del sol, la sangre y la arena; a galopar más tarde entre los sembradíos de alfalfa, a salpicar los charcos, a emprender una carrera entre los callejones de los maizales para apearse después con toda lentitud, pegada como la carne al hueso, ceñida al cuerpo de aquel recio jinete al que le bendeciría con los labios abiertos y le agradecería el viaje por el mundo de los instintos sin fronteras. Josefa era audaz y segura de sí misma. La belleza no le faltaba. El talento tampoco. La suerte nunca la había traicionado, esta vez estaría igualmente a su lado, fiel, leal, adicta. Desde que el campo la había cautivado con su embrujo, sus aromas y sus silencios, había deseado encontrar precisamente ahí, en un futuro lejano, al hombre, a su pareja, para compartir juntos un destino y un amor por la tierra y sus colores, por la tierra y sus gentes, por la tierra y sus productos, por la tierra y sus animales, su paz y su hermosura. Desde aquellos años en que salía a pasear con los caballerangos de Los Colorines, desde que el aire frío y perfumado de las madrugadas cuajadas de rocío le hicieron saber todos sus secretos y el tierno sol de la mañana le calentaba sus mejillas de niña, en tanto los perros y los gallos de las rancherías parecían saludarle a su paso, ya lo había decidido: quien no ame la naturaleza como yo, estará descalificado para acompañarme en mi vida.

Ese hombre llegó. ¿Su nombre? Alonso Cuevas, un acaudalado ganadero conocido en los medios taurinos como el Chato, pues era dueño de una extremidad nasal de tal manera sobresaliente que el apodo muy a la mexicana no podía describir mejor semejante protuberancia. El Chato le venía como anillo al dedo. Pero eso sí, tenía el corazón más grande que sus reses de lidia, como la propia Josefa confesaba, más grande aún que el de sus toros sementales, sus queridos miuras importados de Andalucía. Alonso, un personaje alto y más delgado que una espiga de trigo, cuerpo de torero, generoso en el hablar y en el hacer, aproximándose rápidamente a esos 35 años de edad en que los hombres ya lo son o no lo serán nunca, la dejaba hacer y continuar su carrera académica mientras a él no le regatearan el tiempo necesario que demandaban los toros desde su crianza al encierro y la corrida en cualquier coso taurino de la república o del extranjero. Donde se toreara ganado suyo, ahí estaría él en el burladero, ¡ah! que si estaría, acariciando como siempre un anillo, una simple argolla de oro, su amuleto, anudado en el paliacate en espera que sus animales honraran los colores de su divisa verde olivo. Así lo había hecho su padre y en su momento su querido abuelo, el fundador de la generación de ganaderos. El toro era el toro. Ni hablar. Valores entendidos. Condiciones aceptadas. Las bases bien cimentadas. Si lo más áspero había sido dicho y los espacios para sorpresas y desilusiones habían sido honestamente reducidos, a vivir entonces, a gozar el uno del otro, a disfrutar, a explotar sus apetitos, a comunicarse experiencias y sentimientos, a mostrar las inclinaciones, los caprichos y las debilidades de cada quien para conocerlos, compartirlos y en su caso acrecentarlos. Para eso eran los noviazgos, precisamente para eso.

Cuando los viernes Josefa salía de la universidad después de presidir un seminario sobre El Analfabetismo en América Latina, de inmediato se dirigía a su casa, recogía sus botas, unos pantalones vaqueros y una muda y se enfilaba ilusionada en el automóvil con dirección a Los Cuatro Vientos, la hacienda de Alonso, sin duda una joya arquitectónica, con la esperanza de aprovechar los últimos momentos de la tarde, aquellos en que el día agoniza y se niega a sucumbir lanzando imponentes destellos de plata y rojo que la animaban a un desaforado galope rumbo al sol, persiguiendo las sombras, alcanzándolas, superándolas, llenándose una vez más los ojos con recuerdos, añoranzas y vivencias antes de emprender el andar resignado y pensativo del regreso, absorbiendo los últimos néctares al final de los trigales.

Después del paseo y cuando se garantizaba que El Tequila, su caballo consentido, por fuerte y sacudidor, ya descansaba del esfuerzo trotando o caminando en los picaderos, se dedicaba a platicar con Alonso en el patio central extraordinariamente bien iluminado de aquella hacienda del siglo XVIII, mientras tomaban juntos el aperitivo y la botana en donde abundaba el guacamole y sus totopos, el queso derretido con sus tortillas de harina y chorizo asado, las cebollitas doradas al fuego y servidas con jugo de limón al lado, los taquitos de chilorio que podían enloquecer a Josefa, los de chicharrón en salsa verde y desde luego los gusanos de maguey: todo un suculento banquete campirano. Cuando empezaba a refrescar y el rebozo de lana o el poncho eran insuficientes para vencer el frío, pasaban al Salón de los Gigantes, donde El Chato tenía colgadas como trofeos las cabezas de los toros más nobles y bravos que habían visto la luz por primera vez en la ganadería de su abuelo, después la de su padre y ahora la de él mismo, las del arrastre lento, las de los indultados, las de los que el público había despedido conmovido agitando los pañuelos blancos, las de los que habían inmortalizado a los matadores, las de los toros cuya estampa inolvidable aparecía vaciada en bronce con una placa conmemorativa a la entrada de los cosos, los que realmente habían hecho historia en las plazas de México.

Una vez acomodados en el piso sobre unas pieles de borrego cosidas a modo de un gran tapete, continuaban la conversación recostados cómodamente el uno contra el otro frente a la chimenea y tan pronto la famosa catedrática comenzara a hablar de Durkheim o de Max Weber, Alonso entendía la llegada del feliz momento de acercarse a ella lentamente, lanzándole una mirada cargada de picardía pero sin permitirse interrumpir la larga perorata vertida por la catedrática en torno a la influencia inevitable del protestantismo en el desarrollo económico, y mientras hablaba y hablaba explicando las desventajas de la religión católica para efectos de la creación de riqueza cuyo resultado desastroso podía comprobarse con un simple vistazo a América Latina, una mano experta empezaba por jugar con los botones de su blusa, los abría y los cerraba, en realidad los iba dejando abiertos uno tras otro mientras Josefa comparaba los niveles de crecimiento económico en los países protestantes y en los católicos conquistados por una inquisición diabólica y retardataria que había destruido la menor simiente de progreso en las piras de libros o en las de leña verde donde morían calcinados los liberales y con ellos las últimas posibilidades de evolución antes de hundirnos en el atraso y en la miseria. Sus palabras eran apagadas entonces por unos labios sedientos que la recorrían de arriba a abajo en tanto ella balbuceaba los últimos razonamientos en torno a la ética calvinista.

Para Alonso no existía un sonido más hermoso que el de la voz de la mujer amada ni un sabor más exquisito que el de su saliva...

Bien pronto sólo se escuchaban los chasquidos de la leña, los fuegos artificiales dentro de ese templo improvisado para el amor donde las llamas parecían bailar alrededor de los amantes para acercarlos aun más, para fundirlos, hacerlos sólo uno entre quejidos de placer, risas ocasionales y esquivas, murmullos imperceptibles y confesiones graciosas seguidas de una entrega feroz, como si ambos hubieran renunciado a la vida misma a cambio de gozar a su máxima expresión de este último lance, tierno, afortunado, eterno, esta feliz reconciliación con la existencia, este contacto de la piel contra la piel del ser amado, esta fuerza repentina, este optimismo contagioso, este resurgir denunciado por el rumor de la sangre, por la agitación del pecho y la respiración extraviada, por una mirada que ya no mira y unas manos suplicantes, compulsivas que aprisionan, asfixian, arañan, atrapan y de pronto se detienen en temblorosa angustia como una paloma herida de muerte en pleno vuelo, para languidecer y todavía acariciar en esta nueva despedida antes de volver a fallecer y abandonarse como siempre a las puertas de los tiempos, en las riberas mismas donde es posible escuchar el último réquiem, el de los verdaderos mortales: los amantes.

Un par de años después Josefa unió su vida a la de Alonso exclusivamente por el civil —no creía en el vínculo religioso— habiendo jurado previamente un pacto que el ganadero repetía con su habitual simpatía: jamás entrarás a los terrenos del toro, ahí mueres... Desde luego fungió como testigo de honor el gran Pascual Portes Obregón instalado ya en la política de tiempo completo en la Secretaría de Educación Pública donde gozaba ya de un importante cargo a sus 29 años de edad. Su matrimonio se tradujo en una magnífica integración de su personalidad. Ella no quería casarse con un hombre de libros, ya estaba bien de academias, investigadores y estudiosos, ahora se requería una compensación de otra naturaleza, encontrar un elemento de equilibrio desvinculado de las universidades y de los textos científicos, una nueva fuente de alegría, otro tipo de convivencia, de conversación y de placer para poder respirar mejor en las aulas o en las bibliotecas. Oxigenarse, abrir las ventanas y sin desviarse de sus propósitos intelectuales ni profesionales disfrutar otra parte de su existencia no menos importante ni gratificante. Alonso representaba la solución ideal. Su sentido del humor podía desarmarla, siempre tenía a la mano una salida ingeniosa y graciosa, ¿sujetarlo a él por el cuello como ella les hacía a sus colegas e interlocutores durante las mesas redondas?, ¿dejarse poner contra la pared? Sí, como no, para esos menesteres era particularmente hábil: mira pecosa, por qué no te vas con tu Freudito ese de transistores (se refería a Pascual Portes) y cuando se te acaben las baterías y ya estés de mejor humor, Einsteicita, entonces vuelves para que ordene que te den una vueltecita en el picadero y te descanses como tú haces con el Tequila, ¿eh?, ¿te parece? No se te olvide que para torear, yo, ándale mi amor...

No había rivalidades en casa. Tú me hablas de tu tal Skinner y yo te hablo de la venta de semen congelado de mis miuras, ¿qué tal? Ambos disfrutaban sus momentos. Ambos eran un par de apasionados en sus actividades cotidianas. El respeto se imponía sin necesidad de reclamarlo ni de hacerlo valer. ¡Cuando iba a permitir Josefa que la golpearan con un rebenque como su padre lo hacía con su madre!, ni ella lo toleraría ni a él se le ocurriría! Se trataba de otra generación con otras expectativas, imágenes y esperanzas. Había tiempo para todo, para los libros, los toros y para el amor y el amor floreció con la llegada de dos hijos, Claudia Eugenia y Rodrigo. Nada de llamarlos Silverio o Josefa, Alonso o Hercilia en honor de nadie. En cuanto al Cortines, era inevitable por lo menos en actas. Nombres normales, bonitos pero sencillos, sin que implicaran una conducta a seguir ni un determinismo ni obligaran ya a un futuro ineludible. Acabemos con eso. Desbaratemos los traumas paternos, no los heredemos, rompamos la cadena, hagamos que nuestros hijos nazcan libres, sin compromiso alguno salvo el que ellos quieran adquirir. Ni Cuauhtémoc ni Lázaro ni Venustiano ni Belisario ni Napoleón ni Ludwig ni Paul ni Coatlicue ni Huitzilopochtli ni ninguna otra sandez de esas. Claudia Eugenia y Rodrigo. Así de fácil, sin patologías genealógicas ni estúpidos complejos de sangre. Claudia Eugenia y Rodrigo, así, sin apellidos. ¡Ya está! A vivir cada quien su vida sin sometimiento a ninguna dictadura generacional. Y así al menos trataron de empezar a vivirla hasta que la tierra en una de sus rotaciones milenarias decidió acomodar veleidosamente sus piezas disponiéndolas como siempre a su antojo sobre los tableros de los empedernidos jugadores.

Precisamente el día en que nació el pequeño Rodrigo, aquella mañana en que los rayos del sol se disputaban jubilosos la entrada por la ventana de la recámara de Josefa ubicada sobre una de las arcadas del patio de Los Cuatro Vientos, sin duda uno de los momentos inolvidables de su vida —no había felicidad completa, diría el propio Alonso, Dios da y quita pero no estrangula, aduciría por su parte Hercilia— exactamente cuando Josefa llegaba a su punto más alto, a la plenitud misma y se negaba a creer en la existencia de tanta dicha que deseaba compartir y repartir con los brazos abiertos, mostrando a su hijo, el fruto de su vientre y de su amorosa relación con Alonso al mundo entero, todo ello enmarcado dentro de un espectacular desarrollo profesional, fue entonces cuando un rumor desconocido, ignorado, se produjo solamente en el interior de la casa de Silverio y de Hercilia Cortines. Las paredes empezaron a moverse, a sacudirse como si la residencia de concreto hubiera sido contruida con naipes usados. El rumor se convirtió en temblor y el temblor en terremoto. Lo demás fue una mera cuestión de instantes antes de la destrucción total, de la catástrofe impredecible, del derrumbe de la familia.

Aquel día, cuando las violetas y los geranios llovían sobre su lecho y Josefa amanecía con una tiara de rosas blancas iluminando su frente, fueron colocados simultáneamente crespones de luto en la carrera política de Silverio Cortines y Brambila. El señor subsecretario A del Deporte —había dejado de ser un par de años atrás el de Agricultura y una buena mañana se había presentado como el nuevo y flamante subsecretario del Deporte— fue cesado fulminantemente con todo y su meteórica carrera y su saber universal, con todo y sus asombrosas especialidades. Despedido a pesar de sus 27 fotografías con Presidentes de la República, con primeros ministros, reyes y jefes de gobierno, retratos dedicados para reconocer su labor, ensalzarla, distinguirla u honrarla. Despedido, sí con todo y sus nexos con los más queridos próceres, mártires, héroes, pintores, músicos, escritores y poetas de la nación. Despedido como una verdulera mal hablada de un refinado salón de alta sociedad. Realmente había formas para todo y en su caso habían faltado en todo.

Las últimas olimpíadas habían sido un verdadero caos, un estruendoso fracaso, el escándalo nacional era notable. Se imponía una cacería de brujas, la búsqueda fanática de un culpable, de un chivo expiatorio: la cuerda siempre se rompía por lo más delgado. Desde la invasión norteamericana a Veracruz a principios de siglo durante la tiranía del Chacal de Victoriano Huerta, la prensa mexicana no le dedicaba tanta tinta, tanto tiempo y tanto espacio a un tema que atentaba contra la dignidad mexicana. Ni una medalla en nada, absolutamente en nada. Ni una condecoración de oro ni de plata ni de bronce ni de nada: tan catastróficos resultados había tenido la delegación deportiva mexicana que las autoridades olímpicas internacionales se habían negado terminantemente a darnos siquiera una constancia de participación al mérito atlético. Nada. La misión mexicana regresaba con las manos vacías. El mismo avión que trajo a nuestros atletas, ¿atletas?, bueno a los participantes, llámense como se llamen, había tenido que detenerse a la mitad de la pista del aeropuerto capitalino para que las turbas de fanáticos enloquecidos no fueran a lincharlos uno por uno sacándoles previamente los ojos con los pulgares. ¡Estafa!, rateros, vergüenza había de darles, mira nada más qué ejemplo para nuestros niños, en Ghana los futbolistas entrenan con cocos porque no les alcanza ni para balones y nos metieron 7 a 0: no hay derecho, gritaba enardecido el populacho. ¿Cómo es posible que nuestra máxima promesa en clavados se haya tirado "de bombita" de la plataforma de diez metros en el clavado crítico? Fueron a pasear con nuestro dinero, ¿verdad?, repetía la prensa sin cesar en cuanto espacio encontraba propicio para el ataque. ¡Cabezas!, queremos cabezas, señor presidente: Justicia, queremos justicia señor presidente, nuestra juventud se deprime, hacemos un país de castrados si no demostramos ser capaces en el terreno deportivo. Ahí y sólo ahí se nutre y se refleja la verdadera dimensión de la idiosincrasia nacional. De modo que acción, queremos acción y justicia señor presidente. ¡Que caigan los responsables! Sepárelos de los pechos de la nación! ¡Ya basta!

Pues bien, aquella mañana en que Josefa arrojaba al mundo al pequeño Rodrigo, el señor Secretario del Deporte arrojaba a Silverio Cortines del mundo político. El terrible momento había llegado antes de lo previsto. El terreno había sido preparado minuciosamente. La intriga había funcionado a la perfección. Día a día aumentaba la flama. Día a día se le reducían a Silverio los espacios. Día a día se envenenaba más la mente del Presidente de la República. Él tomaría solito la decisión, en ningún caso el señor secretario.

¿La catástrofe?, claro, Cortines. Ni una sola medalla, Cortines, claro Cortines, ¿quién más? Esto no salió porque ya sabe usted, Cortines. Ni siquiera los boxeadores ni los nadadores ni los jinetes, ¿nadie ganó nada?, ya sabe usted, señor presidente, Cortines lo sabe todo mejor, pero como usted siempre lo ha apoyado. El daño en la juventud es muy severo, el ejemplo nocivo, ya sabe usted, Cortines, si quiere usted un cambio, pues Cortines se llama el obstáculo a vencer, señor... ¿Y el presupuesto? ¿Qué se hizo con todo el presupuesto si no se destinó ayudar a los deportistas para que se prepararan? Pues Cortines, señor, pregúntele a Cortines, Cortines y Cortines... Mire usted nada más en qué lío me metió Cortines: Es un malagradecido... Deme las responsabilidades, sí, pero deme también las facultades, Señor Presidente.

—¿Si quitamos a Cortines usted se compromete a resolver el problema de fondo?

—Sí señor. Si puedo contar con mi gente, desde luego podré...

El presidente volteó a la ventana. Vio desde su escritorio los hermosos jardines arbolados de Los Pinos. Permaneció un momento pensativo y repuso como quien decide apostar todo a una baraja:

—Es suyo —exclamó con sobriedad— sólo que a partir de ahora ya no caben las explicaciones ni los pretextos —aclaró el jefe de la nación mientras el señor secretario ya jalaba goloso hacia sí las fichas de las apuestas acumuladas al centro sobre el paño verde. Ganaba la partida. Se deshacía de esa maldita oreja. (Se refería por supuesto a Silverio como espía.) Todas las fichas eran suyas, absolutamente suyas—. Disculpas ninguna, ¿verdad?

—Claro que no. Resultados señor presidente, resultados. Usted mismo los verá. Gracias por su confianza, no lo defraudaré, usted lo podrá comprobar.

Silverio tenía su historia, claro que la tenía. ¿No era cierto aquello de que negocios sucios grandes fortunas? ¿No había dicho Chou En Lai que los grandes políticos tenían un cadáver guardado en el "closet"? ¿Cuál era la diferencia? El fin justificaba los medios.

Algo extraño ya notó Silverio aquella tarde tan pronto regresó de una cita de amor con María Antonieta, una hermosa mujer de unos treinta años de edad, su amante de tiempo atrás, e intentó subir por el ascensor privado, el reservado para la plantilla de funcionarios de más alto nivel. Para Silverio Cortines una cita de amor era una cita de amor. La diferiría, sí, pero sólo por causas insuperables de extrema fuerza mayor. Una situación realmente insalvable: un acuerdo en Los Pinos o una cita con el señor Secretario. Punto. Nada ni nadie a partir de ese momento le haría suspender una cita con el amor.

Ay, cómo disfrutaba mordisquear los labios dóciles y agónicos de María Antonieta. Cómo no perturbarse, como no perderse cuando ella lo dejaba hacer y se abandonada, se desmayaba sin oponer la menor resistencia para que sólo la imaginación y las iniciativas de Silverio establecieran los límites de aquella aventura sin rumbo ni espacio ni temporalidad. La vida, así lo establecía Antonieta como parte del juego amoroso, parecía haberse escapado por aquella boca inánime todavía tibia que Silverio debía saber despertar, resucitar con roces apenas perceptibles, rítmicos, tiernos, así, despacio, aprisionándolos suavemente una y otra vez sin fuerza alguna, sintiendo su carnosidad, mordiéndola, explorando su textura hasta resecarlos, enfiebrarlos, hacerlos palpitar, tal vez suplicar después de haberlos encontrado en la oscuridad nocturna una vez recorridos todos los caminos del secreto. Era entonces cuando al humedecerlos, al inyectarles vida, María Antonieta no podía más y para saciar su sed correspondía palmo a palmo el amor, devolviendo las sonrisas escondidas y provocándolas audazmente. Los papeles se cambiaban: el juego le obligaba a él a su vez a la inmovilidad absoluta y ahora era ella la artífice de la resurrección, la hechicera capaz de capturar los recuerdos extraviados, de revivir los años dorados, los de la juventud perdida, los años sin regreso ni medida. Silverio recibía ese impulso renovador como una oblea divina, enmudecido, tenso, pensativo, balbuceante. Absorbía deleitado aquellas jóvenes esencias, esa savia milagrosa que le llenaba de esperanza, de ilusiones, de vigor y coraje y lo animaba, lo vitalizaba para no ceder en la lucha por la plenitud de facultades que parecían agotarse como los últimos granos de un reloj de arena. Desperdiciar una oportunidad para el amor constituía un crimen. Por eso una tarde era una tarde, una noche, una mañana, una caricia que ya no daría o que ya no recibiría, un instante que ya no volvería, una emoción, una vivencia que ya no recuperaría.

Durante sus "giras" como funcionario buscaba afanosamente a María Antonieta en cuanta ocasión se le presentaba. ¡Cuántas veces había tenido que limitar sus impulsos en un restaurante, después de cenar, bajo los efectos del *Cognac Extra Old*, de su *bouquet*, del aroma de su Cohiba, su habano imperdonable...! Contenerse como hombre en público. Difícilmente podía dejar de acariciar al menos el largo cabello sedoso de aquella diosa de marfil, recorrer una y otra vez con el dedo índice esos labios expertos, repasar con el dorso velludo de la mano su piel de capullo sin perder de vista ni un instante esa mirada invariablemente retadora que hablaba de un vigor carnal inagotable, de una fortaleza contagiosa que sólo la juventud y un temperamento arrebatado podrían proporcionar, en fin, un conjunto de una rara hermosura rematado con aquella dentadura impecable y esa sonrisa demoledora. Nadie, nunca, echara mano o no de los más sofisticados recursos podría con ella. Medio Diosa y medio mujer, María Antonieta era una muestra de los poderes de la naturaleza. Un ser imponente, además plenamente consciente de la generosidad y belleza de sus encantos, atributos irresistibles para la sensibilidad de cualquier varón.

—Si el poder es hacer que otros hagan lo que uno quiere que hagan —le susurraba al oído Silverio después de agotar su repertorio de fantasías amorosas— entonces tú eres una mujer inmensamente poderosa: harás lo que te **venga** en gana, manipularás, mandarás, gobernarás a tu antojo a cuanto hombre se te ponga enfrente, tal y como has hecho conmigo a tu capricho. Una mujer hermosa podría alterar el ritmo de rotación de la tierra si fuera preciso...

Silverio intentaba honrar a María Antonieta, distinguirla en cualquier momento, adorarla de rodillas si fuera preciso. No deseaba sino verla, embriagarse con sus propias fantasías, disfrutar sus graciosos movimientos, las salidas ante sus insinuaciones carnales, gozar con su sentido del humor, con su sonrisa, pero siempre preparándose, imaginando la escena cuando finalmente cerrara la puerta de su habitación para estrecharla entre sus brazos, recorriéndola con sus manos y sus labios sedientos, soñando con los placeres del lecho nuevamente a su lado, enervándose con sus tibios gemidos, el contacto con aquella dorada juventud, aspirando sus esencias, anhelando sus sudores, provocando hasta el delirio sus generosas humedades, recibiendo sus ayes de placer, sus lamentos, las contorsiones de su cabeza como un homenaje a su virilidad, a sus fantasías, en tanto le sugería, le murmuraba al oído las caricias más atrevidas o las posiciones más extravagantes.

Silverio debía sobreponerse, sonreír ante los toques de excelencia, como sin duda lo eran también los moños, su tocado favorito, que María Antonieta utilizaba para rematar espléndidamente su peinado, el marco para iluminar el rostro, una pincelada adicional, un acento más de feminidad. Resistir estoicamente el lenguaje de su indumentaria, la importancia del estuche, la combinación de los colores, los que le son propios al verano, al otoño, el tino del tirante suelto en el vestido y el deseo de volver a verla vestida con sus prendas de noche, ¡ay, las de noche! No, no, aún debía cargar con las miradas saturadas de picardía, la coquetería inagotable de María Antonieta como si llevara siempre a un lado del pecho un ramo de claveles rojos para obsequiarlos a su paso, repartiendo esperanza y optimismo, juventud y placer.

María Antonieta y sus aromas, su voz, sus deseos de exprimir cualquier instante, toda ella y sus perfumes, sus miradas, su alegría natural, toda ella y sus manos siempre ignorantes y traviesas, sus carnes firmes y obsecuentes podían despertarle a Silverio las más refinadas perversiones, la sensación más cercana al delirio, casi comparable a una declaración de ocho columnas. ¿Existía acaso una materia más espléndida que la piel de una mujer? ¿Pero quién habló de perversiones? ¡Por favor! ¿Así le llamaban ahora los hipócritas a uno de los bálsamos de los hombres de éxito, una de sus grandes posibilidades de reconciliación? ¿Cómo tener una corona sin zafiros? A ver, sí, dime tú, o tal vez tú, el pálido que se masturba, o el mojigato que miente, o el egoísta que añora todo lo que desprecia o el fracasado que blasfema desde el fondo de su impotencia, digan, digan por ejemplo ustedes: ¿Recuperar la sonrisa, constatar la fortaleza, recordar la magia y las vibraciones del poder, vivir la conciencia de la existencia al nivel de una de sus máximas expresiones, sobre todo cuando Silverio entrelazaba delicadamente con los dedos el pelo de seda de aquella mujer endemoniada y se lo anudaba lentamente alrededor de las muñecas hasta sujetarle con ambas manos la cabeza inmovilizada y resignada? ¿Esas eran perversiones? Sí cómo no... Ya estaba ahora mismo así con ella, la tendía como nunca sin sentir el menor arrepentimiento. ¡Que si la tendía!... Helda o María Antonieta o cualquiera otra en turno pagarían las agresiones, los desprecios sufridos. Las ofensas recibidas en los escritorios y en las salas de juntas quedarían saldadas en la cama, uno de los lugares favoritos en donde Cortines conducía a sus víctimas para hacerse justicia él mismo y en silencio. ¡Bah!, los jueces. Aquí no hay más juez que yo...

Algo pasaba ciertamente aquella tarde al regresar de su entrevista amorosa con María Antonieta. Su olfato no lo traicionaría nunca. El ascensorista uniformado de azul marino había colgado precipitadamente el teléfono al verlo venir. Raro, muy raro, ¿no? Posteriormente se le había quedado viendo de manera por demás curiosa, probablemente con cierta insolencia, desprecio o compasión. Era difícil interpretar por lo pronto su comportamiento, sobre todo cuando su costumbre y obligación consistía en tener clavada la mirada en el tablero de mandos, estar en posición de firmes, absolutamente rígido, sin respirar siquiera en tanto llegaban al piso 13. Por contra, dicho empleado menor se había permitido observarlo y revisarlo de arriba abajo como si se tratara de un abonero bien vestido. Qué molesto. No sabía si se burlaba o lo compadecía. Tan pronto llegaron a su destino y como si se lo hubiera tragado aquella masa gigantesca de marmol, el ascensorista desapareció con un buenas tardes largo, muy largo, un buenas tardes pastoral y evangélico que sólo dejó de escucharse cuando se volvieron a cerrar las dos hojas de acero del aparato. No menos sorprendido pero eso sí, siempre discreto Silverio se dispuso a abrir la puerta trasera de su oficina, la que utilizaba para huir de periodistas o de visitas incómodas como las de las comisiones regionales de deportistas dispuestas a esperar toda una vida con tal de tener una entrevista con el señor subsecretario, pues bien, precisamente esa puerta imprescindible para escapar de la gente que no sabe hacer otra cosa salvo pedir favores y quitar el tiempo a las tareas realmente importantes, no se abrió, mejor dicho, no pudo abrirla.

¿Habrían cambiado la chapa sin avisarme estos tarados de proveeduría? Tocó a la puerta. Nadie abrió. Ahora lo intentó con la mano abierta. Los golpes se escuchaban hasta en el último sótano del edificio. Dio voces, más voces, pero todo fue inútil. Nadie respondía a pesar de que jaloneaba furioso la cerradura.

De pronto apareció ante sus ojos saliendo de su oficina una mujer extraordinariamente obesa, de piel oscura, pelo chino, dos dientes de oro, con un vestido floreado ajustado, gafas para el sol y en la mano una torta de pierna de res, queso y rajas envuelta en papel manila que devoraba al mismo tiempo que intentaba hablar. Jamás recordaría Silverio que se trataba nada menos que de la Laxante —cualquiera podía cagarse con tan sólo verla por lo antipática que era— Blanca Alvarado, Blanquita, sí, la secretaria de Eduardo Aznar, Netito *Burrar*, el de Pemex, el candoroso corderito que él había mandado al matadero invitándolo una hora después a la del inicio verdadero de la sesión. Aznar por supuesto llegó tarde y la tal Blanquita inocente de todo cargo fue puesta a disposición de personal. Jamás olvidaría semejante trampa...

—¿Qué hace usted en mi oficina? —disparó de inmediato al rostro redondo y congestionado de aquella mujer sin poder salir de su asombro.

La interrogada se abstuvo de contestar mientras terminaba de masticar. Solamente negaba con el dedo índice en silencio en tanto pasaba el bocado. Para la sorpresa de Silverio, en lugar de responder respetuosa e inmediatamente a su pregunta, la dama en cuestión siguió comiendo sin mostrar la menor perturbación, dando a cambio ahora sí mordidas espectaculares, algunas realmente dignas de llamar la atención.

Silverio pensó en empujar a la gorda aquella para pasar a sus dominios y quitarse de cuentos, pero las formas eran las formas. Si ella se resistía ocasionaría un forcejeo, un pleito de mercado, sólo eso podía faltarle: una fotografía en primera plana agarrado de las greñas con una mujer, inmiscuido en un lío propio de verduleras. ¿Él, Silverio Cortines? Ni hablar de recurrir a la violencia. Volteó desesperado, confundido. Escandalizado. Bajaría y denunciaría los hechos en intendencia. Se revisó instintivamente el pañuelo de seda blanca colocado con perfección geométrica en el bolsillo superior izquierdo de su saco. Ahí estaba debidamente perfumado para cualquier emergencia... Nada tenía ya que hablar con esa persona, absolutamente nada. Ni pensar en mancharse las manos. Mejor, mil veces mejor, hablar con los encargados del personal de confianza, hacerles saber lo acontecido y dejarles cumplir con sus obligaciones: desocupar inmediatamente su oficina, echando a como diera lugar al mal bicho ese del piso 13, a patadas si fuera necesario con tal de imponer el orden, no faltaba más. Ya después se deslindarían responsabilidades. Que si se deslindarían, ¡caray!...

En política el mundo era redondo. A lo largo de la ruta podía uno encontrarse muchas veces con las mismas caras, los mismos rostros unas veces sonrientes, optimistas o altivos, otras tantas vengativos, suplicantes o consternados. Unos iban, otros venían en sentido contrario. Los giros se daban con extrema rapidez y las posiciones se modificaban con artera velocidad para la sorpresa inaudita de los caminantes. Tal era el caso de Silverio Cortines y Brambila y el de Blanca Alvarado, Blanquita, Blanquis.

¡Cuándo se iba a imaginar el señor subsecretario que esa humilde mujer a la que no tenía el gusto de conocer ni de vista, podía convertirse un día en su implacable verdugo! ¡Cuándo se iba a imaginar que en su mano podía llevar un recipiente conteniendo la cicuta y que ella, sólo ella podría darse el gusto, tener el muy señalado honor de hacérselo beber hasta apurar la última gota!

Blanca le podía haber hecho más fácil el tránsito a Silverio, pero la posibilidad de venganza era un platillo propio de los elegidos, una distinción en la vida, una deliciosa oportunidad para lavar culpas y reconstruir dignidades. Tanto había soñado y esperado un momento así... a buena hora iba ahora a renunciar a él. A como diera lugar se quitaría la etiqueta de idiota que *Burrar* le había impuesto corriéndola a gritos en público en presencia de sus compañeros de trabajo, llamándola además infeliz traidora, incapaz y maldita arpía, ¡desaperécete de mi vista!, entre otros epítetos de no muy grato recuerdo. Minutos más tarde Cortines haría lo propio con Aznar pero eso sí, apegado a las formas, poniendo en todo caso una mano sobre el hombro del cesante y dirigiéndose a él como hermano, lo siento de verdad. Ella nunca lo olvidaría, era una persona de evidente buena fe.

Con una mano detenía Blanquita la torta de pierna de res mientras que en la otra igualmente anillada con argollas de talla ostensiblemente inferior a la suya, escondía el arma letal. Caminando en dirección a Cortines, sin retirarle la mirada oculta tras esas enormes gafas oscuras, se acercó desafiante hasta él para disparar a la cara un único tiro, definitivo, infalible y certero.

—Toma esto Cortines, me lo dieron para ti —apretó el gatillo con la boca llena de un líquido ácido muy parecido al veneno y entregándole a Silverio una carta en sobre cerrado que éste le arrebató sin la menor consideración. Los zafiros de sus mancuernillas brillaban como un par de luceros vespertinos llenos de vida e ilusión. Al sentir el papel en sus manos por alguna razón inexplicable sintió cómo se le disparaba la temperatura del cuerpo. Comenzó a leer con mal disimulada indiferencia. ¡Ay!, el olfato de Cortines nunca le había fallado. Ardía materialmente en fiebre.

**Correspondencia Particular
del Secretario del Deporte**

Ciudadano Señor Licenciado Silverio Cortines y Brambila.
Estimado y fino amigo:

Con profunda sorpresa y malestar he leído el día de hoy el texto de su renuncia al puesto de Subsecretario A del Deporte que venía usted desempeñando con demostrado talento e inagotable empeño.

De sobra conozco los motivos personales que le han llevado a tomar esta difícil decisión que puede afectar transitoriamente su carrera, sin embargo, quienes conocemos su capacidad no dudamos en afirmar que muy próximamente podrá usted reincorporarse al servicio público al que usted ha dedicado su vida con tan fecundos resultados.

La presente no tiene otro objeto sino agradecerle sus siempre valiosos puntos de vista, sus acertadas intervenciones, así como reconocerle el alto sentido de la responsabilidad que le caracterizó en todas sus funciones y la lealtad que supo imprimir en sus actos en forma por demás ejemplar.

Sepa usted que en mí siempre tendrá un amigo que espera incondicionalmente la oportunidad de servirle. Reciba por lo pronto las seguridades de mi más alta, indeclinable e invariablemente distinguida consideración.

Atentamente,
Sufragio Efectivo. No Reelección.
C.A.E. Esfuerzo de la Barra Fija.
Secretario del Deporte.

Silverio sintió que un rayo lo partía en dos, que el piso se abría bajo sus pies, los ojos se le salían de sus órbitas, las piernas no le sostenían, la fuerza le abandonaba, la respiración se le paralizaba mientras un sudor frío le helaba la espalda, le erizaba los cabellos y un tremendo golpe de sangre en la cabeza le hacía perder el equilibrio. Efectivamente, se desmayaba, se desplomaba sin más, perdía la conciencia.

Jamás había escuchado un silencio tan absoluto. Se recargó tambaleante contra las puertas de acero del elevador sólo para que su vista extraviada fuera a encontrar unas bolsas transparentes de plástico que en lugar de contener detergente moteado tenían en su interior sus efectos personales. Lo supo de inmediato cuando distinguió la fotografía de Josefa saltando en el Trigarante el día de la inauguración del picadero techado de Los Colorines. La foto, aun cuando se encontraba de cabeza, era inconfundible. Silverio hubiera podido identificarla con los ojos cerrados. Su hija había estrenado en aquella ocasión una casaca verde olivo cortada a su medida por un famoso sastre londinense... ¿Cómo podría olvidarla o confundirla? ¡Horror!

Silverio, quien jamás contestaba a alguien el teléfono a la primera vez, el interesado debería intentarlo varias veces antes de que él se pusiera en la línea, la secretaria tenía que decir que estaba en junta fuera quien fuera, los íntimos o las íntimas llaman siempre por el "rojo", un problema de principios, usted sabe, se dirigió arrastrando los zapatos como pudo al rincón para comprobar ociosamente si se trataba o no de sus pertenencias. No faltaba ninguna. Sus plumas Montblanc también estaban ahí, inclusive la que había usado Otto Bismarck, El Canciller de Hierro, para rubricar la victoria en la guerra contra Francia en 1871. Sus ceniceros de mano de gorila africano blanco, una especie en extinción, su colección de cartas de hombres ilustres, sus diplomas, las copias de sus títulos profesionales, los originales los tenía en casa, las fotografías de Belisario durante sus respectivas graduaciones, sus condecoraciones, la de Kenia, la de Albania, la de Túnez y la de Cambodia, las importantes, las extendidas por los países del primer mundo, según decía él, las tenía en una bóveda de seguridad, fuera del alcance de manos perversas, las charolas, sus premios y trofeos a la distinción y la excelencia regalados por todos aquellos empleados o subordinados con los que había llegado a trabajar, así como por embajadas, organismos internacionales, asociaciones no lucrativas aparecían en el interior de las bolsas. Sus copas, galardones y todos sus certificados estaban ahí, hasta el que le habían dado por ser el mejor boy scout senior de su generación. Estaba todo. No faltaba absolutamente nada.

Pálido y enfiebrado, volteó a ver a la mujer aquella animado de desahogar su furia en alguien. La fulminaba con la vista. A cambio la dama aquella desapareció con todo y torta de la escena tras un sonoro portazo que dio por concluida la entrevista sin dejar la menor duda de su elocuencia. El martillazo inapelable del juez. Lo echaban a la calle, lo despedían con una patada en el trasero tal y como se expulsa sin más a un borracho necio e impertinente de una cantina de pueblo.

Jamás había tenido contacto con un dolor así ni había imaginado la existencia de semejante desamparo ni tal deshonor. ¿A mí? ¿A un Cortines y sin alguna palabra, alguna explicación, al menos cierta deferencia? Sintió que los ojos se le anegaban, tirado como estaba encima de sus cosas. Pero, ¿qué barbaridad es esta? ¿Llorar? ¿Tú?, ¿un Cortines? De pie, Silverio, de pie, por favor. Saca el pecho, levanta la cabeza, arregla tu traje, tu corbata y pon tu mejor expresión: Sé Dios Silverio, sé Dios, es ahora o nunca. A los hombres se les conoce en la adversidad, se les identifica cuando se ven obligados a exhibir una fuerza de la que carecen los demás en las mismas circunstancias. Su presencia se advierte porque saben mantener la dignidad, el coraje, el empuje y el tesón hasta el final. Jamás se rinden ni se entregan ni se abandonan. Luchan Silverio, luchan. ¿Lo has oído? ¡Luchan! ¿No decías que los viejos búfalos morían embistiendo? ¿No decías que los toros bravos se crecían al castigo y no sé qué cuentos más? ¿No lo decías, eh? Pues ahora es cuando las palabras deben ceñirse a los hechos. Ahora, en la adversidad más dolorosa y demoledora es cuando se demuestra la categoría y el valer. No, no es en los momentos de abundancia y bienestar cuando se exhibe la templanza, el carácter y el temperamento, es ahora Silverio, ahora. Escúchame bien, si ya los dioses empiezan a desplomarse dándose por vencidos, ¿qué debemos esperar entonces de los humildes mortales? De modo que sé Dios, Silverio, sé Dios. No te apees de tu pedestal ni vengas ahora a confesar la fragilidad de tus huesos ni a permitir que parpadee tu mente iluminada. Yérguete, mantente, imponte, engrandécete, y justifica tus atributos, demuestra tus méritos para ser lo que eres. Fuerza, señor, fuerza y poder, genio y figura. De pie, vamos, de pie, recoge tu mantón y tu callada y camina de cara al viento: desafíalo, camina, camina, guíanos, enséñanos las rutas y los senderos sin perder la esperanza, tú, sobre todo tú que nos enseñaste los Mandamientos elementales del hombre triunfador, tú que siempre nos hablaste de la esperanza y nos mostraste la importancia de la fe y del coraje. No hay espacios para lágrimas, sólo para el ejemplo. Siempre estarás obligado a dar el ejemplo. Elévate entonces y muéstranos tu luz cenital...

Silverio se puso de pie pesadamente. Era obvio que no debía permanecer ni un minuto más en ese lugar. Cualquier cosa que hiciera o dijera sería parte de la crónica interior. Se sentía observado por muchos ojos ocultos y escuchado por oídos invisibles. Debía retirarse sin dilaciones. Aceptaba desconsolado su suerte. Había que enfrentarla como los hombres. No tenía escapatoria posible. Debía empezar andar en ese mismo instante, de inmediato rumbo al cadalso, a la gran pira donde perecería calcinado ante la mirada morbosa de propios y extraños. Así debió sentir Savonarola cuando lo quemaron con leña verde atado a un palo en presencia de las turbas fanáticas. Las llamas dieron cuenta de él en cuestión de minutos. Él también iba directo a la gran hornaza. La nueva víctima necesaria para tranquilizar al populacho. ¡Cómo gozaba el pueblo con el estrepitoso derrumbe de los políticos! Alguna fibra de la sensibilidad popular se sentía reconfortada, gratificada, ampliamente recompensada cuando se decapitaba en público a un miembro de la familia revolucionaria. Cuando se guillotinaba a un político se estaba haciendo realmente justicia, se cobraban viejas afrentas, se saldaban cuentas pendientes. Era un momento feliz de reconciliación nacional.

Tristán, el inefable Tristán, su escudero de oro, apareció con el rostro descompuesto, absolutamente pálido y lloroso tan pronto lo descubrieron las hojas de acero del elevador. Se quedó inmóvil en el interior de la cabina a un lado del uniformado de azul oscuro que nunca soñó en asistir a una escena así. El chofer tenía en su mano un ejemplar de los periódicos del mediodía que ya hacían constar en un pequeño recuadro en las páginas interiores la renuncia del Subsecretario del Deporte. Problemas de índole personal le habían obligado a presentar su dimisión al cargo con el que lo había distinguido en su oportunidad el Presidente de la República y bla, bla, bla...

Estaba muerto. Más muerto que los muertos. Nadie tomaría una decisión de ese nivel si no había recabado previamente el consentimiento del Jefe de la Nación. Cualquier político mexicano que deseara hacer una larga carrera debía acostumbrarse a voltear invariablemente hacia Los Pinos, a consultar el oráculo antes de mover siquiera un pie. En política mexicana no se debería ni pestañear sin la bendición del Presidente.

Tanta fatuidad, el señor secretario de aquí, el señor secretario de allá y ni siquiera podían cambiar de bolero en sus respectivos ministerios si antes no les guiñaban discretamente el ojo desde Palacio Nacional. De sobra se sabía que la discusión abierta de los problemas, el juego dialéctico, el análisis libre de las ideas estimulaba la evolución de una comunidad o de un país, sí, sólo que en México nadie en uso de sus facultades mentales se atrevía a enfrentarse al presidente sosteniendo audaz y virilmente sus puntos de vista. ¿Cuántos secretarios de Estado habían dimitido en las últimas seis décadas por desacuerdos frontales con el Jefe del Ejecutivo y así lo han hecho saber públicamente a través de sus renuncias? ¿Cuántos?

Silverio subió trastabillando al ascensor totalmente derrotado. Él había criticado acervamente a los políticos que lloraban cuando perdían el puesto. Cómo criticó a uno que siendo Director General de una empresa descentralizada, serio candidato a Secretario de Estado y habiendo sido previamente notificado de su dimisión por causas de utilidad pública porque se había robado, bueno, había ensanchado su patrimonio, dicho sea eufemísticamente, a extremos inenarrables y demostrando aún más su insignificante calidad moral, ¿no se le había arrodillado al propio Presidente invocando perdón, suplicándole una última oportunidad con la cabeza metida entre los zapatos escrupulosamente lustrosos del Jefe de la Nación y la frente pegada a las duelas recién barnizadas de Palacio Nacional? La negativa fue inmisericorde. La escena, que un buen dramaturgo hubiera podido inmortalizar, concluyó cuando aquella voz de trueno que regía el movimiento de los astros ordenó que le dieran un nuevo trapazo a su calzado para reponer el brillo. El mismo personaje había visitado posteriormente a la Primera Dama para repetir inútilmente el numerito sin saber que ya inspiraba lástima y desprecio. Los guardaespaldas habían tenido que retirarlo envuelto en llanto como una Magdalena tercermundista hasta ponerlo textualmente al frente de la primera oficina de la nación: en la calle, como correspondía a todo un mamarracho. "Y di que no te metemos al bote por todo lo que te clavaste. Si no fuera por tu esposa, que nos cae tan bien, te hubieras refundido en la sombra por lo menos cuatrocientos años. ¡Bandido!", fue el último argumento jurídico, la terrible sentencia de carácter penal a la mexicana que escuchó cuando lo dejaron en libertad para difrutar su fortuna a costillas de la nación. No era entonces el momento ni de ensuciar su pañuelo de seda con secreciones nasales totalmente impertinentes ni de exhibir públicamente su herida con humedades en los ojos reveladoras de su dolor. Dios mío, Dios mío... Apiádate de mí. Concédeme algo de Tu gracia infinita.

Quien no estaba de acuerdo con el Presidente, quien llegaba a hartarlo, simplemente lo despedían. Nada de que renuncié por incompatibilidad, inconformidad o pudor, o de que le tiré el puesto en la cara por dictador, tirano o impostor. Ni hablar. Dos días después sería acusado con razón o sin ella de malversación de fondos o de malos manejos, echarían un velo negro sobre su gestión, mancharían su nombre sin más y como la gente era susceptible de creerse todo —¡imagínese usted, miserables mal pensados!— mejor, mucho mejor ni siquiera quejarse. Resultaba más conveniente seguir el jueguito y aceptar el camino escogido por más deshonroso que fuera antes de tener que comparecer ante el ministerio público para tratar de desvirtuar el cargo de enriquecimiento inexplicable. Había que saber perder y si no se sabía, a tratar de aprender sobre la marcha. El ahora ex subsecretario tenía dos opciones: aceptar su suerte por más adversa que le fuera o esperar a continuación ser requerido por la Procuraduría General de la República acusado del delito de peculado. Y en el caso particular de Silverio Cortines sí que había tela de donde cortar y de la buena... De modo que como quieras queremos, estamos para darte gusto y satisfacción en cualquiera de las opciones. A tus órdenes, querido Silve, bailamos al son que tú desees.

Silverio Cortines y Brambila desistió, prefirió retirarse y aceptar su derrota. Su olfato le indicaba la cercanía de las áreas pantanosas, la presencia oculta de enemigos imponentes y de un alto grado de peligrosidad. Resultaba más conveniente abstenerse de intentar, al menos por el momento, cualquier género de represalias. Requería de tiempo y espacio para tener una mejor perspectiva de su situación.

Al ser informado que ya no tenía ni coche, pues habían estado esperando a Tristán en el estacionamiento para exigirle las llaves tan pronto entrara —ya no las necesitarás Tris, le había dicho el representante de intendencia— de hoy en adelante servirás café en el Comité de Damas de la Cruz Roja. Luego te daré tu uniforme con todo y crucecita... Silverio Cortines le pidió a Tristán que llevara en *taxi* a su casa sus preciados objetos personales. El ex subsecretario le notificaría más tarde el destino final de sus pertenencias. Por su parte él se marcharía de la secretaría para siempre —te juro que no vuelvo, alcanzó a decir... ¿Iría a casa de Helda, a la de María Antonieta, o a la suya propia para caer en brazos de Hercilia o se iría a Los Colorines o simplemente de viaje? ¿Qué tal un recorrido por las Islas Galápagos?

¿A casa de Tristán?, se cuestionó él mismo. ¿La famosa pluma *Mont Blanc* con la que Bismarck había firmado el armisticio con el Imperio Austrohúngaro en una bolsa de detergente moteado y en casa de Tristán? *¡Good Lord!*

Cuando Silverio Cortines salió a la calle apeado del título de Subsecretario del Deporte, encargado del despacho, sintió como si hubiera ingresado totalmente desnudo a una reunión de gabinete en Palacio Nacional y sus colegas hubieran volteado el rostro, unos estupefactos por la sorpresa y el atrevimiento, otros con pronunciadas sonrisas en sus labios burlándose ya de él, incluso de las escasas dimensiones de su masculinidad. Le faltaban manos para cubrirse sus vergüenzas. ¿Cómo serían en realidad los maniquíes que representaban a las vírgenes de las iglesias y de las catedrales desprovistas de sus mantillas y mantones, de sus vestidos brocados, tejidos a mano y bordados en hilo de oro para concederle nobleza, dignidad y respeto a la figurilla de trapo o de plástico? Una virgen sin sus ropajes, la sola muñeca en sí misma, carecía de la representación mística, de su fortaleza divina, ni a una niña le inspiraría sentimiento alguno, ni siquiera le despertaría ternura si carecía de la indumentaria necesaria para motivarla. Una virgen desnuda no pasaba de ser un triste juguete de mal gusto, una figurilla insignificante digna apenas de lástima. ¿Pero qué tal si se le vestía en forma, se le ponía un velo blanco de tul, una capa de terciopelo y otra de organdí, una corona de rubíes y se le retocaba el maquillaje acentuándose las líneas generosas de su cara angelical y se le subía a su nicho iluminado rodeada de querubines y flores frescas proyectando una plácida mirada angelical?, ¿verdad que ya no parecería un triste muñeco relleno de estopa?

Ése era Silverio Cortines cuando salió por la puerta del estacionamiento para no ser visto por propios y extraños. No salió por la puerta grande flanqueda por los uniformados que se le cuadraban con tan solo verlo, no qué va, salió escurriéndose como un gato mojado asustado por el impacto cercano de un zapatazo nocturno. A partir de ese momento en cada instante comprobó los extremos de su terrible realidad. Dudó si meterse en la primera iglesia a su alcance para rezar, le fascinaba el misterioso silencio de los templos, en particular la penumbra de los europeos y sus vitrales góticos que invitaban al recogimiento y a la meditación. Si formaba parte del gobierno debía asumir una actitud liberal y mostrarse como un ateo furioso, pero en esos momentos de profundo dolor bien valía la pena refugiarse en la religión, más aún si ya no tenía nada qué perder. Estaría dispuesto a creer en Dios si Éste lo hacía volver a la política: en ese caso ya no renega-

102

ría de Él. No, no era el momento de pedir. Decidió por lo pronto tomar un taxi para ir al bosque de Chapultepec. Necesitaba pensar, ordenar sus razonamientos, lograr una composición del lugar, estructurar un sistema de respuestas frente a los suyos, vertebrar explicaciones convincentes a prueba de los malintencionados, de los escépticos, para no perder altura, lucrar con la adversidad, preservar la fachada, la eterna fachada de los políticos, aun cuando en casa comieran únicamente frijoles, pero la imagen era la imagen.

De golpe comprendió que no podría llegar a Chapultepec ni pasear en santa calma por los alrededores de la Casa del Lago. ¿Razones? Una muy sencilla: No tenía dinero. Él, Silverio Cortines y Brambila, llevaba ya muchos años de no llevar dinero en el bolsillo, ¿para qué debía llevarlo si no pagaba jamás una cuenta de ningún tipo? En los restaurantes siempre era invitado, sus necesidades y caprichos se los hacían Tristán y Margarita con fondos de la *Caja Chica* o de la grande según fuera el importe de la compra. Nunca llenó un tanque de gasolina ni adquirió un periódico ni una revista ni un libro, para eso tenía mensajeros, caballerangos, encargados, choferes, gerentes, *office boys* y motociclistas a su disposición. ¿Para qué entonces el dinero? ¿Para qué la cartera? ¿Un bulto en el pecho o en la cadera para desfigurar la anatomía o echar a perder los cortes geniales de sus sastres europeos? ¿Tarjetas de presentación? Pero si todo mundo le conocía, le aplaudía o le saludaba, quien no lo identificara era un imbécil que no estaba en la vida, que no leía los diarios ni veía la televisión, un ser digno del más escrupuloso de los desprecios. De modo que de cartera, nada, absolutamente nada. ¿Cómo llegar hasta Chapultepec en ese caso? No había opción: caminando y además por calles poco transitadas. Se sentía observado por una gran lupa, perseguido en cada uno de sus movimientos por todas las cámaras de televisión existentes a la fecha en el planeta. Si por lo menos fuera de noche... Una hora más tarde llegó lentamente a su destino. El monumento a Los Niños Héroes le produjo una inesperada emoción.

¿Qué era su desgracia comparada con la inmensidad de la Creación?

Con las manos en los bolsillos se internó en el bosque hasta perderse por una pequeña vereda abierta muy probablemente por chiquillos traviesos durante sus juegos dominicales. Se sintió navegando a la deriva a bordo de un barco cuyos remeros eran unos esqueletos, un conjunto de calaveras olvidadas desde la noche de los tiempos. El gigantesco techo de ahuehuetes parecía protegerlo aun de los rayos del sol. Encontró una banca cubierta de hojas al lado de un charco a donde fue a sentarse para descansar y reflexionar. Colocó los codos sobre las rodillas y apoyó la cabeza sobre sus manos abiertas hundiendo los dedos en su cabellera. Cerró los ojos. Ahora estaba finalmente solo. Los funcionarios públicos reconocían la verdadera importancia de la política cuando salían del ella, como los peces que no saben lo que es el agua hasta que igualmente salen de ella...

De pronto cayó en cuenta de que ni siquiera había pensado en la posibilidad de que alguien, era irrelevante quién, pero alguien, un amigo, uno de sus hijos, su esposa, cualquiera de sus mujeres, un colega o uno de sus múltiples socios hubiera ido a recogerlo a la secretaría al haber caído en desgracia. ¡Qué curioso!, pero podría haber llamado a alguien para que viniera en su rescate en el momento sin duda más difícil de su existencia, ¿no? Él que decía no creer en nada ni en nadie, se encontraba lejos, no sabía cuán lejos, de poder contrastar sus palabras de cajón, las de pose de hombre maduro y curtido, de prócer triunfador de mil batallas, con la cruda realidad. ¡Ay, caray!, ahora sí que estaba solo, solo, solo. Más solo que la una. Por más que le había repetido en particular a Belisario aquello de que desconfiara de quien le rodeara, piensa mal y acertarás, lo que no hagas por ti mismo no lo hará nadie, estás solo, estamos solos, hijo mío, solos con nuestras armas y nuestro talento, solos con nuestra imaginación y habilidades, solos con nuestro temperamento y nuestro coraje, pero solos, irremediablemente solos. Nunca esperes nada de nadie. Piensa en ti mismo y salvarás todas las alturas. Quien se te acerque estará movido por un interés inconfesable o querrá una tarjeta de recomendación o dinero o un aval económico o político o un favor. No existe la autenticidad Belisario. No existe la verdadera amistad, lo que sí existen son los móviles. Créele a todo el mundo y no le creas a nadie. Ama a todas las mujeres y no ames a ninguna. Confía en quienes te rodean y no confíes en nadie. Ama a los tuyos y prepárate para las traiciones. Sí, sí, todo eso, pero Silverio nunca conoció la soledad, la supuso, sí, la supuso, pero nunca se le enfrentó, ni se sentó a la mesa con ella cara a cara.

¿Llamar a Hercilia? ¡Ni hablar! Ella no podría ayudarlo en nada porque nunca había aprendido nada ni había entendido nada ni sabía nada ni mucho menos el nombre o la dirección de su último puesto oficial. En el fondo lo veía como el Chambitas, el Chambitas en su propia casa, con su propia esposa, ¡ah, carajo!, cómo le dolía el apodito ése de mierda. Además la había oído decir recientemente sus comadres: En política o eres ratero o eres pendejo, escoge. En esas condiciones era imposible pensar siquiera en ella para hacerse de algún consuelo...

¿Y Belisario?, su hijo, el candidato, según le había dado por llamarle últimamente en la intimidad, en lugar de Napo, Napito, Napoleón. Después de la golpiza a Hercilia ni pensar en cualquiera de sus hijos. Conocer por otro lado el interior de Belisario constituía una tarea homérica, saber a ciencia cierta sus verdaderos sentimientos, convicciones y aspiraciones en la vida parecía cada vez más remoto y difícil. Belisario se escurría entre sonrisas, entre cortinas de humo, su imagen se perdía en la bruma, su perfil se desvanecía apartándose permanentemente del compromiso, de la definición, se volvía jabonoso, escurridizo, gelatinoso. Se está politizando, decía Silverio en su interior, así debe ser el comportamiento de un hombre llamado a encabezar a la nación.

La comunicación entre padre e hijo se entorpecía, se dificultaba sensiblemente. Belisario era un volado. Aguila o sol. A saber. Por lo demás, muy poco debería esperar de él no sólo ya en el orden político, sino en el personal, en la escasa relación que ambos mantenían, en la diversidad de enfoques, de criterios, de perspectivas. Debería aceptarlo para bien o para mal: pertenecían a dos mundos diferentes. Tenían apetitos distintos. No entendía sus puntos de vista y si los entendía se negaba a aceptarlos.

—No sé si éste me salió filósofo, poeta o pendejo —se dijo sentado aquella mañana en la banca del Bosque de Chapultepec. No, no estaba aquella tarde para que le vinieran a hablar de Sófocles ni de la madre de Sófocles...

Un gorrión se acercó entonces en rítmicos saltitos hacia el charco cercano a Silverio, quien había permanecido absolutamente inmóvil durante sus pensamientos. Jugueteó con el agua, se salpicó, bebió nerviosamente como si viviera continuamente perseguido. Revisaba una y otra vez su entorno para detectar la presencia de algún enemigo natural. Nada encontró digno de preocupación. Continuó retozando al sentirse seguro. Cuando concluyó la operación vespertina voló empapado sin rumbo fijo desapareciendo entre la perfumada arboleda. Silverio comparó la conducta del ave con la de los políticos. Éstos se sentían invariablemente acosados, nerviosos, cuidándose de las zancadillas, de los francotiradores, de los periodistas, de los envidiosos y de los traicioneros, jamás estarían en calma, es más, hasta dormirían en estado de alerta, en constante vigilia. Si tienes que dormir hazlo rapidito... Siempre había que voltear a todos lados, revisar igualmente los flancos con no menos nerviosismo, el cielo, por aquello de la presencia de los gavilanes, el piso, por cualquier otra amenaza. La diferencia estribaba en que el gorrión no podía vivir preso, moriría irremediablemente, la pérdida de libertad era superior a sus fuerzas, a su naturaleza; los políticos, por contra, vivían voluntariamente en el interior de una jaula con techos muy definidos, si acaso con un columpio, de modo que de volar por el espacio y dejarse caer en el vacío, nada, absolutamente nada. O aceptaban las limitaciones e incomidades, así como las ventajas propias de su cautiverio o deberían abandonar la jaula para siempre. Pero, ¿quién la iba a abandonar?, se estaba tan a gusto adentro...

¿Qué decir de Josefa? ¿Llamaría a su Corregidora del alma? ¿A la única y verdadera heroína en la historia de la nación? No, hombre, no, no, ni hablar. Desde aquella infausta Conmemoración del Nacimiento de Su Majestad, la Reina de La Gran Bretaña, algo se había fracturado igualmente en el seno de la relación entre Cortines y su querida hija. El escaso nivel de respeto que Josefa sentía por su padre, se había erosionado repentinamente. Un mal mayor, por cierto, de imposible reparación. La conversación entre ambos se reducía a meros monosílabos. No, no había palabras que hicieran cambiar a Josefa de opinión ni que la acercaran a su padre ni que la convencieran para volver a sentarse a la mesa con él. Josefa no volvería ni por lo visto se reconciliaría con su padre en los años que le quedaran de vida. ¿Pensar en su hija? ¡Ni hablar!

Silverio empezó a sentir el sol en la espalda, una sensación muy gratificante en esos momentos. No estaba solo. La tarde transcurría rápidamente y ya para aquel entonces medio México habría sabido de su cese. ¿De su cese? ¿Cuál cese, Silverio? Nunca nadie te cesó, ¡por Dios! Es muy distinto que tengas ese sentimiento a que en realidad te hayan despedido del empleo. ¿No tienes una carta del señor secretario? ¿No dice que renunciaste por motivos personales? ¿Que lamenta tu separación? Está claro que fuiste leal, trabajador, puntual y capaz y que demostraste hasta la saciedad "el alto sentido de responsabilidad que le caracterizó a usted en todas sus funciones." Tienes un pasaporte en blanco y no lo has visto, Silverio querido. Cuentas con todo para cubrir la fachada e insistes en castigarte. ¿Tú crees que la gente que es expulsada del sistema todavía la premian con una carta como la que hicieron el favor de extenderte para dejarte a salvo de la pluma de los periodistas y de las voces malintencionadas? Por favor Silverio, reconoce al menos que han sabido protegerte, lavándote a ti y a las instituciones de toda culpa. Aprovecha la carta, exhíbesela a los tuyos, enséñasela a los curiosos malintencionados, demuéstrales que podrás reincorporarte al servicio público tan pronto dejes resueltos tus problemas personales de los que no tienes por qué rendir a nadie cuenta ni razón. Si tienes las herramientas, como sin duda las tienes, úsalas, hombre, úsalas, no es momento para confusiones ni torpezas. Si te han dado una salida decorosa, sal con toda esa gallardía y con esa elegancia que te ha hecho famoso. Busca, eso sí, un pretexto válido para explicar esta retirada "transitoria" del servicio. Un buen pretexto Silverio, tú que eres el amo para los pretextos. Siempre has tenido una salida verdaderamente ingeniosa para cada ocasión, no vas a fallar ahora en este lance, el más importante de tu carrera. De modo que imaginación muchacho, i-m-a-g-i-n-a-c-i-ó-n, ésa es la clave para salir airosamente de esta encrucijada.

Silverio paseaba la mirada por la arboleda, veía al fondo el lago de Chapultepec, con algunos botes de remos ocupados por parejas de enamorados, ¿enamorados a las seis de la tarde? ¿qué no trabajarían? Deberían limpiar el agua, está verde, pensó siempre preocupado por los servicios públicos, si me permitieran continuar en el Departamento del Distrito Federal no pasaría esto. Entre los ahuehuetes descubrió a una pareja de novios besándose apasionadamente. Él la tenía aprisionada contra un árbol y le recorría con la mano derecha las piernas una y otra vez mientras intentaba desabotonar la blusa con los dientes hasta extraviar la cabeza enjundiosa en el montañoso reino de la tersura y los aromas del infinito. Arremetía con gran fortaleza como si quisiera derribar el tronco mismo. Sí que había otras cosas aparte de la Secretaría del Deporte. Existían otras personas aparte del señor secretario, hijo de su putérrima madre. Existían colores, amor, esperanza, ocio, vagancia. ¿Vagancia? ¡Qué palabra tan hermosa! Él no recordaba haber vagado desde su ingreso al sector público. Una dinámica salvaje se apoderaba de las cabezas en los altos niveles ejecutivos en el gobierno. ¿Ocio? ¿Quién se permitía una licencia de esa naturaleza si ya tenía responsabilidades importantes, si ya le habían colocado un teléfono rojo y se había engranado a la red? ¿Cómo no estar cuando sonara la maldita red fuera a la hora que fuera? El Presidente de la República estaría tronando los dedos cada vez que sonara el aparato: "Cortines, a sus órdenes."

Nunca se le hubiera ocurrido escaparse a media mañana a Chapultepec con Helda o María Antonieta o Lilia o Verónica, cualquiera de sus *affaires* en turno. ¿Remando en Chapultepec a la una y media? Dos minutos después hubiera sido despedido sin mediar explicación alguna. Él hubiera hecho lo mismo de habérsele presentado el caso. ¡Qué barbaridad! ¡Córranlo en este instante! ¡Fuera!

Ahora acometería un sinnúmero de proyectos inconclusos que había dejado abandonados con tal de cumplir con su trabajo sacrificándose en todo momento en favor de los supremos intereses de la nación. Ya estaba bien de apostolados, también había que vivir. Disfrutar sus últimos años de integridad física, de salud, de vitalidad, de humor y de talento. Su existencia no se reduciría en el futuro a las cuatro paredes de su oficina. No, qué va, empezaría finalmente a cortar la fruta que había sembrado durante tantos años de esfuerzos, desvelos y tensiones. Ya era hora. A vivir, sí señores, a vivir. Tenía sus *centavitos* y finalmente el tiempo para gastarlos a placer. ¿Con que nadie sabe para quién trabaja, eh? Pues a gozarla, ¡qué caray!, a gozarla, a tirar la casa por la ventana. Nada de pésames ni de pérdidas de prestigio. Pero si yo mismo pedí mi relevo, hermanito de mi vida, ¿no ves la carta del Secretario? El día que yo quiera vuelvo, sólo que por el momento quiero descansar y hacer un balance de mi vida. He pasado buena parte de mi existencia encerrado en despachos o en salas de juntas empeñado fanáticamente en una única actividad: ya está bien, quiero voltear para los lados, alejarme, tener otra perspectiva, evaluar mi posición. Renuncié para hacerme de tiempo y distancia, hermanito querido. A mi edad resulta elemental tratar de recuperar la libertad, agrandar los espacios vitales para ingresar en los terrenos de la senectud con una sonrisa. A mis años es bueno salirse de la corriente del río para ver pasar el agua y analizar los resultados del viaje realizado. Hay que ser valiente para lograrlo. ¿A dónde vas en esta vida sin valentía? ¿A dónde se va sin meditar? No se te olvide que este mundo es de los audaces.

Aquella tarde, sentado sobre la banca del Bosque de Chapultepec, todavía con el sabor de los labios de María Antonieta, pensó en viajar, sí, pero con quién; a dar clases, sí, pero a dónde; escribir, sí, pero sobre qué; dedicarse a los negocios, sí, pero a cuáles... ¿Llamar a sus socios y amigos? Pero si esos son como las palomas de las plazas públicas, cuando se le acaba a uno el maíz de las manos se largan a toda velocidad dejándonos mierda y lodo donde se posaron. ¡Bah...!, amigos. Esos sirven para compartir los éxitos pero en ningún caso para ayudar a cargar los fracasos. Además, ¿cuál fracaso si él no había renunciado? Tendría que verlos con una sonrisa en la cara o sabrían la verdad en ese instante. No, no eramomento de llorar en el hombro de nadie sino el de festejar su espíritu de lucha. Debería mostrarse sonriente, satisfecho y realizado. La imagen misma de un triunfador, un hombre valiente capaz de tomar decisiones temerarias con tal de encontrar la felicidad. Él no era el changuito del organillero como decía Belisario, que va, él encaraba su destino como un capitán de barco sabía salir del ojo de la tormenta en la soledad del puente de mando.

Se levantó entonces pesadamente. Echó una mirada al lago, a las barcas, a los enamorados. Buscó nuevamente entre los ahuehuetes y ahí encontró a la misma pareja que parecía petrificarse en esa posición amorosa. Realmente constituía un buen motivo para una escultura al natural en bronce. El acoso viril del macho, la recepción entusiasta de la hembra: el reconocimiento a sus encantos, la mujer homenajeada, el máximo tesoro de la creación.

Emprendió la marcha rumbo a su casa, un largo trayecto a caminar y sin contar con la menor energía. Iría a ver a Hercilia para comunicarle una decisión que había tomado hacía mucho tiempo pero que se había resistido a externarla en tanto no la ejecutara como el día de hoy. No, pensó en silencio, mejor iré con María Antonieta, sí, María Antonieta, pero ni sus labios dóciles y juguetones ni su cabellera lo llegaron a animar. Josefa, Belisario, socios, amigos y compadres, vayan todos al carajo. ¡Dios!, ¿qué haré?

En el fondo sabía que estaba condenado a vivir...

II

Todos los mexicanos somos en el fondo priístas, la oposición incluida; de otra suerte, en 150 años ya habríamos cambiado este lamentable estado de cosas.

Belisario Bonilla
Los mexicanos al natural

Cuando Pascual Portes fue nombrado Director General de Educación Superior en la Secretaría de Educación Pública le suplicó a Josefa su participación en esa aventura fascinante, novedosa, donde la teoría y la práctica se darían eficazmente la mano dentro de una formidable amalgama que les permitiría materializar los ideales de siempre.

En aquella ocasión, al invitarla por primera vez al sector público, precisamente la fatídica noche de la Conmemoración del Nacimiento de Su Majestad la Reina de Inglaterra, se vio forzado a desistir porque Josefa estaba redactando las primeras conclusiones de un trabajo en torno a uno de los grandes dramas de la educación oficial mexicana: *Origen del atraso de la nación. Razones y Explicaciones.* En la introducción de su trabajo Josefa sentenciaba:

El periodo de recuperación de las crisis económicas resulta incomparable con la duración y efectos derivados de las crisis académicas. Las universidades mexicanas han tenido dos enemigos del mismo apellido: Porfirio Díaz cuando apagó la antorcha de la universidad al ordenar su clausura indefinida, y Díaz Ordaz, cuando volvió a apagarla en 1968 al autorizar a una pandilla de delincuentes la expulsión vergonzosa del rector Chávez de la rectoría de la Universidad Nacional Autónoma de México. Los mexicanos no hemos podido volver a encenderla desde aquel entonces.

El precio que hemos pagado y pagaremos no es posible medirlo simple y frívolamente en términos de dinero. Las consecuencias han sido políticas, sociales, económicas, ecológicas, culturales, cívicas y familiares, además de otras tantas derivaciones que sólo se podrán conocer con el transcurso del tiempo. El daño ha sido masivo, intenso, comprometedor, temerario. La crisis académica, como la padecida a lo largo del porfiriato, en donde más de un 80% de los mexicanos sobrevivían en un aberrante analfabetismo, facilitó, entre otras razones de no menor importancia, una confrontación social, una degradación política y una devastación económica cuyas consecuencias no hemos podido aún superar a pesar de nuestro acercamiento vertiginoso al siglo XXI. Cuando la academia se extravía se extravía el país.

Alemania pudo convertirse en la primera economía exportadora del mundo a tan sólo 50 años del final de la Segunda Guerra Mundial porque los implacables bombarderos aliados no alcanzaron a destruir la disciplina ni el espíritu ni el coraje por lograr la excelencia académica, entre otros valores nacionalistas de profunda tradición histórica. Estados Unidos superó con relativa facilidad la Gran Depresión del 29 no sólo por la magia que inspiraba el apellido Roosevelt, sino porque el feroz fenómeno no alcanzó a arrasar el espíritu universitario norteamericano. A contrario sensu, la barbarie fascista encabezada por Franco desangró intelectual y académicamente a España atrasándola varias décadas en comparación con el resto de la Europa libre.

El meteórico desarrollo japonés tiene uno de sus apoyos más sólidos en la calidad y en el nivel de sus universidades. ¿A dónde hubiera llegado el Imperio del Sol Naciente en su exitoso proyecto expansionista sin el apoyo de sus centros de enseñanza? ¿Cuál es la diferencia entre las universidades francesas, inglesas u holandesas y las chinas, las haitianas, las sudamericanas o las mexicanas?

En el interior de las aulas se diseña un país. Se verifica el rumbo, se miden fuerzas, se evalúan avances y peligros, se consideran obstáculos y diferencias, se llenan vacíos, se indagan carencias y posiblidades, se analizan resultados y se arman, adiestran y capacitan los equipos del futuro en los términos de las necesidades de la comunidad. La universidad es el gran cerebro de una nación. El faro, la referencia nocturna de toda sociedad. El origen del progreso o la causa evidente de la tragedia.

La ignorancia es el último de los 7 círculos del eterno retorno. La ignorancia margina impidiendo el acceso a los mercados de trabajo. La ignorancia limita las posibilidades de obtención de remuneraciones dignas y elementales, anulando la capacidad de gasto y de ahorro y obstaculizando la asistencia a los centros de enseñanza de quienes más requieren ser capacitados. La ignorancia entorpece los procesos de desarrollo, los difiere o los cancela. La ignorancia erosiona el entusiasmo, agota las fantasías y desperdicia las energías y el talento. Y, sobre todo, la ignorancia crea a los resignados. Los resignados son seres humanos medio muertos o medio vivos, seres improductivos, abandonados e indolentes en espera de una suerte fatal.

Las corrientes actuales de pensamiento económico y político otorgan a las empresas privadas una creciente participación en el destino de las naciones. Aquellas constituyen auténticas células generadoras de riqueza. El Estado mexicano ejecutó ya una primera etapa en lo que hace a la educación elemental. El balance está a la vista: el pavoroso estallido demográfico que no hemos podido superar hasta la fecha, la crisis económica y política surgida "paradójicamente" a partir de la expulsión del rector Chávez de nuestra máxima casa de estudios, la indolencia empresarial respecto al proyecto educativo de enorme trascendencia nacionalista, condujeron a la degradación académica, cuyas consecuencias son observables a simple vista considerando los millones de mexicanos que actualmente se encuentran en la miseria extrema.

Millones de niños se encuentran en nuestras calles escupiendo fuego o haciendo malabarismos circenses mientras los hijos de nuestros competidores están en los laboratorios.

No debemos volver a permitir que se apague la luz de la academia mexicana porque la inteligencia de la nación, nuestra universidad, volverá a perderse una vez más en el reino de las tinieblas. Cuando la academia se extravía se extravía el país.

—¿Cómo dejar inacabada una investigación de esa naturaleza? Te ayudo más desde afuera que adentro, entiéndelo, Pascual. Te convengo más en los laboratorios que en los actos oficiales.

El flamante Director General carecía de razones para rebatirla: ambos habían discutido el tema hasta la saciedad y lo consideraban de máxima prioridad de cara al México del futuro. Si él había patrocinado en buena parte el trabajo con ideas, material, textos y soporte moral, no cabía en ningún caso la posibilidad de ignorar ahora una postura y renunciar a un propósito recíproco acariciado varios años atrás por aquel par de voraces estudiantes. Resultaba por el momento mucho más importante concluir dicho documento —había que ser honesto— que ejercer el puesto de subdirectora. Pascual tuvo que desistir en aquella ocasión. El pretexto le había funcionado a Josefa a las mil maravillas, conocedora como era del equilibrio y transparencia de su querido amigo, compañero y colega, quien por esa ocasión tendría que resignarse. Josefa, por lo demás, no creía en la política. Todos son unos Silverios Cortines. Todos, absolutamente todos.

Desde aquel entonces los días pasaron. Ella se casó con Alonso, dio a luz

111

dos preciosos niños, uno de ellos Rodrigo, el querido ahijado de Pascual, para continuar posteriormente en la cátedra, demostrando su genuina vocación profesional. Su carrera no había sido un pasatiempo ni había dedicado tantos años de su vida a la antropología y a la sociología sólo para distraerse mientras encontraba marido, para guardar más tarde libros, conocimientos, trabajos y talento en un arcón, como si se tratara del traje de novia que pasa a ser alimento de la polilla después del gran festín. Siempre hay tiempo para estudiar y también para ser madre, esposa, colega y compañera. ¿Hija? El tema seguía siendo áspero aun después de tantos años. El edificio paterno no se había lastimado ni su reparación y habilitación sería un mero problema de tiempo: simplemente se había derrumbado, no existía. No quedaba ni huella de esa altiva construcción donde ella, cuando niña y adolescente, albergaba cuidadosamente sus mejores afectos y el orgullo de su nombre. Nada, no quedaba nada. Me llamo Josefa de Cuevas, una de las grandes ventajas de las mujeres casadas.

Josefa preservaba su equilibrio personal atendiendo su carrera y a su familia: sus dos pilares. Con la misma puntualidad asistía a las aulas que a las tient as para medir el trapío de las reses bravas, disfrutando los infinitos espacios abiertos, aspirando su libertad y llenándose con los suaves colores del Bajío, que cumplía con el compromiso de formar a sus hijos. ¿Y respecto al amor? ¡Ay!, el amor... Alonso, ese viejo garañón la buscaba sin tregua a lo largo de las cuatro estaciones en los momentos más inesperados. ¡Al mediodía, por la noche, en la tarde, otra vez después de la siesta, en un descansito durante los recorridos a caballo! Era igual. Si ella estaba cocinando se le acercaba silenciosamente hasta abrazarla por la espalda, sujetándola por la cintura, jalándola hacia sí en tanto ella se resistía infantilmente, riéndose a carcajadas, invocando la hora y la comida de los críos. Pero el recio guerrero no cedía: sus manos sabias jugueteaban bajo el mandil, le acariciaba con fuerza los muslos mientras le mordía delicadamente el cuello oliéndola, gozando las delicias de su piel, anhelando las respuestas de su cuerpo en tanto sus manos subían hasta la cima del mundo en busca de consuelo. La cocina no podía convertirse, no al menos en esos momentos, Chato, por Dios, sé prudente, en un templo encantado para las liturgias sagradas del amor; el tránsito obligado y continuo del personal, las interrupciones irreverentes, la falta de respeto y de silencio, hacían imposible cumplir en santa paz con los rituales divinos. Le encargaba entonces a doña Macrina el cuidado de la olla de los frijoles mientras yo arreglo un "asunto" con el ganadero, apodo con el que se dirigía cariñosamente a su marido en público. El "asunto" podía durar un buen rato, todo dependía de la habilidad de Alonso para resolverlo. Varias veces ya no bajaron ni a comer, así de complicado estaba el "asunto"...

—¿Y los niños, tú?

—¡Ay!, mujer, ningún niño que yo sepa se ha muerto de hambre por mal comer un día —contestaba Alonso mientras le desabotonaba la blusa cubriéndola de besos, le quitaba el vestido de seda o le bajaba los pantalones vaqueros entre la resistencia fingida y las risas acarameladas que estimulaban aún más la incontenible inspiración del "toro salvaje". ¿Cuántas veces despertó Josefa con el delantal todavía puesto, envuelta entre los brazos y las piernas de un Alonso dormido con la expresión de un chamaco travieso? ¿Cuántas veces, durante las sofocantes noches de verano, con la luna por testigo, nadaron desnudos en la alberca del rancho y retozaron como un par de adolescentes enamorados? Si Alonso llegaba a encontrar a Josefa recostada sobre el tapete confeccionado con pieles de borrego y la mirada pensativa clavada en el fuego de la chimenea, ya sabía que el combate sería a muerte. ¿En los viajes? Ya desde que iban en pleno vuelo el ganadero le daba un poco de vino de más a Josefa para hacerla reír sin mayores esfuerzos, cuando en realidad la estaba seduciendo rezándole al oído anécdotas picarescas. Durante un vuelo a España —Alonso había ido a comprar semen congelado a una ganadería andaluza— el ganadero recorrió todo el avión abriendo la puerta de cuanto baño encontraba sentándose en el lavabo y luego en la tasa cerrada animado de encontrar finalmente un lugar donde hacer el amor. Alonso dio con él finalmente en el último pasillo de la clase turista donde, cubiertos por un par de mantas, pudieron entregarse feliz y audazmente a las delicias del amor a pesar de todos los pretextos esgrimidos por Josefa y que Alonso bien pudo vencer sin mayores dificultades.

—No voy a poder bajarme los pantalones, mi vida —adujo la antropóloga.

—Déjame a mí los problemas técnicos... —repuso Alonso invencible.

Ninguno de los dos olvidaría el viaje a Hawai cuando después de hacer el amor decidieron premiarse con un desayuno opíparo con salmón y champaña antes de bajar a la playa, donde Josefa le pidió a Alonso que le aplicara una loción antisolar en el cuerpo, a lo que siguieron caricias audaces, furtivas, besos espontáneos robados, arrebatados, palabras al oído y risitas insinuantes que los obligaron después de un rato de "fricción protectora contra los rayos ultravioleta" a subir de nueva cuenta a la habitación para saciar a la fiera que se había vuelto a alojar en ellos. ¡Ay!, Alonso, Alonso, igual entraba al baño cuando se duchaba su esposa para ayudar a enjabonarla, pero bien enjabonada, no sabes bañarte mi querida Corregidora, que metía sus manos bajo el escote de la bata cuando ella se maquillaba sentada frente al espejo antes de salir finalmente a la calle.

Alonso sentenció en una ocasión, durante una reunión de íntimos amigos:

—Quien sostenga que el amor es de tres es un pobre estúpido que nunca amó en verdad.

Sin embargo, el balance familiar empezó a verse amenazado cuando ciertos acontecimientos rebasaron los pronósticos más optimistas. Josefa disfrutaba las recepciones en el rancho, se desconectaba de su mundo y gozaba las inclinaciones y los comentarios, el sentido del humor tan natural y espontáneo de quienes dedicaban su vida al campo, y en particular a la fiesta del sol y de la arena, de la sangre y de la música, del arte y de las emociones. Un viernes en la noche recibió en Los Cuatro Vientos a un buen número de ganaderos españoles, socios de Alonso, precisamente amantes generacionales del culto al toro, dueños de las fincas de reses bravas más representativas de Andalucía. Les obsequió con una auténtica cena mexicana servida sobre una mesa espectacularmente decorada con serpentinas, hojas de banano a modo de mantel, papel recortado de Jalisco en varios colores y servilletas bordadas en Querétaro. Utilizó como decoración típica utensilios culinarios precolombinos como molcajetes, metates, morteros, ollas de barro, vajillas de Oaxaca pintadas a mano y ofreció tamales verdes, rojos, de carne de cerdo, chiapanecos, tacos al pastor preparados por Carmelo en una esquina, frijoles charros, guacamole con totopos, caldo tlalpeño y el xóchitl para todos los gustos, sábanas que salían una y otra vez de la cocina todavía calientes, una fuente con la salsa verde, otra diabla, otras con chipotles, quesadillas, chalupas, sopes con chorizo, lechuga y rábanos, además del mole poblano, las tortillas de maíz, las enchiladas suizas para todos los paladares, la fruta más variada del trópico mexicano, y ya ni hablar de las aguas frescas presentadas en grandes recipientes de vidrio, como la de jamaica, la de tamarindo, la de chía o las cervezas mexicanas para sorprender a los exigentes, sin faltar desde luego el café de olla, el atole, la capirotada, el arroz con leche, los tejocotes, los capulines y las jericallas, además de la excelente panadería mexicana, un orgullo nacional que sirvió acompañado de un espumoso chocolate servido en tasas de barro, una de las grandes especialidades de Macrina.

En un momento de la reunión Josefa vio de golpe a Alonso hablando por teléfono, de espaldas, al fondo de la sala, manoteaba, había dejado su plato sobre una mesita cubierta de fotografías de Claudia Eugenia montando el caballo que le habían regalado al cumplir cinco años. Se dirigió apresuradamente hacia él. Pensó en alguna nueva locura de su padre. Desde que lo habían cesado, sí, cesado, había hecho tantas... Pero no, no era el caso, le esperaba una feliz sorpresa, una noticia que la inundaría de alegría.

En la línea se encontraba Pascual Portes, sí, Pascual, quien acababa de ser nombrado Subsecretario de Educación Pública a menos de dos años de que terminara el sexenio de la fatalidad. Faltaba sólo una tercera parte para que concluyera la administración que se había visto obligada a prescindir de los servicios universales de Silverio Cortines y Brambila. Pascual deseaba que ellos, sus dos queridos compadres, precisamente ellos fueran los primeros en saberlo. Ya el fin de semana tendrían tiempo de conversar, pero no quería dejar pasar un instante más sin informarles. La alegría invadió el rostro de Josefa y hasta suspendió por unos instantes la reunión para brindar por la feliz designación y el meteórico ascenso político de su inseparable amigo. Por supuesto preveía la actitud que Pascual asumiría al día siguiente cuando una nube de polvo partió en dos los pastizales anunciando la llegada del señor subsecretario Portes y de su familia a Los Cuatro Vientos.

Momentos después, con un chatito de tequila en la mano, el recién nombrado funcionario le ofreció a Josefa la Dirección General que el propio Portes había presidido hasta el día anterior. Le disparó a quemarropa a su colega:

—Haremos el uno-dos —exclamó ilusionado frente a los rostros escépticos de Alonso y Josefa—. Finalmente le daremos una aplicación práctica a nuestros conocimientos, Josefa. Es el momento de ejecutar las ideas pedagógicas que siempre hemos discutido para tratar de alterar el rumbo y el ritmo de este país, querida Jose. Si tú y yo creemos en nuestras profesiones y en nuestras carreras, como evidentemente creemos, tenemos frente a nosotros una oportunidad que ya quisieran millones de mexicanos.

Se produjo un espeso silencio. La respuesta esperada nunca llegó. Para Josefa, los políticos, orgullosamente encabezados por su padre, integraban el subgrupo social más despreciable de la especie humana. Estaban dotados de una sorprendente capacidad de engaño, una disposición natural para lucrar con la esperanza ajena sin contemplación alguna, presentando una realidad inexistente con argumentos aparentemente sólidos. En ellos concurrían todos los vicios a su más alto nivel de sofisticación. Expertos en la manipulación de las masas, dueños de un adjetivo rico y poderoso, poseedores de la información adecuada, conocedores de las debilidades de la idiosincracia nacional, poseedores de una sonrisa cautivadora y dueños de un sexto sentido para seducir, para ella todos eran seductores profesionales, echaban mano de cualquier recurso con tal de mantenerse en el poder. estar bajo la deslumbrante luz de los reflectores, en boca de los gobernados y aparecer en las primeras páginas de los periódicos para alimentar su vanidad. Sus ambiciones, su narcisismo, uno de sus móviles inconfesables, la búsqueda de un lugar justificado en la eternidad, en la gloria de la nación, rebasaba el término de su existencia lamentablemente mortal. Menudo concepto del honor deberían tener si partían del supuesto de que el fin justificaba los medios. Sobre esa base todo era válido y permisible. Alonso cambió la conversación tratando de aterrizar la irremediable negativa final dañando lo menos posible al querido Pascual, hombre de probada buena fe y mejores razones.

—La barbacoa espera —terció hábilmente Alonso para desvanecer la tensión—. Nunca tomes una decisión si estás hambriento —exclamó con su conocida simpatía.

—¿No te opondrás, verdad? —preguntó ansioso el subsecretario como si Alonso fuera el problema a vencer.

El ganadero se detuvo, colocó afectuosamente la mano sobre el hombro de Pascual. Era el momento de hablar con claridad:

—Mira gran compadre —repuso con inesperada sobriedad— si Jose no hace lo que quiere de su vida se amargará y todos pagaremos su amargura, ella, la primera: jamás la presionaré, nos suicidaríamos todos —concluyó firmemente convencido, guiándolo suavemente rumbo a la hornaza donde se daban los últimos toques a la comida, en tanto al funcionario se le congelaba una sutil sonrisa de esperanza. No tomes nunca decisiones por terceros, tarde o temprano todos lo pagarán y caro, muy caro, le comentó mientras lo invitaba a beber su tequila favorito, uno que había comprado en una botella de vidrio soplado en San Pedro Tlaquepaque, a comer gusanos de maguey, era la mejor temporada, quesito fundido, chiles toreados, chorizo hecho en casa y caldito de camarón bien picoso para ayudar a cargar la cruz, mi querido subse...

Era tan cierto aquello de que su amargura la pagarían todos... Presionar era toda una escuela, había que saber hacerlo con sumo cuidado, sobre todo cuando el sexenio se agotaba.

—Con la sucesión presidencial las posibilidades de acción se reducirán radicalmente —aducía Josefa a modo de ocurrente pretexto de último momento.

"Lo nuestro no es cuestión de ocho meses que faltan para el destape —enterró la socióloga el proyecto dorado de Portes—: A partir del destape se paraliza el país, y la campaña, tú mejor que nadie lo sabes, absorbe todos los presupuestos. Yo prefiero las bibliotecas, la estabilidad, la certeza y el reto diario de la investigación —repuso entusiasmada—. En política hoy estás, mañana ni quien se acuerde de ti, te lo digo por experiencia, piénsalo. Piensa además que casi nadie puede después con la losa del anonimato. Los políticos por lo general mueren con un rictus de amargura en los labios, mientras la expresión de paz con la que expiran los pensadores te revela y te confirma que en el ejercicio del intelecto se encuentra la verdadera felicidad, lo demás son espejismos, sólo espejismos, nada más que espejismos, Pascualín —confió la socióloga en la fuerza de sus argumentos para declinar la invitación.

"En las aulas está el futuro, no en las resbaladillas ni en los toboganes —concluyó pensando en la suerte de su padre—. ¿Qué tal si nos damos una sesión de Sibelius o de Bartok, como en los viejos tiempos? ¿Vendrás? ¿Has oído lo último de Charles Ibert?"

El tiempo atropellaba los planes de Portes. Josefa se salvaba por segunda vez: conservaba su libertad. Ningún caso tenía discutir. ¿Qué se podía hacer en ocho meses efectivos de trabajo antes de la efervescencia política del destape? ¿Ocho meses? Nada, absolutamente nada. Seamos prácticos y prudentes. En el reino de la mente no existen plazos ni términos, a vivir para adentro, ahí dependes solamente de ti...

Las ilusiones de Belisario se extinguían como la luz de una vela parpadeante. Su imaginación, su primera fuerza, se apagaba igualmente sometida a un lastimoso cautiverio. Su apariencia, su mirada, la de un apátrida, reflejaba su desarraigo expresado a través de una marcada apatía, un profundo desprecio por su medio, su propia persona, sus familiares, amigos y colegas. Un brillo en sus ojos delataba ocasionalmente un lejano sentimiento de melancolía, de nostalgia por un pasado colorido y aventurero. No escribía ni se comunicaba con sus personajes, aquellos seres que cobraban vida al rasgar el papel con la pluma, que adquirían dignidad, que exigían un destino, un espacio, dentro de una realidad dependiente de su propia inventiva. Había extraviado un instrumento mágico, la brújula de todo escritor: la disciplina. Él mismo lo había dicho en sus primeros trabajos: "la disciplina es al escritor como el sentido de la orientación a la paloma, a ambos les son imprescindibles para ser". Desde su ingreso en la Secretaría de Relaciones leía solamente oficios, notas urgentes, documentos técnicos, discursos, conferencias de prensa, tratados de política internacional, pero el arte, la narrativa, permanecía excluida de su existencia. Hasta su sombra se había fugado de él mismo. Ya no meditaba ni soñaba ni se dejaba arrastrar por la corriente de ese río dejándose caer en las cataratas ni remontaba el vuelo rumbo al sol ni se precipitaba en el vacío como un ave herida de muerte disfrutando los placeres del vértigo. Su espacio vital se reducía a la superficie de su oficina y sus personajes, antes de fuste, igual hidalgos, caballeros del siglo XVI que petroleros del siglo XX permanecían empolvados, guardados dentro de un viejo armario a un lado de las obras de Homero, Seferis, Gibbon, Spencer, Russell, Kant, Sartre y otros tantos filósofos y poetas con quienes antes hablaba a diario intercambiando puntos de vista secretos, conociendo nuevos horizontes de fantasía que le hacían sonreír por dentro cargándolo de optimismo y vitalidad. No, no, el mundo de Belisario estaba cubierto por una espesa cortina de telarañas en donde hacía muchos años no entraba el sol. El aire estaba enrarecido. Los restos de aquel hermoso palacio hoy aparecían cubiertos por el musgo y el olvido.

Ni siquiera había podido comenzar su libro sobre *La impartición de justicia en México y en Estados Unidos. Un abismo entre dos mundos.* Demostraría la relación directa entre el desarrollo económico y la impartición de justicia, no se daba el uno sin la otra. Donde existía un Poder Judicial eficiente el ingreso per cápita era elevado, y viceversa. El respeto a la dignidad del hombre va de la mano con la prosperidad social. En México, por ejemplo, pensaba consignar en su documento, vegetamos en el subdesarrollo porque la aplicación de la ley depende de los estados anímicos del Presidente de la República y de su gabinete, la elite gobernante y, por lo mismo, no debemos sorprendernos de la involución desoladora que nos domina. Jamás podría redactar un ensayo de esa naturaleza mientras fuera un funcionario público.

Los mexicanos, según Belisario, integraban una sociedad contemplativa, apática, tal vez escéptica y resignada como si se tratara de las aguas caudalosas de un río que van a dar sin remedio a una gigantesca cascada para continuar posteriormente su viaje hacia el más allá. De nada serviría alterar el rumbo, indefectiblemente caeríamos en lo mismo. Nuestra suerte ya estaba escrita. Cualquiera que ésta fuera sería un mero problema de tiempo. Del escándalo se caería nuevamente en el olvido. Un escepticismo precoz hacía acto de presencia en la mente del menor de los Cortines.

La gente no participaba, sólo amaba el espectáculo y simplemente esperaba la continuación de la obra para abuchear o aplaudir, pero en ningún caso para intervenir ni comprometerse ni mucho menos respaldar a pesar de coincidir con las tesis expuestas. Pocos se comprometían. Seguíamos acostumbrados según Belisario, a tirar la piedra y esconder la mano según el sangriento aprendizaje de la época callista. Llegado el caso ya ni siquiera se lanzaba la piedra por pereza o precaución. La comodidad ante todo, ¿para qué correr riesgos ni exhibirse en una vitrina? Era preferible, siempre lo fue, la comodidad a la democracia, el respeto a los intereses creados antes que a la libertad, el silencio en lugar del compromiso que implica pérdida del márgen de maniobra. Al escoger o hablar se reducían las opciones, al identificarse dentro de la oposición se cerraban las puertas y con ellas las posibilidades de incrementar el patrimonio: Sólo estando de alguna forma a favor del partido en el poder se tenía en México el futuro asegurado. La oposición también lo tenía en la medida en que fuera, como lo es, una comparsa inteligente del gobierno...

Las luchas políticas causaban mucho desgaste, requerían mucho esfuerzo, significaban la adquisición de responsabilidades públicas y sobre todo pérdida de tiempo sin la consecuente retribución económica. Que la inquie-

tud quedara sólo a nivel de comentario entre amigos a la hora del café...
¿Así se construía una verdadera democracia?

Publicaría al salir del gobierno un opúsculo relativo a *La Historia de la Corrupción en México. Orígenes y Consecuencias.* Belisario trataría de encontrar las causas de la corrupción en México. Publicaría, sí, sí, publicaría... Claro que demostraría que los españoles la habían importado a la Nueva España al igual que otras enfermedades que habían diezmado a la población. La corrupción a su juicio era un subproducto nocivo propio de las sociedades cerradas, su caldo de cultivo idóneo. En los países democráticos la oposición era el verdugo de quienes transitoriamente ejercitaban el poder. La auténtica oposición esculcaba los bolsillos. La oposición defendía derechos, los creaba, los demandaba. Exigía garantías, orden y legalidad. Donde la oposición contaba se imponía la ley, eran eficaces las instituciones. Donde la oposición estaba enterrada o encerrada o expatriada, silenciada o adormecida, como en México, los gusanos devoraban a placer el cuerpo social. La democracia era el mejor antídoto para combatir la corrupción. Si se deseaba conocer el grado de desarrollo político de una comunidad bastaba con medir los índices de corrupción prevalecientes. Los niveles de honestidad pública y privada estaban íntimamente vinculados al desarrollo de las instituciones políticas: A más madurez y eficacia de las últimas, o lo que es lo mismo, a mayor participación activa y verdadera de la oposición, menos corrupción en todos los estratos de la comunidad.

El futuro historiador escribiría sin reposo, publicaría artículos en periódicos y revistas. Se ganaría con su obra el derecho a decir, el derecho a la consideración, el derecho a ser escuchado y consultado. Invertiría su tiempo en la investigación y en la narrativa, concretamente en la novela política, donde había encontrado posibilidades de penetración en las capas sociales sin acceso a sofisticados ensayos reservados a sectores de estudiosos y especialistas. Deseaba llegar, calar, remover, sacudir, y provocar a todo género de lectores. Esa era su meta, ahí radicaba su propósito.

¿Quién queda sobre el Pedestal?, intitularía Belisario una de sus obras. Para él era evidente la necesidad de volver a escribir la historia de México para retirarle a muchos héroes su corona de laureles dorados para ponérsela a muchos otros, cuya cabeza descubierta era una vergüenza para inteligencia, la cultura y el sentido del honor de la nación. Iniciaría su evaluación remontándose al Imperio Azteca. Los vampiros huirían empavorecidos de la luz. Un país, un sistema que se alimentaba de mitos no podía prescindir de ellos de la noche a la mañana. Eran vitales para gobernar. Igual que la iglesia ejercía su poder a través de santos, vírgenes y apariciones, el gobierno necesitaba de los héroes, de sus gestas y de su obra para gobernar.

Nuestro país necesitaba alguien en quien creer. ¿Que la Virgen de Guadalupe nunca existió y que fue una invención genial de los misioneros españoles del siglo XVI para sojuzgar espiritualmente a los indígenas consolidando la conquista o que la visión de Juárez no fue tan nacionalista desde su posición en el Tratado Mc.Lane-Ocampo? Le dirían que pretendía una religión sin dioses ni divinidades. Un culto hueco. Un país decapitado sin líderes ni grandes prohombres dignos y honorables. Él, Belisario, sabía muy bien que sería etiquetado como un amargado, uno de esos estudiosos frustrados en busca de notoriedad y empleo, a quien, como muchos intelectuales mexicanos se les silenciaba con puestos oficiales. Ya lo decía Don Porfirio, el gran abuelo de la mexicanidad: "Perro con hueso en el hocico ni ladra ni muerde".

Pero lo cierto es que ni siquiera había seguido leyendo ni estudiando nada, absolutamente nada. Bien lo sabía él: su sangre se convertía gradualmente en veneno, en veneno concentrado, veneno puro.

Asistía a reuniones inútiles, juntas interminables, asambleas estériles, banquetes insípidos, recepciones tediosas, congresos espectaculares sin ningún resultado práctico. Viajaba una y otra vez para firmar acuerdos de exclusivo consumo público. La idea era por lo visto trabajar de cara a la prensa, hacer grandes fuegos artificiales, suscribir y exhibir una multitud de convenios producto de febriles negociaciones que tan pronto concluían en el seno de los elegantes salones oficiales de las cancillerías de la comunidad de naciones y se intercambiaban las carpetas forradas en cuero negro, se obsequiaban los históricos bolígrafos a los asistentes y se tomaban las fotografías de rigor como testimonio para la posteridad, y tan honorables y trascendentes documentos se archivaban cuidadosamente en las gavetas burocráticas hasta la próxima ocasión.

Belisario enfrentaba un mundo plano, sin contrastes ni polos de atracción. Un mundo pálido, indolente, insensible. Comenzó por apartarse de sus compañeros de trabajo. Se apartó también de sus colegas de la facultad de historia. Se retiró del grupo de poetas con quienes disfrutaba las tertulias animadísimas de fin de semana. Ya no visitaba a sus amigos escritores para robarles algo de sus vivencias, de sus emociones ni de sus proyectos asomándose a sus vidas encantadas. Se había casado además con una peluda, según la expresión de su padre, quien terminantemente se negó a asistir a la boda.

—No aprendiste nada, Belisario querido, nada, te negaste a oír la voz de la experiencia, hoy debes sufrir las consecuencias de tu sordera, de tu miopía y de tu terquedad.

Laura, la esposa, se había graduado como arquitecta, y si bien le interesaba la carrera política de Belisario no le quitaba el sueño su evolución dentro del sistema político. Mientras ella, una mujer alta, de facciones nobles y finas, esbelta y delicada pudiera trazar en el restirador y convertir posteriormente líneas en muros y traducir los planos en volúmenes de obra, era totalmente feliz. Sí, sí, le gustaban los escritos de Belisario y alguna otra "cosilla" que había escrito por ahí después, claro que sí, pero no gozaba con el talento creativo de su marido ni le afligía el desperdicio de su sensibilidad artística e intelectual. ¿Cómo dejar de tomar en cuenta cuando Belisario le entregó a Laura el primer borrador de una pequeña serie de cuentos que había escrito durante sus ratos libres y ella los había abandonado distraídamente sin leerlos en cualquier parte de la casa? Una vez Belisario los encontró en la sala, otra vez vio la copia del manuscrito en la cocina, a un lado de un platón de tacos de pollo con guacamole. En otra ocasión dio con ellos en el baño, a un lado de la tasa, en un canastón de mimbre revuelto entre algunas revistas de arquitectura y urbanismo, hasta que un buen día desaparecieron para siempre sin dejar la menor huella ni rastro. Tal vez fueron utilizados para encender la chimenea del rancho en el último invierno.

Escribir, para ella, debía ser un *hobby*, un *side line*, pero en ningún caso una profesión válida dentro de una sociedad de consumo como la nuestra. Escribir, sí, muy bien, escribe, pero fuera de las horas de oficina. ¿Estimularlo? ¿Animarlo? Nada, hombre, nada. ¿Qué acaso no todos debemos tener fuerza propia para hacer lo que queremos hacer? ¿Yo he necesitado que alguien me anime para alcanzar todo aquello que yo he querido en mi vida? Mi carrera, ¿no es suficiente motivación? ¿Verdad que sí?

—Yo nací para el tabique —comentaba siempre risueña— y en tanto haya tabiques y gracia para colocarlos no tengo nada más que pedirle a mi existencia. ¿Hijos? ¡Por favor! Ninguno. No tenemos tiempo para banalidades —repuso Laura en una ocasión ante la mirada atónita de Hercilia—. O tienes hijos o te desarrollas como ser humano. Nuestro tiempo es nuestro mejor patrimonio y para entregárselo a alguien, para un sacrificio de esa naturaleza, las personas deben tener muchos merecimientos... Los compases, las escuadras y las obras no esperan, yo, tampoco...

¿Banalidades, dijo esta, tú? ¿Banalidades, los hijos? La tía Tachis y la tía Iris tampoco entendieron semejante palabreja de domingo, pero menos entendieron su inusual concepción de la maternidad, la única manera con la que contaba una mujer en nuestro medio para justificar su existencia... Pero si hasta los animales quieren a sus cachorros, ¿cómo es posible que una mujer, lo que se dice una mujer, reniegue del máximo tesoro que nos concedió Dios Nuestro Señor, como es la virtud de crear y dar la vida?

—Caray Hercilia, entre la rascacuevas y tu *albañila* esa no haces una, comadrita de mi vida: parece que las escogieras a propósito... Mira que despechar a las pobrecitas de las criaturas es de los peores pecados, *habías* de llevarla con el obispo... Egoísta, es una egoísta por no querer traer chamacos al mundo. Si todas hubiéramos pensado como tu nuera, México no existiría, verdad de Dios que no existiría, Chilita...

De modo que nadie percibía ni aquilataba el malestar de Belisario, quien como siempre se esforzaba por ocultar sus sentimientos enfundado en su silencio; sin embargo, el peso de la realidad empezaba a aplastarlo lentamente mientras la implacable velocidad de la rutina matrimonial difícilmente les permitía un cruce de miradas escrutadoras. Su deterioro anímico era mudo, gradual, permanente. Laura no se percataba cuando Belisario apretaba las mandíbulas para contener el vómito. No estudiaba la evolución de su rostro ni advertía la descomposición de su ánimo. Para ella cualquier desenlace sería incomprensible, algo repentino y anormal, acostumbrada como estaba al mutismo de Belisario. Su actitud respondería a una ofuscación transitoria, a la inmadurez, o a la inestabilidad emocional o profesional de su esposo, quien a los treinta y siete años no se debía permitir ya ningún vaivén: se es o no se es a los treinta y siete años. A esa edad ya no hay tiempo para más búsqueda: debe uno emplearse a fondo en su cometido o resignarse a los horrores de la nada. No se percataba que la vida de su marido pendía de alfileres, y si se percataba se negaba a admitirlo, lo importante eran los tabiques.

Si Belisario no había reventado antes en mil pedazos en la Secretaría de Relaciones se debió al muy particular sentido del humor, heredado sin lugar a dudas de su madre. Disfrutaba diversas anécdotas que había conocido, vivido o padecido en el gobierno federal. Descubrió la mecánica de pensamiento de los burócratas del servicio exterior mexicano y, por lo mismo, el de todos los burócratas de su país natal. Todos parecían cortados con la misma tijera y el mismo patrón. Y no sólo ellos, todos los del mundo eran similares, bien lo sabía él por su experiencia internacional. Pero sus compatriotas, ¡ay!, sus compatriotas eran algo muy particular, realmente personajes dignos de mención especial y con sobrados merecimientos para aparecer en un volumen intitulado *Memorias inenarrables de un diplomático mexicano*. Somos lo que parecemos, escribiría en el epígrafe si algún día se decidía a redactar semejante libelo saturado de imágenes y perfiles que exhibían a los mexicanos al natural, título con el que encabezaría el primer capítulo.

Nunca olvidaría cuando le contaron el pasaje de comedia protagonizado por Adolfo López Mateos y Miguel Ydígoras, Presidente de la República de Guatemala.

Este último estaba dispuesto a declararle la guerra a México como respuesta a un añejo problema fronterizo, un nudo gordiano ancestral que el jefe de la nación guatemalteca estaba dispuesto a desatar a cualquier costo. México llamó "a consultas" a su embajador quedándose como responsable de la misión diplomática el encargado de negocios, a falta de una autoridad superior. Ydígoras citó perentoriamente a este funcionario menor en el Palacio de Gobierno exigiéndole una satisfacción inmediata a las demandas guatemaltecas o de lo contrario en las próximas veinticuatro horas inconmutables se vería forzado a declararle la guerra a México.

Por tres ocasiones consecutivas la Secretaría de Relaciones Exteriores contestó extemporáneamente con un lacónico "Enterado" mientras el Encargado de Negocios envejecía por instantes ante las presiones de la Cancillería Guatemalteca y la amenaza abierta de hostilidades entre ambos países. ¿Enterado? ¿Enterado?, ¿cómo que enterado cuando la invasión es inminente? ¿Y cuando solicitaba urgentemente instrucciones? ¡Enterado! ¡Nos atacarán! "Enterado" Violarán mañana mismo la frontera, ¡Enterado! Simplemente Enterado. Pues "Enterado" contestó finalmente la cancillería mexicana a su representante en Guatemala cuando éste le informó la solución final del conflicto probablemente gracias a la intervención de la Casa Blanca. Enterado. Enterado. Enterado...

Pero conoció más, muchas más anécdotas. Unas las padeció con risa nerviosa, otras las resistió estoicamente, algunas más lo hicieron apenarse, avergonzarse, pero ¡ah!, paradojas de la vida, siempre acompañaba el no, no es posible, por favor, dime que no es cierto, con una carcajada sonora y contagiosa. ¿Ejemplos?

Una vez concluida la amenaza de guerra entre Guatemala y México se organizó una expedición de buena voluntad integrada por quinientas avionetas mexicanas que debían llevar a la nación vecina un mensaje fraternal del pueblo de México. Unámonos en la tierra como en el cielo, parecía ser el slogan de la misión aérea. Gran alegría causó entre las fuerzas militares guatemaltecas la noticia. ¡Qué bien se recibió en los sectores público y privado de Guatemala la intención de lavar los malos ratos con una embajada tan numerosa de hermanos mexicanos dispuestos a hacer "las paces para siempre"! Quedarían olvidados los reveses y enterrados los malos entendidos. Se trataba de una idea ciertamente ocurrente para limar todas las asperezas y reestructurar un proyecto de amistad promisorio y centenario que por ningún concepto debería concluir en un conflicto armado como el que sin duda se avecinaba.

Sólo que la de la 500 avionetas originales al final llegaron sólo dos, sí, dos, sólo dos, dejando a casi mil quinientos invitados en espera de su feliz arribo, entre ellos al propio Ydígoras, al Estado Mayor Conjunto de Las Fuerzas Armadas Guatemaltecas, que en ningún caso exhibieron su malestar, como la ocasión sin duda lo ameritaba. Mostraron una gran calidad, un gran sentido de la caballerosidad, siempre estuvieron a una gran altura sin ofender a sus contrapartes mexicanas. ¡Qué uniformes de gala con todo y condecoraciones! ¡Qué elegancia! ¡Cuánta sobriedad! ¡Qué deseos tan inmensos de agradar! Se preparó asimismo un estrado cubierto por un toldillo para la hora de los discursos. Los artilleros parados en posición de firmes al lado de sus cañones dispuestos al otro lado de la pista sólo esperaban la orden de los clarines para saludar a los visitantes con una serie de sonoras detonaciones. Finalmente dos pajarracos agotados de tanto volar, dos aves casi desplumadas, extenuadas, aterrizaron tosiendo sobre la cinta asfáltica del aeropuerto de la Ciudad de Guatemala. Dos, sí, dos tristes pajarracos, dos en lugar de las quinientas avionetas originales, además, y por si fuera poco, una de ellas venía sin copiloto. El representante diplomático de México se dió a la fuga al conocer la terrible realidad. Alguien lo vio pasar una tarde huracanada cerca de las costas de Madagascar...

¿Y qué tal cuando los altos directivos de uno de los más prestigiados museos europeos habían reservado sus salas para mostrar al mundo la magia y fortaleza del arte azteca y se quedaron esperando con las tijeras en la mano el día de la inauguración porque la exhibición nunca llegó? ¿Y cuando se tuvo que notificar la suspensión de un ciclo de cine de nuestra revolución a un día de la apertura del evento en una de las grandes capitales europeas, simplemente porque las cintas se habían mandado a última hora a otro país con el sobado pretexto que usted juzgue y mande? Se solicitaba comprensión, como siempre, pero ¿y las películas? ¿Y los invitados?

El dolorido Belisario también supo de la esposa de un secretario de Estado que metió en Suecia de contrabando a su perro "Güevis", envuelto en la bolsa de super de un almacén mexicano de descuento. Cuando la prensa sueca conoció el caso exigió airadamente la **expulsión** del animal para que no se fuera a infectar a su población canina **porque** el bicho ese no había cumplido con la cuarentena obligatoria para poder internarlo legalmente en el país. El ínclito cuadrúpedo tuvo que ser enviado en un avión de la fuerza aérea rumbo a España donde esperaría en observación a su patrona. Se ignora qué le fue servido durante el vuelo a este afortunado can y si se puso a su disposición la selecta carta de vinos de a bordo...

Asistió personalmente, nadie se lo contó, a la salida de una elegante recepción servida por el gobierno francés a un Presidente de los Estados Unidos Mexicanos, una noche de verano en el Palacio de Versalles. Un portero elegantemente vestido con traje de encaje bordado a mano con hilos de oro, peluca blanca y levita, anunciaba con dos sonoros golpes al piso dados con un enorme cayado de plata, la identidad de los personajes que guardaban su turno para abordar sus respectivas limousinas a la usanza de la época de Luis XVI: Monsieur le President de les Estates Units de Méxique et son femme Madame Alberto Velasco. Pum, Pum. Bien pronto fue convocado uno de los ministros mexicanos. Su nombre retumbó en los altavoces y cuando se dieron los golpes de rigor no sólo subieron al automóvil el señor secretario y su señora esposa, sino además sus 4 hijos acompañados por sus respectivas esposas, una de ellas embarazada, por cierto. Del estupor de los asistentes se pasó a la risa cuando las puertas de la Limousina Citroen no se pudieron cerrar y el chofer, abrumado y descompuesto, acostumbrado a una distinguida solemnidad oficial, al rigor de la etiqueta y el protocolo, escasamente pudo dirigir el automóvil hacia la salida entre las risitas discretas, la vergüenza y la sorpresa de huéspedes y anfitriones. 12 personas, perdón, casi 13, se acomodaron en un acto circense en el interior de la cabina en escasos 30 segundos. ¡Toda una proeza!

—¿Qué es que ce sa, monsieur, ces´t un follie? —exclamó seriamente disgustado el chofer.

—Ya, ya, no la hagas de tos, chofis y jala pa'lante —se escuchó por toda respuesta en voz de uno de los parientes del señor secretario...

Belisario conocía a sus paisanos, sabía cómo pensaban y cómo operaban, cómo se conducían y cómo decidían. Su capacidad de azoro rebasaba las fronteras más remotas. Él hubiera resistido los sinsabores y la larga tradición de deslealtades en la política, la intriga, inclusive el temperamento pintoresco de sus colegas y su inmensa habilidad para la improvisación. Sí, Belisario había resistido todo o conocido casi todo, aun la irresponsabilidad, la deshonestidad y la inmoralidad en el ejercicio del poder con sus conocidas consecuencias centenarias que nos habían sepultado en el subdesarrollo, en una lastimosa desigualdad social de perspectivas desoladoras. Sin embargo, justo es decirlo, en los últimos tiempos ya ni su sentido del humor había venido en su rescate para ayudarlo a soportar, a tolerar la frivolidad del poder cuando este se perseguía no ya por una legítima aspiración para ejecutar un ideario político, sino cuando se deseaba detentar a cualquier costo para compensar desequilibrios emocionales, suplir los problemas de personalidad, los complejos, o simplemente para enriquecerse impunemente por la vía más rápida y segura. Estaba preparado mentalmente para todo ello, pero no para ejecutar el crimen reincidente que cometía contra su persona, un asalto a la razón: la pérdida de tiempo.

Lo suyo tampoco era el sinnúmero de mujeres que habían venido apareciendo en su vida como consecuencia de su ingreso en la Secretaría de Relaciones. Ellas en realidad significaban un medio de contraste ideal para medir y disfrutar su poder. "Las mujeres son como la champaña, una parte fundamental del festejo, son como el público que aplaude en el teatro, el confetti, las serpentinas, la piñata, en fin, el corazón de la fiesta, las compañeras ideales para compartir un poco de nuestra gloria..." ¿Cómo se puede celebrar algo sin ellas? ¿Sólo con amigos? !Menuda aburrición! Champaña, champaña, mucha champaña y mujeres, muchas mujeres para engalanar el diario festín, pensaba Belisario en aquellos primeros años de su ingreso al gobierno. El desfile de mujeres de toda extracción y nivel social, profesión o edad fue interminable. Imposible recordarlas a todas. Unas eran muy divertidas, gozadoras, risueñas, extraordinariamente vitales en la cama, mujeres de una gran sensualidad y avidez por el amor, otras eran tristes, o solemnes o depresivas en razón de sus experiencias sentimentales pasadas o simplemente porque su temperamento era apagado o introvertido. La mayor parte, vale la pena decirlo, integraba un grupo de personas destruidas, escépticas, vacías, deseosas de vivir, sí, pero sin la posibilidad anímica de hacerlo. Habían llegado a la mitad de su existencia con heridas por todo el cuerpo, cubiertas de cicatrices, unas superficiales, otras profundas, tristes por el daño causado, por las decepciones, escépticas por los fracasos, por haber apostado todo a una sola carta y haber perdido, por haberlo vuelto a intentar y haber encontrado por toda respuesta una nueva frustración.

Por una u otra razón se trataba por lo general de desechos de seres humanos que llegaban a su presencia con una sonrisa fingida después de haber perdido la mayoría de las batallas. Cualquier buen lector del rostro humano no tardaría en advertir las señales evidentes de amargura en los labios o en la sonrisa de aquellas mujeres. Los tropiezos amorosos, el desencanto, tal vez la traición, la deslealtad y la mentira habían acabado con ellas, pero ahí estaban, dispuestas a seguir luchando cuando en el fondo sabían que no tenían ya nada que dar, que todo estaba perdido antes de comenzar, que no volverían a creer en nada ni en nadie ni volverían a entregarse en alma pero sí en cuerpo ni volverían a confiar en las palabras de un hombre ni en su galantería. Se dejarían seducir sólo para gozar del sexo, ni hablar.

El tránsito permanente de mujeres no le sería gratuito a Belisario. Había escogido una diversión cara, muy cara que bien podía terminar igualmente con lo mejor de él. La vida no tardaría en "pasarle la cuenta", en devolverle una a una sus acciones tal y como acontecía en el cuento *La cueva de los osos*, donde quien gritara ¡amooor! en su interior hasta el límite de sus fuerzas, escucharía como respuesta retumbando a lo largo y ancho de la caverna, ¡amoooor! hasta perderse en la oscuridad interminable de aquel sinfín desconocido. Por contra quien gritara ¡mieerdaa!, el eco devolvería con la misma sonoridad sus propias palabras... Recibes lo que das. Cada una de las mujeres se llevaba algo de Belisario, se robaba silenciosamente algo de él, de su intimidad. El malestar que experimentaba al concluir cada relación se traducía en un vacío que lo empobrecía gradualmente: no se percataba de los niveles de erosión y desgaste de sus ánimos e impulsos vitales, cuya carencia propiciaba la más profunda apatía.

El hombres necios que culpáis a la mujer seguía siendo válido, pero no lo era menos la pérdida de la confianza que experimentaba el "Don Juan" respecto a ellas: cuando se ha perdido la confianza en las mujeres se ha perdido la confianza en la mitad del género humano y quien ya ha tenido la desgracia de perder la confianza en la mitad del género humano está medio muerto... Quien desprecie a las mujeres será un resentido universal y tramará sin tregua un sistema de represalias y venganzas en contra de quien le rodee por igual. Su sentido de la revancha no tendrá límites. Su irreparable apatía será un mero problema de tiempo...

La diferencia entre el uso y el abuso era precisamente esa: quien usa un placer enriquece su vida y no sólo el placer sino que la vida misma te gusta cada vez más, pensaba para sí Belisario; es señal de que estás abusando el notar que el placer te está empobreciendo la existencia y que esta ya no te interesa sino el disfrute exclusivo de ese particular placer. Este último ya no será un ingrediente agradable de la plenitud de la vida, sino un refugio para escapar de ella, para esconderte de ella y calumniarla mejor. Habrás dado con el escondite ideal para destruirte en silencio...

¿Qué pretende en el fondo quien desea tenerlas a todas, ensuciarlas, destruirlas o enmierdarlas? ¿De quién se está vengando un hombre cuando se propone semejante plan? ¿Qué corajes tendrá escondidos?

El sexenio tocaba a su fin. Belisario llegaría a los treinta y nueve años. La decisión tan anhelada la tomaría días después del "destape": fuera quien fuera el candidato a la Presidencia de la República él renunciaría tan pronto comenzara la nueva administración. Si su camino era por el lado de la historia o de la literatura o de la filosofía empezaba a ser tarde para retomarlo, alguna vez habría que emprenderlo echando mano de toda su capacidad y entusiasmo. Jugar su vida a esa carta ¿y si fracasaba? Ni hablar: fracasara o no, había llegado finalmente la hora de desenmascarar a aquellas voces que lo habían perseguido sin piedad desde niño. Bien valía la pena intentarlo. Nadie lo acompañaría en esa búsqueda para encontrar lo mejor de él mismo, nadie, absolutamente nadie. La contienda la entablaría Belisario contra Belisario.

Nadie podría detenerlo. No pensaba emplearse en un instituto ni en un colegio como maestro de tiempo completo, carecía de tiempo y paciencia para el ejercicio de la docencia, pero necesitaba hacerse de recursos para ganarse la vida en tanto incursionaba en la investigación histórica del espionaje alemán en México durante la Primera Guerra Mundial, el tema de su primera novela: ¿era cierto que Villa había recibido dinero del Kaiser para llevar a cabo la matanza de Columbus con tal de provocar una guerra entre Estados Unidos y México e impedir que los quinientos mil hombres —según los cálculos del alto mando alemán— que la Casa Blanca, presidida por Woodrow Wilson, tendría que enviar al sur de su frontera para aplacar a su

127

pintoresco vecino pudieran concurrir al frente europeo para defender a Inglaterra y a Francia de la agresión de las potencias Centrales? Podía ser o no cierto, válida o no la participación alemana en ese episodio de la historia de México, el material no podía ser más atractivo ni más seductor. Recrearía la información en una novela histórica en donde su imaginación ataría algunos de los cabos que los historiadores habían dejado sueltos, es decir, aventurando hipótesis donde la historia no había podido continuar por falta de pruebas. La novela adelantaría, trataría de suplir deficiencias, llenando vacíos, alumbrando el camino de los expertos, revelando un sinnúmero de posibilidades, algunas de ellas dignas de una exploración detenida y respetuosa.

Sólo Laura, su esposa, conocería su decisión por una razón inevitable de verdadero peso: para subsistir mientras concluía su obra, necesitaba vender la casa donde ambos habitaban y que él había logrado financiar con muchos esfuerzos sin recurrir en ningún caso a la poderosa economía paterna. No quería el dinero de su padre, lo había rechazado con su tradicional suavidad, pero lo había rechazado, sí señor. Vivía sin ningún género de dudas de su sueldo como empleado público. No quería ensuciar su conciencia aprovechándose de su situación y disfrutando bienes ajenos derivados del hurto, de la inmoralidad, de la venalidad que él tanto había criticado en su interior. De la herencia, ni hablar: la donaría a su vez al instituto de investigaciones históricas, a la caridad o a donde fuere, pero no tocaría ni un quinto proveniente del peculado. No podía ser que mientras millones de mexicanos carecían de zapatos, otros, supuestamente compatriotas, más cultivados y preparados se robaran el dinero que podría ser utilizado para calzarlos, alfabetizarlos o nutrirlos. Demagogia o no: de la herencia ni un centavo...

Todavía tendría que resolver otros problemas antes de proceder a la venta de su casa. El primero: convencer a Laura de la necesidad de hacerlo para poder sufragar los gastos derivados de la investigación, un problema de tres años, un volado. Si salía bien y su libro se reconocía como un éxito de librería se le abrirían las puertas del mundo editorial, si fracasaba, simplemente volvería a un escritorio en cualquier dependencia oficial resignándose a esperar en paz la llegada quincenal de su cheque leyendo y releyendo machotes y oficios. Sin embargo, una tentación quedaba flotando en el ambiente, un canto fascinante, una seducción irresistible: ¿y si le ofrecían una subsecretaría en la nueva administración? ¿La tomaría? ¿Y si desperdiciaba la oportunidad de su vida para dedicarse a escribir cuando jamás se había probado como escritor? ¿No era un salto en el vacío?

Buena parte de los pesares de Silverio y su penoso tránsito al anonimato hasta integrarse como un ciudadano más, lo conocieron en detalle las comadres y amigas de Hercilia precisamente en los momentos en que se levantaba la sesión de juego y se creaba la atmósfera idónea para las confesiones. La tía Iris, doña Chole, La Decana, la tía Tachis, Flor, la Chachis y las famosas cuatas, supieron al mismo tiempo, todas boquiabiertas, cuando Silverio subió discretamente al presidium de un evento que encabezaría el Presidente de la República con el objeto de sustituir la tarjeta rotulada de uno de los invitados por la suya propia para hacerse presente y poder estrechar la mano del Jefe de la Nación. Los delegados del Estado Mayor Presidencial al conocer la queja airada del despojado del lugar que legítimamente le correspondía, subieron al estrado cuando estaba a punto de iniciar el acto para suplicarle a Silverio, todavía con buenas maneras, que abandonara el lugar de inmediato o no tendrían más remedio que bajarlo por la fuerza frente a una red de fotógrafos que asistían en representación de sus periódicos a cubrir el acto.

—Este es mi sitio y no toleraré por ningún concepto un atropello de esa naturaleza —repuso enfadado.

—No me lo hagas difícil Cortines —contestó una voz amenazante, decidida a todo, incluso a privarle del título de licenciado, el último que le quedaba dirigiéndose además en la segunda persona del singular sin la menor consideración ni respeto a su anterior investidura.

Silverio palideció, lo habían descubierto, imaginó la foto en los periódicos. Sabía que se atreverían a hacerlo bajar de la manera más insultante posible y prefirió descender él mismo no sin antes lanzar más de una amenaza tímida que no obtuvo respuesta mientras una mano de acero empezaba a jalarlo de la solapa de su traje de vicuña.

De una u otra manera, Hercilia llegaba a revelar indiscretamente y con gran detalle, cada una de las anécdotas, relatándolas con una mezcla de pena, ironía, humor negro e irresponsabilidad. Nunca sabría si la narración tan pormenorizada que siempre enriquecía con algunos acentos de su imaginación le reportaban algún placer, algún gusto escondido en la última capa de su ser. No sabía qué fuerza oculta la movía a contar semejantes intimidades. ¿Vergüenza? ¡Qué va!, ella contaba y contaba sin el menor empacho sintiéndose toda una lideresa cuando arrancaba carcajadas a tan ilustre concurrencia.

Las Tiburonas, tal y como las llamaba el propio Silverio, supieron cuando él empezó por mandar obsequios a cada uno de los precandidatos a la Presidencia de la República con el objeto de acercarse a ciegas a uno y a otro. Cualquiera podría ser el bueno. Todo dependía del momento en que el máximo mago presentara al futuro Jefe de la Nación igual que un ilusionista saca de la chistera a un conejo frente a un público atónito y dispuesto a aplaudirle todos sus trucos. La nación esperaría cautiva la identidad del candidato a guiar al país apartado de la menor expresión democrática. Nadie la reclamaría. El juego había sido aceptado durante varias décadas entre gobernantes y gobernados. Nuevamente se demostraba la inexistencia de las culpas absolutas. El tapadismo constituía un auténtico deporte nacional. Tal y como Josefa decía: igual que a los menores de edad se les impone un tutor sin consultárseles, igual que una está acostumbrada a que el padre tome decisiones por los hijos, igual que en el seno de un pueblo alegre y risueño el cacique dirige su destino, igual a que los maridos imponen su ley con sus esposas, igual que el patrón, el jefe, el cura o el obispo disponen lo más conveniente, igual que alguien siempre preside las relaciones sin mayores consideraciones democráticas, no es de sorprenderse que el todo sea igual a la parte y en la especie alguien imponga al Jefe ahora sí de todos los mexicanos. ¿Por qué no? Si alguien siempre manda, que mande también aquí. ¿Cuál es la diferencia si la estructura mental derivada del carácter autoritario español, adoptada, cincelada y padecida por lo mexicanos durante tres siglos no podía resultar sino en la aparición de la tiranía en todos los niveles de la sociedad, como en la misma familia, la escuela, el trabajo y el propio gobierno? ¿Cuál podría ser el resultado de tantos siglos de rabiosa intransigencia? ¿Acaso nos habíamos acostumbrado en algún periodo de nuestra historia a respetar la voluntad ajena? ¿Cómo México podía aspirar a la democracia cuando ésta no se daba ni siquiera en el seno de la familia?

De alguno de los siete Tapados saldría sin lugar a dudas el nuevo presidente de los mexicanos. Sólo que igual que el hijo no osa criticar ni oponerse a las decisiones de Papá, el electorado acata la decisión del Presidente de la República respecto a las personas que habrán de mandar en los tres niveles de gobierno. Se concede un voto de confianza en el Primer Mandatario, en el Primer Tata para que este escoja a los candidatos idóneos para dirigir convenientemente los destinos de la nación, la comunidad votará dócilmente por quien le indiquen, una comunidad anestesiada políticamente, sonámbula, resignada, apática. Algo así como "no me resisto porque sé que tratas de hacer lo mejor por nosotros". Si el pueblo no reclamaba, como no reclama, ¿por qué entonces cambiar los actos de magia con que lo embelesamos? El pueblo entero votaría en masa por el que le indicaran. Desconfiaban profundamente del sistema pero debían confiar en el. ¡Qué fácil resulta culparnos a nosotros los políticos de todo cuanto acontece! ¿Eh? Ellos votan por los que les *sugerimos* y luego nos agreden alegando falta de democracia. ¡Vamos hombre...! ¿Para qué votaron entonces por el nuestro, o resulta ahora que tampoco votaron? A ver, dime...

Esto como siempre es de dos: uno el público, otro el ilusionista. ¡Que siga la magia y la gran fiesta electoral! Uno hace los trucos, el otro los aplaude. Todos contentos. Nada que reclamar. El juego nos complace a todos, somos un país de apostadores. Vengan las quinielas, vengan las ruletas, vengan las tómbolas: hagan su juego, señores, ¿cuál será el bueno? El que niegue la democracia mexicana o es un ignorante de nuestro sistema, es un resentido, un mal intencionado o por lo menos un aguafiestas, un amarillista, uno de esos escritores supuestamente vanguardistas en busca de protagonismo que a la hora de la hora igual se acercan al triunfador definitivo para hacerle un par de caravanas con todo y sus *valientes* escritos. Los negocios son los negocios. ¡Animo señores, ánimo, es el gran momento de la fiesta nacional! Que no haya caras tristes. Compren su boleto y guarden sus razones. Fórmense en la fila y prepárense a reír.

Silverio conocía de cerca el proceso electoral mexicano y prendió también su vela. ¡Qué va!, prendió siete velas y hubiera prendido cuarenta si ése hubiera sido el número de fichas en juego. Hercilia lo contaba con gran gracejo: los hombres deben ser en la política como son con las mujeres, a todas les juran amor eterno con tal de acostarse con ellas, allá la bruta que se deje, ¿no crees tú cuata?

El ex subsecretario de Asuntos Agropecuarios y más tarde del Deporte hizo siete cartas iguales exquisitamente redactadas planteando ideas geniales en bien del país. Las risotadas de las comadres no se hicieron esperar cuando Hecilia reveló que su marido ofrecía sus servicios al Estado como un experto en agricultura, en las relaciones México-Estados Unidos; conocía de ferrocarriles, de paisaje urbano, de transplante de córnea, de enfermedades cardiovasculares, de carreteras, de comercio exterior, de pesca, de historia, de cultura en general, era el personaje ideal para la secretaría de educación, contaba además con nexos con los principales banqueros internacionales, los suficientes como para sentarse a discutir con ellos delicados problemas de deuda pública; por si fuera poco, podría ser un estupendo primer secretario civil de la Defensa Nacional, sabía todo lo relativo a armamentos, a estrategias de guerra, o uno de la marina, por su inmensa sabiduría en materia náutica. Había ofrecido devota y desinteresadamente su abnegada existencia a las grandes causas mexicanas y nada tenía que exigir a cambio. Estaba en paz pero quería morirse como empleado de la Federación igual que Miguel Angel hubiera querido hacerlo con un cincel en la mano o Shakespeare con una pluma en la diestra o Beethoven escuchando su Sinfonía Coral.

Envió además siete *curricula* redactados por profesionales en la materia. Siete canastas de vino idénticas. Siete planes nacionales de trabajo. Siete programas de promoción internacional de México. Siete estrategias para esto, para aquello, para lo demás allá. Siete de aquí, siete de acá, siete de

131

acuyá. Siete, siete, siete, siete. Siete, el cabalístico. Siete. Ése sería su número de la suerte. No importaba que fueran los mismos textos, los equipos de trabajo eran tan cerrados entre ellos que no habría poder humano capaz de cruzarlos entre sí para descubrirlo. Había pues, como siempre, suficiente espacio para la impunidad.

Las Tiburonas supieron cuando Silverio empezó a ofrecer dinero con tal de ser entrevistado para salir en televisión, aparecer en los periódicos o manifestar su opinión a través de la radio con cobertura nacional. ¿Cómo es posible que el país prosperara sin evaluar antes sus puntos de vista? ¿Toman decisiones de gran trascendencia sin mí? ¿No me necesitan? ¿Estarán locos? ¡Carajo!

Silverio Cortines se encontraba febrilmente entregado a la magna e incansable tarea de su promoción política haciendo nuevos contactos, trabando amistades de las más diversas, tejiendo hábil y rápidamente su red, recabando nombres de los más íntimos amigos y colaboradores de los precandidatos, acercándose a quienes decían haber asistido a la escuela, al jardín de niños, a la preprimaria con los elegidos; asistiendo a todo tipo de cenas, cocteles, conferencias, paneles, publicando escritos, trabajos, documentos hechos por encargo respecto a todas las especialidades imaginables, consiguiendo las más difíciles invitaciones a cambio de promesas y otros favores, echando mano de su labia y de su cortesía adormecedoras. Cortines seguía paso a paso la marcha angustiosa de los acontecimientos, analizando las noticias a través de sus conocidos en las diversas secretarías de Estado, intercambiando información, puntos de vista para reducir el margen de error y acercarse al verdadero triunfador sin pérdida de tiempo —se trataba de poder llegar a decir que siempre se la había jugado con él, no había otro mejor que usted, señor candidato, o más tarde, señor Presidente, desde el principio lo supe—, concurriendo a desayunos (llegó a tener tres en una misma mañana). ¿No supiste esto, aquello, lo de más allá? Los agoreros, los videntes y los pitonisos escasamente disponían de tiempo para comer atareados por tantas llamadas de los influyentes insomnes vivamente interesados en adelantarse a su futuro. Les leían la mano, la vela, el café turco o del Soconusco, o les adivinaban la suerte por medio de una enorme bola de cristal, les echaban las cartas o interpretaban su suerte según la temperatura dejada en un huevo de gallina coja después de haberlo tenido en su mano durante cinco minutos. Al igual que los politólogos descifraban todas las señales, exhibían la más sobria de sus expresiones para denotar los alcances de su sabiduría, adoptaban un rostro adusto, impertérrito, engolando la voz al citar los perfiles del que debía resultar triunfador, perfiles que por otro lado coincidían con los de los siete precandidatos, una garantía de solvencia profesional: ¡es clarísimo!, el bueno es este, fíjate quién te lo dijo, no lo olvides, ¡síguelo! Los pitonisos escrutaban el rostro de sus clientes, cualquier movimiento muscular o tensión óptica para acertar o corregir el camino adecuado.

Un lúgubre día del mes de octubre, cuando el otoño ofrecía algunos vientos frescos anunciando el arribo de los primeros fríos y el aire enrarecido del Valle de México permitía vislumbrar en esa época del año los volcanes en lontananza, esos viejos y leales guardianes, inmóviles celadores de nuestra nacionalidad, testigos mudos de nuestra historia patria, el gran ilusionista hizo repentinamente el acto de magia sorprendiendo a todos los mexicanos que esperaban con ansiedad el gran momento. Destapó sin más al nuevo candidato de las mayorías nacionales mucho antes del inicio del proceso electoral. La comunidad política echó mano a sus bolsillos para ver qué tipo de boleto había comprado: ¡Dios Misericordioso, apiádate de mí...!, no salió el mío. Muerto estoy, horror... Otros, los nuevos integrantes de la familia revolucionaria descorcharon champaña. Comenzaba la gran fiesta de la cargada, fiesta que se conmemora desde los años aciagos del Porfiriato hasta nuestros días. El candidato ya había ganado las elecciones antes de que se depositara un solo voto en las urnas. El pueblo no sólo lo toleraba, sino lo estimulaba, le divertían las tradiciones pintorescas, esta era una más que debía preservarse por muchas décadas por venir. El gobierno solamente representa una parte de la nación, no podía ser distinto a ésta. No había discrepancias. Todos estamos de acuerdo, no hay nada que reclamar. Estamos en paz, en santa paz, valores entendidos, *entente cordialle*: ¡que comience entonces la fiesta de la campaña política! ¡Música maestro! ¡Que suene la marcha de Zacatecas!

Silverio tenía boleto perdedor. Menudo futuro le esperaba. Llamó a sus íntimos, a uno y a otro. Nada. Fracaso absoluto. Las pérdidas eran totales. Volteó a los lados: era un cadáver insepulto. Los brazos se le desmayaron arrastrándolos al caminar junto con los zapatos de ante y hebilla de oro impecablemente cepillados. Tenía la apariencia de una masa de carne deshuesada. Pero hombre, Silverio querido, ¿cómo es posible que después de tantos años de marquesa no sepas cómo mover el abanico? Aquella tarde trató de compensarse haciendo el amor: imposible controlar su desesperanza. Nada, ninguna respuesta. Un cadáver, todo él era un cadáver. Tanta experiencia en la lectura de las entrelíneas de la política mexicana y haber fallado en el momento más crítico de tu vida... Nunca había estado tan claro, probablemente se trataba del tapado destapado más evidente de los últimos tiempos, hasta un párvulo lo hubiera sabido identificar...

—Pero si salió el menos esperado...

—¿Cómo que el menos esperado? ¿Qué no te fijaste que en el último año el presidente ya no mandaba y lo dejó poner gobernadores a su antojo, así como subsecretarios de Estado e inclusive secretarios y oficiales mayores en todas las dependencias? ¿No te fijaste en esos pequeños detalles? ¿Tampoco te percataste quién sugería ya a los últimos ministros de la Suprema Corte?

—No, no...

—¿Pues si no viste eso, qué viste?

—Yo...

—Ya, ya sé: querías que ganara el tuyo, ¿verdad?

—¡El que ganó es un improvisado!

—Ese es el clásico argumento de los derrotados. Si quieres regresar al gobierno, escúchame bien, reconoce que es el hombre de la virtud, de la capacidad, de la acrisolada honradez, del talento y la sabiduría y la tolerancia indispensables para regir los destinos de nuestro país o te echarán la segunda y definitiva paletada de tierra: nunca te pelees con el heredero de la revolución...

El ex subsecretario recorrió medio gabinete pidiendo audiencias. Tenía múltiples soluciones que aportar. Una gran experiencia que no se debía desaprovechar. Un talento, unas relaciones nacionales e internacionales que no se podían desperdiciar. Todo. Tenía de todo y, sin embargo, muy a pesar de sus impresionantes cartas credenciales, sus interminables pergaminos y centenares de condecoraciones, diplomas y reconocimientos al mérito profesional multifacético, a pesar también de poder demostrar con papeles su ilustre descendencia, lo hicieron esperar infructuosamente en las antesalas, días antes abiertas de par en par para recibir a los apostadores. Tomó un café tras otro, pasó de una dependencia a la otra, de un secretario particular al otro, gritó sus especialidades, volvió a dejar cartas, escritos y solicitudes pero ninguna puerta se abrió: el señor secretario tuvo que salir al partido para participar en una reunión con el señor candidato, usted perdonará y el portazo le retumbaba en los oídos por quince días seguidos.

Ya sé —pensó para sí Silverio Cortines y Brambila— iré a ver a Belisario, él encarnará lo mejor de mis sueños, materializará mis ilusiones, las realizará sin la menor duda. Si las puertas del sector público se le habían cerrado injustificadamente, un absurdo, un crimen sin igual producto de las envidias, a través de su hijo continuaría disfrutando lo mejor de la política hasta el último día de su existencia. Nadie mejor que yo para aconsejarlo, nadie mejor que él para absorber mi experiencia, mis relaciones a todos los niveles, mi prestigio, indispensable para encumbrarnos hasta donde sólo se oye la voz de la Divinidad. Le exigiré docilidad. Él tiene la edad y el perfil necesarios. Algo habrá heredado de mi talento, de mi estilo, de mi escuela. Lo llevaré de la mano. Lo conduciré por todos los pasillos de Palacio Nacional hasta instalarlo en la mismísima sala del trono. Si ya no pude ocuparla yo, al menos que sea para los míos, pero que sea, no tiene remedio: alguno de nosotros llegará, eso está escrito, cincelado, esculpido en las piedras de la inmortalidad. ¿Qué tal mi hijo Belisario? Reúne sobradamente todos los requisitos, es inmejorable: sangre de mi sangre, ojos de mis ojos, carne de mi carne, razón de mi razón, esperanza de mis esperanzas. Belisario Cortines, Presidente de la República, ¿qué tal, eh? Nuestro arribo al poder supremo de la unión es una mera cuestión de tiempo. ¿Quién puede oponerse a la fuerza histórica de mi apellido? ¡Hablen! Sí, a ver, ¡hablen! ¿Quién puede resistirse a la autoridad de un destino manifiesto como el de los Cortines? ¿Quién puede alterar el curso de una poderosa inercia nacida siglos atrás? ¿Quién puede oponerse a un dictamen que supera la voluntad humana? Belisario, Belisario Querido: capitaliza el prestigio de tu nombre y de tu apellido. Los he tallado cuidadosamente durante toda mi vida para heredarte esta corona de veinte puntas de zafiro llamada a destacar tu hermosa cabeza, a engalanar ese perfil romano tan nuestro. ¿Una corona?, sí, necesito una corona, ¿quién me vende una corona?, se los suplico, por lo que más quieran, una corona por el amor de Dios, que todo lo sabe y nos obsequia su santísima misericordia...

La campaña política se desarrolló vertiginosamente. La espléndida maquinaria política del PRI funcionaba a las mil maravillas. ¿Problemas de presupuesto? ¡Vamos, hombre, no olvides que disparamos contra las arcas de la Tesorería de la Federación y las del Banco de México...! Ahí nos fondeamos... Si algo no faltará en este proceso electoral, como en ningún otro encabezado por el partido de las mayorías mexicanas, es dinero. Se da a manos llenas para pagar gastos de transporte, viáticos, renta de aviones supersónicos, camiones de lujo, otros de no tanto lujo para trasladar a los acarreados, honorarios para estos últimos, desplegados, notas periodísticas, insertos, tiempo abierto en televisión. Tenemos a nuestra disposición a la televisión pública y privada, ambos desde luego son incondicionales priístas, no hay diferencia alguna, somos del mismo equipo. Tenemos las mismas metas, intereses recíprocos, vasos comunicantes. Si la nación ya está de acuerdo en que ganará el candidato oficial antes de depositar el primer voto en las urnas, en ese caso que la campaña se financie con el tesoro público... No importan las discrepancias ni los disidentes: ¡ganaremos!

Parecía como si de tiempo atrás ya se hubiera conocido la identidad del candidato: el mismo día de su destape ya existían banderolas con su nombre, calcomanías para adherirse al autómovil, ceniceros, llaveros, encendedores, tarjetas postales autógrafas. Se habían hecho gigantescos rótulos en las montañas circunvecinas para que desde cualquier parte se pudiera leer el nombre del afortunado, del nuevo iluminado, cuyos lemas aparecían repetidamente en grandes lonas que colgaban majestuosamente de los edificios públicos y de muchos de los privados ávidos de nuevos negocios en la nueva administración. En todas las revistas y periódicos se hablaba insistentemente del candidato. La noticia corrió como pólvora alcanzando los más apartados poblados instalados en las cabeceras municipales. Hasta ahí llegó la publicidad del partido que mandó pintar bardas, piedras y mojoneras con sus colores y con el nombre del elegido. Toda una gran festividad. Los postes de alumbrado público y los telefónicos amanecieron con banderines pendientes de sus brazos, mientras que la prensa bombardeaba sin piedad para adormecer las conciencias y garantizar el destino correcto de la boleta en la urna electoral idónea.

Surgían por doquier comisiones pentapartitas, grupos de estudio de diferentes especialidades. Se presentaban expertos en todas las materias para resolver complejos problemas que se remontaban a la colocación de la primera piedra en la Gran Tenochtitlan, elaboraban sesudos documentos y aportaban importantes conclusiones. Se trataba del nacimiento de la esperanza, el lanzamiento definitivo e inaplazable del México Nuevo, el país que todos deseábamos para nuestros hijos, el que reflejara fielmente el talento de los mexicanos, el que nos merecíamos, el digno, el libre, el justo, el de la oportunidad para todos, el del rescate masivo de los pobres y de los analfabetos, el floreciente en el terreno agrícola, en el industrial, en el económico y en el cultural, el del prestigio internacional, el que quisieron nuestros abuelos, nuestros bisabuelos para nosotros y por diversas razones no nos lo habían podido dar. Ahora sí lo tendríamos, llegaba al poder el hombre idóneo, poseído de un incomparable amor a México, conocedor a fondo de su patria, de su gente, de sus enemigos, de sus obstáculos, de sus tradiciones, de su fortaleza y sus debilidades, de su sentido del humor, del honor, de la dignidad, un fecundo analista de la identidad nacional, un simpatizante de las causas liberales, un salomónico distribuidor del ingreso, el capitán de un ejército de combatientes para erradicar la miseria, el analfabetismo, la ignorancia, la insalubridad, el amoroso *pater familia*, devoto admirador del indigenismo, protector de los obreros, de la libertad de expresión, impulsor de la economía de mercado, también de la mixta, feroz cancerbero de la preservación de nuestra Carta Magna, la máxima ley de todos los mexicanos. Pertenecía según su ideario político al extremo centro, gobernaría para todos los mexicanos sin distinción de color, sexo, edad, ocupación profesional o filiación política: leía el discurso de toma de posesión del presidente saliente.

En una semana el país se tiñó con los colores de la bandera nacional. Quien votara en contra de esos colores votaría contra la patria, contra nuestra historia, contra lo mejor del gran sueño mexicano, contra nuestras esencias, nuestra soberanía, contra nuestro territorio, nuestra dignidad nacional, nuestra identidad y nuestra idiosincrasia, en contra también del cura de Dolores, don Miguel Hidalgo y Costilla, de Morelos, de Guerrero, en contra hasta del mismísimo Benito Juárez, en síntesis, votaría a favor de la Malinche, a favor de nuestra famosa y tan socorrida *Chingada*, a favor de la conquista, de lo español, a favor de la encomienda, de la inquisición, de la presencia extranjera en México, de Santa Anna, el gran traidor, de la iglesia ávida de bienes materiales, la iglesia terrateniente, a favor de Porfirio Díaz, el gran tirano y sus grandes haciendas, el gran explotador del sector rural y sus compañías deslindadoras, el ínclito forjador del analfabetismo, de la miseria agraria, el importador de las costumbres afrancesadas, el asesino de la democracia. Votar contra la bandera constituía una grave falta, una deslealtad sin nombre y sin precedente, una inclinación flagrante hacia lo extranjero, una negativa rotunda de lo nuestro, de nuestras raíces y sentimientos, un crimen, una manifestación de verdadero vandalismo contra lo mejor de todos nosotros, de modo que el primer domingo de julio próximo sólo habría una forma de votar: a favor de los colores que representaran la más genuina mexicanidad, los del PRI.

La oposición no podía utilizar los colores de la bandera —una ventaja abismal— ni tenía a su disposición las arcas de la nación para sufragar, entre otros objetivos, los gastos de campaña ni contaba con el apoyo incondicional de los medios masivos de difusión ni con el de los sindicatos privados ni con los de la burocracia ni con toda la maquinaria electoral y publicitaria a nivel federal diseñada para cubrir desde el municipio hasta la entidad federativa y el país en su conjunto ni lograría competir jamás con el grado de preparación política y experiencia de los candidatos tricolores, desde luego los únicos con el derecho a participar en la administración pública. Los adversarios tampoco disponían de relaciones en el exterior ni de un ejército de partidarios para ejercer la representación y vigilancia indispensable en las casillas electorales el día de los sufragios para evitar "errores" en el proceso de recuento de los votos. Derrotar pues a un *stablishment* profundamente enraizado constituía todo un desafío. Se trataba de un juego de México contra México.

No había manera de lograr que se hiciera oír la voz de la oposición, la voz del otro México, una voz tan sana, constructiva y necesaria en toda democracia. ¿Quién resultaba el primer beneficiario de la competencia entre las empresas? ¡El consumidor!, regla prístina, evidente, mil y un veces demostrada y vuelta a demostrar en cuanta oportunidad se presentaba. Sin embargo, ¡ay, paradojas de nuestra personalidad nacional!, otro reflejo incomprensible del espejo negro de Tezcatlipoca, el electorado mexicano, adulto y maduro, no apoyaba a la oposición, se negaba a entrar en el juego de la competencia a pesar de los inmensos beneficios que le reportaría. Si votar por los partidos de oposición se podía traducir en una mejor administración de los bienes y servicios públicos, de los recursos oficiales, dentro de una verdadera renovación moral, auténtica, integral, permitiendo esculcar, sí, esculcar a fondo los bolsillos de los funcionarios salientes, propiciando un destino más cierto y confiable del patrimonio del Estado al reducir sensiblemente los niveles de inmoralidad, el mexicano, a pesar de dichas ventajas nada desdeñables, a pesar de que la participación de la oposición le reportaría provechos, decidía votar por el *stablishment* reafirmando su tradicional posición conservadora. No importaba que la competencia política le significara innumerables ganancias, no, no importaba que su advenimiento se tradujera en el arribo de controles de utilidad común, no, simplemente votaría por el partido en el poder, el de siempre, bueno o malo, corrupto u honesto, eficiente o burocratizado, votaré por él.

¿Pero si es así o asá? No te conviene...

No importa, votaré por el sistema. Más vale malo conocido que bueno por conocer.

¡Ah!, ya sé, pasa lo mismo que con la administración petrolera: no funciona, pero lo mantendremos hasta la muerte, la sostendremos aunque el hambre acabe con nosotros, aunque nos volvamos a matar a tiros todos los mexicanos: las figuras sagradas son intocables. ¿Verdad? Lo había olvidado.

Así es, ahora lo has entendido. Ni un paso atrás... ¡Ni uno solo!, pase lo que pase. Cueste lo que cueste.

¿Has oído, Tezcatlipoca? ¡Ni un paso atrás aun cuando caminemos directo al abismo! ¿Te ha quedado claro?

La campaña, diseñada matemáticamente, con independencia de la personalidad del candidato, en los herméticos gabinetes de los expertos en logística, avanzaba a toda velocidad. Él sólo era una pieza más, pieza clave, pero al fin y al cabo pieza dentro del ajedrez del sistema político nacional. La secuencia era casi perfecta. Deslumbradora, apoteósica, el candidato tendría la oportunidad de conocer el país de arriba abajo, de escuchar las demandas de la gente, sus lamentos, sus carencias, vivir de cerca los grandes problemas nacionales, presentarse, identificarse con el pueblo, de ahora en adelante su pueblo, informarse en viva voz de los afectados del efecto corrosivo de la inflación en sus bolsillos, de las desastrosas consecuencias de la devaluación, de la fuga de capitales mexicanos, de la impotencia del presupuesto federal para hacer frente a las carencias del país gracias en buena parte a la práctica de la defraudación fiscal, del peculado en todas sus formas y modalidades, ambos, atractivos deportes nacionales, vivir de cerca el drama del desempleo, la ausencia de fuentes de trabajo, el de la falta de agua, la destrucción ecológica, el desperdicio educativo, evidenciado entre otros ejemplos en la existencia de millones de antiguos estudiantes hoy convertidos en choferes, plomeros, pepenadores o voceadores dedicados a rescatar la desoladora perspectiva económica originada en la carencia de ingresos familiares. Tantos esfuerzos del Estado orientados a educar, nobles esfuerzos titánicos tirados por la alcantarilla... ¿Cómo recuperar el rumbo extraviado hacía ya tantos siglos? ¿Cómo acelerar el paso? ¿A qué se debía nuestra incapacidad para erradicar la miseria, el analfabetismo, la insalubridad y la inmoralidad? ¿A qué?, sí, ¿a qué?

Pascual Portes, el gran compadre y querido amigo, compañero en mil batallas en el campo de la investigación, fue llamado a presidir la Comisión Nacional de Servicios Educativos y Culturales durante la campaña. Su nombramiento sorprendió a propios y extraños. Nadie, ni siquiera su propia esposa, sabía a ciencia cierta el grado de intimidad con el ahora candidato, a quien se le había acercado de buen tiempo atrás revelándole sus íntimas preocupaciones por el desastre educativo. Pocos supieron que las conclusiones que el candidato leería en el Primer Foro Nacional sobre la Educación en realidad las había preparado Pascual junto con Josefa dentro de la máxima discreción:

La educación es la llave maestra, la palabra mágica, la gran panacea, el gran secreto para la conquista del presente y del futuro, el remedio indiscutible para materializar nuestros sueños ancestrales y romper los siete círculos del estancamiento.

A los mexicanos nos corresponde duplicar año con año el número de graduados en nuestras universidades para extinguir el peligro que se cierne sobre nosotros. La mediocridad nos acosa. El colapso de nuestra sociedad es un problema de tiempo si no nos avocamos todos juntos y ahora mismo a resolver el problema educativo.

El talento creativo de los nuestros se podría ir aletargando hasta olvidarse la profundidad de nuestras raíces históricas, facilitando la penetración extranjera y enterrando para siempre lo mejor de nosotros si no nos avocamos todos al rescate de la escuela. La gran forja de la nación. Los problemas de identidad nacional, un problema educativo, invita a la inacción, al abandono de lo mejor de nuestros valores, al ecocidio, a la devastación de nuestro patrimonio histórico y a nuestra descomposición política y cultural.

La ignorancia nos ha instalado históricamente en una peligrosa marginación en donde se ha incubado el rencor y el resentimiento que a la larga nos ha conducido a la devastación. La falta de educación nos amenaza a todos por igual desde que propicia la corrupción, estimula la evasión fiscal, explica el abstencionismo electoral y descarta las ventajas de la participación de la comunidad en los más trascendentales asuntos de México.

La insoportable miseria que padecen cuarenta millones de mexicanos, la insalubridad, la deserción escolar, el desastre ecológico, la inhalación permanente de humos tóxicos, la destrucción de selvas y bosques, el envenenamiento de ríos, lagunas y mares, las tasas de mortandad infantil, los vicios alimenticios y nuestra histórica desnutrición y su relación con nuestros desesperantes niveles de crecimiento económico, la amenazante corrupción y la explosión demográfica tienen una raíz común: la falta de educación, una de las causas de la mayoría de nuestros males.

Una democracia se consolida con títulos académicos. Es claro que a mayor número de títulos profesionales, mayor solidez institucional, mayor ahorro público y privado, mayor estabilidad política, mayores niveles de ingreso, mayor respeto a los derechos humanos, mayores índices de democracia, mayor desarrollo económico, menor desigualdad social, menores riesgos de violencia civil, menor desesperación, atraso e involución.

El analfabetismo es el primer enemigo de toda democracia. Habrá que erradicarlo donde se encuentre como si se tratara de una peste. Declararle una guerra conjunta, una lucha sin cuartel en la que todos debemos estar comprometidos de tal suerte que la presente generación pueda erradicarlo para siempre.

Nuestras perspectivas no pueden ser más sombrías si los mexicanos no alteramos radicalmente esta amenazante realidad. Es menester apoyar a quienes toman los riesgos educativos. El gobierno jamás podrá solo. El desarrollo económico, es decir, el crecimiento de las empresas entendidas como células generadoras de riqueza y el aseguramiento de su patrimonio depende de la consolidación de las instituciones nacionales y estas a su vez de la calidad de la educación del país.

Las empresas deben, en consecuencia, participar activamente en el rescate educativo de México.

Él, Pascual, sería el encargado de plantear, de analizar la situación actual de la educación, sus lastres, efectos y consecuencias, perspectivas, principales dificultades en todos los grados de enseñanza, soluciones a corto, mediano y largo plazo, así como requerimientos presupuestales. Además, como Presidente de la Comisión quedaba postulado de inmediato —cualquier buen lector de las entrelíneas de la política nacional podía advertirlo sin mayores esfuerzos— como el próximo Secretario de Educación Pública en el nuevo gabinete. Josefa Cortines de Cuevas ocupó la Vicepresidencia. Imposible negarse. Un desaire hubiera acabado con una añeja amistad amarrada por gruesos lazos intelectuales y sentimentales, lazos que se soltarían de golpe si las aspiraciones profesionales de Josefa no rebasaban las bibliotecas ni los cubículos de los colegios, apartándose de toda acción, tal y como le dijo el propio Pascual cuando ella aceptó finalmente participar "sólo" durante la campaña: —estaba empezando a dudar de tu autenticidad...

¿Para qué le sirve a un médico estudiar si sus conocimientos no los utiliza para curar? ¿Para qué sirve la teoría arquitectónica si nunca se va a poner un ladrillo sobre otro? ¿Para qué quieres cuarenta doctorados si nunca intentarás demostrar en la práctica la validez de tus convicciones y tu supuesta inconformidad social y política quedará reducida a documentos técnicos reservados exclusivamente a los expertos?

Josefa aceptó pero puso condiciones en materia de tiempo, en particular porque se negaba a abandonar a sus hijos, a su marido, a su familia. Pascual aceptó las condiciones. Ella fijaría su propio horario, viajaría cuando sesionara la comisión encabezada por el señor candidato, tendría la oportunidad de elegir a sus colaboradores, no se le impondrían áreas concretas ni se le fijarían techos de ninguna naturaleza, ella propondría la temática, establecería el marco de trabajo conjuntamente con Portes definiendo las actividades prioritarias, seleccionándolas, calendarizándolas para reducir los márgenes de error. Contaría con presupuesto propio para contratación de segundas manos, haría posible el sueño de cualquier investigador: materializar su ideario y poner a prueba sus principios y ejecutar su pensamiento. ¡Qué felices seremos Josefa! ¡Cuánto podemos hacer juntos...!

De una u otra forma y de buen tiempo atrás, Josefa y Pascual ya tenían en la cabeza las grandes líneas del Plan Nacional de Educación. Su planteamiento en el papel se reducía a un mero problema de redacción. Habían sido muchos años de estudio, de acaloradas discusiones, de horas y más horas de búsqueda y lectura en las bibliotecas, comparando cifras, hechos e informes, estructurando ponencias, discursos, interviniendo en seminarios, mesas redondas, congresos internacionales, preparando cátedras y moderando largas discusiones acompañados de colegas y discípulos. La teoría era vastísima. ¿La práctica? Para eso estaba Pascual. Él la tenía de sobra.

En un par de semanas Josefa pudo reunir a un selecto grupo de trabajo para empezar a elaborar un primer "esqueleto" del ambicioso programa educativo de la nueva administración. Llamó poderosamente la atención la presencia de dos nutriólogos de reconocido prestigio, ¿nutriólogos?, de neurólogos y psiquiatras, además de distiguidos pedagogos en el reducido equipo de la socióloga y antropóloga. Más comentarios produjo la presencia de dos destacados hombres de empresa especialmente invitados por la señora Vicepresidente de la Comisión de Educación. ¿Empresarios?, ¿para qué? Josefa desplegaba una intensa actividad. Si era preciso, igual tomaba un avión para invitar a sus posibles colaboradores con el objeto de insistirles personalmente en la importancia de su participación —nada mejor que su presencia física, puntual y refrescante, para dejar constancia de la trascendencia del momento, de las ventajas de la actual coyuntura política, de los propósitos, de los apoyos, de la identidad del resto de los ponentes, así como de su prestigio— que les escribía, les hacía llegar mensajes a través de terceros, se presentaba de improviso en sus domicilios, en sus gabinetes privados para sacudirlos, abrir las ventanas, oxigenar sus ambientes, ventilarlos para espantar al fantasma del escepticismo que morara justificadamente durante tantos años en sus mentes, tantos que ya era difícil recordarlos. Luchaba por animarlos, por revivirlos, vigorizarlos, comunicarles su optimismo, su esperanza en el nuevo México, en la construcción de un nuevo país cimentado sobre otras bases educativas: trataba de despertar a la inteligencia mexicana de un largo sueño, de aprovechar su talento, su información, su fortaleza, en fin, de hacer un llamado a la razón. ¡Ya era hora! Si en la educación se encontraba el origen de la mayoría de nuestros males, mientras esta no se modificara sustancialmente, mientras no se planteara una reestructuración radical, sería imposible romper el círculo vicioso que nos impedía salir del subdesarrollo. Quien semanas atrás había tenido que ser convencida, hoy convencía a su estilo, con su conocida vehemencia, echando mano de poderosos argumentos, huesos muy difíciles de roer. Preguntaba, concedía, basculaba y disparaba hasta ganar la partida. Si no hoy, mañana, en la tarde, al otro día, la semana entrante, pero ganaría, sí que ganaría, eso estaba garantizado de antemano.

Consciente ya de la magnitud de la oportunidad que se le presentaba desplegaría más energía que la de un ciclón. Lo haría bien o no lo haría. A los extremos, vayamos a los extremos. Ser o no ser. Se dispuso entonces a emplearse a fondo.

Según avanzaba la campaña Alonso entendió que la nueva experiencia política de su esposa no constituía en modo alguno una distracción ni una aventura frívola ni un simple pasatiempo. Ella no era una mujer de pasatiempos, como tampoco era una mujer de una sola noche, ¡qué barbaridad!, si lo sabría él... La sola posibilidad de convertir en realidad sus conocimientos, de descubrir una de sus caras más útiles, un aspecto ignorado por ella, menudo desafío, bien pronto absorbería su tiempo, su mente y su imaginación. Tomó las debidas providencias para emprender un viaje largo, tal vez más largo de lo que ella se imaginó, o corto, muy corto, si un buen día la decepción llegaba a destruir las esperanzas e ilusiones de Josefa. "La política es una escalera jabonosa", pensó para sí. Si Alonso le negaba el paso a Josefa ella podría reclamárselo algún día por haberla limitado. Aun cuando fuera en el fondo de su alma, tarde o temprano lo habría culpado por haber impedido su evolución profesional. ¿No decías que el matrimonio es la oportunidad donde el ser humano debe desarrollar a plenitud sus facultades? ¿No lo decías? Por otro lado si consentía y llegaban a despedirla a pesar de todos sus merecimientos académicos y sus múltiples credenciales, tal y como lo habían hecho con su propio padre, la amargura podía apoderase de ella por el resto de sus días. Claro que Josefa no era igual a su padre, el gran *Corrrtineau*, desde luego que no, en nada se parecían, pero los cambios en política eran tan imprevisibles y repentinos como el inexplicable viraje de un toro. Cuidado, cuidado, los riesgos eran enormes...

En todo caso él siempre había preferido arrepentirse de lo que había hecho y nunca de lo que había dejado de hacer. Esto último siempre le había pesado más. La incógnita le resultaba frustrante porque nunca sabría lo que el destino le hubiera deparado de no haber permanecido acobardado e inmóvil después de negar la fuerza de sus impulsos. De manera que mejor probar, siempre probar, arriesgarse, arrimarse al toro para medir fuerzas, temple, coraje y personalidad. La única manera de saber si se tenía o no sangre y sello de torero era clavando las zapatillas en la arena. De lo contrario era mejor pasar a ocupar cómodamente un lugar en el graderío. Si ella ya había decidido intentar un nuevo camino había que *dejarla sola*, el tiempo se encargaría de decir la última palabra.

Los problemas en la propia campaña no tardaron en presentarse. A grandes problemas grandes remedios. Después de un análisis pormenorizado de los gigantescos presupuestos federales destinados a cubrir las necesidades de la mayoría de las escuelas oficiales, igual las citadinas que las rurales, una vez que contó con todos los elementos en la mano para exhibir como prueba el penoso grado de instrucción escolar de los egresados a todos los niveles, igual el de quienes terminaban el ciclo escolar que el de quienes desertaban por incapacidad de aprendizaje, o el de quienes habían abandonado la escuela para sumarse obligatoriamente a las faenas del campo o a las de la familia con tal de aportar mayores recursos a su economía; una vez que evidenció el dramatismo financiero de las escuelas públicas, muy a pesar de las enormes aportaciones económicas de la Federación y subrayó una y otra vez sus ancestrales carencias para impartir una enseñanza vanguardista que evitara el triste destino de la mayoría de los estudiantes, el triste oficio de siempre, el mismo de los últimos doscientos años: el de la desolación, el desempleo y la pobreza similar a la de sus bisabuelos, abuelos y a la de sus propios padres; una vez que demostró nuevamente el camino al que conducía la ignorancia en todas sus manifestaciones, así como la insuficiente preparación para asumir el esfuerzo derivado de la educación superior, a lo que se sumaba el fenómeno de la desnutrición infantil en el estudiantado mexicano, Josefa propuso entonces, a modo de un plan piloto, la venta de algunas escuelas oficiales de un determinado Estado de la Federación, siempre y cuando los adquirentes incrementaran los niveles académicos de acuerdo al plan de estudios establecido por el gobierno federal. He ahí una opción novedosa y no menos audaz.

Los planes de enseñanza exigían una adecuada actualización, sin embargo, el verdadero problema se llama dinero. Dinero para las escuelas normales, dinero para preparar buenos maestros, dinero para pagarles sueldos justos y facilitarles una vida mucho más que digna y decorosa acorde con su arduo apostolado, dinero para alimentar bien a los niños en su etapa de formación cerebral y evitar que se duerman encima del pupitre u olviden lo aprendido al abandonar el aula, dinero para investigar y crear un sistema de educación más práctico y breve que les permitiera incorporarse a la vida productiva con mejores posibilidades de éxito inmediato. Dinero, dinero, dinero. Siempre el dinero. Como vamos, hemos ido siempre y de ahí la triste realidad: la ignorancia y el analfabetismo forjaron el México actual. Los hechos son tercos. Somos lo que estudiamos. Somos un producto de lo que aprendimos, de lo que nos enseñaron. Una consecuencia lógica de un sistema educativo caduco, obsoleto e inútil. Si nuestra preparación hubiera sido diferente, otra, muy otra hubiera sido nuestra condición actual: comencemos pues por vender una buena parte de las escuelas oficiales a la iniciativa privada siempre y cuando acepten nuestras condiciones. Ya es hora de que la educación no recaiga exclusivamente en las espaldas agotadas del Estado, sobre todo si se trata de una responsabilidad que nos incumbe o nos debe incumbir a todos los mexicanos, desde el momento en que todos pagamos las consecuencias del atraso o disfrutamos las ventajas y beneficios del progreso. Vendamos, vendamos.

Pascual Portes salvó a Josefa de un cruel enfrentamiento con la realidad. Le explicó con toda serenidad la importancia de los tiempos políticos, la del tino, la de la oportunidad en el planteamiento para garantizarse el éxito. Si revelamos de golpe nuestras intenciones asustaremos al electorado con una verdad, con un proyecto inteligente y válido pero que requiere de una preparación del terreno para poder ofrecerlo triunfalmente. Esperemos Josefa, esperemos el momento idóneo para disparar, expuso con madurez Portes. Antes de que te lo imagines la coyuntura ideal se nos presentará sin exponernos ni exponer nuestros planes al fracaso. La política es el arte de hacer posible lo imposible...

¡Oh, paradoja de los tiempos!, cuán difícil sería cambiar la realidad a pesar de su dolorosa evidencia, palpable, material, obvia. Sólo los ciegos y quienes trataran de ocultarla o admitirla podrían negarla agazapados tras sus negros intereses. Sin embargo, a pesar de saltar a la vista los hechos, a pesar de ser patentes y notorios aun para el observador más subjetivo, a pesar de ser visibles y lamentables los resultados de una política equivocada o si acaso y manifiestamente caduca, a pesar de semejantes pruebas, dolorosas pruebas, ciertamente irrefutables, cambiar el rumbo, alterar la inercia muy a pesar de la inaplazable necesidad de hacerlo y de hacerlo a la brevedad posible, resultaría una tarea titánica. Como si todavía tuviera que convencer de las dimensiones del daño, como si las circunstancias no fueran suficientes ni bastara el drama padecido por la mayoría de la población para acicatear la conciencia nacional, como si ningún argumento fuera lo suficientemente contundente para mover a la ciudadanía a emprender las tareas de rescate, aun así no sólo no encontraría facilidades sino que debería enfrentar una rabiosa oposición al cambio, a la mejoría, a la evolución. ¿De dónde sacaba esa gente tanta resistencia física para tolerar una miseria de tales proporciones? ¿Dónde tendrían el alma, los sentimientos, los políticos mexicanos, cuando después de generación tras generación, de promesas tras promesas habían sido simplemente incapaces de cambiar ese ruinoso estado de cosas y, más aún, lo utilizaban a diario en sus piezas oratorias y lo capitalizaban para apalancarse en el poder? ¿Nos habríamos convertido en un país de cínicos? ¿De insensibles? ¿De apáticos? ¿Cómo nos resignábamos a aceptar una inmovilidad tan lascerante, injusta e inhumana?

Josefa se hizo de información. Se armó con sus mejores argumentos, los más pesados, sólidos, demoledores. Los necesitaría, bien lo sabía ella. La batalla que en un principio había entendido como innecesaria, ante la contundencia de los hechos, sería mucho más ruda que el más temerario de los vaticinios. No buscaba opiniones, sino datos. No le interesaban por el momento los puntos de vista sino las cifras. Estas hablaban solas. Imposible contradecirlas. Serían sus obuses de alto poder destructivo. Se apartaría de la palabrería. Esa sería su gran estrategia...

Se giraron las intrucciones del caso. Se echó a andar todo un equipo de investigadores: tú me dirás cuántos niños ingresan a la primaria en un año y cuántos la abandonan en los diversos grados escolares. Necesito saber cuántos la comienzan y cuántos la terminan tanto en la ciudad como en el campo y cuántos ni siquiera la comienzan. ¿Está claro? Tú me dirás qué sucede después. ¿Cuántos inician secundaria y la concluyen? Harás lo mismo con la preparatoria. Tú me traeras la misma información respecto a la universidad. Y otro punto más: ¿cuánto le cuesta al país la instrucción de un estudiante del primer año de primaria al último de su carrera? ¿Cuánto le costó el desperdicio de los que desertaron en cualquier grado o los que terminaron pero se dedicaron a trabajos ajenos a su profesión para ganarse la vida? Tengo que demostrar hasta qué punto el sacrificio económico de la nación para educar se traduce en un mero desperdicio. ¿Por qué la deserción? ¿Por qué no practican la profesión cuando finalmente se tiene?

Silverio Cortines se negaba a aceptar los hechos. Bien advertía el puesto al que podría acceder su hija al final de la campaña si antes no se producía una derrapada imprevisible. ¿Josefa? ¿Mi hija? ¿Sin mi asesoramiento? ¿Qué sabe esta de política? Pascual debía haberme preguntado antes, yo era el bueno... De cualquier forma si llegaba a la Subsecretaría de Educación Pública le pediría un guardaespaldas, desde luego a cargo del presupuesto, para que lo acompañara permanentemente y lo esperara el tiempo que fuera necesario hasta concluir sus delicadas actividades diarias. ¡Ahí sentado, como un perrito faldero! ¡Qué maravilla, un guardaespaldas! ¡Ay!, si por lo menos pudiera tocar la puerta de la casa de su hija o pudiera ir al partido a saludarla... Pero ningún momento más inoportuno para acercarse a ella. Si antes no lo había hecho, si no había logrado reconstruir la relación personal con su hija mayor desde la noche de la Conmemoración del Natalicio de la Reina de Inglaterra, menos podría hacerlo ahora, su acercamiento en la presente coyuntura política podría ser entendido como un acto interesado de su parte: no buscaba a su hija, buscaba su puesto, envidiaba su destino, quería tocar su estrella, bañarse con su luz. ¿Le mandaría por lo menos un telegrama para felicitarla como lo hacía con otros políticos? ¿A su propia hija? No, no, si antes no lo había hecho, menos ahora, mejor intentarlo por el lado de Belisario, sí, Belisario, su hijo varón, con él sí que se entendería, las mujeres eran tan complicadas. Belisario, ven, ven, escúchame, tengo tanto que decirte. Ahora que seas subsecretario...

Durante aquellos días ingratos en donde los cielos de todo el planeta parecían precipitarse simultáneamente sobre sus tristes huesos, precisamente cuando al gran *Corrrtineau* ya no le llamaba la atención pasear sobre las autopistas de Florida en su *Ferrari* último modelo, un convertible dos plazas azul celeste, fabricado especialmente para él con sus iniciales grabadas en caracteres dorados sobre las portezuelas —había que ser discreto para no herir la sensibilidad popular y disfrutar la magia de la tecnología automotriz exclusivamente en las playas de *Miami Beach*— cuando ya no paladeaba su Departamento de Cay Biscayne ni su suite de Los Angeles, California, ni su casa de Acapulco con vista a toda la bahía y hacía meses que no iba al rancho Los Colorines ni montaba al Veinte Leguas ni al Trigarante ni al Insurgente ni le gritaba a Carmelo, al buen Xocoyotzin, ni lucía su hermosa colección de relojes ni se encerraba en la biblioteca a memorizar los pasajes redactados por lo grandes pensadores para impresionar en las reuniones; cuando todo se deslavaba, cuando todo le resultaba insípido, incluidas sus grandes comilonas "de manteles largos" como solía llamarlas, cuando todo a su derredor amenazaba con derrumbarse —a Josefa con ese carácter la correrían en un dos por tres, además cuándo se había visto a una mujer en alta política, si debían estar en un rincón y *cargadas*, como las viejas escopetas— se percató que sólo le quedaba como refugio los tiernos e incondicionales brazos de María Antonieta y sus labios carnosos y complacientes, donde buscaba el eterno descanso, la paz para su alma dolorida. A Elda, a Blanca, a María de Jesús, a Lucero inclusive, una mujer "a vistas" que lo enloquecía con sus caricias asesinas, arteras y puntuales, ¡qué hembrón!, ¡una sílfide en toda la expresión de la palabra!, las había ido abandonando gradualmente. Tal y como habían llegado habían desaparecido, ¿por qué?, por eso, simplemente habían desaparecido, así, sin más, como habían venido. Pero María Antonieta, no. Esa sí que no. Con ella hasta viajaba ocasionalmente. Admiraba su belleza cuando se sentaba con toda elegancia frente a las mesas forradas con paños verdes en los casinos internacionales. Las joyas que le había regalado, éstas sí auténticas, diferentes a la pedrería que obsequiaba a las otras, lucían a plenitud en los lóbulos de las orejas finamente labradas, en los finos dedos de pianista, en las muñecas de una joven princesa serbia, en su pecho audaz y juvenil, soberbio y desafiante.

Con María Antonieta iba y venía. La visitaba en la casa que había comprado una sociedad en la que ella era Presidente del Consejo de Administración y supuesta dueña. Titular de todos los derechos salvo el de propiedad, el de la libre disposición del bien. Hacían recorridos gastronómicos por las diversas regiones francesas, o navegaban en las aguas reposadas y tibias del Mediterráneo a mediados del verano o en cualquiera de los Siete Mares sin dejar ya de considerar aquellos sesenta y siete años en los que el hombre empieza a hacer un balance serio de su existencia y a prepararse para una senectud feliz o para una vejez amargada en razón de la calidad e intensidad de los recuerdos y las experiencias vividas.

Sin embargo, a pesar de los ánimos encendidos, de la ilusión por verla, por sentirla, por tenerla, por recorrer una y otra vez sus montes, campiñas y planicies con el aliento incandescente de un dios que recorre la geografía de sus dominios, sus facultades se fueron agotando hasta extinguirse en una ocasión en la ciudad de Nueva York, donde había preparado una velada amorosa, probablemente la más espectacular de cuantas hubiera concebido en la soledad de su oficina o durante sus paseos a caballo o en la cubierta de un transatlántico al amanecer.

Una noche, una de tantas en que regresaron del teatro en *Broadway* —habían asistido discretamente a un *musical*, ya que los conocimientos de Silverio Cortines respecto a la lengua de *Shakespeare* se reducían a algunas palabras y expresiones típicas londinenses, memorizadas, eso sí, con un marcado *cockney accent* para aparentar, siempre para aparentar—, la invitó a cenar después en el *Grenouille*, donde, asistiera o no, tenía "su" mesa acordonada, permanentemente reservada y a su entera disposición, sin que nadie pudiera utilizarla salvo los invitados del propio Cortines, quienes se podían levantar sin pagar ni firmar nota alguna. ¿El costo? A quien le preocuparan esas insignificancias simplemente no estaba listo para vivir en el *Jet Set*. El ahorro de un ex funcionario público debía dar para eso y mucho más... Se tenía o no categoría en la vida...

El amor, Dios mío, el amor es una de las maneras de justificar nuestra existencia "en este valle de lágrimas", pensó para sí el ex subsecretario en tanto el artificio de una vida material ostentosa y al fin de cuentas hueca perdía por instantes brillo y atractivo a sus ojos. Se derrumbaba estruendosamente un mito que lo había adormecido durante toda su vida. ¿Coches? ¿Dinero? ¿Casas y departamentos? ¡Bah!, lo único que cuenta es el ejercicio del poder político y el amor, lo demás son banalidades. ¡Dejémonos de cuentos!...

En aquella ocasión, justo es decirlo y reconocerlo, María Antonieta lucía como nunca enfundada en un vestido de terciopelo negro, atrevidamente escotado, que Cortines le había comprado por la tarde en *Bergdorf Goodman*. ¡Cuánto tiempo habían pasado en el departamento de lencería escogiendo la ropa interior de seda pura, seleccionando la gama de colores, bordados y texturas de la corsetería francesa, prendas cortadas por manos pícaras y conocedoras! Se probó una y otra vez modelándole atrevidamente un buen número de *baby dolls, brassieres* y camisones en uno de los amplios vestidores del lujoso comercio. Silverio moría por verla desde cualquier ángulo: ponte ahora frente al espejo, cierra aquella hoja, acércate más, date la vuelta, así, mi amor, así, de perfil, espera, no te muevas vida de mi vida, déjame llenarme los ojos de ti, levanta la cabeza, suéltate el pelo sobre los hombros, sí, sí, despacio, no hay prisa, junta más tus piernas, abre tus brazos como si me fueras a recibirme en el último abrazo, el del adiós antes de nuestro ingreso en la eternidad, donde habremos de entrar juntos tomados de la mano...

Silverio Cortines no dejó de admirar durante la cena, tras el parpadeante mensaje de las velas, la delicadeza de aquellas manos desnudas escasamente enjoyadas, pálidas, débiles, aquellos brazos delgados y frágiles, su piel blanca, tersa, escrupulosamente cuidada, su pelo largo, negro, ensortijado, su rostro delicadamente tallado por un buril experto, magnífico, sus facciones tan finas y bien cortadas, el suave trazo de sus cejas, su voz, su mirada tierna y simultáneamente provocativa, la tensión de sus senos levemente escondidos tras la tela palpitante, su desbordamiento cuando respiraba, su renacer cuando se emocionaba. ¡Qué cuadro, dios mío, qué cuadro! ¡Alabado seas en tu gracia plena! ¡Alabada sea tu insuperable imaginación!

¡Ay!, pero nada parecía ser suficiente: por si fueran pocas semejantes pruebas del ingenio de la naturaleza, una mujer así, su obra maestra insuperable e irrepetible, una oportunidad sin igual de recreación para el observador más experto, una tortura para el sediento, todavía debía soportar los perfumes que alteraban los sentidos, envolvían, desvanecían el menor asomo de voluntad hasta someter con sus aromas enervantes hasta el más fiero de los guerreros.

Después de cenar se entregaron devotamente a los placeres del amor. La experiencia contra la juventud. La habilidad contra la resistencia física. La fuerza del hombre joven con la habilidad del maduro: la combinación ideal que podría enloquecer a una mujer, el verdadero desafío. ¡Qué reto! Sí, señor. El feliz encuentro de la pareja. Un encuentro bíblico. El uno para la otra. El acoplamiento perfecto. La fuerza del instinto, la satisfacción de la sed, de los apetitos carnales o la presencia de la muerte en vida. El contraste con lo opaco, lo insípido, lo incoloro.

María Antonieta salió envuelta en el *negligeé* más provocativo, estratégicamente perfumada, insinuando la formidable riqueza de sus gracias, sus piernas espigadas y firmes, su pelo suelto, recogido al frente para cubrir sutilmente aquel paraíso montañoso donde nace la sed, movería hasta la última fibra de la virilidad de Silverio convocándolo a exhibir su acerada dureza.

Sin embargo, los poderes ocultos de la mente hicieron una jugada caprichosa, una maniobra veleidosa en el preciso momento en que Silverio requería emplearse a fondo, echar mano de todos sus recursos, en particular de su concentración para salir airoso de este duelo a muerte que se avecinaba, de este magnífico lance que tanto había añorado. Cuando más necesitaba de su fortaleza, de su inspiración, cuando su atención no podía fallar y su físco atlético debía dar todo de sí, he ahí que hasta la más leal de sus facultades lo traicionaron artera y repentinamente. Igual que las ratas en pánico se lanzan al mar tan pronto advierten el peligro, la inminencia del naufragio de la nave que instantes atrás les diera cobijo y protección, así fue abandonado Silverio por sus más caros atributos y viriles capacidades.

¿Por qué? Cuando María Antonieta ya se deslizaba sobre las sábanas como una empalagosa gata de Angora buscando ávidamente a Silverio, al macho prometedor y ambicioso, un relámpago estalló en la cabeza de Cortines dejándolo paralizado de pies a cabeza. De golpe intuyó que Belisario, el depositario de sus anhelos, de sus aspiraciones, la última oportunidad con la que contaba, su última carta para ingresar indirectamente en la política y volver a vivir, a respirar aun cuando fuera a través de los éxitos de su hijo, renunciaría a su puesto en la Secretaría de Relaciones Exteriores y se dedicaría a la composición literaria, a su poesía, a sus mariconadas, al estudio de la historia, a las malditas letras.

Las letras son un *hobby*, ¡carajo!, un entretenimiento para matar el ocio y lucir socialmente, Belisario, una ocupación de fin de semana, le había insistido siempre sin escuchar jamás una respuesta de su hijo. Letras, ¿cómo letras? La política, ese es el camino de los hombres que cambian el destino del mundo. ¿Letras? A quién le puede interesar eso salvo para pasar el tiempo. ¡Coño!

Silverio parecía no haber entendido nunca nada. Sus conversaciones ocasionales habían sido inútiles. Hablaba con un sordo, un necio o un imbécil. ¿Me habrá salido igual que Hercilia o será rarito, tú?... ¿Un Cortines mariquita? ¡Jamás, jamás! Eso sí que ¡no!, ni pensarlo. Vamos hombre, me suicido, me corto las venas mañana mismo... Los Cortines somos distintos. No faltaba más. ¡Menuda broma! Qué pena, Dios mío que todo lo sabes y escuchas, qué lástima que teniendo, como sin duda las tiene, todas los posibilidades de llegar a la silla presidencial, a la del mismísimo trono mexicano ubicado a mano izquierda del Palacio Nacional venga a dedicarse a hacer versitos y rimitas feminoides cuando el país lo necesita a gritos... ¡Qué falta de visión, de ideales y de ambiciones! ¿A quién le habrá heredado este "tanta delicadeza"...?

Belisario siempre había vivido distraído, disperso, apartado. Su tradicional hermetismo se había fracturado sospechosamente unos días antes del viaje a Nueva York, sólo para decirle telefónicamente:

—¿Cuándo vuelves, papá?

—En un par de semanas —repuso Silverio uraño y sorprendido—. ¿Por qué?, ¿se te ofrecía algo?

—Sólo quiero hablar contigo —agregó lacónicamente.

Silverio Cortines, siempre curioso e intrigado, quiso saber de inmediato el propósito de la entrevista. La voz de su hijo le revelaba la presencia de un problema. Sí, sí sería otra vez su esposa, Laurita, un nuevo conflicto entre ambos supuso.

—¿Para qué quieres que hablemos? —inquirió el padre sin ocultar su preocupación.

—No es un asunto tan breve e insignificante que pueda ser tratado telefónicamente. Necesito verte —repuso Belisario con sobriedad.

El divorcio, ya sé, me tratará el asunto de su divorcio. Los muchachos de hoy cambian de mujer como de traje, pensó para sí Silverio. Si hubiera compensado sus vacíos en el hogar con otras mujeres hubiera hecho su vida mucho más tolerable y llevadera. Se lo recomendé hasta el cansancio, se lo dije, se lo repetí, pero siempre quiso saber más que yo...

Dile a tu esposa, a las mujeres en general, le había insistido siempre Silverio, "si de verdad deseas que te quiera, no me pidas que te sea fiel". No reduzcas mi techo, déjame respirar, necesito espacio para sobrevivir, habemos hombres universales, imposible que seamos patrimonio de una única mujer, entiéndelo con madurez mi vida, antes de que sea demasiado tarde...

Si me hubiera oído, si hubiera aprendido de mi experiencia, si hubiera memorizado mi *slogan,* la clave del éxito matrimonial, la fórmula ideal para encontrar la felicidad, desde luego no estaría metido en estos problemas.

¿Y si no se trataba de su divorcio? ¿Qué tal que de verdad quería renunciar a la Secretaría de Relaciones? ¿Abandonar toda una trayectoria, una carrera, prescindir de los poderes de un apellido mágico, abortar todo un conjunto de caras ilusiones que le daban soporte y contenido a su propia existencia? ¡Chamaco imbécil! ¿Será capaz de atropellarme y de atropellarse así? ¿Desoirá mis consejos, mis puntos de vista? Se quedó mudo, petrificado, preso por esa fijación que le impedía siquiera voltear la cabeza. Se encontraba totalmente inmóvil. Un negro presagio se apoderó de él. Sí, sí, de eso quería hablarle. No cabía la menor duda. Qué Laura ni qué Laura. De cuando acá era tan importante esa estúpida para que el asunto del tan cantado divorcio no se pudiera comentar por teléfono como cualquier otro asunto más. Abordarlo sin mayores rodeos ni preámbulos. ¿Para qué? Me divorcio. Ya está. A otra cosa. ¿Qué otro problema podría exigir su presencia personal que no fuera la dimisión a su alto cargo en el gobierno precisamente ahora que cambiaba la administración y se presentaban por doquier las oportunidades? ¡Ay, ay ay!... Eso era, sí, desde luego que sí, su olfato no lo dejaría mentir. ¡Jamás le había fallado...!

Silverio Cortines dormitaba recostado contra la cabecera de la cama. Parecía un arrogante dios romano en espera del momento culminante de la suntuosa coronación con hojas de olivo de oro. Su fino perfil mediterráneo lucía a su máxima expresión. Se encontraba físicamente en la lujosa suite del Hotel Pierre enfundado en su pijama azul celeste de pura seda con sus iniciales garigoleadas bordadas en hilo negro en cada una de las mangas. Todo él ya se había desplazado mentalmente a México y empezaba una larga conversación con Belisario, una conversación de fondo, la definitiva, no habría ninguna otra más, fuere cual fuere el resultado. Un solo tiro en la recámara. O lograba detener la salida de Belisario o lo perdería para siempre entre un grupúsculo de maricones dedicados a la poesía. ¡Qué barbaridad!, empezaba a sulfurarse con suponer semejante despropósito. No es creíble: un Cortines poeta o bailarín o modisto, sólo eso me faltaba. Mejor, mil veces mejor, morir de un coraje pero nunca de una vergüenza. ¡Carajo!

Tan inmerso se encontraba Silverio con los ojos entrecerrados y los brazos cruzados tras la nuca a modo de almohada, que ni siquiera se percató cuando María Antonieta, la diosa de ébano, toda ella sexo, se deslizó imperceptiblemente sobre las sábanas de satín rosa y metió de golpe sus manos frías bajo el atuendo divino del señor ex subsecretario en busca de la verdad suprema e indoblegable en tanto trataba de besar su cuello arrojando aquel aliento de fuego. Silverio Cortines y Brambila saltó repentinamente como si una enorme tarántula se hubiera dejado caer del techo exactamente sobre su cara. Salió bruscamente de sus profundas reflexiones. El susto fue mayúsculo. El corazón parecía salírsele por la boca sin lograr recuperar la respiración, el pulso ni la dignidad.

—Creí que te habías muerto en el baño —increpó furioso poniéndose de pie ante la sorpresa de su amante.

—¿Te asusté, amor?

—¿No sabías que te estaba esperando? —inquirió acercándose a la ventana para disimular a como diera lugar su sobresalto.

—Las mujeres debemos prepararnos —repuso cautelosamente sin salir a su vez de su asombro—. Sólo quería agradarte —contestó de rodillas sobre el lecho, consciente de que tal vez había echado a perder aquel bello instante de romanticismo, ternura y amor y que le sería muy difícil negociar al otro día su presupuesto de compras en *Lord and Taylor*, su tienda de tiendas. Ninguna tan elegante como *Lord and Taylor*. Un fracaso en la cama y se quedaría sin ajuar. Había que recuperar terreno a como diera lugar.

—¿Agradarme? —tronó Cortines sin voltear a verla al menos—. Ya se me olvidó hasta a lo que vinimos —sentenció con la voz entrecortada—. Es una falta de delicadeza, ¿no lo entiendes? Ninguna mujer lo entiende, ¿verdad? Parece que estuviste sentada jugando ajedrez sobre la tasa esperando a que me durmiera...

—¿Qué te pasa, Silve?

—¿Qué me pasa? —se contestó solo—. ¿Qué suponías que estaba yo haciendo aquí afuera mientras tú metías la cabeza en veinte mil cremas, lociones y ungüentos endemoniados, ¿eh? ¿Crees que jugaba al solitario o me masturbaba haciendo tiempo?

—No te enojes Silve...

—¿Eso es todo lo que sabes decir después de siete horas de espera que rematas con un pinche susto de todos los demonios? —reclamó Silverio como si nunca en su vida hubiera tenido que esperar a las mujeres igualmente recostado en la cama venciendo el sueño y debatiéndose entre el sopor alcohólico y la ilusión amorosa.

María Antonieta no pudo más y reventó en una sonora carcajada que vino a relajar la tensión. Silverio volteó no menos sorprendido sólo para ver cómo aquella mujer que acababa de ser una chiquilla se cubría el rostro con la almohada tratando de ocultar inútilmente sus risotadas. ¡Qué piernas tenía! ¡Juventud, divino tesoro...!

¡La maleta!, pensó para sí Silverio, ahora más confundido que disgustado. Finalmente una mujer le hacía perder el equilibrio. ¡Búrlate de tu padre! ¡Mocosa! Se dirigió decidido al *closet* donde guardaban su equipaje. María Antonieta oyó los pasos apresurados e intentó descubrir sus intenciones. Sí, en efecto, se iba: adiós ajuar, adiós envidias que despertaría entre sus amigas al ya no poder modelarles la última moda, adiós propina, adiós aretes de *Tiffany's*, adiós estolas, vestidos y ropa de playa. Adiós, adiós ilusiones perdidas mientras se perfumaba y se volvía a perfumar en el baño dejando hacer cabeza y jugar con sus fantasías eróticas a su enamorado. Todo se había echado a perder. ¡Horror!

Corrió tras él. Decidió instintivamente jugar el papel de niña traviesa, el preferido de Silve, mi Silve, amor de mis amores, rey de mis territorios prohibidos, dueño de mis carnes, tesoro de virilidad, banco de mi felicidad, se decía ella tratando de morderlo con sus labios húmedos y sabios. Silverio se dejó seducir y volvió a recostarse resignadamente hasta que su tórax atlético quedó al descubierto al igual que sus sólidas piernas, las de un jinete consumado.

María Antonieta debía emplearse a fondo para recuperar la buena voluntad de su disminuido galán. Lograba con éxito su propósito ajena a los pensamientos de Silverio, unos enemigos silenciosos, invisibles, desconocidos con los que ella no contaba. Silverio resurgía, sí, reaccionaba por momentos, pero bien pronto volvía a morir, a entregarse sin combatir, a ceder negando el menor espíritu de lucha. Sufría, su esfuerzo por instantes era evidente pero volvía a sucumbir entre quejidos y maldiciones. Nada. Su espada, su lanza con la que desafiaba airosamente al cielo se convertía en una cáscara hueca, en una triste funda maleable e inconsistente incapaz de demostrar su heroica fortaleza probada en más de mil batallas por el honor.

No puedes renunciar, es una tontería. Es tu momento, la oportunidad de evolucionar, de crecer, de ser. Tus jefes te respetan, te necesitan, estás insertado dentro de un equipo poderoso, capacitado, adiestrado en las grandes academias internacionales. Gente joven, de bien, honrada, limpia, talentosa y sanamente ambiciosa. Tienes todo para vencer, Belisario querido, todo. Date cuenta. Despierta, por lo que más quieras.

Mientras tanto Antonieta trataba de revivir sin éxito a un cadáver. Intentaba reanimarlo con todos los medios a su alcance aun cuando sintiera lastimada su feminidad al tener que emplear recursos innecesarios en otros tiempos. Por lo general bastaba su presencia, su sola voz, sus perfumes endemoniados, su ropa, sus gestos, su actitud en general. Una sonrisa, una insinuación, una mirada, si acaso una caricia furtiva, hasta escuchar su voz por el teléfono bastaba para incendiar a Silverio, convirtiéndolo en una auténtica pira humana. Sí, sí, en efecto, así había sido hasta ese momento, sólo que las circunstancias habían cambiado radicalmente. Acostumbrada como estaba a la recepción del amor, a ser adorada, experimentaba una agresión interna tener ahora que obsequiarlo y ofrecerlo.

"No estoy aquí para dar sino para recibir".

Sin embargo, bien sabía ella que la generosidad de Silverio dependía del grado de placer que hubiera alcanzado en el lecho. A mayor satisfacción, más emoción y plenitud, más posibilidades de compra, más acceso a los caprichos, más compensaciones en sus gustos, más atenciones y gratificaciones, más facilidades en el convencimiento de su amado. Y pensar que a pesar de que todo su cuerpo se había convertido en un carbón incandescente, abierto el cáliz de la flor sedienta en espera de las gotas refrescantes de la lluvia milagrosa, sus muslos no eran sino fuego, sus manos otrora capaces de resucitar a un muerto, ahora empezaban a perder su hechizo pues toda ella exhibía una frustrante incapacidad para comunicar, para devolver el vigor y la ilusión a ese ser extinguido, perdido ya en los recuerdos de las glorias pasadas sin ninguna heroicidad presente. Ni siquiera sus palabras, sus murmullos al oído, sus caricias más atrevidas lograban conmover ni despertar al guerrero de su inentendible abandono.

Los Cortines integramos una generación progresista de políticos. Representamos una vanguardia ideológica, el perfil del mexicano del futuro, el ejemplo a seguir, la fuerza de la tradición, la esperanza en la prosperidad, la revolución en los conceptos, en el modo y en las estrategias. Somos los hombres que exige este país, los que demanda el México moderno, sus verdaderos forjadores, los auténticos constructores de una nacionalidad, los iluminados, para decirtelo sin ambages. ¿Cómo dedicarte a la historia cuando tú debes hacerla, cuando tú estás llamado a redactarla desde Los Pinos? Tú eres la historia, Belisario querido. ¿A quién mierdas le importan los versos que escribió el imbécil de Netzahualcóyotl ni quién fue su madre? Por Dios, hijo mío, despierta. Despierta ahora que todavía es tiempo. ¿A dónde vas con puñetas mentales como el de "el búcaro en que vive esa flor pura un golpe de abanico lo rompió"? ¡Al carajo! No es posible, maldición de los tiempos. Un hijo bailarín en medio de la tormenta. No es hora de bailar, animal... Nunca aprendiste nada. Mi presencia en tu vida ha pasado de noche...

María Antonieta desesperaba. Parecía haberse marchitado de golpe. Había perdido su magia, habían desaparecido sus encantos, su atractivo, sus poderes femeninos en donde se apoyaba su seguridad, su embeleso, su fascinación. Era como un sol que no calienta, una estrella que no brilla, una belleza que no conmueve ni motiva ni estimula. La pérdida de valores, la disminución de las virtudes, del magnetismo natural, la negación de todo encanto. Ambos eran producto de la impotencia. Silverio no podía sustraerse a sus reflexiones. Lo habían hecho su prisionero. Lo mantenían inmovilizado. Ella trataba inútilmente de liberarlo. De inyectarle entusiasmo, ilusión, alegría, pero no hay peor muerto que aquel que ya no quiere vivir. Silverio se rendía, se entregaba, dejaba de flotar, se hundía irremediablemente, se ahogaba. No podía más. Estaba agotado. Imposible levantar siquiera la cabeza. La fatiga lo había vencido. Los brazos, sus piernas le pesaban como grandes plomos a sus lados. Caía. Se precipitaba. Nadie podía auxiliarlo ni siquiera rescatarlo.

Maldito chamaco, mil veces maldito: mira que hacerle esto a un padre que le ha entregado todo, que se ha volcado, que se ha esforzado para ayudarlo a llegar a la cumbre... ¿Pagarme así? ¿Desconocer mi experiencia? ¿Abofetearme de esa manera? ¿Ignorarme tan ofensivamente? ¿Desecharme sin contemplación alguna?

María Antonieta se derrumbó a su lado. Lloraba. Buscaba por todas partes su halo. Lo había perdido. Había perdido su luz... Silverio volvió en sí cuando ya todo era inútil. Quiso a su vez recuperar el tiempo perdido, devolver las caricias, las palabras, elevarse, volar, juguetear en el espacio, flotar entre carcajadas, asomarse al vacío, provocar la inercia, pero ya era tarde. Ni las palabras ni las manos ni la boca ni la experiencia ni el dame tiempo, tú me conoces, sabes como nadie de mi resistencia y de mi capacidad, pues bien ni el amor ni el genuino deseo de complacer surtieron el menor efecto. La batalla estaba perdida. Los instintos huían en abochornada carrera, atemorizados, avergonzados, fracasados. Bien pronto el malestar inicial se convirtió en miedo, el miedo en pánico. Silverio se sintió acuchillado por todos los costados. Se encontraba verdaderamente herido de muerte. He perdido todo en la vida: matrimonio, hija, socios, amigos, puestos e ilusiones. Hasta mi hijo, mi última esperanza, mi último refugio parece abandonarme en este momento en que el cielo se me viene abajo y el piso se abre a mis pies.

Ya colgaba yo en esta vida de un solo clavo, el del amor, el de las esencias, el de las carnes, la lujuria, la fuente de la verdadera juventud. Ahora hasta este único y triste clavo parece vencerse con el peso de mi cuerpo y al abrir los ojos no veo sino con horror la cercanía del abismo. No podía consolarse él mismo, ¿cómo consolar a María Antonieta?

—Señorita, ¿a qué hora sale el próximo avión a la Ciudad de México? —fue la pregunta con la que aquella diosa totalmente desnuda volvió a la realidad al amanecer en el interior de la suite neoyorkina.

Silencio.

—Bien, bien resérveme dos espacios para hoy mismo.

Silverio llevaba una herida mortal en pleno corazón. Le había sido imposible hacerle el amor a Antonieta. ¿Sería una señal de decrepitud, la primera manifestación de insufrible decadencia? ¿Qué me queda dios mío, qué me queda ahora?

Corría el último mes de noviembre de la administración. El sexenio agonizaba. La nueva administración federal se haría cargo del poder en escasas semanas más. El partido oficial había avasallado de nueva cuenta, simplemente porque la oposición no había participado en la contienda electoral. ¿Razones? Las había de las más variadas. Unos alegaban la inutilidad de la competencia electoral ante la fortaleza invencible de una oligarquía que había usurpado el poder en México por más de sesenta años. Jamás la sacarían de Los Pinos. Nunca, en ninguna circunstancia. ¿Estaba claro? El sistema los perseguiría, los aplastaría una y otra vez sin piedad alguna. El *stablishment* no admitía fisuras ni filtraciones. Así había sido siempre; no se encontraban a la vista elementos palpables que permitieran suponer un cambio gracioso, gratuito, espontáneo, en quienes detentaban y habían lucrado con la autoridad durante tantas y tantas décadas. No estaban locos. Si quieres el poder tendrás que arrebatármelo. Escoge. Estoy a tus órdenes.

¿En qué consistían las alternativas para la oposición? ¿Luchar? ¿Insistir a pesar de todos los reveses? ¿Pelear contra viento y marea, fuera quien fuera el enemigo y tuviera las armas y la estructura moral que tuviera? Sí, cómo no: las tareas faraónicas estaban bien para las novelas, meras ilusiones de realización indefinida desvinculadas de toda realidad. Un sueño más, una quimera, un cuento de hadas. Promover el cambio con o sin recursos carecía de sentido. Finalmente el esfuerzo no pasaría de ser un conjunto de estériles reflexiones, fantasías políticas de imposible y remota ejecución. La suerte estaba echada de antemano. Carecían de la más elemental capacidad defensiva y ofensiva. Asunto concluido. Sentencia inapelable. Deberían enfrentar irremediablemente su derrota en las urnas, el mismo triste destino de siempre. Inútil resistir. ¿Quién podía con la maquinaria demoledora del PRI?

Era estéril, torpe, temerario hacer siquiera el intento. La chapuza, los trucos, las alteraciones en el recuento de los votos, la falsificación de las actas, el sufragio masivo de los muertos, los mismos muertos que habían venido votando hacía ya más de medio siglo, la inmensa cadena de electores fantasmas, el padrón "maleable" de acuerdo a las necesidades, la experiencia centenaria en la comisión del fraude electoral, las maquinaciones, las maniobras insospechables para modificar los escrutinios a pesar de que el PRI tenía todos los recursos económicos, materiales, humanos y políticos para vencer por la vía del convencimiento y del derecho, operaban como agentes depresores para lograr la resignación en buena parte de la ciudadanía. Ponerse de frente contra semejante aparato político era tanto como embestir a una locomotora a toda marcha, un abierto desafío a las leyes divinas, a dios. Las represalias serían terribles. La venganza funesta. La catástrofe inminente. Mejor, mucho mejor dejarlos hacer, tolerar y compartir y evitar la pérdida de tiempo, de dignidad y de fachada. ¿Para qué? ¡Déjenme en paz! ¡Vayan al carajo con sus trampas! ¡Así no juego!

Otros, con arreglo a pretextos tal vez mejores o más convincentes tampoco habían intervenido ni presentado candidato a la Presidencia de la República. Alegaban la descomposición interna en su propia organización. No sólo no coincidían en la designación de la persona de su propio candidato a la Primera Magistratura de la Nación, sino ni siquiera en la plataforma política, en el proyecto ideológico de su partido. Se daba un triste fenómeno de ausencia de líderes, de personalidades capaces de resumir toda una escuela de pensamiento, de representarla, de encabezarla ágilmente, de evitar discrepancias abismales en el establecimiento de metas, de concertar disciplinadamente programas, de plantearse objetivos, de hacer valer principios dentro de una atmósfera de efervescencia y optimismo político que no se tradujera en carencias económicas presupuestarias, en una falta de interés, en un abandono de toda participación.

Unos se daban por derrotados anticipadamente. ¡Qué comodidad, encomiable espíritu de combate para defender la democracia, escuela propia de imitación ante la adversidad de cualquier signo! ¡Habría que imaginar la suerte, la evolución histórica y política del mundo moderno si los grandes luchadores de las ideas políticas universales hubieran pensado o actuado con semejante resignación, escasa lucidez y aberrante molicie conservadora!...

Otros negaban la eficiencia de la política, su inutilidad, originada en la corrupción, la venalidad de los funcionarios detentadores del poder. Todos los políticos, absolutamente todos, no escapaba ninguno de ninguna época ni de ninguna latitud, eran capaces de vender su alma al diablo con tal de mantenerse en el puesto. ¿Convicciones? ¿Valores? ¿Principios? ¡Déjate de historias!, pon al menos los pies en la tierra: las ideologías se ajustan de acuerdo a cada circunstancia, se rematan al mejor postor, se acomodan según sea la posición política del líder en turno. Son como uniformes, ropajes, toda clase de indumentaria que se debe tener a la mano para cada ocasión. ¿Romanticismos a estas alturas? Ninguno tenía la menor noción de la moralidad, de la decencia, cualquiera sería hoy comunista, mañana capitalista de viejo cuño, en la tarde socialista de profunda extracción popular si así convenía a su carrera en busca del poder. En fin, una pandilla de bandidos, infatigables embusteros, cínicos irredentos, azotes de la humanidad, hambreadores del pueblo, asesinos de la libertad, especuladores de las esperanzas ajenas, mercaderes de la dignidad, de la ideología y de la razón.

En las elecciones pasadas se había dado el caso de un candidato único a la Presidencia de la República. Curioso, ¿no? ¿Cómo era posible que un país de más de sesenta millones de personas, sí, sesenta millones de personas, no pudiera organizar o no hubiera podido organizar en más de seis décadas ¡qué seis décadas!, ya casi dos siglos después de haber logrado la independencia de la corona española, una oposición política seria, arraigada, poderosa? ¿Dónde acababa la responsabilidad del partido tradicional en el poder y dónde comenzaba la responsabilidad social y política de la nación? ¿O se estaba por primera vez frente a un esquema de culpas absolutas y éstas recaían absolutamente en el PRI, enemigo recalcitrante de la libertad de asociación política, saboteador profesional de la organización de nuestros partidos, el verdugo de la idiosincrasia nacional, el causante del inmovilismo, de la parálisis, de la petrificación, el gran cirujano que castró políticamente a nuestro país, el responsable de la involución, de nuestra degradación institucional, el artífice de nuestra desgracia desde que siempre saboteó cualquier intento de estructuración y evolución democrática?

Mientras los mexicanos siguiéramos culpando al PRI de todos nuestros males, los encargados de desbaratar el proceso de integración de la oposición podrían sentirse satisfechos: jamás empezaríamos por vertebrar un sistema de contrapeso político que finalmente podía conducirnos a la efectiva división de poderes y de ahí, en consecuencia, al desarrollo económico y a la justicia social. Déjalos que nos sigan atacando, mientras más lo hagan, menos tiempo tendrán para organizarse en contra nuestra. Que nos ataquen, que digan, que se quejen, que reclamen, que blasfemen todo lo que quieran, que inviertan toda su energía en lamentarse, en denostarnos y agredirnos verbalmente, que tomen alcaldías, si tú quieres, dejémolos jugar a la oposición, que paguen desplegados, sí, hombre, sí, que los paguen, que vayan a acusarnos a la Casa Blanca, que se arrodillen ante sus verdaderos líderes, sus patrones, que enseñen sus cartas, que hagan manifestaciones, que hagan huelguitas de protesta, que desperdicien su imaginación y sus recursos en exhibir lo canallas que somos, pero eso sí, que no se organicen por ningún concepto: tienen autorización para todo menos para organizarse. Su obligación es discutir, la nuestra es distraerlos.

El Presidente Electo de la República ultimaba los detalles respecto a la configuración de su nuevo gabinete en aquellos días anteriores a la toma de posesión, el primero de diciembre siguiente. El primer criterio de selección radicaba en el sentido de la lealtad de los llamados a encabezar las diversas Secretarías de Estado, así como algunos de los puestos direct¹vos de la Industria Paraestatal en liquidación. Entre las cartas credenciales de los candidatos debía aparecer una vital, insustituible, imprescindible: ser reconocido como un funcionario mucho más que leal, es decir, incondicional, obsecuente, dependiente del criterio de la superioridad, un subordinado absoluto, conforme con cualquier directriz, de amplia garganta, enormes tragaderas, en caso contrario sería inútil presentarse a pesar de contar con un flamante curricula profesional, no había nada que hacer: las medallas académicas contaban pero ningún mérito se tomaba más en cuenta que la lealtad y sus bemoles impuestos por el sistema político mexicano. Cancelada la solicitud de empleo. Fuera con él. Descartado. Otra opción. Nombres, nombres, necesito nombres.

Cuando Silverio ingresó en la sala de juntas de su hijo con el propósito de conocer finalmente sus intenciones matrimoniales, políticas o profesionales —resistiría estoicamente cualquier tópico, pero eso sí, que por favor no le fuera a salir otra vez con sus letritas, ¡ay sus estúpidas letritas!— entendió de inmediato que ya no había nada que hacer. Un político como él sabía extraer como nadie los impulsos ocultos en las miradas, leía los silencios, las respiraciones, las muecas y los *tics*; interpretaba el tamborileo de los dedos de la mano, el taconeo inconsciente de los zapatos; entendía el mensaje contenido en las cejas arqueadas, en la manera de sujetar el cigarrillo, de sentarse ocupando escasamente el filo del asiento; descifraba la necesidad de calzarse continuamente las gafas, de rascarse o de sonreír esquivamente, a él no le contarían cuentos, todavía no nacía nadie con el talento necesario para engañarlo, por esas razones, le bastó entrar en la oficina de Belisario para percatarse que su hijo ya había tomado la decisión equivocada sin consultarle al menos su opinión: la presencia de varias cajas de cartón repartidas por toda la oficina, así como los estantes de sus libreros de madera ya vacíos significaban las pruebas infalibles.

Las sólidas columnas del templo, nuestro templo, el de los Cortines, el de la historia, se desvanecían como arena mojada por las tibias aguas del mar. Sí, Belisario ya llevaba trabajando 10 años en Relaciones Exteriores, ya era Director General y contaba con los merecimientos y la consideración de sus superiores para hacer una extraordinaria carrera en dicha secretaría.

Aquel negro presentimiento, aquel rayo que lo había partido en dos cuando se encontraba en la fastuosa suite neoyorkina acompañado de María Antonieta, la de las piernas del milagro, los senos de ébano, los labios de la reconciliación, ¡ay, Señor qué débiles somos!, se confirmaba gradualmente. Belisario renunciaba. Sí señor, su olfato nunca lo había traicionado, no lo iba a hacer ahora. Se iba, ya habría confesado sus intenciones a sus superiores, el daño estaría hecho. Al haber abierto su juego sería imposible recuperar la imagen perdida. A partir de ese momento había dejado de ser un hombre confiable. Estaba muerto. Ya se imaginaba sus argumentos: prefiero ser don Juan Tenorio que Senador de la República. De subsecretario a sor Juana Inés de la Cruz, me quedo con la Musa. En lugar de defender los sagrados intereses de la nación, mejor me pongo a leer los pasajes de la vida del poeta Netzahualcóyotl. Mariconadas, ya lo decía yo, puras mariconadas a estas alturas del siglo XX, y en un Cortines, nada menos que en un Cortines. ¡Carajo! Mi hijo, mi propio hijo, amante de la poesía náhuatl. De ahí a ser bailarín falta un paso. Vaya a la mierda...

Silverio esperaba encontrarse con un hijo demacrado, fatigado, ojeroso por el grado de dificultad de su decisión. Hombre acabado, desperdiciado, extenuado. Sin embargo, una idea pasó relampagueante por su mente acalorada: ¿y si la presencia de las cajas respondía al nuevo cargo que ya le habían encomendado a Belisario, el ascenso tan anhelado, el arribo final de la justicia inmanente? ¿Y si se estaba mudando a la subsecretaría para ocupar el puesto idóneo, el único en donde podría empezar a desarrollar a su máxima expresión las enormes facultades que concurrían en él por razones de evidencia genética? Las cajas también las necesitaría para mudarse de piso, ¿o no? Mejor no prejuiciar...

En esas reflexiones se encontraba cuando Belisario hizo su aparición vestido con unos pantalones azules de pana, sus eternos pantalones con los que parecía haber nacido y una camiseta roja. Se le veía más jovial que nunca. En la expresión de su rostro no aparecía la menor señal de fatiga ni se entreveía agotamiento alguno, todo lo contrario. Silverio lo encontró parlanchín, conversador, risueño y fresco, muy fresco, ligero, como si se hubiera desprendido de un peso insoportable. Aquel individuo hermético, huraño y sombrío, experimentaba un cambio por demás notable. Todo un contraste. ¿Pero quién era finalmente este Belisario? Nunca aprendería a conocer a su hijo.

—¿No te parece que un funcionario de tu nivel no debe venir vestido así a su oficina? —inquirió Silverio sin abandonar ni un momento su papel de padre y sin obsequiar al menos los saludos de rigor. Silverio, quien siempre atento a la elocuencia de las formas, viajaba adelante en el automóvil, a un lado de Tristán o atrás cuando así lo exigía la ocasión, quien hasta para dirigirse a su esposa utilizaba expresiones diferentes según el medio o la identidad del personaje que tuviera frente a sí, quien cuidaba hasta el mínimo detalle de su arreglo personal de acuerdo a cada circunstancia, quien pensaba cien veces el orden riguroso de los invitados al sentarse a la mesa, quien respetaba las jerarquías, la etiqueta, el protocolo indispensable en todo servidor público, podía reventar en mil pedazos si su propio hijo, nada menos que su hijo, se presentaba desharrapado en el interior de una Secretaría de Estado, en donde además, las formas exigían como en ninguna otra, una estricta y particular observancia.

—Eso ya es historia, papá, se acabó —repuso después de saludar sonriente a su padre con un beso en la mejilla en tanto se sentaba irreverentemente sobre la larga mesa de caoba—. Ya he guardado mis uniformes de diario, inclusive los de gala en el viejo arcón del abuelo —agregó en tono burlón—. Me los pondré sólo para fiestas de disfraces...

Silverio acusó la herida producida por un mandoble que le penetraba por un costado, a la altura del hígado y salía por el lado opuesto despedazándole el riñón izquierdo.

—¿Qué quieres decir con eso de que ya es historia? —cuestionó acobardado temiendo la respuesta como el condenado a muerte escucha el veredicto final.

—Que abandono la Secretaría sólo por los próximos doscientos años y ni un día menos —agregó haciéndose el gracioso—. Ahora trataré de ser libre hasta el último de mis días —concluyó entusiasmado.

—Te has vuelto loco? —interrogó el padre poniéndose de pie pesadamente sin poderse librar del objeto que lo atravesaba de lado a lado. Sentía la boca llena de sangre.

—Esto se acabó, papá, a partir de ahora haré únicamente lo que me indiquen mis voces internas.

—Qué voces internas ni qué nada —repuso descompuesto y pálido— las únicas voces que cuentan son las de la Patria, las del servicio público, las de nuestro apellido. Tu labor está aquí, en este medio, entre esta gente que te necesita, que nos necesita por nuestra preparación, por nuestra imagen, por nuestro aspecto, hijo mío —exclamó furioso—. Tú tienes el comportamiento, el lenguaje, los conocimientos del hombre que requiere el México actual. ¿Te has visto frente al espejo? —interrogó dominándose—. ¿No vas a mandar a un pinche indio del Valle del Mezquital a que negocie un convenio en la Casa Blanca, verdad? ¿Cómo vas a negar la responsabilidad social y política que tienes? —preguntó cuidándose mucho de elevar la voz, pero sintiendo que se perdía entre el coraje y la impotencia.

—Mis compromisos son conmigo mismo —cortó al darse cuenta del perfil de la conversación—. He decidido hacer sólo aquello que me produzca placer —exclamó tratando de resumir su pensamiento.

161

—Pero si el servicio público, la política en sí misma cuenta con posibilidades de placer, de realización que tú ni te imaginas —increpó el padre sujetándose de la mesa según lo debilitaba la hemorragia interna—. Renuncias a ellas casi sin conocerlas, hijo...

—Eso será para ti. Para ti el servicio, para ti la política, para ti los discursos, las fotografías, las entrevistas en la radio, en la televisión. Para ti la fama, la popularidad, la preservación del prestigio y la recepción de todo tipo de honores a tu investidura. Para ti, para ti, para ti... —apuntó a la cabeza—. ¿Y para mí? —se cuestionó desafiando abiertamente a Silverio—. ¿Por qué siempre has de suponer que lo que es bueno para ti ha de serlo también para mí? —preguntó bajándose de la mesa y empezando a buscar algo en una de las cajas de cartón sin ocultar su disgusto.

El ascendiente paterno se encontraba francamente erosionado, agotado. Recurrir a la autoridad, a la imposición, constituiría una estrategia irritante, una provocación, una invitación al desbordamiento de los ánimos. Prudencia, Silverio, prudencia, caminas descalzo entre astillas.

—Nosotros formamos parte de una generación de políticos, nuestro nombre pesa en el medio, nos conocen, inspiramos confianza, seriedad, respeto, los activos más importantes de un político, gozamos de una envidiable prosapia en el servicio público y en el país en general —agregó recurriendo a sus argumentos más sobados, los que Belisario había escuchado desde su tierna edad. Las mismas palabras, el mismo canto, el mismo discurso, la misma letanía. Ya estaba bien.

Belisario hizo un marcado esfuerzo por contenerse. ¿Su padre perdía de vista la identidad de su interlocutor? ¿Quién como él sabía su pasado? Lo confundía con un menor de edad o con un imbécil. Como si desconociera el origen de la fortuna del autor de sus días. Como si no supiera que provenía íntegramente del peculado, de los negocios sucios, de la evasión fiscal, de la deshonestidad hacia sus superiores, del tráfico de influencias, de todo género de ilícitos, de descaradas mordidas, sí, mordidas para hacerse siempre de dinero viniera de donde viniera. Y todavía tener que soportar la venta de ideología, el culto a la personalidad de un hombre que había demostrado hasta la saciedad no ser confiable ni serio ni mucho respetable. Silverio Cortines no sólo negaba haber sido un bandido durante su larga gestión como funcionario público, ¡claro que lo negaría hasta desgañitarse!, sino que llegaba en su fuero interno a justificar su enriquecimiento como un merecido premio para compensar los largos años de servicios incondicionales prestados a la nación. ¡No faltaba más! Qué, ¿creías que después de tanto esfuerzo podrían darme una patada en el culo a modo de reconocimiento, en lugar de imponerme en el pecho una condecoración e inaugurar una avenida con mi nombre? ¿eh? No tengo nada de que arrepentirme: hice negocios, sí, pero invariablemente fueron transparentes, en ningún caso lastimé a nadie ni cometí ilícito alguno. Mis hijos siempre comieron pan limpio, blanco, impoluto...

Silverio se encontraba instalado dentro de una vitrina a través de la cual se podían distinguir cada uno de sus movimientos, nunca se percataría de que estaba siendo observado en detalle por la sociedad en su conjunto. Muchos políticos eran como las avestruces, creian que con esconder la cabeza dejaban de ser vistas, al igual que olvidados sus delitos, sus abusos, sus traiciones. ¡Qué manera de engañarse y de creerse sus propias mentiras! Se evadian de ellos mismos con tal de no enfrentar los severos calificativos impuestos por una realidad inconfesable. Es más, podrían presentarse como hombres de éxito, invariablemente simpáticos —los bandidos de la peor ralea por lo general son muy simpáticos. Parapetados tras sus inmensos poderes seductores, tras su sonrisas irresistibles esconden una extraordinaria capacidad de engaño— sin pudor ni sentimiento de culpa, porque nadie les exhibiría ni les enrostraría cargo alguno, simplemente porque a su juicio no era posible señalarlos, cualquiera carecería de motivos fundados, salvo que se tratara de los calumniadores de siempre. ¡Malditos habladores, lenguas viperinas, chantajistas del infierno! Aquí estamos, listos, a sus órdenes para seguir sirviendo a la Patria dolorida en lo que sea conveniente. Dispongan de nuestro tiempo, de nuestra experiencia y de nuestra imaginación. Somos incondicionales del sistema. Al aparato político le debemos lo que somos.

Belisario prefirió guardar silencio. Pensó en su hermana. La relación con su padre jamás se había vuelto a rehabilitar. Un comentario de más y lo mataría. ¿Cual generación de políticos? ¿De qué hablas? Nuestro nombre no pesa en el medio, ni nos conocen. ¿Ya se te olvidó que tan sólo llegaste a ser un triste subsecretario y por cierto un mal subsecretario de Asuntos Agropecuarios y después del Deporte y que además fuiste cesado por inútil, tramposo o desleal?, hubiera querido responder Belisario, pero prefirió guardar silencio al menos por el momento. Ni inspiramos confianza ni proyectamos seriedad ni respeto ni "Los Cortines" contamos con los activos más importantes de un político ni gozamos de prosapia alguna salvo la de un apellido manchado y enlodado por el origen de tu fortuna. ¿Te crees descendiente de Limantour, de Flores Magón, o de Vasconcelos? ¿Cuál prosapia? ¿Cuál linaje? ¿Estará enloqueciendo? Entiéndelo Papá, no formamos parte de ninguna dinastía y si ése fuera el caso ni así cambiaría mi destino. Ya estaba bien de sangres azules y de cualquier otra perversión genealógica.

—No seré un Don Nadie con éxito —repuso Belisario sin inmutarse, sorprendiéndose de la rapidez con que estaba siendo arrastrado al ojo de la tormenta.

—¡Ay, Belisario!, déjate de frasecitas, ¿quieres? No estoy para hablar de Nietzsche ni de su padre —tronó con ganas de centrar la conversación mientras su hijo continuaba buscando algo de caja en caja.

—No son frasecitas —devolvió Belisario puesto de pie y mirando fijamente al rostro de su padre—. ¿Sabes cuántos Don Nadie con éxito caminan por ahí destilando veneno? —interrogó creciéndose, confiado en las conclusiones a las que había arribado en su intimidad?— ¿Sabes cuánta gente se traiciona a lo largo de su vida a cambio de ser aceptada social o familiarmente, ignorando sus verdaderos móviles, negando sus ilusiones, escondiéndolas sólo por representar un papel que les reporta reconocimiento, honores y aplausos, mientras se envenenan tragando a diario sus propios venenos?

—No me hagas discursos Belisario, ya los oí todos en mi vida.

—No son discursos —repuso enfadado el ex director general—. ¿No crees que alguien en la vida puede ser creativo alguna vez en su existencia —insinuó sabiendo las costumbres de su padre de memorizar párrafos completos redactados por los grandes pensadores—. Emplearé todo mi tiempo en descubrirme, en desarrollar mis habilidades sin desperdiciar mi tiempo y nunca más en satisfacer los apetitos de terceros —concluyó anclado en el piso sin que nadie pudiera moverlo de su posición.

Cuando Silverio se percató de que perdía la batalla cometió un grave error, una falta imperdonable, sí, pero no podía resignarse a permanecer en la oscuridad por el resto de sus días. Jamás supuso que al accionar el detonador saldría despedido por los aires con semejante violencia.

—Eres un chamaquito malcriado que lo has tenido todo a manos llenas y ¿sabes quién tiene la culpa? —se preguntó empalidecido—. Yo, yo soy responsable, yo tengo la culpa de la confusión que tienes a estas alturas de tu vida —agregó como si confesara un malestar largamente retenido—. No he permitido que te midieras, que te probaras, como tú dices. Si yo hubiera sido un padre menos protector, menos generoso —parecía apuntar muy bien para soltar el tiro de gracia— si no te hubiera yo acercado tus metas y disminuido siempre tus niveles de esfuerzo, en estos momentos ya te habrías descubierto —comentó en tono sarcástico— pero como me volqué en ti y no te dejé respirar ni conocerte ni admirar tu entorno, entonces debes hacerlo ahora, precisamente cuando los hombres ya deben demostrar lo que son y no andar con pruebitas infantiles —desenvainó Silverio disponiéndose a la batalla definitiva.   Belisario se extravió. Una histórica rabia se apoderó de él, lo transformó en menos de lo que tarda un chasquido de dedos. Su rostro, de suaves y finas líneas acusó la intensidad de su cólera, se congestionó de golpe. Unas venas tensas surcaron su frente. Sus ojos vidriosos, su mirada inyectada de sangre, la comisura de los labios temblorosos repentinamente poblada con perlas de sudor, anunciaban la proximidad del arrebato. Se asfixiaba. Imposible controlar la cólera retenida después de tantos años. Silverio jamás imaginó el temperamento de su hijo. Estos poetitas antes que nada son unos maricones...

—¡Nadie!, ni tú mismo, ¿lo has oído?, ¡nadie! ¡carajo! ¡nadie! tiene el derecho a faltarme el respeto —desafió a su padre apretando los puños y colocándolos instintivamente en sus costados—. ¡Nadie!, ¿me has oído?, ni tú —tronaron casi cuarenta años de ira acumulada.

Silverio intentaba extraerse el mandoble que tenía atravesado de lado a lado, tirarlo por la ventana, retiraise y resignarse para siempre. Acababa de morir la más cara de sus ilusiones. ¿Y si la próxima vez tampoco podía con María Antonieta? Su hijo lo atajó —ahora me vas a oír tú a mí —le exigió a su padre sin la menor consideración—. Ni soy un chamaquito malcriado ni lo he tenido todo en la vida ni trato de impresionar a nadie. Me has tratado de dar dinero a manos llenas pero no he podido leer ni una décima parte de los libros que hubiera podido comprar con ese dinero, que no pierdas de vista porque veo que tienes muy mala memoria, llevo más de 15 años rechazando, ¿o ya se te olvidó?

Tal vez su sentido de la nobleza le impidió decirle en ese momento que él se había salvado, a diferencia de los hijos de otros políticos igualmente corruptos que habían aceptado disfrutar el dinero mal habido sin reparar en su origen, gastar su parte correspondiente del botín obtenido por su padre, a cambio de gozar de todos aquellos bienes accesibles al dinero y al poder. ¡Yo soy distinto! ¡No soy cómplice de nadie! ¡No soy un cínico como los demás! No estoy podrido como todos los hijos de tus amigos politicotes. Desde la primera vez que rechacé tu dinero empecé a liberarme de toda culpa. Si los hijos rechazaran los bienes que sus padres hubieran obtenido ilegítimamente tendríamos otro país, pero la cadena de la inmoralidad se trasmite de generación en generación. A nadie le importa ni interesa romperla por comodidad, por molicie, por vanidad. Allá los demás con su conciencia...

Silverio, Silverio querido: resiste este juicio injustificado que te hacen los que tanto te quieren. No olvides que Jesucristo también murió incomprendido y todavía, en la cima del Gólgota, pidió perdón para sus verdugos porque no sabían lo que hacían. Perdona tú también Silverio, perdona a tu propio hijo, tampoco sabe lo que hace...

—Sí, sí me distrajiste y me confundiste —tronó ahora sí incontenible— porque yo te sentía un intelectual, un amante de las letras por tu enorme biblioteca, tu enorme colección de obras de arte, por tu hablar, por tus citas con las que tanto me impresionaste en un principio hasta que descubrí que no eran tuyas. Sí, así fue, en efecto, me enseñaste a amar las letras y la historia cuando tú nunca las amaste con autenticidad —exclamó lamentándose— sólo que hay una parte donde termina tu culpa y comienza la mía y la mía comenzó cuando me sometí, cuando acepté tu dinero, cuando trataste de comprarme y no de quererme, cuando intentabas convencerme de las glorias de mi apellido, cuando acepté doblegarme y traicionarme para buscar antes la aceptación familiar, nuevamente el orgullo de nuestro apellido, el eslabón digno de una regia dinastía, el heredero de un prestigio, de una tradición inexistente, que mi realización como ser humano. He ahí la confusión —se empezó a descargar de un peso que había cargado durante muchos años.

Silverio aceleró el paso rumbo a la salida. No había ya nada más que hablar. Hay agresiones que ni siquiera deben ser contestadas. Su hijo enloquecía. Sin embargo, éste le ganó el paso haciéndose al mismo tiempo del picaporte. Su padre tenía las manos heladas, una humedad de muerte, pero ni esa circunstancia le impidió externar su coraje.

—No he terminado —exigió tonante. Necesitaba ventilar un pozo maloliente, oxigenarlo. Algo se estaba pudriendo desde hacía mucho tiempo en su interior, era indispensable extraerlo, expulsarlo, desecharlo antes de que acabara con él—. Ahora sólo me importa mi satisfacción personal, el tiempo se me acaba, con nadie puedo tener ya más contemplaciones, antes estoy yo.

—Eres injusto con todos tus cargos, ya serás padre Belisario.

—Sí, pero siempre trataré de ser auténtico con mis hijos, un hombre genuino, transparente en mi dureza y en mis debilidad.

—¿Yo te he mentido?

—¿Cómo te atreves a decir que fuiste generoso con nosotros, cuando a mi hermana y a mí nos educó Macrina, la sirvienta? ¿Qué entiendes por generosidad? —arrojaba a la arena una pregunta tras otra como si hubiera memorizado el interrogatorio—. Generoso, ¿cuando nunca te vi en mi infancia?, generoso, ¿cuando hasta la fecha ignoro tu verdadera personalidad?, generoso, ¿cuando siempre trataste de imponerme un sistema de vida? —cuestionó decidido a llegar al final—. Lo más caro que le puede dar un padre a su hijo es su tiempo, ahí es donde se mide la verdadera generosidad y tú jamás me lo obsequiaste —concluyó sin estimar las consecuencias—. La autenticidad es una forma de generosidad que tampoco nunca me obsequiaste.

Silverio pasó del coraje a la resignación. Con su único hijo varón también fracasaba. En esos momentos sin saber por qué recordó el día en que Belisario, contando sólamente siete años de edad, lo había subido por primera vez en los orgullosos lomos del Insurgente, el más brioso de los caballos de su cuadra de Los Colorines. ¡Qué animal tan hermoso! ¡La nobleza, la ener-

166

gía misma! Lo había comprado en una millonada en Kentucky al final de una subasta y quería que fuera su hijo, nadie más que su hijo quien lo montara por primera vez. Le parecía verlo todavía trotando en el picadero del rancho con sus botitas inglesas hechas a la medida, el albardón comprado en una tienda en Kennsington Park y la casaca de terciopelo rojo vino. ¡Cómo olvidar aquella escena! Con dificultad podía tomar las bridas y sujetar el fuete. Todo le quedaba grande al chamaco ese audaz, su ilusión, su esperanza, la estafeta política de los Cortines...

—Claro que trataste de darme a manos llenas, pero dinero, siempre dinero y no tiempo, tu tiempo que te hubiera agradecido hasta el día de hoy porque me hubiera permitido conocer al hombre verdadero que habita dentro de ti, no al de acero, sino al ser humano, frágil y sólido, no al hombre infalible, sino el que se equivoca, se disculpa y sonríe porque es imposible acertar siempre. ¿Cuántas veces le pediste perdón a alguno de tus hijos? No fuiste perfecto con nosotros, ¿o sí? —levantó la voz sin ningún pudor.

—¿Quién eres finalmente?

—Tu padre, Belisario, sólo soy tu padre.

—¿Y eso qué quiere decir si nunca te conocí? Si desde que aprendí a leer y a escribir, empezaste a chantajearme, a adoctrinarme para que yo fuera una continuación tuya, una mala imitación que yo no deseo...

—Yo traté de revelarte el verdadero sentido de la vida, la fuente de la felicidad.

—Sí, claro que sí, pero nunca pensaste en mis puntos de vista ni te detuviste a pensar si yo era o no la persona idónea para seguirte y materializar tus ambiciones o en su defecto orientarme mejor al piano o a los pinceles.

—¿Me estás llamando egoísta?

—Sólo te estoy diciendo que en la vida existen ángulos diversos al tuyo y que pueden ser igualmente válidos —arguyó con mayor serenidad—. Ahora mismo, de una manera o de la otra estás aquí para tratar de influir nuevamente en mi vida sólo porque insistes en realizar por mi conducto tus ideales fallidos y tu hijo, como persona, ya se puede ir a la mierda, ¿verdad? ¡Menudo concepto tienes tú de la generosidad! —martilló cruzándose de brazos.

Silverio miraba a su hijo fijamente a la cara, disculpándolo, no sabe lo que dice, perdónalo Señor; otras lo contemplaba sumido en una profunda tristeza, preso de una severa decepción; en ocasiones el coraje se apoderaba de él y la injusticia lo sublevaba. Jamás había podido tolerar la injusticia, quien lo conociera de cerca desde luego podría confirmarlo. ¿Golpearlo? ¿Golpear a Belisario y devolverle las afrentas? ¿Decirle a él también su precio? ¡Qué fácil resultaba culpar a los padres de todos los males! ¿Y los hijos? ¿No tenían responsabilidad? ¿Era válido que cumplieran los hijos ochenta años de edad y siguieran culpando a sus padres de sus fracasos en la vida? ¿Dónde terminaba la responsabilidad de los padres y dónde comenzaba la de los hijos?, porque en alguna parte debería comenzar, ¿o no? Era inútil defenderse. No tenía ningún caso. Se dejaría lapidar sin mostrar oposición alguna hasta recibir el último impacto, violento y sonoro, aquel que felizmente lo arrebataría del mundo de los vivos.

Todo había sido un engaño, una muestra primitiva de egoísmo. A Belisario le habían enseñado a sentir una pasión por México, por su país, inculcado un amor por la patria, por la historia, por nuestra gente y por nuestro futuro. Había aprendido a apreciar las artes, la literatura, la poesía, la pintura, incluso la música, a creer sinceramente en ellas, a dejarse cautivar por su encanto disfrutando los momentos felices en que se removían sus esencias espirituales cuando contemplaba, leía o escuchaba los mensajes ocultos de los grandes maestros. La belleza podía seducirlo, y sin embargo, todo había sido falso, perfectamente falso. Su padre era incapaz de acción alguna que no escondiera un interés personal. Se comportaba hasta con sus hijos como un político. El arte le importaba un pito. Las obras de arte constituían para él instrumentos. Todo en la vida, carajo, representaban instrumentos para medir su poder, alcanzar más autoridad o consolidar su imagen pública sin detenerse a considerar la autoestima que toda persona debe dispensarse. ¿Cuál autenticidad? ¿Cuál amante de la belleza? ¿Cuál sensibilidad artística? Y sin embargo, qué feliz era Belisario como espectador ante una obra de arte. Gozar de sensibilidad artística era un privilegio aun cuando la hubiera adquirido a través de la mentira. Qué más daba, ahora era suya, él la gozaba, la poseía y la exprimía a más no poder, al extremo de que su existencia carecería de sentido si el arte dejara repentinamente de formar parte de sus ideales y fantasías. ¿Dónde se cobijaría? Te agracezco que me hayas introducido en el mundo del arte aun cuando para ti sólo fuera parte de tu indumentaria política y jamás hayas creído en el ni en su magia...

¿Por qué ha de importarnos tanto el juicio o la imagen que de nosotros como padres puedan tener nuestros hijos para podernos morir tranquilos? ¿Y por qué tengo que seguir escuchando los cargos de este ser desmemoriado que tuve que jalarlo del hocico para hacerlo hombre? ¿Por qué nuestra felicidad ha de depender a estas alturas de nuestra existencia del éxito que hayan alcanzado nuestros hijos en su propia vida? Los padres, es más, el hombre debe ser más egoísta. ¿Acaso tienen tanta importancia como para que su condena o su absolución me permitan o no expirar en paz? Tiranos, los hijos son unos tiranos. Malditos hijos de mala madre: Saben que tenemos todas las cartas jugadas, que nuestra conducta ha hablado ya por nosotros y no podemos rectificar ni enmendar y es cuando hacen caer sobre nosotros su sentencia, sus calumnias, precisamente cuando estamos contra la pared y queremos vivir nuestros últimos días con la mayor intensidad posible. Si yo no tengo dignidad ni honor ni soy nada, ellos jamás conocieron el amor ni la ternura ni la gratitud. Quienes hemos llegado a la plenitud, ¿para qué queremos a los hijos? ¿Para qué carajos? ¿Para que me paguen así después de tanto cariño, esfuerzo y desvelo? Por eso nunca dependí de nadie emocionalmente: A nadie dejé meter sus manotas en mi vida ni jugar con mis sentimientos a su antojo. Por eso levanté un gran muro de piedra en torno a mí. Soy inaccesible a la maldad humana, inaccesible a los apetitos de ventaja de mis semejantes, inaccesible al revanchismo, aun el de mis propios hijos. Nadie me alcanzará jamás si su propósito es lastimarme. Estoy fuera del alcance de los resentidos, aun del mismo Belisario. ¡Miserable! Más agradecimiento me deben tener los hijos que nunca conocí...

—Si estoy aquí, Belisario, es porque tú me llamaste —aclaró Silverio pasando del calor al frío.

—Claro, pero vienes más preocupado en la decepción que te estoy dando porque abandono el camino que tú habías trazado para mí, que preocupado en lo que voy a hacer con mi tiempo.

—¿Y qué vas hacer? —preguntó el padre antes de retirarse y sin responder a ninguno de los cargos injustos de que había sido víctima. Permanentemente preocupado por el escándalo trataba de hablar en un tono apenas audible, de sobra conocía el finísimo oído de las secretarias. No soltaba el picaporte. Rehuía la mirada de su hijo hasta que ésta se encontró con las cajas de cartón, unas abiertas y otras cerradas, que le recordaban la tarde funesta de su cese, bueno, no de su cese, de su renuncia. ¡Qué espanto, maldita sea!... La política era difícil, ardua, pero ¡qué hermosa carrera! La volvería a subir mil veces...

—Me dedicaré a vivir mil vidas —contestó Belisario con mucha más serenidad dando de alguna manera por concluido el capítulo más áspero de la conversación y tratando de resumir sus proyectos.

—¿Mil vidas? —saltó el padre como si su hijo hubiera ingresado en esas sectas de ahora que espantan los demonios del cuerpo pero antes le extraen hasta el último centavo a los que están en busca permanente de su alma en pena. ¿Un exorcista? ¿Gurú? ¿Un hermano de Jehová? ¿Un bonzo de los que creen en Las Siete Vidas y hoy son hombres, mañana ratones, luego vacas y más tarde filósofos o premios nobel de química? ¡Ay carajo!, ¡ay de mí! Ahora me va a salir este con que es Leónidas después de la batalla de Las Termópilas o Artajerjes o la reencarnación de Rosita Elvires...

—Mi camino está en la literatura, en la novela, en vivir la vida de mis personajes intensamente, por esa razón podré vivir mil vidas durante el tiempo que todavía dure la mía. Las vidas de los personajes que me tocará vivir cuando incursione en el mundo fantástico de la literatura. Viviré entonces no una ni mil vidas sino tantas como imaginación tenga. Igual podré ser político que cura, pintor o prostituta, astronauta o poeta, doctor o bonzo, lo que se me de la gana, ¿me entiendes? Mis espacios y mis posibilidades son infinitas. ¿Para qué vivir una sola vida tan intensa como tú quieras si puedes vivir muchas más y con la misma o mayor intensidad? ¿Para qué te limitas, papá? Si hablas de búsqueda de poder, ¿quién puede superar mis poderes?

Silverio descansó —ese seguía en todo caso siendo un *hobby* al que puedes dedicar tus ratos libres— empezaba a argumentar...

—No nos entendemos, papá, no nos entenderemos ¡nunca!... —sentenció Belisario con evidente amargura, retirándose del umbral de la puerta donde se había llevado a cabo la discusión. Silverio podía ausentarse en el momento que lo deseara, ya no sería retenido, su presencia era innecesaria.

—Entiende, hijo, que el hombre de nuestro tiempo debe hacer algo más que dedicarse a armar frases hermosas tras una máquina, entiéndelo por favor, no te disgustes —suplicó Silverio para rescatar la charla.

—¿Cómo puedes hablar de algo más cuando la narrativa, la filosofía en sí misma significa la plenitud? —repuso Belisario girando velozmente sobre sus talones como si le hubieran arrojado una piedra a la cabeza—. ¿Por qué no me dijiste desde chico que ser escritor o poeta era para ti sinónimo de mariconería o patanería en lugar de proyectarte como un hombre de letras mandando comprar libros y más libros que nunca leías sólo para impresionarnos con una cultura de la cual careces?

En todo pensó Silverio en el camino a la Secretaría de Relaciones Exteriores menos en que se enjuiciaría su gestión como padre y con tanta severidad. Venía dispuesto a ganar la partida, pero eso sí, en todo caso pensando en lo mejor para su hijo. Jamás supuso semejantes agresiones que él no tenía por qué tolerar. Uno era el padre amigo y compañero, otro el imbécil que se dejaría patear e insultar. Le dijo entonces que él efectivamente había obrado siempre de buena fe con sus hijos, con su mujer, con sus amigos, con sus socios. Que cuando él tuviera sus años debería superarlo en éxitos, partiendo del supuesto que él, Silverio, ya era un triunfador innegable porque a pesar de lo que dijera su hijo, tenía una cultura universal superior a la de la generalidad, tenía además dinero, había sido un afortunado hombre de negocios y si la vida no le había permitido escalar puestos más altos a pesar de su sentido del honor, de su talento y eficiencia, había sido gracias a los egoísmos y a las miserias humanas, a la incomprensión y a las venganzas que había sufrido porque era difícil tolerar la superioridad ajena, pero que partiendo de su orígen humilde podía darse por satisfecho con el nivel alcanzado, con su prestigio, su imagen y el reconocimiento que le concedía la sociedad.

Belisario se recargó en la mesa de caoba. Escuchaba petrificado. ¿Buena fe? ¿Con quién? ¿Acaso con su madre? ¿Con Hercilia? ¡Vamos hombre! ¿Con sus hijos? Silverio Cortines, ¿un triunfador?, ¿él? ¿Un hombre culto? ¿Su padre un afortunado hombre de negocios? ¿Sentido del honor? ¿Miserias humanas? ¡Qué manera de justicarse a sí mismo para no derrumbarse! ¡Qué insoportable debía ser su realidad que era menester alterarla para sobrevivirla! ¡Cuántas mentiras necesitaría urdir para sentirse un hombre de éxito y no desplomarse como si el esqueleto completo estuviera hecho exclusivamente de goma. Belisario comprendió que la vida de su padre dependía de esos embustes. Enfrentarlo a la verdad era tanto como destruirlo. Al demostrarle la ingravidez de sus argumentos le estaría dando un tiro de gracia en el centro de la frente. Sintió de pronto una pistola revolver en sus manos. Acarició su cacha, se encontraba tan fresca... Recorrió con sus dedos el cañón sin bajar la vista. Estaba helado. Hizo girar el cilindro de acero. Se encontraba perfectamente lubricado. Sintió una a una las balas. No cabía un proyectil más. ¡Qué cerca se encontraba de la libertad! Empuñó el arma y apuntó por momentos tembloroso, por momentos confiado, hacia la cabeza del autor de sus días. Una mezcla de placer y dolor se apoderó de él:

—Yo te diré la verdad...

Finalmente apareció en el calendario la fecha esperada por toda la nación, la de la toma de posesión de la nueva administración: el primero de diciembre. El día preciso en que cada 6 años, la Constitución Política de los Estados Unidos Mexicanos ordena el reemplazo al máximo nivel del Poder Ejecutivo Federal. Una de las grandes fiestas políticas mexicanas, la de la reconciliación nacional. El país entero experimenta una gratificante sensación de venganza cuando contempla la triste figura, las expresiones disimuladas, las sonrisas fingidas, los últimos saludos de quien hasta hace unos momentos fuera el Jefe de la Nación, su líder máximo, el incunable, una figura reverencial, sabia, intocable, que se inspiraba en los grandes apóstoles de la historia patria, que tenía el privilegio de hablarse de *Tú* con ellos; un eslabón más de esa gloriosa cadena de herederos ahora desprovisto de la banda presidencial, del símbolo de su poder, de su magia, de su hechizo. Un triste mortal sin aureolas ni corona de laureles ni *glamour*, convertido de golpe en un ciudadano más. Un hombre de carne y hueso privado de su indumentaria divina. Un héroe retirado de su gigantesco pedestal de mármol blanco tallado con los motivos épicos más sobresalientes de nuestro accidentado pasado; un iluminado más descendido al nivel terrenal en espera del juicio de sus semejantes, el de un tribunal popular integrado por testigos caracterizados por su humor negro y su exquisito sarcasmo.

El pueblo disfruta el reingreso al anonimato de sus grandes conductores, al reino del silencio, al de la oscuridad, a las filas integradas por unos semejantes cargados de resabios y corajes reprimidos. El electorado entiende el cambio de poderes como el feliz momento de cobrar viejas afrentas, las antiguas deudas insolutas contraídas por los políticos de ayer, hoy y siempre.

Cualquier rictus de dolor se homenajea. *Si el degradado, el desacralizado*, el que hasta hace unos instantes fuera el guía infalible, insustituible y único de millones de mexicanos, llegara a perder la compostura o a externar de alguna manera los sentimientos que se le agolpan en la garganta al desprenderse irreparablemente de su indiscutible y avasallante autoridad, los gobernados, puestos de pie, disfrutarían hasta desgañitarse su dolor, su impotencia y su derrumbe; algunos aplaudirían sin detenerse hasta que el peso de los brazos hiciera imposible tributar una palmada más; mientras otros tantos, los más discretos, tal y como sin duda sería el caso de Silverio Cortines y Brambila, gozarían la escena instalados en un elocuente silencio proyectando si acaso una sonrisa sardónica. He ahí la elocuente respuesta de un pueblo que confiesa su desaliento, su invalidez política, su incapacidad de organización social para estructurar una oposición respetable, así como su ancestral sentimiento de traición recurriendo a una refinada forma de sadismo elevada a su máxima expresión. Así se despide a los supuestos mandatarios que no sólo no acataron lo dispuesto por la voluntad popular, sino que, además de despreciarla, todavía abandonaron sus cargos con los bolsillos saturados de monedas de oro, el ahorro público destinado precisamente a convertir promesas en realidades, a cumplir con una palabra empeñada ante la nación.

De los proyectos hoy sólo vuelven a quedar explicaciones, argumentos, palabras, palabras y más palabras. De ahí que la celebración sólo cese cuando la piel enrojecida de las manos impida juntarlas siquiera una vez más para castigar la deslealtad, la arrogancia y la falsedad. Es tan grande la deuda generacional. Han sido tan obvios los engaños, tanta la frustración y el escepticismo. Tanta la palabrería y tan escasos los resultados. Tanta la ostentosa riqueza mal habida de cada hornada de funcionarios sexenales, comparado con el malestar generalizado de la población, que el sadismo se constituye en una fórmula de alguna manera eficiente para hallar al menos una compensación moral.

La noche anterior, el último día del mes de noviembre, el Director General de Comunicación Social, reveló frente a las cámaras de televisión la identidad del gabinete entrante. A ninguno de los elegidos hubiera podido escapar que una indiscreción, aun dentro de la más hermética intimidad, hubiera constituido un pecado mortal de acuerdo al código de honor del sistema. La filtración del secreto tendría como consecuencia inmediata el cese fulminante. De ninguna manera se podrían ventilar oficialmente los nombres. Éstos se revelarían a la opinión pública cuando ya nadie pudiera combatir los antecedentes profesionales ni la calidad moral de los candidatos, es decir, hasta que los nuevos funcionarios estuvieran armados con todo el poder de sus investiduras. No existía, como en otros países democráticos, la obligación de ratificar los nombramientos de los secretarios de Estado ante los órganos de representación nacional como el parlamento, el congraso o simplemente la Cámara de Senadores. Nada. Absolutamente nada. El equipo del Presidente de la República quedaría desde un principio fuera del alcance de cualquiera otra autoridad distinta de la del propio Jefe de la Nación por más que las leyes establecieran algo distinto en términos de la divisón de poderes federales. La impunidad estaba garantizada. Cualquier atentado en contra de cualquier miembro del gabinete se resolvería por mayoría simple en las cámaras en donde el PRI gozaba históricamente de una espuria legitimidad ciertamente invencible durante los últimos sesenta años. Ni hablar. Las órdenes del primer mandatario eran incuestionables, su poder indicutible, aplastante. Ante el hecho consumado sólo cabía la resignación o los lamentos y el chiste peyorativo, una herramienta lascerante para devolver el agravio. Comenzaba el gran circo. El electorado, el propio electorado, defraudado una y mil veces se prestaba paradójicamente al juego participando impúdicamente en el regio evento. ¿Increíble? Sí, señor, increíble, pues no sólo no acusaba el daño causado por la ofensa, por la deliberada e insultante exclusión en la toma de de decisiones políticas trascendentales, sino que todavía se cruzaban apuestas infantiles sin detenerse a considerar que con su actitud se refrendaba la gran farsa democrática que tanto se decía padecer.

¿Pero, no te parece suficiente que nos vuelvan a imponer a nuestros dirigentes? Es indignante prestarse todavía a apuestitas...

¡Vamos hombre! Diviértete, no seas aguafiestas.

Pero si todo esto es una gran burla, el tapado mismo es una burla, ¡carajo!, no la permitamos, no nos prestemos a ella.

Ya se sabe, ya, pero no vengas ahora con razones, ni envenenes el ambiente, define tu posición: ¿Quién te gusta para Hacienda?

¿Pero nunca vamos a terminar con esta infamia?

¡Ay!, mira, ¿le entras o no? 100 contra uno que el secretario de comercio es este...

Se presentaron caras nuevas tal y como era de esperarse. El sistema escasamente permitía la reincidencia en los mismos puestos. La rotación era obligatoria en todos los niveles. Los protagonistas cambiaban. Si acaso alguno que otro le era dado repetir en un puesto de primera responsabilidad. La renovación se daba en términos casi absolutos. La apariencia democrática era perfecta. Ni la prensa ni la opinión pública mundial tendrían nada que alegar. Aquí no hay ninguna gerontocracia. Nadie se eterniza en el poder. Tenemos nuevos representantes en la Cámara de Diputados. Nuevos, nuevecitos. Nuevos Senadores, albeantes, ejemplares. Nuevo gabinete, flamantísimo. Funcionarios impecables, impolutos, más allá del alcance de la menor sospecha. Nuevo Jefe del Poder Ejecutivo. El Presidente entrante heredaba a los jueces, a los mismos integrantes del poder judicial de la administración anterior. Los ministros de la Suprema Corte eran inamovibles. Nada le debían al nuevo mandatario. Continuarían en sus puestos sin compromiso alguno. La impartición de justicia seguiría siendo objetiva, sin consignas. Limpia. Transparente. Eficiente. ¿Qué tal? ¿Había o no renovación? ¿Acaso los hechos no eran suficientes para demostrarla? Sólo los necios o los mal intencionados podían negar la evidencia.

A nadie sorprendió cuando Pascual Portes Rodríguez fue nombrado Secretario de Educación Pública. Se materializaba la máxima aspiración de su existencia. Josefa Cortines ocupó, como era de esperar, sólo la Subsecretaria B de Educación Pública. El Presidente nombraría siempre a un subsecretario A, un personaje de su confianza como encargado del despacho, el de la máxima jerarquía después del titular. Nadie debería ignorar su influencia ni el origen de su cargo. A sonreírle, a sonreírle siempre, a serle eficiente y grato. En cualquier momento podría convertirse en Secretario del Ramo. Ningún candidato mejor que él.

Josefa Cortines asistió al histórico recinto poseída de una intensa emoción. Jamás la confesaría. Si bien es cierto, ella siempre había fungido como observadora ocasional, también lo era que nunca lo había hecho como protagonista; sin embargo, nada le resultaba ajeno ni distante. Los comentarios que había empezado a escuchar desde su más tierna infancia respecto a las comparecencias presidenciales ante el Congreso de la Unión —invariablemente oyó decir a su padre: no está lejos el día en que habré de ocupar alguno de los lugares de honor reservados al gabinete entrante. Lo verán, juro que lo verán— ayudaban a la antropóloga a representar su papel con la misma naturalidad con que lo haría un veterano político acostumbrado a desarrollarse en el seno de los almidonados protocolos oficiales. Se conducía como pez en el agua, distinguiéndose por su amabililidad y concediendo sonrisas a quien tuviera la fortuna de encontrarse accidentalmente con su mirada. Nada parecía sorprenderla ni afectar su ánimo aquella fría mañana del primero de Diciembre en la capital de la República.

La señora subsecretaria, una de las tres mujeres que integraban en un segundo plano el gabinete entrante —ninguna mujer presidía una Secretaría de Estado ni siquiera una empresa descentralizada— llegó fina y juvenilmente ataviada a la inolvidable sesión del Congreso de la Unión. Macrina, la Nana, la que desde siempre había hecho las veces de amiga, de madre, de confesora, la había ayudado a arreglarse en la mañana —¿una última planchadita a la falda?— y en esos momentos, no podía ser de otra manera, ya estaría sentada en lo alto de la tribuna siguiendo con la vista cada movimiento de su niña.

¡Cuánta de su sensibilidad y comprensión hacia las debilidades y miserias ajenas le debía a Macrina, su segunda madre, la mujer, que como ella misma confesaba, le había dado otra versión de la realidad, apartándola de la mitomanía, de la hipocresía y del chantaje profesional! Aquella mujer había contribuido a su formación emocional, al descubrimiento de un nuevo mundo afectivo mucho más de lo que nadie podría suponer. En sus manos oscuras y agrietadas, había encontrado invariablemente ternura, paz y consuelo en ese humilde regazo que tantas veces había buscado. Aquella voz ignorante y sabia le había enseñado la importancia de reir, de utilizar intuitivamente ciertos contrapesos necesarios para hallar el equilibrio en su vida futura, el fiel de la balanza.

—Con todo y tus dichosos papelotes, esos que tienes colgados por todas las paredes de la casa, yo sé más que tú, Chepinita, sólo porque he tenido más tiempo para equivocarme que tú, ¿me crees?

En presencia de Macrina había aprendido a prescindir igualmente de una buena parte de sus recursos defensivos, a guardar para siempre algunas de sus armas, las mismas que tantas veces la habían ayudado a resolver los entuertos familiares urdidos por Silverio, su padre. Macrina la había ayudado a ser ella, a descartar la mentira y el embuste como estrategia de convencimiento —los tontos y los cobardes mienten porque no pueden con la verdad— a no levantar la voz para imponerse, a no recurrir al chantaje como mecánica de sobrevivencia, a ser libre, auténticamente libre. A ser ella, Josefa: ni la señorita Cortines ni la antropóloga ni la socióloga ni ahora la subsecretaria. Sólo Josefa. La presencia e influencia de aquella humilde mujer había sido definitiva en su propia formación profesional.

Josefa llevaba un traje azul marino de dos piezas con la solapa ligeramente ribeteada por un delicado listón blanco que Alonso le había regalado en unos de sus viajes a la ciudad de París. ¡Ay!, el gran Alonso, ese viejo y querido garañón que la perseguía a luz y sombra, se lo había comprado en una de las más famosas *boutiques* de la Rue Saint Honoré, precisamente una tarde cuando después de comer en el Lucas Carlton, uno de los restaurantes franceses más renombrados ubicado a un lado de la Place de la Madeleine, paseaban tomados de la mano rumbo a los Jardines de las Tullerías. ¡Qué felices fueron aquellos días del otoño cuando las hojas de los

175

árboles de los Campos Elíseos hacían un tapete para engalanar su visita!

Quien la viera vestida con esa prenda de corte moderno, elegantemente ceñida, combinada alegremente con una blusa blanca de cuello y puños confeccionadas con discretos olanes del mismo color, medias transparentes, oscuras, a la última moda y su cabello claro, abundante, rizado que le caía indiferente sobre los hombros, en ningún caso hubiera podido adivinar que ella, Josefa, ya era madre de dos hijos. Disimulaba maravillosamente su edad. No tenía el aspecto de una catedrática ni el de una mujer de bibliotecas ni el de una autora de varios libros especializados en Sociología y Antropología, ni menos, mucho menos, el de toda una Subsecretaria de Educación Pública. Chocaba con el patrón femenino de las investigadoras, de las maestras de escuela y desde luego con el prototipo de las burócratas y esposas de funcionarios públicos, a quienes era posible distinguir a una distancia prudente aun antes de que pronunciaran siquiera una sola palabra. No cabía la menor duda: se trataba de una mujer distinta. Sí que lo era.

La sencillez de su trato contrastaba con el caudal de sus conocimientos y la fiereza con que defendía sus puntos de vista cuando a su juicio le asistía la razón. Dispensaba una exquisita cordialidad apoyada probablemente en la seguridad del experto, en la fuerza del saber y por lo mismo prescindía de todo tipo de alardes y actitudes necesarias para impresionar y manipular para finalmente poder convencer.

—No dramatices, dame argumentos —repetía cuando su interlocutor se perdía en estrategias defensivas, en ocurrentes salidas para distraer la atención, tácticas todas ellas, tras las cuales, por lo general, pretendían ocultar las dimensiones de su ignorancia. Cuando empiezan a hablar con las manos o a subir el tono de la voz, ya está, se acabó la conversación, son míos. Se agotaron sus razones...

Silverio Cortines escuchó el discurso de toma de posesión sentado en un salón improvisado para la memorable sesión del Congreso de la Unión. Contempló en *circuito cerrado* de televisión todos y cada uno de los actos porque no pudo conseguir la invitación para presenciar el evento cómodamente instalado en la Asamblea Plenaria tal y como había sido hasta entonces su costumbre. Sintió miles de miradas que se le encajaban en pleno rostro. ¿Un Cortines, aquí...? Sí, sí y ¿qué? Antes muerto que pedirle ayuda a su hija Josefa. Todavía hay categoría y jerarquías en este mundo... Ni hablar.

—Hija mía, consíguele a tu padre un pase para que pueda ir a Bellas Artes, muere de ganas de verte junto a tanta gente importante —le suplicó Hercilia la noche anterior cuando se hizo finalmente pública su nominación.

—Claro que se lo daré, desde luego que sí —repuso la antropóloga ante la sonrisa agradecida de su madre— sólo que venga a pedírmelo él mismo.

Tarde o temprano debemos hablar, ¿no crees, mamá?

Silverio Cortines se las arregló como siempre consiguiendo *un pase* con acceso únicamente para el salón cerrado. No podría ver a ninguna figura influyente ni ser visto por ella ni saludar siquiera a la distancia ni hacerse notar ni figurar para dar de qué hablar o especular respecto a su asistencia. ¡Nada! A pesar de que exhibía un distanciamiento con su hija, la ahora, señora subsecretaria, prefirió hacer acto de presencia en donde fuera, si con ello lograba al menos entrevistarse con alguien que pudiera socorrerlo "con alguna caridad, alguna misericordiosa caridad", con alguna plaza decorosa dentro del presupuesto, la que fuera, en el nombre sea de Dios que no tiene motivo alguno para olvidarse de este humilde servidor y devoto mortal. Él era todo un experto en cuestiones pesqueras, un connotado perito en las agrícolas, en las mineras, en las ferrocarrileras; un conocedor en materia de alumbrado público y de redes urbanas hidráulicas, además de un avizpado administrador en lo relativo a trámites migratorios o aduanales. Que nunca se perdiera de vista que él había coordinado, sin ser veterinario, a las brigadas nacionales de doctores especializados en el combate a la encefalitis equina. ¡Por favor! Que no se olvidara. Estaba ampliamente capacitado para ejercer y cumplir con dignidad y eficiencia cualquier cargo dentro de la nueva administración.

Después de ungir con la banda presidencial al nuevo representante de la voluntad nacional, una voluntad nacional interpretada fiel, inavariable y exitosamente por el presidente saliente, una vez ajustado y ceñido emotivamente en el pecho el símbolo de sus temidos y envidiados poderes y tan pronto concluyó una interminable y estruendosa ovación según lo ameritaban las circunstancias, un merecido homenaje al nuevo líder máximo de México, electo en la soledad de Los Pinos, el público escuchó en escrupuloso silencio el texto del mensaje del ahora Jefe de la Nación.

En su íntimo fuero interno la subsecretaria empezó a resumir el discurso inaugural. Josefa conocía de sobra a los políticos. Le parecía escuchar la misma letanía, la misma que había escuchado una y otra vez desde que había empezado a tener uso de razón; sin embargo, la gran mayoría de los presentes parecía sorprenderse ante las palabras reveladoras del nuevo líder de la nación. Bien podría haberse tratado de los mismos textos sexenales con sus respectivas adecuaciones para guardar cierta dignidad. Era irrelevante: el auditorio se prestaría a un juego político de hondas raíces ancestrales. Para el público sólo cambiaban los protagonistas en el tiempo y en el espacio, un público, por cierto dispuesto a aplaudir a la menor oportunidad, a aplaudir la reincidencia, a aplaudir la supresión de sus derechos políticos, a aplaudir, a aplaudir lo que fuera: Yo he venido aquí a aplaudir. El resto permanecía exactamente igual. El temperamento ultraconservador del mexicano se imponía de nueva cuenta. La paciencia se renovaba mágicamente. Los espacios se abrían, los márgenes de maniobra se ampliaban por instantes:

Señoras y señores:

No, no transigiré ni negociaré ni cederé. Tampoco toleraré ni comprometeré ni endeudaré ni consentiré y, por contra, haré, sí, sí, haré, modificaré, terminaré, invitaré, diré, castigaré, consolaré, corregiré, recuperaré, convocaré, solicitaré, aprehenderé, pediré, construiré, pagaré, promoveré, estimularé y prohibiré y bla, bla, bla...

Las palabras se entendían y se acreditaban una a una como el final arribo de la esperanza, de la justicia, el renacimiento de la ilusión, la tan añorada posibilidad de cambio, de recuperación, de equilibrio, de desarrollo, de moralidad. Como el advenimiento de una nueva era de respeto, de bienestar, de ilustración, otra floreciente oportunidad para generar riqueza y lanzar al país a los confines reservados a las naciones industrializadas matemáticamente ordenadas dentro de un riguroso marco institucional. Un baño de luz, refrescante, aromatizado, el bálsamo mágico que requería la nación para restañar ahora sí las viejas heridas.

Mientras el público aplaudía rabiosamente de pie de acuerdo a la entonación que el Jefe del Ejecutivo imprimía a la conclusión de cada párrafo, Josefa se levantaba o se sentaba mecánicamente consultando invariablemente su reloj y contando una a una las ovaciones tributadas. Le sorprendía que los párrafos bien tensados que había redactado para anunciar la política educativa del nuevo gobierno todavía no hubieran sido incluidos de alguna forma en el texto, sin embargo, prefería pensar en sus aulas, en la acción, en los nutriólogos, en los estudiantes desertores, en la reforma académica, en la resistencia del sindicato de maestros para lograr los cambios diseñados, en el convencimiento de los empresarios para participar en el financiamiento de su faraónico proyecto educativo.

Entendía que las palabras eran necesarias en un momento de esa naturaleza, pero anhelaba ya abandonar ese gran teatro, sentarse tras su escritorio para ejecutar sin tardanza sus ideales profesionales, promoviendo el cambio a la mayor velocidad posible. De vez en cuando volteaba hacia el graderío para localizar a Alonso. La acompañaba como siempre. Lo sentía tan cerca de sí. En ningún momento dejó de verla y de tratar de seguirla en sus reflexiones. Para Alonso la única figura existente en el seno del Congreso de la Unión era su mujer. A ella le dedicaba toda su atención, todas sus miradas, todos sus recuerdos y sus ilusiones. Por lo visto jamás dejaría de verla ni de admirarse por su feliz existencia.

—Apuéstale todo a tu felicidad —le había dicho esa mañana cuano se separaron —al fin y al cabo de tu felicidad depende la nuestra...

Porque la soberanía nacional... La alimentación del pueblo... La instrucción de nuestra niñez... El injustificable abandono de los pobres... La preservación de nuestra Carta Magna... La sangre derramada para construir el México actual... La herencia de nuestro abuelos... El respeto a nuestras mujeres... La aplicación indiscriminada de la ley... El país que todos queremos para nuestros hijos... La revolución sigue en marcha... Seremos socios, no empleados de Estados Unidos.... y bla, bla, bla y bla, bla, bla...

Pascual, por su parte, encabezaba la ovación comentando con sus colegas instalados a ambos lados, la genialidad de cada párrafo. Igualmente volteaba a ver a Josefa para verificar si participaba o no entusiastamente con las ideas reformistas del nuevo líder de las mayorías nacionales. En efecto, en algunos pasajes hasta llegó a advetir que sonreía. ¿Se convencía? Ambos coincidían en la necesidad del cambio, pero diferían en las estrategias, accesos y momentos para lograrlo. Los ímpetus de Josefa estaban reñidos con la serenidad, la paciencia y el ritmo que deben prevalecer en los proyectos cuando estos se promovían en los medios políticos.

—Calendaricemos nuestros objetivos —le dijo en alguna ocasión a Pascual al concluir la campaña electoral—. Para tal fecha, esto; para tal otra, lo de más allá; si para este entonces no hemos logrado lo anterior, habremos fracasado, Pascual, así de claro y de dramático.

—Piensa en los intereses creados, en la resistencia, en la oposición, en el pueblo —exclamó Pascual— piensa en los tabúes, en los mitos, en las creencias, en lo que nuestra gente considera conquistas revolucionarias: no puedes salir de golpe con que la revolución fue inútil y el derramamiento de sangre estéril —agregó cautelosamente—; si los atropellamos de esa forma, si no sabemos decir ni hacer, no sólo diferiremos las fechas en el calendario, querida Jose, sino nos echarán a patadas a la calle muy a pesar de la inmensa generosidad de nuestros proyectos y de la lucidez de nuestras ideas.

¿El pueblo?, el pueblo nunca ha existido —pensó Josefa para sí—. El pueblo es una entelequia, una metáfora, un concepto hueco, un fantasma al cual paradójicamente se le desprecia y se le teme.

Josefa recordaba esos pasajes, uno más dentro de sus innumerables discusiones con Pascual, cuando distraídamente empezó a leer los nombres de los grandes forjadores del México moderno inmortalizados todos ellos con letras de oro sobre el mármol blanco a los costados de las banderas tricolores victoriosamente entrelazadas del Palacio Legislativo. Al pasear la vista por el engalanado recinto donde se habían dado cita entre otras personalidades más, los cincuenta hombres que en los hechos dirigían y controlaban los destinos del país, los realmente poderosos en el orden político, económico y social, excluido desde luego el clero, le sorprendió que el nombre de don Plutarco Elías Calles, nada menos que el del Padre del México actual, no se encontrara entre el numeroso grupo de héroes. ¿Un error? Volvió a leer apresuradamente, pero con más atención, uno a uno dichos nombres: no lo podía creer. Ahí estaba efectivamente el de Guerrero, el de Morelos, el de Juárez, ni hablar, inclusive el de Villa, el feroz combatiente de la dictadura huertista, ¿forajido, asesino o idealista? entre otros tantos más, pero el de Calles, nada menos que el del genio creador del sistema político actual, el del Jefe Máximo, el del genio creador del México moderno, había sido intencionalmente excluido. En ningún caso podía interpretarse como una omisión involuntaria. ¿Tal vez debería entenderse como una traición popular? ¿Una deslealtad de los integrantes del partido que él mismo había fundado? ¿Qué pasaba? Si defendían el sistema a capa y espada, ¿cómo era posible ignorar a su inspirador original? ¿Los políticos mexicanos habían decidido quedarse huérfanos? Menuda incongruencia...

El nuevo líder de la revolución continuaba:

En materia de soberanía nacional... Respetaremos la autodeterminación de los pueblos. En lo que hace a la deuda externa... En lo que se refiere al ejido... Por lo que toca al libro de texto gratuito... En lo relativo al patrimonio de la nación, a las empresas descentralizadas... Por lo que respecta al voto ciudadano, a la libertad de expresión, al derecho al trabajo, a la alimentación, a la vivienda, al respeto a las garantías individuales consagradas en nuestra Carta Magna, al lugar que a México le corresponde dentro del concierto de las naciones, a la aplicación indiscriminada de la ley, escúchenme bien: NI UN PASO ATRAS, DE LO CONTRARIO, QUE LA NACION ENTERA ME LO DEMANDE.

La magia de la oratoria lograba prodigios. Las imágenes y los sonidos se repetían, rebotaban de uno a otro extremo del salón: Se trataba de sacudir la mexicanidad de los asistentes, de extraerla, de hacerla revivir como si se interpretara el lejano lamento del clarín para recordar los días en que los cuerpos de nuestros abuelos amanecían colgados de los postes telegráficos hasta formar un horizonte macabro, al igual que los acordes vespertinos de una guitarra o el sonido de una armónica podían anunciar la culminación de una batalla en El Bajío o las últimas descargas aisladas de los pelotones de fusilamiento revelaban el aniquilamiento masivo de más mexicanos. Toda una intensa vibración nacionalista.

Igual que se percibe el *grande finale* del último movimiento de una sinfonía épica, así, con el tono de la voz insuflada, epopéyica, con el auditorio ya materialmente incendiado, se empezaron a percibir los últimos párrafos de lo que parecía ser un interminable discurso de toma de posesión. Los necesarios para la consagración de un nuevo líder.

De pronto, el Presidente de la República gritó enérgicamente tres encendidos *Vivas*:

—¡Viva México! —clamó el nuevo mandatario al cielo.

—¡Viva! —se escuchó una respuesta estruendosa, cargada de emotividad.

—¡Viva México! —volvió a repetir el abanderado de las causas nacionales haciendo retumbar el recinto.

—¡Viva! —contestó el público delirante ya puesto de pie.

—¡Viva México! —convocó por última vez el Jefe del Ejecutivo con el brazo derecho en alto pensando que la batuta que había utilizado esa gloriosa mañana iría a dar a una de las herméticas vitrinas del Museo del Castillo de Chapultepec.

—¡Viva! ¡Viva! ¡Viva! —repusieron miles de fanáticos, adoradores del poder político, que tributaron un aplauso largo y sonoro, acompañado de vítores que dieron por concluida la lectura del mensaje presidencial. Una ovación cerrada sacudía hasta la última de las conciencias. Hasta la oposición en pleno se sumaba al paroxismo reinante.

A una discreta señal del Jefe del Estado Mayor Presidencial, una figura petrificada, oscura, de rostro impertérrito, se empezaron a escuchar las notas motivantes el himno nacional mexicano marcialmente interpretado por los integrantes de la Banda de Guerra de la Secretaría de Marina vestidos con uniformes de gala. El nuevo Jefe de la Nación, los representantes del Congreso de la Unión en pleno, invitados del sector privado, importantes líderes empresariales y sindicales, así como los integrantes más destacados del nuevo gobierno, de las Entidades Federativas y del Poder Judicial, algunos con los ojos húmedos, otros hasta con el último poro de la piel despierto, entonaron varias estrofas del himno patrio con tal asombrosa vehemencia que cualquiera hubiera podido convencerse que asistía sin lugar a dudas a la suscripición irrevocable de un juramento colectivo, un canto ritual al sol, un *contrato social* tácito, una promesa sellada con sangre que, según se desprendía de la lectura de aquellas miradas enardecidas, constituía la mejor prueba de la firmeza de la decisión de entregarse incondicionalmente a la inmediata construcción del México nuevo, el que desde hacía ya más de siglo y medio veníamos prometiéndole a nuestros hijos.

Silverio se sintió estremecido al escuchar a la distancia los acordes inconfundibles del himno nacional interpretado como a él le gustaba por la banda de la marina de guerra. Aceptó las notas estimulantes como una convocatoria, un reto, un nuevo desafío, un llamado a todos los mexicanos para engrandecer y glorificar a la Patria. Él ocuparía la primera fila de voluntarios. Las sonoras explosiones de los cañones, los gritos de guerra, los llamados a la dignidad, al coraje, los clarines con sus bélicos acentos y las hojas de laurel que coronan la frente. En aquellos momentos Silverio se volvió a sentir un hijo escogido por Dios, el escogido para defender las grandes causas de México. Jamás se había sentido tan exaltada su mexicanidad. Lástima que estuviera excluido del sistema...

Se trataba de un evento de espléndida sonoridad, una exaltación de virtudes patrias, de buenas intenciones cívicas. Parecía ser un acto de purificación histórica. Una purga generacional de culpas ancestrales y presentes. La reconciliación con el pasado. Un pacto irrevocable para lanzarse a la conquista de un futuro digno, próspero, ejemplar. Nadie hubiera podido suponer que precisamente esos ciudadanos embelesados y sensibles, de expresión lacrimosa y beatífica, fanáticos defensores de los más caros valores nacionales, sus mejores custodios, sus rabiosos cancerberos, igualmente pudieran, sálvese el que pueda, ofrecer sobornos a líderes sindicales en las negociaciones colectivas de trabajo o recibirlos en su carácter de jueces o de funcionarios públicos. Parecía una cruel paradoja que quienes demandaban airadamente la estructuración de un nuevo tipo de país, al mismo tiempo estuvieran dispuestos a alterar las actas electorales, a violar las urnas, a enriquecerse ilegítimamente, a cometer vergonzosos peculados disponiendo impunemente de los bienes públicos; o bien, evadieran el pago de impuestos, manipularan la participación de utilidades a los trabajadores, aumentaran precios cuando se había *pactado* no hacerlo o hasta pidieran la intervención de Estados Unidos en nuestros asuntos internos cuando a su juicio se hubiera violado alguna disposición legal en México. ¿Una *familia revolucionaria* ciertamente peculiar, *sui generis*, o ¿no? Los mismos, sí, los mismos que entonaban el himno invocando la excelencia de la mexicanidad, eran los mismos que socavaban de una u otra forma las instituciones nacionales: No había punto de contacto entre los hechos y las palabras, entre el decir y el hacer, entre las promesas públicas y los sentimientos íntimos, los verdaderos, los inconfesables... ¿Qué pasaría en realidad en esos momentos por la mente de aquellos intérpretes desaforados y apasionados del gran sueño mexicano? ¿Las personas que ahora mismo se enjugaban discretamente las lágrimas eran las mismas que años atrás habían materialmente saqueado las arcas de la nación exportando el ahorro de todos los mexicanos principalmente a Estados Unidos? ¿Eran los mismos que habían acuchillado a la Patria misma por todos los costados propiciando la fuga de capitales al grito de sálvese el que pueda la patria me importa un carajo y tres cuartos? ¡Ah!, ¡qué escena tan emotiva esta la de la interpretación del himno con tanta dulzura y miradas llenas de ensoñación y fantasías y anhelos...! ¡Qué contagioso momento de comunión nacional...! ¡Música Maestro! ¡Música! A los mexicanos nos gusta la música...

Comenzaba un capítulo más de la historia de México. Josefa cantaba, cantaba igualmente conmovida según la delataba su epidermis estremecida. Bien sabía ella que la mayoría de la concurrencia ni siquiera entendía el significado de algunas de las palabras del himno patrio que muy pocos o nadie se sabía completo. ¿Qué quería decir el acero *aprestad* y el *bridón*? ¿Qué era un bridón? ¿Qué significaba *exhalar* en tus *aras* su aliento? ¿Y *lidiar* con valor? Se abría una nueva página en blanco que redactarían los nuevos protagonistas. El ambiente en el interior del recinto parecía desbordarse. El color de las enormes banderas tricolores adquiría una intensidad pocas veces vista. El optimismo rezumaba. Los acordes del himno patrio, la esperanza del resurgimiento, la fortaleza vibrante del discurso inaugural, la indiscutible recuperación que se iniciaría en el sexenio naciente, el del cambio, el de la prosperidad que ya anunciaban las salvas detonadas por los cadetes del Heroico Colegio Militar, la valla formada en las afueras del Palacio Legislativo por millones de mexicanos que igualmente se prestaban a la apoteósica celebración a pesar de haber votado, si acaso, por la oposición, constituían escenas, una tras otra, de la más decantada tradición política de México. El gusto por la fiesta, el respeto por los rituales, los vivas, las porras, las cataratas de confetti, el niño pequeño, hijo de un modesto burócrata que corre presuroso para ser levantado por el nuevo Padre de la Patria, la expresión generosa del rostro, el mensaje enviado por esas manos expresivas que devuelven saludos a diestra y siniestra, el abrazo obligado a una humilde anciana, la sonrisa rubicunda, la tez tostada después de arduas jornadas de exposición al sol a lo largo de la campaña presidencial, la oportunidad de la fotografía que al día siguiente aparecería en todos los diarios de la nación, no podían faltar dentro del colosal marco del festejo político.

La gran fiesta culminaba. El tiempo diría si concluiría en una nueva tragedia, en una administración de tránsito hacia el nunca jamás o en un verdadero gobierno que asentaría sólidamente las bases del México del futuro. Todo dependía de un hombre, las instituciones existían formidablemente redactadas sólo en el papel. Millones y millones de personas de todos los estratos sociales, edades y sexos dependían de la voluntad, del talento y hasta de los estados de ánimo de una sola persona, el país en su conjunto dependía peligrosamente del nuevo Jefe de la Nación, de su magia, de su carisma, de su inteligencia y de su simpatía: si él fracasaba fracasaríamos todos irremediablemente...

Aquella noche Josefa llegó a casa asediada y confundida después de la Salutación Oficial en Palacio Nacional. Una serie de sentimientos opuestos se estrellaban en su interior. En el fondo no podía negar una profunda sensación de alegría, el optimismo por su futuro, por las realizaciones profesionales que le deparaban los próximos años a pesar de las dificultades políticas y financieras que debería enfrentar para resolver felizmente su destino político. En los medios burocráticos no necesariamente vencería con argumentos, con información, con datos, según acontecía en la práctica académica. En sus nuevas funciones se vería obligada a lidiar con políticos, a luchar con los más diversos intereses creados, en muchos casos divorciados de la razón y de la verdad, a forjar alianzas, a granjearse enemistades, a eludir añagazas y destruir competidores. Tendría que aprender a detectar la presencia de trampas, de francotiradores, a evadir las emboscadas, a saber urdirlas, a jugar con sus armas, a superarlos en estilo, habilidad y oportunidad.

No le habría de faltar experiencia. Para salir airosa de las laberínticas intrigas familiares de las que el padre pretendía invariablemente surgir como vencedor absoluto cargando con un alud de culpas a quien careciera de recursos ofensivos, había tenido que desarrollar, probablemente sin percatarse, todo un sistema defensivo sin el cual hubiera sido imposible sobrevivir durante tantos años al lado de Silverio Cortines. Con Alonso no había tenido que echar mano de mañas ni de trucos, pero eso sí, en despoblado, desamparada, más allá de la sombra protectora del ganadero, podría recurrir con asombrosa habilidad a todas las maniobras imaginables, a la aplicación de valiosísimas técnicas de supervivencia que había aprendido desde niña y perfeccionado más tarde como adolescente en el seno del hogar. De no haber desarrollado estas facultades, sin duda hubiera perecido anudada y enredada con sus propios pies y manos entre las complejas manipulaciones paternas donde Silverio era el amo indiscutible.

Tan pronto entró a su casa permaneció unos instantes recargada contra la puerta sin soltar el picaporte. Había estado ausente de su casa mucho más de cien años. Se encontraba fatigada. La jornada había sido larga e intensa. Daban más de las once de la noche. Sólo su marido la debería estar esperando. Él no podría fallarle. Lo encontró tal y como lo había supuesto: sentado en la sala, solo, serio, con la mirada fija anclada en el fuego como si quisiera descifrar algún mensaje oculto en las llamas. Escuchaba sus recitales a dos pianos como siempre que pretendía aislarse. Acariciaba distraídamente una copa de *cognac* mientras buscaba soluciones prácticas ante lo que parecía revelarse como un porvenir distinto y no menos difícil.

—Ha llegado la señora subsecretaria —volteó El Chato a verla sonriente

184

rindiendo los debidos honores a la investidura de su esposa y esperando con avidez sus comentarios e impresiones.

Ella no contestó. Por contra se desprendió delicadamente de la bolsa que colgaba de su hombro. La dejó balanceándose unos instantes sobre su dedo índice antes de dejarla caer con cierta displicencia sobre un sillón a un lado de la entrada. Sonreía. Escrutaba en misterioso silencio la mirada de Alonso sin perder detalle de sus reacciones y respuestas. Se le veía tan alegre y ligera... Se zafó el moño de terciopelo negro que recogía graciosamente su cabello trigueño en tanto se desprendía simultáneamente de sus zapatos bajos de ante del mismo color. Su pelo suelto, abierto, iluminó su rostro que ardía desafiante. Josefa, *¿une femme fatal?* ¡*Mon Dieu!* Sólo ella sabía cuántas resistencias estaba venciendo a cambio de disfrutar intensamente ese momento, una travesura inolvidable. Ya descalza, se dirigió lentamente hacia él en tanto se deshacía del saco que la había hecho lucir tan distinguida por la mañana. Lo arrastró todavía unos pasos antes de soltarlo caprichosamente sobre un tapete beige de llama. Si la rutina matrimonial era un peligroso enemigo a vencer, ella lo había combatido ingeniosamente desde todos los flancos...

Empezó a quitarse sus mancuernillas redondas diseñadas con la forma de los hierros y los colores, oro y esmalte verde olivo, los de la divisa de Los Cuatro Vientos. Alonso no ocultaba ni su asombro ni su encanto. Si acaso una tímida sonrisa se negaba a desaparecer de sus labios. A lo lejos se escuchaban los chasquidos aislados de la leña mientras era devorada golosamente por la lumbre. Ambos se miraban fijamente a la cara reflejando la intensidad de un elocuente lenguaje, un vocabulario imposible de improvisar, el de los amantes de siempre.

Las múltiples fotografías de todos tamaños colocadas desordenadamente sobre una mesa o encima del marco de la chimenea o sobre una repisa inglesa, recordaban los felices momentos vividos por la familia. Ahí se encontraba la de su graduación como socióloga, una de Hercilia y la tía Tachis vestidas de chinas poblanas —cómo había odiado su madre a Silverio cuando este aceptó sin consultar que Hercilia bailara con la esposa del secretario de agricultura, ambas vestida de chinas poblanas, ante los emperadores del Japón, todo por la carrera política de su marido. Lambizcona o no bailaría y bailó con el traje típico aun cuando después se vengó de su marido con ocurrencias verdaderamente geniales— la del primer día de clases de sus hijos, otra de Belisario, la única vez que montó a caballo en su vida, la que les habían tomado juntos a todo color, ambos con traje de corto, en la barrera de primera fila de la Maestranza en Sevilla, cuando Abusadillo, un toro de Los Cuatro Vientos, fue indultado por su bravura y linaje. ¡Hay qué tarde aquella andaluza, la de la coronación de su marido como ganadero! ¡Nunca la olvidarían!

Josefa no se detuvo: desanudó con un leve tirón su corbatín igualmente de terciopelo y empezó a abrir entonces uno a uno, lentamente, los botones de su blusa de olanes. Su cabellera caía perezosa sobre sus hombros. El silencio se había apoderado de la tibia habitación. Nada se movía, sólo ella, la gran protagonista, dueña indiscutible del escenario daba pasos seguros y audaces hacia la representación de la virtud suprema. La antropóloga se había sentido tocada durante toda la mañana, algo se había movido misteriosamente en su interior y se desbordaba en esos momentos. Bien sabía ella cómo había acaparado la atención de hombres y mujeres en el histórico recinto. Jamás podría pasar desapercibida. ¡Que si lo sabía ella!... ¿Bella, culta y además subsecretaria? ¡Menuda combinación! Era demasiado. La blusa empezó a desaparecer gradualmente tras su espalda. Sus dedos delgados la fueron retirando hasta dejar al descubierto la espléndida redondez de sus formas de mujer, los horizontes del bien eterno.

Alonso le extendió los brazos acercándose a la orilla del asiento. Por toda respuesta Josefa bajó el cierre de su falda hasta hacerla caer arrugada a sus pies. La penumbra la hacía parecer una Diosa surgida de las tinieblas. Sin dejar de mirarlo un solo instante Josefa se acercó hasta tomar una de las manos de su marido. Alonso la jaló sutilmente. Ella abrazó entonces su cabeza precozmente encanecida apretándola contra su pecho, un generoso manantial para saciar la sed, una sed que no se apaga con la simple contemplación, sino que la despierta, la estimula, la enciende. La sed del hombre, la sed del mundo, la sed que resume la historia en un suspiro.

—Señora subsecretaria... —iba a decir el ganadero.

—Ten, ten mujer, tenme —cortó ella cubriéndole la boca con sus manos.

Alonso permaneció inmóvil. La inhalaba, se enervaba con sus aromas, se deleitaba con sus sudores, con la textura perfumada de su piel, con el ritmo de su cuerpo, el lenguaje de su pulso, de su calor, de su ansiedad por remontar juntos la barrera del silencio rumbo al infinito. Las manos hábiles y fugaces de Alonso hicieron desaparecer en un instante todos los tropiezos ajenos a lo dispuesto por la madre naturaleza. Josefa sintió como aquellos dedos conocidos y expertos la liberaban, la recorrían ávidamente hasta dejarla expuesta en el umbral de los milagros.

Ella tomó un generoso trago de su copa para beberlo al mismo tiempo con Alonso antes de emprender la feliz carrera hacia la conquista de los tiempos. Josefa se rendía. Alonso anudó entre sus manos su abundante cabellera trigueña, sujetándola toda ella con firmeza y dulzura, afianzándola, en tanto se tensaban sus carnes, despertaban, revivían y empeñaban su fuerza y su imaginación en la materialización del gran sueño, la gran ilusión, la realización de las fantasías reservadas a los elegidos.

Las llamas de la chimenea parecían lenguas de fuego de todos los colores. El aliento de Alonso, bien pronto convertido en una estampida de búfalos, suplicaba ante las puertas de la eternidad el abrigo y la paz para el jinete victorioso. Tocó, llamó una y mil veces resistiendo, invocando piedad. El piso se le abría a sus pies. Ella trató inútilmente de tranquilizarle, pero ya nada podría detenerlo. Los dos golpearon estremecidos, arañaron, deliraron. Sus manos, sus piernas, sus rostros se entumecieron, se petrificaron, se crisparon entre quejidos y lamentos. Una fuerza invencible, la boca del remolino de la historia los engulló a ambos, los envolvió con la violencia de un huracán, los elevó vertiginosamente suspendiéndolos juguetón en las alturas sin fin, permitiéndoles sentir la asfixia del vértigo, para dejarlos caer finalmente entre risas y caricias sobre el inmenso valle del reposo, el de la reconciliación, el territorio donde se hace justicia a nuestro paso por la vida, donde nace la verdad, la única verdad.

Después se soltaron, se abandonaron como el náufrago que al perder toda esperanza se desprende de la balsa salvadora para precipitarse hasta volver a morir en la noche sin riberas.

Pasaron varios instantes antes de que se pudiera volver a oír la tenue música de los pianos, se distinguieran de nueva cuenta los chasquidos de la leña y el rumor de los cuerpos recuperara el ritmo de la vida. Josefa yacía sobre el cuerpo inánime de Alonso. Lo miraba detenidamente. Pasaba una y otra vez sus dedos sobre su barba partida. Alineaba cariñosamente sus cabellos. El ganadero resoplaba en forma entrecortada. Ella sonreía triunfalmente al contemplar su respiración desacompasada. Distinguía su perfil, el corte viril de su rostro, podía enloquecer con este hombre del campo, musculoso, fuerte, sano. Le halagaba su agotamiento. Enjugaba agradecida las perlas de sudor que surgían incesantemente sobre la comisura de sus labios. Acariciaba sus mejillas, sus párpados. Secaba su frente permanentemente expuesta al sol. Murmuraba en su oido, lo humedecía con su lengua. Reían.

—¿Te gustó? —preguntó Alonso esperando una respuesta acaramelada en tanto recorría sinuosamente con las yemas de los dedos la piel de su espalda nacarada. Su voz, exangüe, parecía surgir del fondo de un pozo.

—Cada día eres más hombre —susurró ella con todo candor besando las palmas mágicas de sus manos.

¡Ay! Alonso, el juguetón de siempre. ¿Cómo callar? ¿Cómo contener su sentido del humor? ¿Perder la oportunidad de hacer un chiste? ¡Antes muerto!

—No me refiero a eso —exclamó preparándose para una feroz embestida— sino a la toma de posesión de hoy en la mañana.

Josefa se apartó de inmediato. Sintió herido su orgullo, agredida su feminidad. ¿Por qué terminar con agravios una noche de amor? Por lo visto nunca acabaría de conocer a su marido. Había sido muy poco delicado. Sin embargo, cuando ya parecía retirarse con toda aquella ofensa a cuestas se volvió de golpe para pellizcarle arteramente donde le fuera posible o jalarle de los cabellos o de donde pudiera para hacerlo escarmentar.

—¡Eres el diablo mismo, maldito cuatrero!

Alonso jamás había podido con el dolor físico y llegado el caso aceptaría ser la madre de Porfirio Díaz o la que ordenara su hermoso verdugo con tal de darle alivio a su piel. Le pediría perdón de rodillas. Sólo que el ganadero logró inmovilizarla, sujetándole a tiempo las manos traviesas y poniéndoselas tras de la espalda. Ya podía patalear. Nunca podría liberarse. El ganadero se encontró nuevamente frente a aquellos senos invencibles, los dinamos del mundo. Una síntesis insuperable de belleza. Volvió a respirar en ellos, a aspirarlos, a embriagarse con sus aromas antes de envolverse con toda ella en un abrazo final ahogando con besos sus reclamaciones infantiles. Retozaban como dos chamacos. Su risa era inconfundible. Celebraban. Vivían. Conversaban.

Pero Alonso no estaba dispuesto por lo visto a dejar que su esposa se tomara su papel en serio:

—Qué pues contigo, Chepinita, ¿ni siquiera has renunciado después de doce horas de trabajo? —inquirió en tono burlón quien mejor que nadie conocía las dificultades que su mujer había tenido que vencer para ingresar en el sector público. Noches enteras habían discutido seriamente el tema y ahora salía éste con sus bromitas de siempre. Pero claro, si ya bromeaba con la muerte, si hasta a ella misma, como él decía, le enseñaba los dientes para asustarla, ¿por qué no hacerlo con los problemas pedestres?

Josefa no pudo más. Saltó sobre su marido como una fiera herida para apoderarse a como diera lugar de la mata de vello que le cubría el pecho. Alonso pudo esquivarla una vez, dos, hasta que ella logró sorpresivamente su propósito. Lo sujetó firmemente. Jaló sin piedad. Bien conocía sus puntos flacos. Gritó. Amenazó. El ganadero se quedó paralizado, absolutamente inmóvil. Trató incluso de sobornarla, pero ella no estaba dispuesta a soltar a su presa, sobre todo ahora que la tenía dominada.

—Mientras no me pidas perdón no te soltaré, te lo juro por tus sementales esos incapaces de embarazar ni a una vaca maicera— agregó sabiendo de sobra que tocaba las partes blandas del ganadero. Ahora ella reía a carcajadas.

—Perdón Chepina, Chepinita mía, perdón —invocó Alonso al cielo, incapaz de resistir semejante martirio. Escasamente podía controlar la risa ni el dolor.

—Nada de Chepina, ¡Josefa!, como Dios manda o no te suelto, maldito robavacas —ordenó ella haciéndole guardar los brazos bajo la espalda para evitar cualquier represalia sorpresiva.

—Jose —repuso el otro.

—¡Josefa!, dije —tronó de nuevo la voz—. ¡Di lo que te ordeno!

Alonso guardó silencio. Resistía estoicamente el castigo. El santo suplicio. ¡Ay!, su concepción de la virilidad. Por nada en el mundo se arrodillaría. No se dejaría vencer. Demostraría su entereza para soportar la tortura.

Con que rebelde... ¿verdad? —se preguntó ella amenazante ante el desacato de su marido. La subsecretaria tiró dispuesta a todo. Alonso volvió a gritar, trató inútilmente de defenderse. Ella tiró aún más, lo domesticaría totalmente. Serás mi gatito de angora.

—Josefa, sí, Josefa, pero suéltame por favor —suplicaba el ganadero totalmente rendido habiendo perdido el menor rastro de dignidad.

—Josefa bonita —exigió ahora la antroplóploga.

—Josefa bonita —repitió Alonso con los ojos crispados.

—Josefa, la más hermosa —insistió sádicamente.

—La más hermosa, la más bella, la insuperable, Josefita de mi vida, de mi corazón, pero ya no más, por favor, suelta, suelta ¡carajo!...

—Nada de carajitos por favor: me enojan las palabrotas...

—No las volveré a decir, te lo juro, Josefita hermosita, pero suelta, por Dios, suelta —suplicó sin el menor empacho sintiendo que le arrancaban hasta el último vello.

—Dime ahora eso mismo en náhuatl —ordenó de nueva cuenta preparando la huida—. Repite conmigo: Simetzil oig doetani...

—Simetzil... —ya iba a repetir Alonso el parlamento náhuatl, cuando Josefa salió corriendo repentinamente para darse un baño soltando sonoras risotadas que su marido pretendía acallar lanzando a su vez un genial repertorio de amenazas.

—Has de volver Gutierritos —gritó El Chato acariciándose el pecho y recurriendo a nombres y apodos del más aberrante burocratismo—. Maldita rascacuevas, tienes el cráneo más hueco que las calacas que coleccionas...

Momentos después Josefa regresaba perfumada y enfundada en su bata blanca de tela de toalla con sus iniciales entrelazadas bordadas en hilo guinda. El pelo recogido después de la ducha. Suave la piel nuevamente encremada. Llegaba ahora en son de paz. Quería hablar. Ventilar sus ideas. Discutirlas abierta y confiadamente. La hermosa intimidad. La necesidad de la comprensión. La garantía de la buena voluntad. Ningún momento mejor para ello. Los niños dormían tiempo atrás. Encontró a Alonso recostado en el piso, envuelto ahora en su pijama de seda y la cabeza igualmente húmeda recargada contra un gran cojín. Continuaba interpretando el lenguaje de las llamas. Ella se sirvió una copa también de cognac. Rellenó la de su marido.

—¿Te gustó el discurso? —preguntó Alonso serenamente mientras se recargaba contra el sillón más cercano.

—Es el mismo cuento de siempre —contestó sucintamente—. Unos son los candidatos, otros son los presidentes cuando se cruzan la banda sobre el pecho y otros muy distintos cuando se la van a quitar —adujo mientras se acomodaba sobre el tapete frente a su marido—. ¿A cuál de los tres le vas creer? —preguntó la antropóloga sin filtrar sus pensamientos ni sus reflexiones tal y como era su costumbre cuando hablaba con Alonso.

—Por un momento pensé que ahora sí iba de a de veras...

—¿De a de veras? —preguntó sorprendida...— Nunca olvides que a los políticos mexicanos les agrede la verdad como a los vampiros la luz —confesó risueña por la ocurrencia—. Mienten por instinto, la mitomanía es inherente a su naturaleza...

—Pues el público le respondió de maravilla —argumentó Alonso débilmente en su defensa.

—¿Te refieres a los diputados y a los senadores?

—Sí.

—¡Ay, por favor!, la mayoría de nuestros congresistas igual aplaudirían de pie la devaluación del peso que la entrega de las Californias a los gringos con tal de figurar en la nómina —comentó la ahora subsecretaria como si perdiera la paciencia. En el fondo lamentaba haberse prestado a una representación teatral de esa naturaleza. No ignoraba, sin embargo, que para alcanzar sus fines debería pagar ese y otros tantos precios más que sin duda le depararía el destino. Para ella sólo había comenzado el primer acto de la gran comedia política mexicana.

A Josefa siempre le había exacerbado la tradición obsecuente del congreso. El poder avasallador del partido, su sistema de amenazas, premios y castigos erosionaban, a su juicio, la dignidad de los legisladores. Bien lo sabía ella: El requisito implícito para ocupar una curul y si acaso presidir una comisión dotada de una buena dieta consistía en la renuncia incondicional de los valores y convicciones personales. A mayor enajenación de los principios, mayores recompensas políticas, mayores posibilidades de enriquecimiento económico, mayores las garantías de impunidad. La disciplina partidaria era la disciplina partidaria. ¿Aun cuando fuera en contra de la razón y del sentido del honor? Sí, señor, aun cuando fuera en contra de lo que fuere. Se es o no se es.

Los regímenes totalitarios disfrazados se distinguían entre otras signos, por la insistente creación de instituciones similares a las vigentes en los sistemas democráticos. Se conmemoraba multitudinariamente la promulgación histórica de leyes de vanguardia, se contruían impresionantes edificios para alojar a los administradores del bien común, quienes, en la práctica, se sometían sin reparos a los criterios *dictados* por el *Jefe Máximo* del aparato político sin escuchar ni consultar ni conocer, claro está, la opinión de los supuestos representados que en teoría los habían conducido al poder. Los *"legisladores"* o los *"jueces y magistrados"* temerosos de perder sus privilegios, derogaban la división de poderes *consagrada* en la Carta Magna, la ley fundamental de los mexicanos, al aceptar como ley suprema la voluntad del Presidente de la República, el verdadero intérprete de los más elevados designios de la mexicanidad, el supremo sacerdote titular indiscutible de una poderosa autoridad de extracción primitiva. El guía, el líder mágico de poderes omnímodos, indiscutibles, inapelables. En estas circunstancias, el individualismo carecía de espacio, las iniciativas personales conducían a la hoguera, a la exclusión, al confinamiento indefinido, al aislamiento y al silencio para preservar a la sociedad de la contaminación de las nuevas ideas. ¡Cómo olvidar cuando se premiaba en ocasiones a cada uno de los diputados obsequiándoles relojes de oro y acero o cantidades modestas de dinero en efectivo para asegurarse su voto en el sentido deseado por el partido, el partido de la revolución, el de la renovación moral! Algo así como cuando al monito del organillero le ponían en su gorrita un puñado de cacahuates como premio y agradecimiento por la representación de su papel. ¡Una vergüenza, Alonso, una verdadera vergüenza!

—Cualquier observador ajeno como tú se impresionaría si presenciara la serie de ovaciones rabiosas que el Congreso de la Unión le tributa al presidente en turno —aclaró para no incomodar a su marido mientras movía su copa en suaves círculos inhalando el *bouquet* del licor— sobre todo si ignora que nuestros legisladores integran la gran porra del Jefe del Ejecutivo, su *claque* —precisó sardónicamente.

—No sólo ellos Jose, todo México forma parte de la porra presidencial —exclamó Alonso atajando el argumento—. Nadie ignora, nos guste o no, que nos imponen al Presidente de la República, a nuestros senadores, diputados, que en la práctica no participamos en la designación de ninguna de las autoridaes que nos gobiernan, pero ahí andamos votando por los que nos dicen, haciéndole el jueguito al sistema, aplaudiéndole y haciéndole reverencias, el de la voz, por supuesto, encabezando al grupo —confesó cínicamente.

—Tú eres un lambizcón, eso es lo que eres —comentó ella burlonamente conociendo los puntos de vista de su marido, por lo general inspirados en la sabiduría popular.

—Sí, sí, lo soy, ¿y qué? —repuso tratando de disimular inútilmente una amplia sonrisa que se dibujaba a lo largo de sus labios—. Quiéranlo o no —continuó— habemos dos tipos de mexicanos, sólo dos: los Priístas confesos y los no confesos, pero al fin y al cabo todos somos Priístas y convencidos de corazón. Yo, el primero —comentó adelantándose nuevamente a cualquier reproche de quien conocía hasta el último pliegue de su vida.

—No se puede hablar contigo, eres un caradura —cortó sonriente sin tomarlo en serio.

El ganadero, un hombre eminentemente práctico, interesado sólo en lo que caminara sobre cuatro patas siempre y cuando hiciera BUU, según él mismo afirmaba, carecía de información política, no entiendo el intringulis ése, pero a cambio se apoyaba en su sentido común, en su labia adormecedora y en su simpatía para compensar y disimular sus carencias.

—No mi amor, no, simplemente tengo intereses qué defender, una posición, un prestigio que el propio sistema me dio y que igual me lo puede quitar con un sólo chasquido de dedos—. Entiéndelo bien: quien tenga intereses que defender debe formar parte directa o indirectamente del PRI —concluyó convencido de sus razones—: Todos andamos de criticones sentados cómodamente alrededor de la tasa de café, renegando de la falta de democracia en México, criticando el tapadismo, las imposiciones, la corrupción, pero eso sí, impuesto o no, nos dejamos las nalgas cuando se presenta la oportunidad de saludar al Jefe de la Nación con tal de presumir con los amigos.

—¿Ya ves cómo no hay nada que hacer? —se preguntó resignada la subsecretaria— entre los intereses creados, los comprometidos, los reprimidos, los cobardes y los cínicos, aquí estamos todos divertidísimos sin darnos cuenta cómo se nos va agotando el oxígeno —advirtió con un repentino dejo de severidad.

—¡Qué se va a acabar nada...! Aquí hay aire para rato —apuntó Alonso optimista—. Este país tiene posibilidades que nadie se imagina. La genialidad del sistema político mexicano ya lo quisieran muchos países para los días de fiesta. Nos lo envidian, Jose, si un día lo perdemos, nos faltará vida para acabar de llorarlo. Déjate de exageraciones...

—¿Llorarlo? ¿Quién lo llorará? ¿Quién? —saltó a la defensiva—. ¿Llorar un sistema petrificado, inmovilista, que se resiste a la evolución o sabotea el cambio? —preguntó ella airadamente—. Un sistema que amordaza, que asesina a sus opositores al estilo de Díaz, Huerta, Carranza, Calles y Obregón entre otros tantos que aprendieron su ejemplo hasta nuestros días. ¿Cómo puedes hablar de la genialidad de un sistema que no ha sabido generar riqueza ni menos repartirla ni educar ni alimentar y que desde hace más de medio siglo ha venido prendiendo mechas a lo largo y ancho del país? —reclamó sorprendida—. Lo lloraremos nosotros, sí, la cúpula, los burguesotes como tú y yo, pero los de abajo, la verdadera masa mexicana, las mayorías de la nación no derramarán ni una lágrima. Eso te lo puedo garantizar...

Alonso pensó en contestar que a *todos* había convenido la existencia del partido y que a eso se debía su inmovilismo, pero prefirió abstenerse cuando pensó que el *todos* se reducía, en efecto, a un pequeño grupo de privilegiados, a una elite en realidad, si se le comparaba con las grandes mayorías del país que escasamente imaginaban el nivel de vida, los bienes y los satisfactores a que tenía acceso el sector al que él pertenecía de pleno derecho. ¿Que él se había hecho de un gran patrimonio con esfuerzo y talento? Sí. ¿Que nadie se lo había regalado? También; pero por dichas excluyentes no dejaba de ser un afortunado, un mexicano envidiable, un objetivo *revolucionario*, un buen candidato para recostarlo cara al sol sobre la famosa piedra de los sacrificios frente al gran sacerdote dotado de un cuchillo de obsidiana para extraerle el corazón o bien uno de los elegidos para colgarlo en su momento de uno de los sauces llorones del Bajío.

Había que saber escoger el momento adecuado para las bromas. Éste desde luego no lo era. Conocía como nadie las cargas emocionales contenidas en los tonos de voz de su mujer.

—¿No te parece sumamente peligroso haber tenido embotellado el movimiento obrero desde hace más de cincuenta años? —continuó inquiriendo ante la mirada atenta de su marido—. ¡Por favor! —exclamó de pronto como si lo quisiera sacudir—, los líderes sindicales, los supuestos líderes revolucionarios de la izquierda, los progresistas, los que se dicen liberales, se han sostenido desde los *veintes* en el poder gracias a su talento para mantener embotellada a la fuerza obrera de México —confesó sin el menor pudor—. ¿A dónde vamos así? —se cuestionó Josefa creciéndose por instantes—: ¿No está embotellada la prensa? —insistió clavando la mirada en el fuego como si contara cada una de las pavesas que escupía furiosa la leña incandescente. Era clarísimo que cada quien tenía sus razones para restarle importancia a las voces de alarma o para ignorarlas. Tal vez sólo seamos una alegre comunidad de reaccionarios, una nación de sordos, cínicos o irresponsables. ¡Tú dirás...!

¿Qué le importaba desahogarse de viva voz con su marido? Disparaba a su estilo, una ráfaga de argumentos que habían detonado silenciosamente en su interior durante la larga sesión del Congreso de Unión.

—La prensa, ¡dime!, ¿no está embotellada al igual que la televisión y la radio? —tronó exhibiendo sus desprecio por un sistema tradicionalmente represor—. ¿Embotelladas? Embotelladísimas, como igualmente lo están las cúpulas empresariales, como está igual de embotellada la libertad de expresión y el resto del aparato del Estado. Embotellada la judicatura, las iniciativas legales —continuó sin detenerse—. ¿Qué no está embotellado?, ayúdame a pensar —demandó sin dejar hablar a Alonso—. ¿La autocrítica no está embotellada? ¿El miedo no está embotellado? ¿La imaginación y la voluntad política de los funcionarios no están igualmente embotelladas por miedo a una represalia que alcanzaría a sus bisnietos?

Mientras Alonso se ponía de pie y buscaba un par de buenos troncos para colocarlos en la chimenea, ella agregaba con aire premonitorio:

—Cada fuerza social, económica o política que embotelles es una bomba de tiempo que el día menos pensado nos reventará en plena cara— advirtió cortante—. Lo que hemos hecho no sólo no es sano ni natural, es verdaderamente peligroso —adujo en tanto tomaba un trago y depositaba la copa sobre el tapete de llama.

—¿Y la oposición qué? —preguntó Alonso creyendo hacer una aportación democrática a la conversación. ¿No le correspondía a la oposición buscar el equilibrio de fuerzas en el país? Habría otro sector de la sociedad que no fuera reaccionario, ¿o todos lo eran?¿México era un país de reaccionarios enemigos del cambio?

—¡Ay! Alonso —exclamó dentro de un evidente sarcasmo —la oposición en México, como dice mi hermano Belisario, piensa con la cara interna del ano —confesó sin ocultar un infinito desprecio, como si tiempo atrás hubiera tenido amartillada la respuesta.

—¡Caray!, pues sí que está oscuro el panorama —intervino Alonso ocurrente como siempre.

—Míralo si no tú mismo —explicó de inmediato sin celebrar la broma— después de casi dos siglos de oportunidades para llegar al poder, ahí los tienes, pensando todavía en un príncipe rubio para gobernarnos o en la anexión de México a Estados Unidos, la única fórmula, a su juicio, para resolver de una buena vez por todas nuestros problemas —concluyó con aire de fastidio. Para ella los diputados de partido no eran sino una limosna entregada a la oposición para aparentar lo más posible una democracia, un acto más dentro de una ópera bufa mexicana.

¡Cómo disfrutaba Alonso el temperamento impetuoso de su mujer! Su paradójica formación liberal a pesar de su educación paterna. ¿Habría decidido ella en el fondo ser todo aquello que no hubiera sido sido su padre, una anticortines, una *anticortineaux*? Nadie podría suponer, ni sus conocidos más cercanos, las verdaderas convicciones políticas de la hoy subsecretaria ni su determinación para defenderlas. Ella se había mantenido siempre al margen de la política y decía ignorar lo relativo a su *modus operandi*.

—Yo soy antropóloga. Ese es mi campo. De lo demás no tengo ni idea. Hablemos mejor de piedras y de huesos viejos...

—Pero Josefa —inquirió Alonso tratando de justificar de alguna forma la conducta historica de la oposición— ¿quién puede oponerse a una maquinaria aplastante como la del PRI? Nadie tiene sus recursos ni su organización ni su fuerza.

—Pobrecitos... ¿No crees? Están mancos, mutilados y no tienen imaginación. ¿Lo ves? —respondió con su sorna demoledora—. No han podido defenderse ni defender a su país de la intransigencia del *stablishment*. ¡Apiádate de ellos, Señor!, al fin y al cabo son los ínicos hombres en la historia de la humanidad que han padecido los efectos de una tiranía —continuó con insufrible ironía para preguntar de inmediato a quién le correspondía más culpa, si al sistema que pretendía perpetrarse en el poder a cualquier costo echando mano de cualquier herramienta para lograrlo o a una oposición tan incompetente y tal vez tan comprometida que jamás había podido hacer ni un simple nudo, ya ni hablar de tejer una red? ¿Quién tenía más culpa, los corruptos prepotentes o los inútiles cobardes?

—No es nada fácil lo que propones —afirmó Alonso—, mira nada más el tamaño del enemigo.

—¿Fácil? —se preguntó la antropóloga—, fácil no hay nada sobre todo cuando ellos mismos son sus peores enemigos... —adujo sin dejar fisuras—. Pregúntale a aquellos miserables franceses a punto de la inanición que tomaron la Bastilla a finales del siglo XVIII, ¿con qué contaban para expugnar la fortaleza? ¡Háblales a ellos del tamaño del enemigo! —Se cerró púdicamente la bata. Se acomodó sobre el tapete. Se cubrió las piernas—. ¿Con qué arrancó Lenin su revolución? ¿Con qué, a ver dime? —le disparó a Alonso a bocajarro. Josefa continuaba golosa, pero medía fuerzas sin dejar de considerar la inteligencia y la sensibilidad de su marido—. Y no vayas tan lejos —concluyó bajando el tono—, aquí mismo, en México, Hidalgo, Morelos y el propio Zapata, tenían muchos menos recursos que cualquiera de estos pseudo opositores de ahora que quieren hacer política sin apartarse ni un instante del mostrador ni de la caja registradora. La mitad de la oposición en México tiene jugosos negocios con el *stablishment* y por eso mismo este ha podido perpetuarse ya durante tantas décadas. Si el sistema fuera honrado desde cuando habría reventado. La venta de canongías, la corrupción en sí misma con la oposición le ha permitido su larga supervivencia...

Alonso ignoraba los pasajes de la toma de la Bastilla. Escasamente podría recordar un sólo momento del siglo XVIII y muy poco o nada sabía de Lenin, de Hidalgo, de Morelos y de Zapata. Se limitó a preguntar si en las revoluciones que habían detonado esos hombres estaba la solución. ¿Esa era su propuesta?

—No, no, las revoluciones sirven para centralizar aun más el poder o no sirven para nada. —En todo caso ella desaconsejaría el uso de la fuerza. La violencia acarrea violencia. Además cuando se incendiaba un bosque se podía perder el control del fuego. El viento podía muy ser veleidoso...

—No lo pones nada fácil— arguyó Alonso recargándose en la cornisa de la chimenea y ennumerando con los dedos de la mano sus argumentos para no perder uno solo—. Si por un lado el gobierno tiene controlados a los sindicatos, a la prensa, a los empresarios de mil maneras, a los legisladores, a los jueces, a los gobernadores y presidentes minicipales y desde luego al ejército y al clero y por otro lado la oposición, la única gran oportunidad de cambio o piensa con eso negro que dice tu hermano... o está comprometida indirectamente con el sistema, Chepinita de mi vida, no veo las posibilidades de apertura pacífica...

—Más nos vale encontrarlas y pronto —interceptó ella sentándose a sus anchas en un sillón y dejando entrever al fin sus piernas bien torneadas tras la bata de toalla—. Corremos el peligro que la violencia nos gane la carrera y todo lo que habremos logrado en ese caso habrá sido lanzar al país otros cincuenta años atrás... La violencia retrasa agresivamente el reloj de la historia.

Como una catedrática entusiasmada explicó que los cambios en México por lo general habían sido de adentro para afuera o de arriba para abajo, pero, salvo muy raras excepciones, casi siempre los habían encabezado los sectores pudientes. Comentó que una alternativa constituiría la instalación de una especie de Despotismo Ilustrado, el arribo al máximo poder de México de un personaje con las luces políticas e intelectuales suficientes para entender la irrevocabilidad de la idea del cambio e iniciarlo él mismo desde adentro contra viento y marea. Se requeriría la presencia en Los Pinos de un estadista que supiera medir el peligro, no ya de un gobernante más con concepciones miopes de alcance sexenal. Un estadista en toda la extensión de la palabra que supiera bascular el riesgo derivado del desastre ecológico, de la explosión demográfica en los sectores depauperados o de escasos recursos económicos y alimenticios ávidos de bienestar y de una reconciliación material. Que entendiera que el orígen de todos nuestros males radicaba en la educación insuficiente o inexistente. En la ignorancia, mal de males. Ese estadista debería abrir gradualmente las puertas del sistema para evitar que dentro de un tiempo las volaran con dinamita pero desde afuera...

—La navidad llega dentro de veintitres días —exclamó Alonso en una más de sus bromas—, si quieres puedes escribir tu carta de una vez —se cruzó sonriente de brazos sabiendo que daba en la diana—. Si todo lo que debemos hacer es esperar a un Salvador, ya podemos esperar pero sentados, de otra manera nos vamos a cansar, amor...

—Puedes burlarte si quieres pero yo no veo otra posibilidad a corto plazo —el problema era de tiempo, tiempo, tiempo... Para cuando las universidades terminaran de formar personas con verdaderas convicciones democráticas sería ya muy tarde, inexorablemente tarde. Josefa no ocultaba su nerviosismo. Se puso de pie—. Antes de lo que imaginamos nos pueden volver a colgar de los postes telegráficos como en los mejores días de la revolución —arguyó tonante—. Esto va a reventar, te lo juro que va a reventar. No lo tomes a broma —amenazó con severidad—. Espero que nuestros cuerpos, los de los ricachones ahorcados como tú, no vuelvan a hacer horizonte en el Bajío...

—Pero por Dios, Josefa, ¿dónde está ese hombre? Hablas como si un Mesías fuera a aparecer por generación espontánea...

—Nos quedan dos alternativas: o el Mesías o la violencia —sentenció la antropóloga colocando ambos puños en el respaldo del sillón.

Nadie estaba dispuesto a soltar el poder en México y lo que era peor, pocos extrañaban la libertad, por lo visto ni la necesitaban. Los mexicanos carecíamos por lo visto de sentimientos democráticos, nos habíamos acostumbrado a vivir sin ellos. A lo largo del Virreinato, de los trescientos años de coloniaje, de tres siglos de autoritarismo español nos habíamos ido resignando a la pérdida de los derechos políticos elementales. Quienes mandaban en este país, en concreto los políticos, los dueños del dinero, de los medios masivos de comunicación, los líderes sindicales no les preocupaba la peligrosidad del entorno. Si se había acabado el pan, que les dieran pasteles, parecían decir desde sus pulidos escritorios de caoba tallada. Esta actitud era todavía más comprometedora, porque ni siquiera creían en las voces de alarma. Nadie o muy pocos iniciaban una labor de rescate. Le resultaba muy claro que si quienes contaban con el poder en la mano para promover el cambio no hacían nada por lograrlo y lo que era mucho más serio aún, ni siquiera estaban conscientes de la inminente necesidad de iniciarlo y por otro lado no escuchaban la voz irritada del pueblo o le restaban importancia a las quejas reiteradas de la gente harta de promesas incumplidas y de miserias intolerables, el divorcio social sería cada vez más grave, la interrupción del diálogo sería más extremosa en la medida que se acentuaran las carencias hasta llegar a un nuevo estallido que tomaría por sorpresa a los arrogantes titulares del poder económico y político sumidos en una sorda molicie de pavorosas consecuencias.

—Tú dices que es imposible el arribo de un Déspota Ilustrado al poder y yo digo que es más difícil aun la llegada de una generación de políticos y empresarios con la mentalidad que exigen nuestros tiempos y nuestras circunstancias —argumentó Josefa pasando la vista por una mesa repleta de fotografías familiares en donde, no era de extrañar, jamás encontraría una sola con el rostro de su padre—. Si tenemos que esperar la lenta evolución generacional para cambiar, cualquier tibia mañana de Verano amaneceremos colgados de tus ahuehuetes de Los Cuatro Vientos...

Alonso se acariciaba instintivamente el cuello, basculaba sus palabras, bien sabía él que su respuesta no debía perder altura. Entendía su compromiso. Se trataba de aliviar cargas, de enfriar la maquinaria, de desactivar las bombas de tiempo, de satisfacer necesidades sociales elementales y todo ello parecía imposible de obtener a corto plazo salvo por un acto improvisado de magia. El ganadero no ignoraba la amenaza que representaba para sus intereses las frustraciones materiales ajenas, ni menospreciaba las educativas. Que vinieran a ver las casas en las que vivían sus capataces en el rancho. Que constataran los sueldos que él pagaba a sus peones en Los Cuatro Vientos. Que visitaran la escuela que había hecho instalar para los hijos de todos sus empleados, el servicio de comida que tenía establecido para todos los niños. ¡Claro que buena parte de todo ello lo había hecho gracias a los empeños de Josefa!, sí, en efecto, así había sido, pero lo había hecho, y hoy por hoy él era un ejemplo que muchos deberían imitar. Sin embargo, aquello de que nos colgarían de lo alto de los postes telegráficos parecía ser una pesadilla nada remota que bien podría volver a repetirse. ¿Qué hacer para despertar?

Durante sus reflexiones Alonso pasó la mirada por la mesa donde se encontraba Josefa. La encontró ahí, de pie, contemplando las fotografías enmarcadas de todos tamaños, los grandes momentos de sus vidas. Sí que era hermosa. Así, tan seria, no era difícil suponer el traso de sus rasgos de niña. Su pelo simplemente recogido para atrás. Ni una huella de maquillaje. Sus facciones al natural. Su piel tan bien atendida. Ella siempre tan cuidadosa de su aspecto personal. Tan esbelta, tan alegre, tan femenina, tan mujer. El ganadero fue por ella. La abrazó por atrás para sumarse a las añoranzas. Cruzó los brazos por su cintura y la atrajo hacia sí. ¡Qué bien olía! ¡Qué fresca estaba! Se asomó por encima de su escote para ver el nacimiento de aquellos senos, de aquellos dos corazones que le daban vida y hermosura a su pecho. La estrechó ahora más fuerte. Ella alcanzó a dejar el marco que tenía en sus manos sobre la mesa justo para voltearse y abrazar al ganadero:

—¿No sabes qué contestar, verdad? —le susurró al oído devolviéndole la broma que él había hecho respecto a su renuncia.

Alonso, quien ya la acariciaba y jugaba nuevamente con sus cabellos se quedó paralizado. Desde luego que ya no pensaba en esos momentos en El Mesías ni en la generación del rescate. Ella contuvo su risa. El ganadero regresó herido a la chimenea. Josefa creía oírlo mascullar sus ideas...

—En México nunca pasa nada, Josefa, todas las futurólogas, todas las pitonisas como tú, que parecen saberlo todo mejor, se llevan los chascos del mundo, porque éste es un país impredecible —explotó con repentina severidad dándole la espalda mientras movía las teas con uno de los fierros.

Josefa no quiso seguir la broma. No podía ocultar su sorpresa. En sus terrenos lo haría trizas y no se debería hacer trizas a quien quería y respetaba. Cuántas veces una broma podía desatar la violencia.

Ahora fue ella quien se acercó para abrazarlo igualmente por atrás. La antropóloga había ido muy lejos. Él continuaba ligeramente inclinado acomodando la madera para que ardieran las areas que no habían sido alcanzadas por el fuego. Sus hombros se encontraban abatidos, su nuca hundida.

—Nunca me habías llamado pitonisa —reclamó Josefa descansando su cabeza sobre la espalda de su marido.

—Ni tú a mí tonto —repuso el ganadero volteando una gran rama seca.

Josefa se apartó recelosa.

—Es inútil —respondió finalmente el ganadero— hablar con gente que invariablemente cree tener la verdad en el puño de su mano. Ya decía yo que te sería muy difícil administrar tanto éxito tan prematuramente...

—¿Me estás llamando inmadura?

—¡Claro que sí! —disparó girando ahora en busca de su rostro—. ¿Qué te crees, que porque has tenido éxito en la vida tienes derecho a despreciar a la gente o a perderle el respeto? —apuntó sabiendo de sobra que su mujer estaba muy lejos de caer en ese supuesto, pero adelantándose al medio político en que había escogido vivir.

Alonso era siempre tan tranquilo y comprensivo. Era tan raro encontrarlo fuera de sí...

—Burlarte de las escasas luces o de la ignorancia de la gente, ni es señal de humildad ni de madurez ni es prueba del talento que tanto te ensalzan.

Josefa puso los brazos en jarras. Veía al techo confundida. Perdía tal vez la paciencia. ¿De qué se trataba todo esto?

—¿Te crees que éxito sólo hay uno y ese lo acaparas tú?

—¡Alonso!...

—¡Nada de Alonso! —volvió a tronar mortalmente disgustado—. Yo también soy un hombre de éxito, ¿o lo dudas? Sólo que no necesito de ovaciones públicas para ser feliz. Mi alegría es íntima, genuina, independiente del reconocimiento de terceros.

Josefa permanecía confundida mientras el coraje se apoderaba gradualmente de ella.

—Te hace sentirte bien que yo no tenga respuesta para tenerme rendido a tus pies, ¿verdad que sí? ¿Verdad que en el fondo te empieza a gustar destruir a la gente, encararle tu aparente superioridad cuando yo nunca te he enseñado la mía ni he usado golpes bajos contigo? —reclamó disgustado como nunca—. Te empiezas a parecer a esos politicotes que sólo se sienten algo cuando disminuyen a los demás...

Alonso mismo ya no sabía dónde terminaba la advertencia que de buen tiempo atrás quería hacerle a su esposa ni de dónde surgían un cúmulo de sentimientos reprimidos que emergían rabiosamente de alguna parte de su interior.

Josefa siempre quiso respetar el campo profesional de su marido y el suyo propio. Probablemente ahí descansaba el feliz resultado de su matrimonio. Había sido particularmente escrupulosa en evitar cualquier género de competencia conyugal. Hubiera sido desastrosa. Era injusto acusarla de lo que ella había preservado con tanto celo y talento. No podía admitirlo ni permitir que su marido siguiera acusándola de cargos en los que con toda certeza ni el mismo creía y de los que con toda suerte se arrepentiría después. El desgaste era inútil. Alguien tenía que guardar la calma.

—No tienes derecho a ponerme la punta de la espada en el cuello para obligarme a confesar mi derrota...

La subsecretaria decidió no responder. Alonso seguía reclamando, se incendiaba por instantes. Exigía respeto a su posición, demandaba que se aquilatara, que se considerara como una fórmula de equilibrio porque de otra suerte sus relaciones entrarían en una picada vertiginosa. Ella se acercó a él por segunda vez en la noche sin pronunciar una sóla palabra. Parecía estar aturdida. Pasó por su mente la idea de ver destruido su matrimonio, deshechos sus hijos gracias a la política. ¡Cuidado cuando el dinero y el poder ingresaban en un hogar! ¡Cuidado! ¡Cuidado también cuando lo abandonaban! ¡Que si sabía ella de eso! Buscaba callar aquella voz de inmediato, tranquilizarlo. Lo abrazó fuertemente mientras él continuaba lanzando condenas a diestra y siniestra. Resollaba. Pretendió zafarse. Ella lo retuvo. Con su cuerpo acusaba la recepción del mensaje. Pronto guardó silencio. Sin apartar la cara de su tórax velludo, levantó sus brazos ciegos hasta alcanzar el rostro de Alonso. Acarició su pelo, palpó su boca, sintió sus orejas, recorrió con las yemas sus mejillas ardientes. Puso un dedo en sus labios. Luego dos, tres, hasta cubrírselos con la mano. Lo besó delicadamente. Él no respondió. No se movió. Parecía no inmutarse. Paseó su lengua por su cuello sintiendo cómo se estremecía. Bajaba ya rumbo a su pecho cuando los brazos de Alonso la sujetaron, la apretaron, la estrecharon, la capturaron. Triunfaba. Volvía la paz. Así permanecieron unos instantes, escuchando el tibio sonido de sus cuerpos. Josefa fue por la copa de cognac. Tomaron nuevamente de la misma boca. El joven aliento de la noche los embriagaba...

Guardaron silencio un buen rato. Cambiaron la conversación. Hablaron de su futuro, de las precauciones que debían tomar. De las dificultades que enfrentarían como pareja. La atención a los niños. El saldo para cuando ella abandonara su puesto no podría ser ni la desintegración personal ni la familiar. El poder destruía, había que *tomarlo con pinzas*. Observarlo detenidamente. Se prometieron, se juraron, brindaron. Coincidieron en la necesidad de apoyarse y comprenderse. Respetar lo hábitos, preservar en la medida de lo posible sus costumbres. Analizaron pormenorizadamente el ambiente feroz en el que tendría que desarrollarse una mujer como ella, tan hermosa y tan joven.

—Les doy miedo, Alonso, lo volví a constatar hoy en la mañana—. Los hombres disparaban por lo general contra mujeres de un nivel social inferior, sólo así se daban las condiciones para el desbordamiento de su machismo. "Los conquistadores" exigían estas diferencias de clase y de capacidad económica para poder avasallar. Toda una cobardía, pero una mujer de una extracción superior y además con poder político les influiría en su ánimo negativamente. Se darían por derrotados de antemano. Si sentían respeto y consideración por la mujer, como era sin duda alguna su caso, estaban muertos, irremediablemente muertos, se convertirían en simples bichitos inofensivos...

Pasaron revista a diversos temas. Unos solemnes, otros graciosos. Parecía que habían dejado de verse muchos años atrás. La antropóloga continuó durante buen rato haciendo animadamente disecciones y apuntes del evento. Uno en particular llamó la atención de Alonso, ¡qué manera de reír cuando Josefa hizo la caricatura de algunas de las esposas de los nuevos funcionarios! ¿Por qué se pintarrajeaban así la cara? ¿No era de elemental buen gusto pintarse los labios con colores discretos respetando las comisuras? ¿Y las mejillas? ¿No tenían un espejo en casa? ¿Y las fajas? ¡Horror!, las fajas! Dímelo tú que eres hombre. ¡Qué barbaridad! Con tan solo verlas vestidas así, con esos maquillajes, esos peinados, esos permanentes, esos bochongones, cualquiera entendería que sus maridos no quisieran *"sacarlas"* ni a la esquina —salvo en las noches sin luna, ensalzó Alonso con su humor negro y eso que la antropóloga despreciaba la palabra *"sacarlas"* por su contenido racial peyorativo: no se trataba de animalitos domésticos que vivieran en la sombra y fuera necesario *"sacarlas"* a dar un paseo para orearlos, hacerles practicar algo de ejercicio o satisfacer sus necesidades fisiológicas. No. Dicho término acuñado por la tradición masculina tenía un fondo coactivo, una connotación de obligatoriedad, de desprecio y dependencia: *"Tengo que sacarlas"*, en clara referencia a las esposas, jamás a las amantes que vivían en la casa chica, institución muy justificada y socorrida en estos casos, remataba el Chato con sus ocurrencias de siempre: ¡Imagínate nada más, si así se ven con maquillaje, agregaba con toda la seriedad del caso, ahora quítaselos y acuéstate todavía con ellas totalmente enharinadas!... ¡Santo Dios de los Mortales, ten compasión de los menesterosos!...

¿Y los olores? ¡Ay!, los olores. ¿Por qué no darse toques estratégicos de buen perfume en lugar de someter al prójimo a una tortura olfativa impropia del *status* al que deseaban pertenecer? Sigo oliendo ese perfume denso, penetrante, que me persigue sin piedad —repetía mientras Alonso negaba risueño con la cabeza. Desde luego no era un problema de recursos. Ellas viajaban al extranjero y tenían acceso a los grandes almacenes... Las recordaba con aquellos aretes tan escandalosos, esa pelambre negra y acolchonada, petrificada por los aerosoles. ¿No leían revistas de moda todo el santo día aplastadas bajo el secador del salón de belleza, en lugar de trabajar o estudiar? Entonces, si no era problema de tiempo ni de dinero, ¿qué era? Cómo era posible que llevaran una vida tan plana sin intereses vitales, descuidando incluso su imágen personal. Que confundieran tan lamentablemente la elegancia sin tener la menor noción del ridículo. ¡Por favor, Alonso, ahora ya nadie usa dientes de oro!...

Josefa hacía una radiografía completa. En sus años de socióloga había aprendido a observar. No había perdido detalle, sus apuntes eran completos. ¿Qué decir del lenguaje? Muy pocas lograban ordenar sujeto, verbo y complemento. Sus pretensiones de reconocimiento sólo eran superadas por su ignorancia. ¿Qué tal cuando les tocaba leer en público un discurso preparado desde luego por los asesores de sus maridos? ¡Qué problema leerlos con la entonación debida! ¡Cuántas horas frente al espejo! ¡Menudo sufrimiento! Parecían uniformadas, hechas en el mismo molde.

—Cualquiera de ellas podría ser mi tía Tachis o mi mamá, te lo juro Alonso, te lo juro... Nunca supieron o pudieron evolucionar en paralelo a sus maridos...

Pasaron lista a todos los temas. Imposible excluir de la agenda la protocolaria salutación oficial en los históricos recintos de Palacio Nacional una vez concluida la ceremonia de toma de posesión: el famoso *besamanos*, una obsecuente tradición política más que no podría escapar en modo alguno a la agudeza de los observadores profesionales ni siquiera a la de los populares. El *besamanos* pòdría ser criticado por su servilismo, por constituir una inequívoca expresión de todo un síndrome adulatorio, un acto de indignidad reptante, el endiosamiento de un nuevo elegido cargado de poderes avasalladores envidiados por cualquier líder político del mundo, la aceptación implícita de la antidemocracia, la negación del poder del voto, la sumisión incondicional al sistema. La sola palabra definía matemáticamente la conducta, pero eso sí, nadie dejaría de asistir al *besamanos* ni perdería la oportunidad de aparecer genuflexo en una fotografía a todo color con la máxima figura del país para lucirla orgullosamente en oficinas, bibliotecas y salas elegantemente decoradas. El mensaje que se pretendía hacer llegar, según Josefa, a través de la exhibición ostentosa de estos retratos consistía en manifestar socialmente un certificado de poder e impunidad ante propios y extraños.

Según Alonso no importaba que los Presidentes de la República representaran la negación de la libertad en México ni que en muchos casos hubieran encabezado verdaderas pandillas en lugar de gabinetes de profesionales notables y celosos de los destinos de México ni que en su gran mayoría fueran Jefes de Estado de hecho y nunca de derecho, verdaderos especialistas en el incumplimiento de promesas ya que el país quedaba igual o en muchos casos peor en lo económico, en lo político y en lo social al final de sus mandatos ya que en las fotografías de la miseria, de la corrupción, de la evasión fiscal, de la insalubridad, de la ignorancia, de la decepción y del desencanto no se advertía cambio alguno en favor de los afectados, nada, no importaba nada, lo único válido era llegar a mostrar una fotografía al lado del Jefe de la nación con independencia de su conducta, de su moralidad y de su desempeño. ¿Una foto con el Presidente? ¡Así!, tronaba los dedos el ganadero, de nalguitas, mi hija, para que todos me vean con más respeto... ¿Por qué crees que tu padre las coleccionaba?

—No te lamentes entonces del centralismo ni maldigas la concentración y los abusos de poder en un solo hombre ni te quejes ya de la corrupción —aventuró Josefa tratando de esconder una sonrisa.

—No lo juzgues con tanta severidad —interceptó Alonso— este es un juego de valores entendidos, de fuegos artificiales, entiéndelo por favor, no te lo tomes tan en serio. Mientras unos hagan como que hablan y otros como que escuchamos no pasa nada. Los políticos tienen sus discursos de campaña que nunca cumplen, nosotros tenemos los nuestros, las quejas, los lamentos, la denuncia del sistema, pero en el fondo, los empresarios, igual que los políticos no queremos que nada se mueva: Todo lo dejamos como ellos al nivel de palabras. ¿Cuantos de los que hoy aplaudieron a rabiar al presidente no son sino unos vulgares bandidos amantes de lo ajeno y en lugar de estar en la cárcel todavía los invitan al congreso y a formar parte de un nuevo gobierno?

—Entonces, ¿somos un país de cínicos que vive del cuento?

—Somos tal para cual. Tal gobierno para tal pueblo —resumió el ganadero con su habitual elocuencia cargada de ironía—. No pueden meter a ningún alto funcionario a la carcel para no exhibir la corrupción reinante dentro del sistema, porque si de verdad los persiguieran el propio sistema no resistiría, de ahí que roben hasta saciarse con la impunidad garantizada y exhiban una fachada moralista para mostrar un frente sólido y legalista aun cuando por dentro apeste a heces humanas...

—Insisto —agregó Josefa—, entonces ¿somos un país de cínicos?

—¡Por supuesto! —concedió finalmente sin mostrar duda alguna Alonso—, todos aceptamos la imposición de candidatos y más tarde el fraude electoral, pero lo más grave mi querida Jose, lo verdaderamente grave y desconcertante es que todavía formemos largas colas para asistir en sagrada peregrinación al *besamanos* en Palacio Nacional para saludar con la frente en alto a un líder que nos sacaron del sombrero al igual que el mago hace con el conejo... ¿Quién puede entender eso? —se preguntó ante la mirada penetrante de su mujer—. No nos alarmemos entonces de los resultados. Tú haces como que gobiernas y yo como que me dejo gobernar. Tú haces como que cobras impuestos y yo como que te los pago. Yo hago como que voto y tú como que cuentas bien los sufragios. Tú haces como que pones aduanas y yo como que ni compro contrabando. Tú como que aplicas la justicia y yo como que no soborno a los jueces y magistrados. Todos contentos. Somos igualitos. Valores entendidos. Ni a cual irle de más carota... Pareciera que pueblo y gobierno estuviéramos coludidos en el desfalco y en la destrucción de todo lo nacional...

Pueblo y gobierno habían perdido entre sí su capacidad de sorpresa. Se preocupaban el uno del otro, se tenían cuidado, se temían porque ambos se sabían capaces de llegar a cualquier extremo en la menor oportunidad. Las alternativas eran variadas: Por un lado las *fuerzas del orden* podrían abrir fuego desde las azoteas masacrando a la gente indefensa que demandaba libertad en una plaza pública, disparando precisamente contra *los depositarios de la soberanía nacional,* contra *los destinatarios del gran ideal del Estado,* respetando y haciendo respetar la constitución y las leyes que de ella emanaran y si no que la Patria se lo demandara, o bien, se había dado igualmente el caso de que las mismas *fuerzas del orden* fueran pasadas a su vez por las armas, ejecutadas contra un paredón como en los años dorados de la revolución, los de la reconciliación moral. Cuando se cansaba el uno del otro las represiones podrían ser brutales.

—Sí, Alonso, sí, sólo que el gobierno debe estar a otro nivel, tener otra perspectiva.

¿El gobierno? Pero si el propio Belisario había dicho la noche anterior que Su Ilustrísima y Serenísima Alteza Real, el señor Emperador Don Agustín de Iturbide, ¿no se había montado lo de su Imperio Mexicano sólo para un fin de semana, verdad? Si no lo hubieran fusilado en el pueblo de Padilla, Tamaulipas, a pesar de la arenga que dio previamente al pelotón de fusilamiento, al día de hoy seríamos súbditos de la corona real mexicana. También había afirmado el menor de los Cortines que Juárez había logrado salvar su imagen histórica gracias a una angina de pecho que había acabado con su vida, porque de otra suerte, según las evidencias, ya trataba también de eternizarse en el poder. No hay diferencias: Priístas, ya te lo decía yo, siempre hemos sido priístas. En realidad, Belisario consintió entre las carcajadas provocadas por El Chato, que el fracaso monárquico de Iturbide bien pudo haber significado el primer intento para establecer un sistema a prueba de la lamentable mortandad de los hombres: Un primer PRI de principios del siglo XIX, un aparato político que sobreviviera a los mortales y a su voluntad política. Igual que ahora los herederos imperiales se suceden el uno al otro en el trono en razón de sus méritos dinásticos, el presidente le cede al otro la banda con arreglo a sus merecimientos políticos. El trono, la estructura de poder, era la misma, sólo los hombres cambiaban. El emperador era la máxima ley, la encarnación misma del Estado sin limitación alguna: Exactamente lo mismo que hoy. El PRI era hoy el mismo Imperio de Iturbide pero ligeramente retocadito... Somos los mismos mexicanos de siempre en busca de un sistema político conservador. ¿No dijo tu propio hermano que si el PRI se había negado al cambio en los últimos 60 años era la mejor prueba para demostrar que estábamos frente a un partido político reaccionario y que si los mexicanos habíamos votado por el durante el mismo período, éramos por lo tanto igualmente reaccionarios?

—Exageraciones de mi hermano...

—Exageraciones o no, nos dejó bien claro que los mexicanos nunca nos habíamos resignado a tener el poder por un ratito. Rechazábamos sanguíneamente las limitaciones legales: O todo o nada y para siempre. La ley es una lata. Obedézcase pero no se cumpla. ¡Así de fácil!

Alonso tenía frescos los comentarios de Belisario. Todavía escuchaba sus risotadas. Nadie como él para hacerlo reir. Si se deseaban muestras de la amplísima tolerancia política de nuestro pueblo, habría que recordar cómo Antonio López de Santa Anna había vuelto al poder ¡once veces! Sí, ¡once!, para nuestra vergüenza histórica; incluso había vuelto a ocupar la silla presidencial aun después de perder la guerra contra Estados Unidos durante la cual ni siquiera ganó una sola batalla que hubiera podido lavar una vez al menos el honor nacional. Explícame tú cómo es posible que haya podido volver todavía al poder, cómo pudo volver a ser Presidente de la República sobre todo después de haber perdido más de la mitad del territorio nacional y más aun, que haya muerto plácidamente en la cama sin que previamente lo despedazaran, lo descuartizaran en el Zócalo disputándose la cabeza las masas iracundas de patriotas desesperados por el atropello, la bellaquería y la traición. ¡Once veces! ¡Once habrase visto!

¿No eran suficientes estas imágenes para demostrar nuestra tendencia a perpetuarnos en el poder? ¿No quedaba igualmente clara la inagotable paciencia del pueblo mexicano para soportar todo tipo de ultrajes de sus gobernantes? Nuestros abuelos no podían ser radicalmente distintos a nosotros. De alguien deberíamos haber heredado nuestros bienes y nuestros males.

Belisario no había dejado en el tintero el triste recuerdo de Don José de la Cruz Porfirio Díaz, el famoso LLorón de Ycamole. ¿No bastaba Iturbide y su delirio Imperial ni Santa Anna ni las pretensiones de inmortalidad del Benemérito con todo y sus innegables merecimientos ni las intenciones ultraconservadoras de quienes hicieron posible el arribo de un príncipe extranjero al Castillo de Chapultepec para gobernar México nuevamente hasta que Dios Nuestro Señor le diera vida? Pues bien si se desestimaban las pruebas anteriores, ahí estaban los treinta años de la oprobiosa dictadura porfirista y la ejemplar tolerancia del pueblo mexicano. Una muestra más de su infinita bondad. Todavía hubo quien fue a despedirlo con lágrimas en los ojos y porras estridentes hasta Veracruz para tributarle el último adios agitando pañuelos blancos mientras el maldito viejo macabro que había sujetado por la tráquea durante más de un cuarto de siglo al país subía deprimido e incomprendido al Ypiranga para irse de una buena vez por todas y para siempre al mismísimo infierno. ¡Cómo no iban a permitir once veces el regreso de Santa Anna si todavía lloraron el en puerto a Don Pofirio y pidieron que le tocaran por última vez el himno! ¡Carajo!

Aquella noche Belisario había hecho todo un repaso general en tono eufórico, eso sí, sus conceptos eran contundentes. Por lo visto quería dejar bien claras las escasas necesidades democráticas del mexicano: No lamentamos la falta de libertades políticas. ¿Qué tal Gustavo Madero? ¿No soñaba con ser el heredero de su hermano para eternizarse él, ahora sí, en la Presidencia? ¿Y Victoriano Huerta? El maldito chacal, el asesino de nuestras mejores esperanzas, ¿no pretendía con todo y su vergonzoso gabinete integrado por auténticas personalidades de la época quedarse en Chapultepec hasta que se lo terminaran de comer las pulgas? ¿Y Carranza? ¿Qué tal con su ingeniero Bonillas, un Presidente de paja, una marioneta para mangonear al país tras el trono el tiempo que le fuera posible? Los grandes hombres de México, a juicio de Belisario, habían carecido por lo general de convicciones democráticas. Ahí estaban los bravos hombres del norte: Obregón y Calles, los famosos integrantes de la Diarquía sonorense. ¿No se había reelecto Obregón, el famoso manco, a pesar de que una de las supuestas conquistas políticas de la revolución prohibía específicamente la reelección? ¿No estaban festejando su nuevo éxito electoral y la ampliación de cuatro a seis años del mandato presidencial, para quedarse más tiempecito con la banda en el pecho, cuando lo mató Toral, una mano armada por los fanáticos religiosos o por Calles? Sí, sí, la reelección estaba prohibida y ahí estaba el mismo pueblo mexicano celebrando la derogación de una conquista que había costado más de un millón de muertos además de la destrucción económica del país. Ni hablar de democracia. Calles mismo, el Jefe Máximo de la Revolución, parapetado tras el partido que él había creado ingeniosamente hubiera intentado seguir mandando hasta la eternidad si

Cárdenas, ¿lo ves?, una muestra del Despotismo Ilustrado, no lo hubiera largado a patadas para volver a encauzar de alguna forma al país hacia la civilización.

Si la sucesión presidencial dependía de Calles y en ningún caso de la voluntad de la nación expresada a través del voto, tal y como había quedado demostrado a lo largo del Maximato, a Cárdenas le correspondió la obligación de convencer al Jefe Máximo de las conveniencias de su designación como Presidente de la República. ¿Engañándolo? ¿Seduciéndolo? ¿Ganándoselo a como diera lugar? ¿Emboscándolo si fuera preciso? Sí señor, emboscándolo con tal de acceder al poder para ejecutar su ideario político.

A pesar de todo para Josefa en el Despotismo Ilustrado se encontraba la única solución. Alguien debería surgir con la visión necesaria para prever los acontecimientos, para adelantarse a ellos. Alguien involucrado a fondo con el sistema debería llegar a la cúspide escondiendo sus verdaderas intenciones con el fin de ejecutar la gran emboscada a favor del pueblo de México desde la mismísima Presidencia de la República. Cárdenas ya lo había logrado exitosamente. Imposible dejarse confundir por los aduladores. ¿Una palinodia de semejantes proporciones? Era irrelevante: el fin justificaba los medios. ¿Un ideal bisoño? Podría serlo, sin embargo, muchos otros habían logrado ser coronados con éxito. Josefa sugería acelerar el tránsito de la generación anterior del poder, sacarla a la brevedad de la sala de mandos, excluirla de los sistemas de control. Sus conceptos, de alto costo político y social se encontraban severamente rezagados, desfasados. El escepticismo, la resignación y la desesperanza, uno de sus subproductos. Para todo efecto y mejor prueba ahí estaban los hechos. El nuevo México ya no resistía maquillajes de ningún tipo. Ni maquillajes presupuestarios ni demagógicos ni jurídicos ni económicos. Resultaba inaplazable llegar a la verdad. Rescatarla, publicarla, exhibirla sin disfraces ni artificios. A ningún lado se iría sin sujetarse incondicionalmente a la ley, a la Constitución, a nuestra Carta Magna, cuya preservación había sido tantas veces jurada entre cantos paroxísticos y otras tantas ignorada cínica e impunemente al abandonar el Palacio legislativo ante la presencia de una nación indolente que aprobaba implícitamente el comportamiento de sus gobernates al no demandar la sujeción de su conducta a la ley, la única forma de convivencia civilizada.

Josefa pretendía detonar una bomba en el centro del sistema haciendo volar por los aires el tradicional modelo nacional de educación y construir, si no al menos dejar sentadas las bases de un nuevo aparato de gobierno. No creía en otras alternativas ni estaba dispuesta a desperdiciar oportunidades. Deseaba convertirlo en astillas. Era su momento, su gran momento para sumarse a la desaparición de un aparato obsoleto, anticuado y caduco: la escuela actual constituía una fragua de metales mediocres, frágiles, inútiles en su gran mayoría. En las carencias educativas se encontraba la gran causa de nuestros males, el origen de nuestra tragedia. Mientras no se atacara el problema de raíz, mientras en las aulas no se forjaran nuevas generaciones de mexicanos con otra visión de la historia, del presente y del futuro, unas generaciones informadas que contemplaran con serenidad la proyección de diversos ángulos de la autoimagen nacional, una realidad viva, desgarradora y razonada; mientras no se *reformaran* nuevamente desde la escuela las creencias religiosas y el clero continuara negándose a incluir a la miseria y al analfabetismo como pecados mortales acreedores del fuego negro; mientras la esperanza de resarcirse de las privaciones terrenales en un más allá remoto e inexpugnable acentuara la resignación y la apatía *terrenales* provocando aún mayores desequilibrios económicos que la iglesia trataría de paliar consolando a las masas, adormeciéndolas, anestesiándolas, prometiéndoles a los desposeídos la feliz impartición de justicia divina, un paraíso inexistente similar al ofrecido por los políticos en el mundo de los mortales; mientras se siguiera imponiendo la ignorancia con su estela de catástrofes y la concepción mestiza e indígena del progreso y del éxito no fueran igualmente *reformadas*, mientras un pequeñísimo grupo siguiera acumulando el poder, el capital y la educación superior, mientras no se respetara el voto ni la oposición hiciera valer sus derechos, cualquier otra solución sólo vendría a diferir un estallido previsible tiempo atrás por quienes hacían lecturas periódicas de la realidad social mexicana, en particular las que se referían a las perspectivas de la distribución de la riqueza, al derecho al bienestar y a la dignidad material. Ningún instrumento mejor para lograr sus planes que la educación. En la escuela, desde la escuela, por la escuela. Si Josefa había ingresado en el servicio público era precisamente para promover el cambio, pero promoverlo desde adentro. Lo que fuera con tal de romper este maldito círculo de los infiernos. Qué más daba si para lograrlo tenía que convivir con políticos. ¿Elevado el precio, verdad? Sí, igual lo eran las metas.

III

Un pensador mercenario es un crimen contra la razón.
Josefa Cortines.

Cuando terminaron de hacer el amor habían transcurrido casi tres años del sexenio. En la vida de la familia Cortines se observaban algunos cambios notables, excepción hecha de Hercilia: ella no estaba dispuesta a alterar sus rutinas. Después de cargar durante toda mi vida una cruz como la que me tocó echarme al hombro, manitas —por supuesto, se refería a Silverio-, tengo derecho a cualquier capricho, a decir y a desdecirme, a hacer y a deshacer un minuto después sin limitación ni vergüenza alguna. Hoy tengo el pelo blanco, mañana azul, hoy digo que sí y mañana que no y quien se me ponga enfrente —agregaba con la vena jarocha de su abuela materna—, que vaya y chingue a su madre, pero hasta que yo diga ¡ya!, que nadie se me adelante...

La edad, el paso de los años, le había enseñado a no tomar la vida tan en serio, a saber administrar sus miedos, a no darle entrada a los temores y a aprovechar el tiempo en todo aquello que le provocara placer. Ya estaba bien: casi cumpliría sesenta y cinco años y jamás había conocido la libertad ni podía decir yo hice, yo soy, yo propongo, yo opino, yo algo, ¡carajo! —como decía ella—. Yo, ¿qué? Yo, yo y yo, era su tema, su nuevo lema, su pronombre favorito. Ahora es mi espacio, como dice mi Josefa, mi tiempo, mi turno, mi edad de merecer, de cosechar, de divertirme. Si no ahora, ¿cuándo, tú?

Por lo general Hercilia no hablaba nunca de derechos ni de respeto, en realidad su vocabulario había evolucionado escasamente, no así su comportamiento, que venía experimentando notables alteraciones. Las palabras adquirían finalmente significado: mientras más advertía la inminencia de la vejez, del cansancio y de la fatiga fatal, más se esforzaba en entender y en aquilatar la trascendencia del "yo" desarrollando una compleja filosofía

209

con valores y conceptos tradicionalmente ajenos a su persona. Ni ella misma se reconocía por instantes. El tiempo transcurrido podía ser irreversible, sí, pero ella no moriría amargada, no se lo permitiría, se defendería como una verdadera fiera... Exprimiría sus últimos años, los disfrutaría sin abandonarse, sin entregarse ni claudicar. Adquiría coraje, nuevos bríos, fortaleza, ánimo. Reía, reía a carcajadas, en particular cuando celebraba el sentido del humor de nuestra gente. En este juego —sintetizaba con sus ejemplos tan peculiares— quien deja de flotar, se hunde. Silverio o no Silverio, Hercilia moriría con una sonrisa en los labios, perdonando o burlándose de aquellos que la habían tratado de someter, de encajonar y de humillar durante toda su existencia. Quienes habían intentado aplastarla, reprimirla y reducirla, que interpretaran la dulce expresión de su rostro sin vida o descifraran el lenguaje de sus manos, particularmente el de sus dedos meñiques, contraídos a modo de una señal póstuma... Nunca dejaría de bromear, ni muerta siquiera...

Desde luego, continuaba rezando cada noche sus tres rosarios frente a su altar particular —que a nadie se le fuera ocurrir lavarlo ni arreglarlo ni tocarlo— cubierto por un fino mantel tejido a mano por unas monjas de Brujas, Bélgica, arrodillada sobre un reclinatorio ubicado al lado derecho de su vestidor tapizado con cuadros de santos y sus obispos favoritos, fotos personales de sus seres queridos desaparecidos, cuyos rostros permanecían alumbrados por múltiples veladoras que no podían apagarse nunca para que no cayera sobre ellos ningún maleficio; retratos de la Virgen de Guadalupe, de la de Montserrat, esculturas magníficas talladas en marfil del Cristo Redentor rodeado de flores frescas traídas del Cambio de Dolores. Seguía frecuentando a los altos representantes del clero y asistía a misa a diario, temprano en la mañana, sin preocuparle los constantes llamados de Silverio a la discreción. Continuaba entrando de rodillas a la Basílica de Guadalupe exigiendo la colocación de un tapete color guinda flanqueado a lo largo por enormes cirios pascuales y gladiolas blancas, todo un aparato que el clero instalaba exclusivamente sobre pedido a quien podía pagarlo y que retiraba tan pronto los adinerados devotos concluían su peregrinación rumbo al altar mayor durante los días de fiesta de su máxima patrona. Sí, señor, Hercilia se arrodillaba y además cooperaba generosamente al mantenimiento de su templo y de su iglesia y ¿qué?, a ver, ¿qué?, al diablo con los prejuicios políticos y sociales y al diablo también con Josefa y Belisario, quienes invariablemente discutían la injusticia cometida por la iglesia apostólica y romana contra los pobres al negarles la indulgencia plenaria y otras canongías por su misma carencia de recursos económicos. Los ricos pueden comportarse como se les dé la gana, al fin y al cabo con dinero pueden comprar el perdón eterno con los representantes de Dios aquí en la tierra...

¿No decían que lo que Dios une nada ni nadie lo podría desunir? Ni digas mamá, ni digas: conocemos a mucha gente rica, riquísima, que ha comprado en Roma la anulación matrimonial, supuestamente imposible, derogando con ello el mandato irrevocable de Dios... El pobre, como siempre, carente de recursos para pagar la disolución de dicho vínculo sagrado, ese sí quedará condenado a vivir en la inmoralidad imposibilitado de volverse a casar en términos de las reglas de su propia iglesia. Todo es un problema de dinero, como desde la época de la venta de indulgencias, ¿no es incongruente mamacita?

Cuando surgía el tema eclesiástico ni Josefa ni Belisario parecían dispuestos a concederle descanso al alma de Hercilia. ¿No te agreden las injusticias, mamá, sobre todo si provienen de una iglesia dedicada a consolar supuestamente a los pobres? A nadie escapan los ingresos del clero derivados de la venta de veladoras o de papel periódico o de bautizos, bodas, primeras comuniones, además de todo género de bendiciones y limosnas, donativos de los creyentes para tratar de comprar el perdón eterno, intereses simples y compuestos de cuantiosos capitales depositados en el mundo entero, además de rentas y dividendos provenientes de las más inverosímiles inversiones generados en sociedades anónimas extranjeras para estar siempre a salvo de los vaivenes monetarios de los países evangelizados. ¿No que abandona tus riquezas y sígueme? ¿No que era más fácil que entrara un camello por el ojo de una aguja que un rico en el reino de los cielos? A tu Papa ya no le alcanza ni para sus cruces de oro con esmeraldas incrustadas...

—¿Yo me meto con tu pinche Pancho Villa ese o a ti te critico por rascar cuanta cueva te encuentras? No, ¿verdad?

Al fin y la cabo, a Hercilia le invadía una reconfortante sensación de descanso al besar los ostentosos anillos pastorales, cuyo origen le despreocupaba siempre y cuando el abad pudiera seguirle comunicando aquella gratificante sensación de paz y de íntima reconciliación al colocar sobre su cabeza pecadora sus inconfundibles manos consagradas. Hercilia estaba dedicada a satisfacer cada uno de sus apetitos sin consideración a tercero alguno. Antes la detenía la vida política de su marido, los compromisos, su imagen pública, ahora ya no tenía tiempo para complacencias, se dejaría llevar por sus impulsos la viera quien la viera y costara lo que costara en cualquier orden. Por lo mismo, si el día de muertos sentía la necesidad de ir al panteón a barrer las tumbas de los suyos para que cuando con toda certeza se encontrara con ellos en el más allá fuera recibida con sonrisas de agradecimiento por su insistencia y su nobleza, ahí estaría, "escoba en mano", al amanecer para cumplir con los desaparecidos... En aquellas fechas compraba flores y las colocaba sobre las lápidas como una prueba más de la intensidad de sus afectos, de su capacidad amorosa y de su autenticidad con la que impresionaba a propios y extraños. Los días de duelo comía muy poco y se abstenía de beber alcohol para no herir ni tangencialmente la memoria de los ausentes, dedicando el resto de la mañana a la oración sin permitir interrupción alguna. Un día de plena abstinencia y ceremonioso recogimiento. Nada de comadres ni llamaditas ni diversiones ni guasas en esos momentos. Ni siquiera se reunía a su "jugadita" ni se permitía hojear las revistas frívolas ni se acordaba que su hijo debería haberse llamado Jorge en honor del Rey de Inglaterra y no Belisario como el famoso senador chiapaneco al que el chacal de Victoriano Huerta le había mandado cortar la lengua para asesinarlo después de obligarlo a cavar su propia tumba. ¿A mí qué me importa que mi hijo lleve el nombre de un señor al que le cortaron la lengua?, a ver ¿qué sentido tiene? Este Silverio y sus manías...

¿Los juegos de azar? Por supuesto continuaba jugando al póker y a la canasta con sus comadres todos los días festivos o no festivos. La cita frente al paño verde era inevitable en punto de las seis de la tarde. Seguía fumando sus dos cajetillas diarias de Faros y tomando, no faltaba más, sus "cubas quemadas" a lo largo de la partida. Eso sí, jamás se la vio en estado inconveniente. Su organismo parecía resistir las más duras pruebas y contradecir las más decantadas teorías deportivas relativas a la imperiosa necesidad de practicar ejercicio regularmente para gozar las ventajas de una buena salud. Las tesis de los expertos en educación física, los consejos de los médicos amantes del deporte y del movimiento para oxigenar la sangre y reforzar las arterias y los músculos se estrellaban contra un muro al conocer el caso de Hercilia y sus comadres: ¿caminar en la mañana a buen ritmo para beneficiar el aparato circulatorio? ¡Qué va!, vivían en la más absoluta inmovilidad. Que si los muslos estaban duros las paredes del corazón también lo estarían... ¡Ay!, mira, mira no me vengas con tus ecologadas... Ellas caminarían hasta desmayarse, eso sí, sólo cuando iban de compras a Houston. Ahí sí podían pasar largas horas de pie sin proferir el menor lamento ni acusar el menor malestar, pero ¿andar por andar muertas del frío en la mañana frente a todo el gaterío que barría los zaguanes? ¡Ni muerta, Chiquis, ni muerta! Permanecían sentadas en los salones de belleza o en los comedores o en los automóviles o en los sofás viendo telenovelas y esperando las seis de la tarde. Jamás movieron un dedo de niñas ni de jóvenes ni menos lo moverían ahora como personas mayores. Nada, absolutamente nada.

—Medio México es improductivo gracias a las mujeres que no trabajan, mamá —le repetía Josefa en público a su madre— y si todavía sumas a los viejos, a los estudiantes y a los niños, ¿quién mantiene finalmente este país? ¿Quién trabaja efectivamente?

—¿Me estás llamando parásito?

—No, por supuesto que no.

—Tú sí pudiste terminar tus estudios tanto en México como en el extranjero, m'ijita —contestaba como un apóstol iluminado—, en cambio, a mí no me dejaron ni terminar la primaria, porque a las mujeres de antes nos educaron sólo para traer chamacos al mundo.

—Acuérdate de mi marido —remataba entre carcajadas la tía Tachis, tratando de derogar de un plumazo las recomendaciones más sesudas de los fisiólogos y dietólogos— trabajaba como loco y se trepaba a diario como chango por una cuerda, eso sí, como él decía, en ángulo recto, sin utilizar las piernas y quién sabe cuántas tarugadas más, corría su dichosa milla, nadaba doscientas albercas de mariposa y otras tantas de dorso, ¿lo ves vieja?, así no te morirás nunca, serás eterna... No comía huevos ni carne ni tomaba alcohol ni fumaba ni permitía que alguien lo hiciera en su presencia, dormía sus horas y ahí tienes al pobrecito, lo enterramos hace más de diez años con todo y sus santos ejercicios... ¿De qué le sirvió subir todos los días la escalera de la casa de cojito?

—El ejercicio es para los burros, m'ija, no lo olvides; nosotras, las humanas, estamos hechas pa' pensar —concluía solemnemente Hercilia arrugando la nariz para disimular una sonrisa de satisfacción que aparecía discretamente en su rostro cuando sentía hacer gala de su sabiduría.

¿Dietas? Ellas comían desde niñas arroz con huevo a caballo, sopa de fideos con concha dulce, tacos de moronga y de cochinita bien sazonados, refresco colorado, taxcalate, criadillas, tamales de hoja de plátano, lengua entomatada, chicharrón en salsa verde, mangos muy tiernos con limón y queso fresco de botana, gusanos de maguey, cocada, shimbo, zapote negro con jugo de naranja y leche quemada, sí, y allí estaban: sanas y esbeltas como siempre en comparación con las chamaquitas de ahora, esqueléticas y verdosas con una espantosa cara de frío gracias a sus dietas, a su yo no *te* como carne, sólo verduras hervidas, fruta pero sin cáscara, y los domingos sólo *te* bebo agua para lavar el cuerpo por dentro... ¡Ay, qué tiempos, qué tiempos!... Hoy tienen que ir a dar a luz a un hospital con cara de chivos a medio morir como si fueran las primeras mujeres en traer hijos al mundo, cuando, ¿te acuerdas?, nosotras paríamos en la casa con una buena partera y un par de paños calientes sin ginecólogo ni técnicas de respiración ni *sicolático* y quién sabe cuántos cuentos más...

—Mi marido y mis hijos son unos sabios —comentaba Hercilia— y yo soy una gran pendeja —acotaba sin ruborizarse a punto de concluir con una genialidad de las que acostumbraba. Hercilia no parecía intimidarse por el "saber" de su familia, en todo caso encontraba una ocasión propicia para burlarse y quejarse de lo entrometidos que eran en su vida—: Imaginate, se atreven hasta a criticar mi manera de hablar...

—¿Por qué Chilita? —preguntó Luchis.

—Mira nada más —adujo Hercilia preparando la broma esperada según reflejaban sus labios traviesos—, ahora resulta que cuando digo me voy a "meter a bañar", según Josefa, estoy diciendo un barbarismo igual que cuando digo "súbete a dormir" o "la gata se *me* comió el mandado".

—¿Y entonces cómo se dice, tú?

—Pues supongo que debe decirse: en este momento me dispongo a introducirme en la regadera para darme un baño y lavarme el... —acotó Chila entre risas—. Cuando los niños aprenden a leer lo primero que quieren es corregir a sus padres. Lo mejor es el lenguaje, la sabiduría popular, eso es lo mero bueno, le dije el otro día a Belisario cuando me hablaba del parentesco según la ley mexicana. Yo le dije "mira mi'jito, no sé lo que digan tus leyes esas que dices estudiar pero yo sí te puedo decir que parentesco que no viene del culo ni es parentesco ni es nada, dícelo a tu maestro pa'que aprenda algo nuevo y se deje de tanto pinche código..."

Belisario parecía desvanecerse de las carcajadas. ¡Cómo disfrutaba el sentido del humor de su madre! ¡Cómo le había valido para llegar a esa edad sin el menor rastro de amargura...! La inteligencia podría ser particularmente útil para concluir la existencia con una expresión feliz en el rostro si es que aquella se había aprovechado para dirigir talentosamente la nave de su vida a buen puerto, pero el humor, ¡ay! el sentido del humor de Hercilia le permitiría vivir mil vidas sin desgastarse. ¡Qué buen lubricante para disfrutar cada momento y salir de las encrucijadas sin cicatrices ni heridas irreparables! Con humor todo es más fácil, Beli de mi vida...

—Yo por ejemplo soy especialista en la filosofía del culo —le decía Hercilia al menor de sus hijos—: No hay mucha distancia entre una palmada en la espalda y una patada en el culo, pero la diferencia en resultados es enorme...

Belisario gozaba intensamente los ratos de intimidad con su madre. Para ella la gente se arrodillaba ante el poder político, por lo que era mejor tenerlo para que en lugar de arrodillarse no te dieran una patada en el culo, hijo mío. Ahí tienes una de las pocas cosas en que tu padre tiene razón, tenlo en abundancia o te darán duro donde la espalda cambia de nombre...

—¿Verdad que no te puedes sentar con un mismo culo en dos bodas? ¿Verdad que no? ¿Verdad que no puedes hacer dos cosas bien al mismo tiempo...? Sé bueno Belisario, sé bueno, porque al que obra mal se le pudre el culo...

Hercilia y sus comadres pasaban horas enteras en constante tensión esperando la carta deseada: el Rey, el As, el asesino, ¿qué te costaría mi gran señor Guízar y Valencia?, ¡ayúdame con un sietecito, o una cuinita, un jotito para quedarme con esta manita millonaria... ¡Que sea el Diez, Virgen, mi Virgencita de Guadalupe, yo nunca te he fallado!, agregaban pegándose con saliva una de las fichas en la frente o sobándose la carta contra un medallón con la efigie de una virgen que les colgaba de una cadena de oro del cuello.

Cuando surgía el tema de la contaminación ambiental, de la falta de agua, del incremento de la temperatura en el planeta, del cambio del clima originado por la erosión de la tierra y por la tala de árboles y el envenamiento de los ríos, los mares y el suelo, la plática terminaba cuando Hercilia sentenciaba austeramente:

—Pendejadas, tú, Chapa, esas son puras pendejadas de la *juventú*. Ya no saben ni qué inventar para sacarle el dinero a la gente. ¿Humo? ¿Cuál humo? Siempre ha habido humo en la ciudad... Es cierto que los pájaros amanecen a veces muertos en la calle o en los jardines, ¿pero quién les habrá dicho a estos "ecolocos" que los pájaros no se mueren? ¡Todo lo vivo se muere y en algún lugar han de caer después de tanto volar! También los pájaros se mueren, ¿no, tú? Que las lechugas y las verduras contaminadas con amibas... ¡Ay!, mira tú, nunca me he enfermado por comer romanitas... ¿El agua? Nunca ha faltado en mi casa, hasta podría ahogarme si dejo la llave abierta. ¿Cuál escasez?

"Si les hiciéramos caso a nuestros hijos, unos escandalosos, ya no podríamos comer nada porque la carne, según ellos, la inflan con hormonas, eso para el idiota que la coma porque ahora está de moda ser vegetariano, ¿sabes...? De las ensaladas debes olvidarte porque tienen todo tipo de bichos y como las lechugas las hicieron crecer rápidamente con fertilizantes tóxicos, ni te acerques a ellas... El agua de la llave ni quien la tome porque tiene bacterias... Los huevos olvídalos porque tienen colesterol y provienen de gallinas estimuladas con químicos cancerígenos... De pescado y mariscos ni hablar porque estos se alimentan en mares y ríos contaminados y porque segurito ya te los comes descompuestos si cuentas el tiempo que pasó desde que los sacaron del agua hasta que los *consumistes*...

"Imagínense si yo le iba a hacer caso a Josefa —explicó una vez Hercilia después de mostrarle orgullosa su nueva estola de martas—. *Verdá* de Dios —besaba una cruz improvisada con los dedos pulgar e índice de su mano derecha— que casi me llamó asesina, dijo que por mi culpa estaban sacrificando a las martas, minks y otros animalitos y que cuando acabaran con ellos desaparecería el bosque y cuando ya no hubiera bosque desaparecería la humanidad... Te lo digo, puras pendejadas. 'Ora sucede que porque me compro una estolita con mis ahorritos, se va a acabar el mundo. ¿Habráse visto?

Hercilia y sus comadres llevaban veinticinco años reuniéndose a jugar.

Tenían un concepto de la amistad realmente ejemplar. Se trataba de mujeres de edad avanzada y, sin embargo, no se veía alrededor de la mesa un sólo lugar vacío dejado por alguna desaparecida. ¿Difuntas en nuestro grupo? ¡Ninguna! ¿Tú sabes por dónde me paso las recetas de los médicos...?, por eso estoy viva —repetía Hercilia con doble sentido y soltando carcajadas cuando presumía de su salud y de su físico—. Si no quieres que un día le expliquen a los tuyos por qué te pelaste p'al otro lado, apártate de las batas blancas, de las enfermeras y de los hospitales. Ahí sabes cuándo entras pero jamás si llegarás a salir... Odio las caras de sabios de los doctores cuando te revisan o te dan el diagnóstico... Los médicos cubren sus errores con tierra... Mejor llamarle al boticario de mi tía Sofía allá en La Ventosa, ese me sacaba a los niños, ¡así! —tronaba los dedos— con sólo llamarle por teléfono...

¿Sida? ¡Ay, por favor, con eso ya no asustan a nadie: maricas y putos los ha habido siempre —remataba la Chila en un ataque de risa...

Pintoresca y jovial, su personalidad optimista y jocosa se revelaba con el paso del tiempo. Así habría sido de niña y adolescente: bromista, graciosa, naturalmente alegre, ocurrente e incansable. Luego, al contraer nupcias con Silverio Cortines, vino la opresión. Se vio obligada a ponerse un uniforme, a respetar formas e imitar estilos, a renunciar a su manera espontánea de ser, a guardar las apariencias, a mentir, a disimular para poder convivir en sociedad y no hacer sufrir a su "Silve". Chila simplemente sentía formar parte de un comité de festejos. Tú déjame el problema a mí, pero eso sí, debes saber reír a tiempo, preguntar con oportunidad y celebrar con talento si es que puedes —le cincelaba Silverio permanentemente antes de cada ágape.

—¿Aga... qué?, Silve.

Hercilia Bonilla aprendió a controlar sus impulsos, a evitar la menor naturalidad, a suprimir sus ocurrencias más infantiles, a traicionar su razón y sus inclinaciones. Era claro que debería mentir ya que no podría decirle las verdades en su cara a sus invitados o vecinos como era su costumbre en La Ventosa. Le resultaba imposible aceptar que en sociedad se recurría sistemáticamente a la mentira como un lubricante indispensable para la convivencia. Sintió como si su existencia transcurría dentro de un *corsé*. No podía respirar a sus anchas. Carecía de sus espacios naturales. Aprendió a esbozar una sonrisa plastificada que podía permanecer estática a lo largo de los innumerables convivios a los que invitaban a su marido cuando todavía era una personalidad política. Jamás recordaba una sola cara ni un solo nombre. Confundía a unos y a otros dentro de ese mundo artificial en el que sobrevivía. Con dificultad podía sostener una conversación con alguno de los interlocutores que le tocaba en suerte tener a su lado durante las interminables reuniones "de compromiso". Nunca se preocupó por saber ni quién era ni de qué hablaba ni le importaba su conversación ni le apreciaba sus intentos por ser amable, menos aún si entre ellos sólo intentaban conocer más de la auténtica personalidad de su marido.

—Pregúntele a él, él sabe mejor que yo cómo es él...

Todavía sentía el dolor en las nalgas por los golpes con el cuero mojado que Silverio le había dado en una ocasión cuando se atrevió a mencionar algunos de los regalos que habían recibido durante la última navidad. ¿No te he dicho que te calles? ¿No te he dicho que todos desean tirarte de la lengua para saber de mí y ahí vas tú como idiota a confesárselos? Yo te voy a enseñar a tener bien cerrada la boquita, esa que sólo debes abrir para comer...

Durante la mayor parte de su matrimonio la verdadera Hercilia apenas demostró sus aptitudes y sus alcances. Sólo recientemente había empezado a desenvainar sus verdaderos tamaños negándose a perecer como parecía ser su destino, con el cuello oprimido contra el piso bajo el peso del zapato de su marido. Cada día era más ella, quería parecerse a ella lo más posible, a la persona que siempre creyó sentir en su interior, la que recordaba que había sido, la que quería ser, la que se negó siempre a doblegarse y pretendió ser siempre feliz y optimista. Apenas tenía ya tiempo para lograrlo.

¿Y Silverio, le preguntaban a Hercilia ocasionalmente las comadres?

No sé —contestaba ella con una esquiva sonrisa— déjame preguntarle a las *gatas* la última vez que lo vieron. Ahora le ha dado al ex subsecretario por encerrarse todas las tardes con ellas a ver telenovelas después de contar cada uno de los chiles del refrigerador y comprobar si las criadas —todas ellas ahijadas de Hercilia— me entregaron todos los cambios de regreso del mandado. No podía perderse de vista que ella exigía ser la madrina de sus muchachas. Ellas debían llamarla así, madrina, a partir del día de su primera comunión, fecha feliz en que su patrona accedía a sentarse por esa única ocasión a la mesa a desayunar con ellas —reina, eres una reina, las llamaba con su mejor cariño— como un detalle de humildad que contrastaba con los momentos de disgusto en que les reclamaba furiosa cuando hacían algo indebido:

—Mira lo que me costó el vestido blanco de tu comunión, el rosario, las velas, las fotografías, el pastel, las flores, lo del cura —gritaba fuera de sí— los tamales y el chocolate, el dineral que me gasté en ti a lo tonto, reinita de la mierda...

El rebenque había terminado por tirarlo compulsivamente a la chimenea al final de una terrible discusión más con Silverio, quien contempló dócil y enmudecido cómo se incineraba ese humillante pero efectivo instrumento de castigo sin tratar siquiera de impedirlo. Concluía un penoso proceso de liberación. Cuando se fundió finalmente la hebilla con la que le habían marcado reiteradamente las nalgas por tanta imprudencia cometida, entendió que se había cerrado para siempre una etapa vergonzosa de su existencia.

A Cortines, por su parte, ya no le interesaba ni usar el *Cortineaux* ni bromeaba ni mandaba redactar fichas ni menos las memorizaba ni iba ya los fines de semana al rancho a montar al Trigarante ni al Cien Leguas, descendiente del de mi general Villa. Nada. A diferencia de su mujer, que resurgía, que luchaba y se esforzaba por reír, él se hundía sin oponer ninguna resistencia, dejaba de flotar. Carecía de fuerza para levantar la cabeza. Nunca pudo recuperarse de la pérdida de su puesto como subsecretario del Deporte. Según Hercilia seguía errando de un lado a otro, sólo que con ciertas agravantes: había engordado notablemente desde que había optado por evadirse de presiones y frustraciones ingiriendo cantidades crecientes de alcohol. En las mañanas, acostado en la cama y todavía en ayunas, comenzaba por tomar mezcal de un ánfora de plata "para prender el cuerpo". "Mi general Victoriano Huerta desayunaba dos huevos revueltos con pólvora en una copa *coñaquera* para poder arrancar la jornada a todo vapor." El resto del día lo ocupaba Silverio matando el tiempo hasta que llegaba felizmente la hora de la comida, que por lo general terminaba más allá de las diez de la noche, cuando Tristán, su fiel escudero, devolvía sus restos a su casa o los depositaba en un prostíbulo o en su departamento acompañado de cualquier mujer dispuesta a dejarse hacer y a escuchar sus necedades y sus históricos momentos de gloria a cambio de un puñado de pesos.

Silverio Cortines contaba los días esperando el cese o la renuncia de Josefa. Ella continuaba sin dirigirle la palabra, sin voltear a verlo siquiera. Ignoraba sus existencia. De hecho se resistía a aceptar su éxito porque no podía compartirlo ni lucrar de alguna forma con él. Si nada menos que su propia hija ocupaba una posición descollante en la política nacional, ¿cómo era posible que él no la orientara, que no pudiera participar, aconsejándola, guiándola o por lo menos imprimiendo libros de texto que posteriormente pudiera venderle a la Secretaría de Educación a precios de fantasía. Él sabría hablar con el Oficial Mayor, que si sabría convencerlo... Algo, ¡demonios!, algo que lo distinguiera nuevamente, que le permitiera sentirse privilegiado, influyente, reconocido, un negocito al menos para recordar a qué sabe... ¿Desde cuándo Silverio no influía en nada ni contaba ni se le consideraba ni se le consultaba en ningún terreno y en ningún orden? Hasta la propia Hercilia ya se mandaba sola. A dónde habíamos llegado...

Tan pronto pusieran en la calle a Josefa —¿qué endemoniada virtud tenía ella para ocupar ese puesto si con todo lo que contaba era con su vergonzosa inexperiencia? ¿Cómo, cómo había podido escalar semejantes alturas? ¿Cómo? Tal vez se andaría acostando con el tal Portes y su carita de mosca muerta... Desde cuándo se lo había imaginado: Josefa le pintaba los cuernos a su marido. Lo que Alonso tenía de bueno también lo tenía de imbécil... ¡Ay!, si ese muchacho se hubiera dejado aconsejar por él, nunca hubiera sido un cornudo. Tan pronto despidieran del cargo a Josefa, y desde luego no tardaría en presentarse tal día, si es que en este mundo existía la justicia —imposible que ya hubiera durado más de tres años— terminarían de golpe sus vergüenzas, de las que ya estaría hablando todo el mundo político. ¿La envidiaba? No lo sé, pero que se largue de ahí, que la corran, porque me exhibe, me enfurece, me pierde su arrogancia y su desprecio por el ser humano... Ella no es nadie para ser subsecretaria y menos, mucho menos si no comparte el cargo con su propio padre. ¿Quién la puede querer más que yo? ¿Quién puede orientarla, protegerla y alertarla mejor que yo, el padre de todos sus colegas? ¡Ay!, si por lo menos pudiera meterle el diente al presupuesto o me nombrara jefe de compras sin cartera, yo me ocuparía de velar por los intereses de la secretaría sin descuidar los de Josefa ni, desde luego, los míos... No le faltaba el dinero, pero ningún placer resultaba comparable al acrecentamiento del patrimonio con arreglo al erario público. ¿Para qué hacer más dinero si el que tengo no me lo gastaré ni tirándolo? Bueno, mira, cada centavo ganado es un nuevo contacto con el éxito, una nueva oportunidad para medir mi talento, mis habilidades, un reconocimiento a mi perspicacia que me permite aprovechar a fondo las coyunturas e impedir que otros se queden con lo que me corresponde a mí gracias a mis relaciones. La gente estará diciendo: Mira nada más al pobre Silverio, nosotros sin una hija así ni sus relaciones y nos estamos hinchando a más no poder. Este nació bruto, es bruto y morirá bruto...

El rostro de Silverio, un fiel espejo de sus estados de ánimo, reflejaba su desasosiego, su apatía, su impotencia en tanto continuaba resbalando sin control ni auxilio rumbo al final. Desde que había decidido apoyarse en el alcohol para fugarse de la realidad, su mirada extraviada empezaba a acusar sus inclinaciones, al igual que su papada y su vientre crecían desfigurando aquella imagen, aquel recuerdo del hombre atlético y perfumado, una línea perfecta sin redondez alguna. No se afeitaba, escasamente se peinaba ni usaba sus camisas de seda ni sus trajes de pelo de vicuña ni sus zapatos de ante de hebilla dorada ni sus manos impolutas eran las de siempre, ahora hasta las uñas reflejaban el grado de abandono de su persona. Sus closets forrados con piel de cabra australiana permanecían cerrados y empolvados. Había acabado por malbaratar sus casas de Acapulco y Miami, sus coches deportivos y hasta buena parte de sus caballos de Los Colorines, sus juguetes más preciados, sus más caras ilusiones, sus grandes orgullos, los había rematado sin el menor remordimiento ni reparo. ¿El pobre Xocoyotzin?, hasta este parecía envejecer sin los gritos del máximo capataz. Una versión masculina del *me pega porque me quere*.

Silverio Cortines ya no asistía ni a las asambleas de accionistas de las empresas en donde tenía intereses. Dinero, carajo, ¿para qué quieres ese tipo de dinero si con él no puedes comprar la felicidad ni la paz? El único dinero sabroso es el que haces a costa del gobierno... Que depositaran los dividendos en su cuenta... Hacía tiempo que ya no bailaba en las fiestas el jarabe tapatío ni tocaba en la guitarra la marcha de Zacatecas ni interpretaba tiernas romanzas acompañado de un piano ni recitaba de memoria a sus poetas favoritos de la generación española del 27. Ya no cantaba en la ducha ni en público arias famosas ni escalaba de espaldas el Popo por el Espinazo del Diablo ni iba a Nueva York a los restaurantes donde tenía su mesa permanentemente reservada. Silverio Cortines se apagaba. Mataba el tiempo apostando a los gallos, al frontón, al box, a los caballos, apostaba a todo. Se jugaba el todo por el todo como si desafiara su suerte a cada paso. Dejaba su vida en manos de su estrella. Si siempre le había iluminado sus caminos, ella, la casualidad, su buena fortuna le habría de devolver lo perdido reubicándolo mágicamente en la senda del bien. Ya no repetía sus frases célebres ni hacía el amor salvo con mujeres que recibían su paga por adelantado a cambio del sacrificio de tener que escucharle.

Hasta la propia María Antonieta había perdido la paciencia harta ya del olor rancio a alcohol y del necio discurso de todos los borrachos, de su suciedad, de su idiotez, en realidad eran animalitos cuando estaban ebrios. Al principio lo aceptó porque tan pronto llegaba a su casa ayudado por Tristán, ella le daba lo que tuviera a la mano, ron, jerez o hasta sidra con tal de rematarlo y no tener que soportar sus manoseos ni sus palabrotas. Le hubiera dado de beber hasta brillantina con tal de aniquilarlo. Así lo soportó durante algún tiempo, aun cuando apestara a perfume de mujerzuela barata de la colonia Roma. El dinero era el dinero. Sin embargo, su casa se fue convirtiendo en un vertedero de inmundicias y de malos olores según se rendía el estómago de *Cortineaux* en aquellos lugares donde finalmente se desplomaba. Se fue cansando de limpiar y ventilar, de orear las habitaciones, de cambiar los tapetes; hacía enormes esfuerzos por contenerse, ¿por qué tiene que venir aquí, precisamente aquí a hacer sus porquerías? Empezó a evitarlo alegando diversos pretextos para no abrirle la puerta cuando ya casi amanecía. Rehuía sus invitaciones aun cuando estuviera sobrio porque bien sabía ella cómo finalizaría el encuentro. Al fin y al cabo, no había que olvidarlo, si ya era ella la legítima propietaria de la casa donde vivía porque era la Presidente del Consejo de la sociedad dueña del inmueble, según constaba en actas elevadas a escritura pública, supuestamente ya tenía todo lo que necesitaba de Silverio. Su autoridad dentro de la empresa, sus poderes legales indiscutibles la envalentonaron. Ya no le era útil en ningún sentido. Si de su tortuosa relación con él había sacado al menos ese inmueble, ya estaba bien servida y ya no tenía, a su juicio, por qué tolerar semejantes excesos ni sufrir ofensas ni soportar majaderías ni de Silverio ni de nadie, no faltaba más... Que se fuera con sus lloriqueos y sus vómitos nauseabundos a otro lado...

Deshacerse de Silverio Cortines *así porque sí* no resultaba una tarea sencilla. Subestimarlo constituía un grave error. No había enemigo pequeño. Un día, cansado de tantas evasivas y descortesías, enfurecido por haber sido despreciado una y otra vez, ahora hasta por este insignificante bichito —refiriéndose a María Antonieta—, yo que te he mantenido, que te he dado apariencia humana, que te enseñé a comer en una mesa, que te puse zapatos por primera vez, me pagas con un portazo, ¿verdad? Fíjate bien, hechicera del amor, dueña de mis ilusiones y emociones, sacerdotisa de la mierda: has de encontrar como las aguas, hija mía, tu propio nivel y lo has de hallar en un burdel de mala muerte para no morirte de hambre. Así entenderás lo que era yo en tu vida, pedazo de letrina humana, ingrato agujero pestilente...

Hechas estas prudentes reflexiones y contando en su poder con la totalidad de las acciones, con apretar un botón nombró un nuevo Consejo de Administración de la sociedad propietaria de la casa habitada por María Antonieta, la Diosa de los pechos de ébano que caería en desgracia a pesar de sus divinos encantos mucho antes de que el gallo cantara tres veces... Los prestanombres, convocados de urgencia, *acordaron* por unanimidad los nuevos nombramientos: dos días más tarde María Antonieta era destituida de su elevado cargo, dejaba de ser Presidente de la sociedad, así, sin más ni más... Fulminada. Derrocada por un golpe de Estado palaciego. Su suerte le fue notificada a las cuatro de la madrugada por tres desconocidos que irrumpieron de golpe en su recámara *sin orden expresa de un juez que fundara y motivara la causa legal del procedimiento* cuando ella dormía ajena a su suerte por el mar sin límites de su imaginación y de sus sueños reconquistando tal vez su presente y su futuro. ¿Allanamiento de morada? ¿La Constitución? ¡Ay, por favor!, la Carta Magna se utilizaba para los discursos de campaña, el mejor instrumento para arrancar aplausos, la palabra esperada para agitar sombreros de paja en las plazas públicas. La teoría de las garantías individuales estaba bien para las cátedras universitarias, pero en la práctica no se le daba cabida a semejantes ideales estudiantiles. Aquí se trataba de lanzar a María Antonieta de la casa. Al carajo con ella y con la ley... Ya veríamos en todo caso, si se presentaba la ocasión, quién podía más en los tribunales... ¡Maldita cucaracha!...

La escena concluyó entre gritos, arañazos y amenazas cuando los siniestros personajes, manoseando a María Antonieta y cuidándose de sus dentelladas, jalándola del pelo escaleras abajo como si se tratara de un animal salvaje, la sacaron de la cama para depositarla en plena calle, cubierta apenas por su *Baby Doll* de *Blumingdale's*, precisamente cuando la noche entraba en su sueño más profundo. Confundida entre la rabia y el llanto —ustedes no saben con quién se meten, la pagarán cara, arbitrarios, cabrones— lanzó los peores insultos desde el fondo de su impotencia hasta perder la voz y la esperanza y desplomarse envuelta en llanto. Las luces de noche de algunos vecinos volvieron a apagarse cuando la situación volvió a la normalidad y el silencio volvió a apoderarse de la oscuridad: Ninguno de ellos vino en su rescate... No pudo llevarse ninguno de sus trajes, ni siquiera el negro escotado, el que Cortines le había regalado en Nueva York, el de los finos tirantes que insinuaba como ningún otro sus generosas formas de mujer y alertaba la imaginación de Silverio: Nada, ni siquiera su cepillo de dientes. Aparte de la sorpresa, del susto y del feroz coraje que empezaba a devorarla no se pudo quedar con nada más. Así aprenderás, grandísima ilusa, a no meterte más con un Cortines... Su casa, su ropa, sus muebles, sus joyitas las usaría la futura señora Presidente del Consejo. La nueva heredera disfrutaría de un vestidor actualizado a la última moda francesa y americana, además de las exquisitas cortesías y sonrisas de Silverio Cortines, apenas algo de lo que tú te mereces, amor de mi vida, dueña de mis pensamientos y de mis ilusiones. Estaré eternamente a tu lado para concederte sin tardanza tus menores deseos. Habla, di, ordena, gran señora de mis delirios y de mis persecuciones. A María Antonieta, mi tirana, ama mía, mi Meca a donde peregrino todos los días en la realidad y en mis sueños, yo que recorrí de norte a sur la geografía de tu cuerpo, le estaba reservada la calle. De ahí la había recogido, ¿o no? Pues ahí mismo la volvería a dejar sin dilación alguna. ¡Maldita peluda!, ¿qué te esperabas, ¿eh? Con esos pechos ya no te ganarías la vida ni en la carpa municipal de La Ventosa...

Pero el derrumbe de Silverio Cortines era total. A partir del matrimonio de sus hijos su biblioteca se había empezado a cubrir de telarañas. De Belisario sabía muy poco, menos aun después de la funesta discusión que habían sostenido cuando estaba a punto de entregar su oficina a finales de la administración anterior. ¿No se había atrevido a decirle como San Francisco de Asís a su padre, que lo único que le debía en la vida era el semen con el que lo había procreado? No, no tenía la menor ilusión de ver tampoco a su hijo; no cruzaría palabra con él si antes no venía de rodillas a pedirle perdón.

En aquella ocasión Belisario había hecho añicos un escrupuloso silencio guardado por cuarenta años disparando una y otra vez a la cara de su padre con el mentón desencajado, lívido el semblante, la piel transparente como la de un muerto, los ojos desorbitados, los puños cerrados cuando no daba manotazos contra la cubierta de la mesa de juntas o pateaba la pared sin control alguno. ¿Cómo podía su padre ostentarse como un hombre honrado? ¡Cómo! ¿No había vendido siempre su ideología y sus principios al mejor postor? ¿No era conocido el origen de su fortuna? ¿No se le consideró en su momento un especialista en el saqueo de urnas electorales? Un hombre que se mentía a sí mismo de esa manera debía terminar sus días en una pavorosa confusión. ¿Buena fe? ¿Silverio Cortines? Cómo se atrevía su padre a decir siquiera que él era un hombre de buena fe después de las golpizas que le propinaba a su madre! ¿Cuál buena fe? ¿Dónde? ¿Cuándo? ¿Quién dijo? ¿Buena fe es abandonar a tus hijos en los brazos de las sirvientas para que ellas nos educaran porque tú estabas muy ocupado trabajando o haciendo trampas? ¿Buena fe la caterva de putas que llevabas al rancho cuando mamá no estaba? ¿Buena fe haberle mentido a tus hijos mostrándoles una imagen de tu personalidad totalmente divorciada de la realidad? Engañar, siempre engañar, ¿esa mierda es la que tú entiendes por dignidad? ¿Y tú te llamas todavía triunfador?

De adherirse al ilícito como la mayoría de los hijos de los políticos corruptos, estaría perdiendo su libertad para siempre. Al estar dispuestos a gozar sin reparo alguno de un patrimonio mal habido se desplomaban al mismo nivel de inmoralidad de sus padres. A buena hora iban a renunciar a sus privilegios, al poder y a la autoridad representada por la abundancia del dinero. Un lugar en la sociedad: respeto, consideración, influencia, mujeres, viajes, lujos y excesos. Nadie estaría loco para tirar por la borda semejante ventura sobre todo cuando la vida era tan larga y el camino tan escarpado y difícil...

Belisario intentaría recuperar la paz y la libertad rompiendo cualquier compromiso con el pasado que le impidiera hablar, escribir, decir sin arrastrar culpa alguna y sin permitir que le acusaran a él mismo precisamente de aquello que él pretendía denunciar. Si quería ser congruente con sus escritos debía desvincularse patrimonial y públicamente del apellido de su padre. Y así lo hizo. En sus novelas, en sus ensayos utilizaría el de su madre: Belisario C. Bonilla. Extirpaba de su vida un tumor maligno que amenazaba su propia existencia, su desarrollo intelectual, restándole fuerza y emotividad a sus trabajos. Hercilia no podía estar más encantada por la distinción: ¿Su apellido en la portada de los libros...? ¡Cuándo se lo iba a imaginar!

—¿Por qué no le pones de una vez: escrito por el hijo de Hercilia Bonilla, Beli? Te quedaría mejor. De plano quítale ya hasta el Belisario ese...

¿Cómo disculpar a quien se había aprovechado de la inocencia de su propio hijo? ¿Cómo exonerar a quien había utilizado el candor de un niño llevándolo de la mano hacia mundos evidentemente equivocados, divorciados de su sensibilidad e inclinaciones? ¡Quiero una banda presidencial en casa! ¡Qué barbaridad...! Belisario sólo había sido un instrumento más para saciar la sed de protagonismo y notoriedad de su padre. Su ambición política carecía de límites. Estaba a la vista. Nunca le habían importado las aptitudes personales de su hijo ni trató de despertar su talento encaminándolo por la ruta que fueran marcando sus habilidades, ayudándolo a descubrirse a sí mismo, facilitando su propio encuentro, acercándolo lo más posible a Belisario Cortines y a nadie más: Ahí radicaba la principal tarea de todo padre. Despertar, orientar, conducir al hijo con el oído puesto en su pecho escuchando su respiración, detectando sus emociones, sus necesidades, sus apetitos y ayudándolo a materializar sus impulsos profesionales más tempranos. No había tiempo que perder...

Aquel día Silverio salió de la oficina de su hijo sin contestar ninguno de los cargos. Pensaba sólo en la desgraciada noche en que Josefa, su propia hija, lo había golpeado e insultado. El dedo mutilado de Hercilia aparecía en su mente reiteradamente como un conjunto de imágenes infernales. No lograba desprenderse de ellas, de sus furiosos latigazos. Cuando bajaba por el elevador pensó por segunda vez en el suicidio. No me han salido buenos mis hijos, pensó para sí. Malagradecidos, son unos malagradecidos... Ahora ya no me queda ni María Antonieta... ¿A dónde ir?

Belisario, por su parte, no había perdido el tiempo a lo largo de aquellos casi tres años de libertad. Tan pronto renunció a la Secretaría de Relaciones Exteriores sus amigos y conocidos apostaron a que se dedicaría a disfrutar el dinero de su padre, a tener un apartamento bonito saturado de mujeres de día y de noche. La narrativa era una mera máscara, una pose, exhibicionismo puro. No hubo una sola persona que creyera en su vocación literaria ni en su pasión por la historia. Tú lo verás, en lugar de ir de biblioteca en biblioteca, según dice, irá de bar en bar y de burdel en burdel. La infancia es destino: Hijo de padre borracho y mujeriego, pues hijo borracho y mujeriego. Una inercia incontenible, irremediable. Se dejará crecer el pelo y la barba y bien pronto lo veremos con gafas en forma de aro hechas con alambre, cargando morral y vestido con pantalones vaqueros y huaraches de naranjero. Un *hippie*, un *beatle*, un despistado más. Pobrecillo, era una promesa, porque no es tonto, ¿sabes...?

Sin embargo, y para la sorpresa de todos, Belisario se impuso horas de trabajo, una rutina, un sistema, un orden. Investigaba tomando notas y haciendo apuntes técnicos. No redactaría una sola línea hasta no tener todos los hilos históricos en el puño cerrado de su mano. No se distraería. Tenía muy claro el panorama: Aun si fracaso habré triunfado. Me habré liberado para siempre de un fantasma que ha habitado en mi interior desde niño. Un maldito fantasma que nunca me dejó respirar. No podemos convivir los dos. Cuando él muera volveré a nacer yo...

La adversidad familiar, la burla social, el *Cervantitos*, ven, dime a quién le escribiste hoy, o *Lope*, querido *Lope*, ¿estás inspirado y listo para la inmortalidad...? Y el desprecio que le enrostraban quienes criticaban *su desorientación a estas alturas de su vida*, además de la necesidad de descubrir si estaba equivocado él o los demás, se convirtieron en silenciosas fuerzas ocultas con las que vencía a diario los mayores desafíos. Un coraje mudo, indómito, le hacía crecerse a cada paso.

¿Cómo es posible que vayas a cumplir casi cuarenta años de edad y estés todavía tan extraviado?

Hay personas, fíjate bien, que no sólo se encuentran extraviadas a mi edad —se defendía Belisario de los cargos— sino que mueren extraviadas, desaparecen sin poder distinguir el día de la noche, lo frío de lo caliente, lo dulce de lo amargo ni lo feo de lo hermoso. Individuos que vegetaron sin haber sido sacudidos jamás por fantasía o inquietud alguna que los condujera a la búsqueda de la plenitud al menos en los últimos años de su existencia. Cobardes, son unos cobardes que nunca se expusieron ni arriesgaron ni entendieron nada y si entendieron, la misma cobardía o la apatía desbarató sus planes obligándolos a resignarse a un fin conocido, a una agonía diaria carente de luminosidad y esperanza. La vida es búsqueda, búsqueda ilimitada en el tiempo y en el espacio y riesgo, sí, riesgo, y ni los prejuicios ni la crítica ni los envidiosos podrán detenerme desde su aburrida inmovilidad: Aquí sólo cuento yo. Yo y sólo yo. De modo que ya puedes hablar. Pasaré por encima de quien sea una y mil veces con tal de encontrarme. Por encima de ti si es preciso...

Desarrollaba el proyecto más audaz y ambicioso de su existencia en una hermética soledad que no sólo no lo arrinconaba ni lo invitaba a desistir, sino que le inyectaba ánimos y templanza para superar los días aciagos en que el aborto de sus planes y el ridículo parecían inevitables. Él había tirado todo por la borda: carrera política, padres, matrimonio, amigos, negocios y futuro económico a cambio de encontrar al verdadero Belisario C. Bonilla. Ninguna circunstancia lo apartaría de ese propósito. El duelo era a muerte. Cualquiera otra alternativa nacería viciada en tanto no enfrentara aquellas voces de siempre. Había llegado la hora. Se trataba de un imperativo existencial.

Trabajó sin descanso. Las mujeres, el alcohol y las parrandas eran frivolidades que le distraerían de sus metas. Lo desviarían, lo agotarían, relajarían su voluntad, el eje de sus ambiciones. Estaba empeñado en decir todo aquello que había callado durante tantos años en razón de los diferentes impedimentos políticos, familiares o personales. O no publicaba para no lastimar la carrera política de su padre o su propia calidad de funcionario al servicio del Estado le impedía la divulgación de su pensamiento. Invariablemente se encontraba con un pretexto, un obstáculo insuperable, una razón insalvable que le impedía decir, denunciar o demandar.

A pesar de la nueva posición de Josefa él era ahora un hombre libre. Al igual que los pájaros, suyo era el infinito. Su hermana le había aconsejado que hablara, que se expresara, que dijera sin límites ni consideraciones. Sé, Belisario, sé tú, sé libre por sobre todas las cosas. No se puede gritar en voz baja ni pueden reducirte ni inhibirte los intereses de ningún tipo. Un escritor que se respeta es autónomo, libre, independiente. No puede tener compromisos ni suscribir alianzas ni someterse a techo alguno. Un pensador mercenario es un crimen contra la razón. Si tenía que atropellar, decepcionar o destruir a cambio de su libertad, pues que atropellara, decepcionara o destruyera. Ambas personalidades estaban perfectamente definidas. Ninguno de los dos podría ser inculpado por los actos del otro. ¿Con qué argumento puedo pedirte que renuncies a vivir?, querido Belisario. Dime uno sólo...

Josefa pasaba del calor al frío todos los días. En algunas ocasiones se mostraba feliz y satisfecha por las oportunidades que le brindaba el servicio público —¿cuándo se lo iba a imaginar?— y en otras tantas la angustia y la impotencia parecían devorarla soñando cada vez más con su feliz regreso a la aulas. Pascual Portes no le había permitido entrar de lleno a la reforma educativa. Ya no se diga vendiendo escuelas oficiales. Ni hablar por el momento, no le había permitido ni solicitar a las empresas la aportación de fondos comunes para fundar escuelas ni tecnológicos, las compañías ya están pagando ahora muchos impuestos en razón de la reforma fiscal, esperemos un poco. Tampoco había logrado que las empresas con más de mil empleados estuvieran obligadas a crear colegios para los hijos de sus empleados por lo menos a nivel de primaria. No, mira no, aquí esto y allá lo otro. Nada. Ni siquiera le había dejado instrumentar las alternativas intermedias consistentes en la posibilidad de que el gobierno pusiera la escuela y los empresarios pagaran a los maestros. Que la sociedad se responsabilizara directamente de la mitad del esfuerzo educativo. No, mira, entiende,

226

Josefa...

Según se apartaba Josefa de la materialización de su Proyecto Federal de Reforma Educativa crecía inevitablemente su desilusión. Idealizaba su regreso a las bibliotecas, a las aulas con sus alumnos, al ejercicio del magisterio que tantas satisfacciones le había reportado, a los gabinetes de investigación, a las conferencias y mesas redondas nacionales e internacionales para intercambiar puntos de vista y experiencias académicas y de campo. A escribir, a leer, a documentarse. A volver a montar en Los Cuatro Vientos a media mañana, a media semana si le venía en gana. Había sacrificado su libertad a cambio de nada. Ya ni siquiera contaba con aquellas escapadas con Alonso al extranjero, él viajaba solo desde buen tiempo atrás. Pero se hablaban, se comunicaban a diario un par de veces. El ganadero estaba presente aun a la distancia. Los compromisos oficiales le impedían seguir a los toreros durante una semana por los ruedos mexicanos o españoles, ya ni hablar de asistir a las históricas tientas en Andalucía rematadas con vino tinto que ella apuraba de una bota con el brazo derecho totalmente extendido de cara al sol bebiendo y respirando al mismo tiempo sin mojarse el rostro ni la blusa al estilo de los principiantes. La fiesta taurina concluía con una paella de conejo, un cabrito asado o gigantescas lubinas servidas a la sal embriagados de carcajadas originadas en la gracia y la ocurrencia andaluzas. Extrañaba tanto su libertad. Su traje de corto permanecía empolvado en su ropero. Contaba apenas con tiempo libre para dedicarlo a sus hijos, teniendo que invertir lo mejor de su talento en tareas que, salvo escasas y no menos valiosas excepciones, no le reportaban satisfacción alguna sino tan solo frustraciones burocráticas que iban minando su tolerancia, apagándola, extinguiendo su energía para acometer su ambicioso programa de reestructuración académica.

Él le había pedido paciencia y un plazo y ella se lo había concedido a regañadientes. Pretextos y más pretextos. No era ese el momento de quitarse las costras ni de empezar una discusión cada vez más agria con su amigo y superior. Sus relaciones se deterioraban cada día y sufrían una tensión creciente agobiadas por la decepción. Pensaba en renunciar por no haber podido materializar su proyecto educativo en razón de los intereses políticos, una mierda, la tal política seguía siendo ya sólo a veces una mierda...

—Habla con él, Pascual —adujo Josefa con cierta displicencia— te escuchará con su sonrisa de siempre, lo pensará y finalmente hará lo que se le dé la gana. Lo conozco...

—¿Que haré entonces? ¿Crees que soy una figura decorativa?

—Josefa, razona, por favor: el presidente necesita consolidar su gobierno, no puede asustar a los empresarios haciéndoles sentir que ellos deben cargar sobre sus espaldas la suerte del país. Todo se puede hacer sabiéndolo hacer, amiga. Calma, calma. Una patinada en política y estaremos todos muertos.

—Yo ya no tengo tanto tiempo y casi te diría que no tengo ni calma.

—¿Ah, sí? —preguntaba el secretario negociando y midiendo fuerzas— y ¿qué harías si ahora mismo regresaras a la universidad y te dieras cuenta que ni siquiera le diste a nuestras ideas la oportunidad de florecer, que por tus impulsos y precipitaciones echaste todo a perder sin dejarlo madurar? Sí, sí, ya estás de nuevo en tu cubículo, ¿qué sigue?

Josefa razonaba, mascaba su respuesta. En el fondo coincidía con Pascual, le asistía la razón, pero su ansiedad y sus prejuicios políticos la traicionaban. Cuentos, cuentos y sólo cuentos...

¿No podía vender las escuelas? ¿No? ¿No lograba interesar a los empresarios en la construcción de tecnológicos ni de universidades?, pues entonces los invitaría a crear fundaciones. Todos debían participar: todos. Era imperativo darle un enfoque social a la riqueza. Todavía no conozco ningún empresario que pueda ponerse seis corbatas de seda al mismo tiempo ni que pueda comer seis veces al día ni usar seis relojes simultáneamente ni viajar al mismo tiempo a Paris y a Tokio: El acaparamiento de bienes tiene un límite, rebasado éste, una vez satisfecha la vanidad personal y los apetitos materiales, resulta conveniente pensar también en la gente que por supuesto ayudó con su trabajo a la obtención de dicho patrimonio. Las fundaciones culturales rescatarían los grandes valores mexicanos, construirían pinacotecas con lo mejor del arte mexicano de todos los tiempos, estudiarían nuestras costumbres desde mucho antes de la colocación de la primera piedra en la gran Tenochtitlan, revivirían tradiciones escritas y orales, promoverían nuestros bailes ancestrales, nuestras canciones y poemas precolombinos, los del virreinato y también los del México independiente, donarían bibliotecas a los pueblos apartados, colecciones de libros, cuya lectura pudiera atrapar y sorprender a los lectores a quienes iban dirigidas aun cuando su nivel cultural fuera insignificante. Acercarían a la gente al libro y el libro a la gente.

Otras fundaciones se especializarían en el teatro, sí, el teatro según Josefa, uno de los grandes espejos de la nación. Ahí radicaba una de las grandes posibilidades de estudio y proyección de nuestra idiosincrasia. El teatro nos ayudaría a conocernos mucho mejor. Surge la Fundación Mexicana de Arte dramático propiedad de una compañía extranjera fabricante de automóviles. Josefa aprovecha cualquier coyuntura. Sacude en privado ante los candidatos idóneos, aquellos hombres de negocios mexicanos que no se han sumado al gran encuentro de México: ¿Cómo es posible que los extranjeros tengan más interés y coraje por defender nuestro patrimonio cultural que nosotros los mexicanos, los autores del mismo...?

Nace la Fundación Mexicana para Estudios del Maíz, la de estudios socio-sicoanalíticos del campesino mexicano, la de la nutrición rural, la de estudios literarios, la de la novela histórica, la de derecho comparado promovida por un grupo de abogados destacados, la Fundación Nacional para las Artes y la Técnica, la de estudios ecológicos, la de desarrollo científico, la fundación Nobel mexicana que entregaría premios en dinero al mejor trabajo científico con importes similares a los establecidos en países altamente industrializados. Empiezan a surgir fideicomisos derivados de la labor de Josefa y de su equipo de trabajo. Unos pagan premios importantes a las obras más destacadas en materia artística, técnica o social, otras financian proyectos de investigación de los más diversos temas. Proliferan igualmente a lo largo y ancho del país las escuelas de Bellas Artes. En este entorno ya no sorprende que un fondo bien dotado de recursos adquiriera un albergue en las afueras de Zitácuaro para fomentar las artes mexicanas. Quienes tenían el privilegio de entrar a la institución tenían asegurado un techo, una cuchara, un plato y los pinceles, los óleos, las partituras, los cinceles y los martillos, los instrumentos musicales, los maestros del caso y toda la tranquilidad campirana para la creación, la recreación y la interpretación artística. Los filtros eran severos, los resultados a corto plazo serían espectaculares. Se acicateaba por todos los contornos el ingenio creativo mexicano tradicionalmente desaprovechado. Se rescataba lo mejor de nosotros: Nuestra cultura de tres milenios. El arte nos hará diferentes...

Siempre insatisfecha, Josefa solicitó autorización para fundar a nivel nacional una Legión de Voluntarios, jóvenes no mayores de catorce años, llenos de mística y energía para ayudarnos a erradicar el analfabetismo.

Nada se movía en México sin el debido consentimiento del *Jefe* de la nación. La centralización sistemática de todo tipo de funciones, aún de las más insignificantes, continuaba en términos absolutos al igual que en los años ya remotos de la colonia. No habíamos podido desprendernos del esquema ni del ejemplo administrativo español ni para la constitución de una simple legión. Maldita dependencia de los políticos mexicanos. Son tan cuidadosos que caen en un carísimo inmovilismo que paga todo el país. El temor a un mal gesto del Presidente, el miedo a su rechazo o a alguna crítica petrifica a los funcionarios y con ellos a la nación entera. Poco tiempo después se anunciaba el nacimiento a nivel nacional de la LEGION DE JÓVENES VOLUNTARIOS PARA ERRADICAR EL ANALFABETISMO.

La creación de la LEGION sorprendió a propios y extraños. ¿A quién con dos dedos de frente se le había ocurrido llamar a los niños a una tarea semejante? A los jóvenes les daba vergüenza que les enseñaran los propios jóvenes, ya ni hablar de los adultos y menos de los ancianos. Además los muchachos de catorce años prefieren estar con sus noviecitas o pateando los balones que sentados sobre una silla de palo enseñando a leer a los débiles mentales... Los pitonisos cubiertos por un turbante tricolor, sepultados por la envidia y el pesimismo demostraban una evidente incapacidad para leer con acierto el futuro. Por toda respuesta se crearon comités a lo largo del todo el país. Entre los mismos legionarios deberían votar para elegir sus respectivas mesas directivas. Había un presidente y varios vicepresidentes para dar importancia a los chamacos. Que los niños mexicanos aprendieran a elegir su mesa directiva, a dirimir sus controversias a través del voto le parecía un juego democrático simplemente fascinante. Si los acostumbras, Pascual, si los haces creer en ese mecanismo de convivencia, si los convences de sus ventajas, si los habitúas a manejarse con arreglo a la opinión de las mayorías, en la edad adulta serán libres, Pascual, ¿no lo ves? Nuestro país está en este nivel de atraso, entre otras razones porque el voto nunca contó en nuestra vida política. Se pedía nuestra opinión en las urnas sólamente como un mero formalismo cuando en realidad el resultado de la elección ya se había determinado con anterioridad en los lujosos salones de Palacio. Sólo que nuestros hijos deben ser distintos, deben ser mejores que sus padres...

Los niños votaban, discutían, cedían, se sentían útiles, elegían al mejor entre ellos mismos, adoptaban sus propias reglas con independencia del proyecto de estatutos que empezaba ya a redactarse para dar forma legal a la legión. Tomaban su trabajo con toda seriedad. Una medalla, un reconocimiento por cada alfabetizado. Tu padre, tu madre, tus hermanos, tus amigos y familiares ¿saben leer? Haz grande a tu país, alfabetiza. Inscríbete, eres imprescindible. Si tienes servicio doméstico o tu padre empleados o tu hermano compañeros de empleo o conoces obreros y campesinos, ¿les has preguntado si saben leer y escribir? Habla con ellos, necesitan de ti tanto como tú de ellos. Si quieres un México sin peligros de estallidos sociales, si quieres desactivar la gran bomba que un día puede conducirnos a otra revolución haciendo volar a todo México por los aires, si quieres un México próspero y justo, entonces enseña lo que sabes, educa, coopera, súmate a la legión, haz patria...

Cientos de miles de personas empezaron a ser alfabetizadas. La cifra llegaba a ser estremecedora: un millón setecientos cincuenta mil a casi la mitad del sexenio. En los siguientes tres años podrían alfabetizarse hasta cinco millones más. Josefa no contaba con un elemento adicional: Quien había aprendido a leer deseaba ahora transmitir con orgullo sus conocimientos. Conocedor del mundo de las tinieblas intentaría rescatar a todos los suyos de ese reino donde privaba la oscuridad y la amargura. Cada alfabetizado era un legionario más. Un efecto en cadena realmente sorprendente.

Después de todo la política le permitía saborear momentos inolvidables que la enfrentaban con sus tradicionales concepciones y prejuicios. ¿La política es un mal necesario? ¿Un juego sucio y turbio propio del bajo mundo? Una sociedad sin políticos era impensable, conduciría a la anarquía, al caos, a la involución. Se trataba de un conflicto propio de la naturaleza humana. ¿Políticos? Bueno, no todos eran Silverios... Aprovechemos la dinámica social, la energía histórica de este país. Sacudámoslo, está lleno de fuerza, esconde posibilidades insospechadas, tiene una riqueza espiritual que envidiarían quienes se apropiaron de la palabra progreso. Hablaba la socióloga, la antropóloga, la subsecretaria, la nueva mujer mexicana. "Los legionarios", pensaba ella en su interior, tarde o temprano podrán integrar una fuerza aprovechable para atender el deterioro ecológico del país además de otros proyectos no menos trascendentes. La juventud no es nuestra mejor esperanza, es nuestra mejor realidad. No es el futuro, es el presente. Aceptémoslo: Es mucho mejor que nosotros. El Presidente de la República sonreía esquivamente. No confesaría sus sentimientos, pero estos se le desbordaban. Él mismo llegó a creer escasamente en la idea. Se había equivocado. La imágen de Josefa crecía por instantes. ¿A quién se le hubiera ocurrido aprovechar a los menores de quince años para alfabetizar? Parecía un atrevimiento. Lo fue. Pero sin embargo, su audacia fue coronada por el éxito. Un punto más a su favor.

Hercilia le dijo un día a Josefa con su característico humor negro: No me vayas a traer aquí a uno de tus chamaquitos esos sabihondos para que nos enseñe a leer a mí y a tus tías porque lo mandamos mucho al carajo con todo y crayolas...

¡Ay mamá!...

Cada día proliferaban los cuerpos de legionarios. La sede se encontraba en cada capital de los Estados de la Federación. Las delegaciones tenían sus asientos en las cabeceras municipales. ¡Nunca olvidaría Josefa su primera reunión de legionarios en un municipio del Bajío! Escuchar su informe fue realmente estremecedor. Pueblo maravilloso, pueblo encantado y desperdiciado: ¡Cuánto podríamos hacer juntos si nos organizáramos y nos ayudáramos el uno al otro! ¡Cuánta energía abandonada! ¡Cuántos peligros hemos corrido con tanta palabrería, con tanta verborrea! ¡Qué crimen sería tener que volver a llegar a las armas para conquistar nuevamente la nada! ¿Cómo es posible que no hayamos podido integrarnos y que esta imposiblidad, esta miopía nos pueda volver a destruir? ¿No aprendimos nada?

Las diversas delegaciones de legionarios llevaban cuenta exacta de sus avances siempre demostrables. Su contabilidad era inmejorable. Los niños no mentían. Sus datos y esfuerzos eran reveladores y los resultados de la legión a nivel nacional no menos espectaculares. Cada legionario revisaba las cuentas y los informes del otro. Ya habían venido expertos de Brasil,

Colombia y Ecuador a estudiar de cerca el fenómeno que había sido despreciado en un principio por los titulares de la verdad quienes guardaban ahora un cuidadoso silencio ante los resultados y la sorpresa de la nación.

¿Qué tal fundar bibliotecas en las empresas de más de quinientos empleados o donar equipo, gises, bancas, computadoras o pizarrones para integrar un area de instrucción dentro de la propia compañía o animar a sus trabajadores para que enseñen a sus propios compañeros pagándoles una cantidad adicional a modo de compensación por su esfuerzo? Se consigna en la ley: Será sancionada la empresa que tenga analfabetos prestando servicios con más de 2 años de antigüedad. Las compañías de seguros y mutualistas crean instrumentos financieros para asegurar la educación superior de los pequeños en el futuro. ¿Carece de recursos? involúcrese entonces con los maestros de sus hijos, el costo de la indiferencia es muy elevado: participe en las mesas directivas de las escuelas junto con maestros, alumnos y pedagogos y proponga nuevos planes de estudio a nivel nacional.

¿No tenía empresa ni despacho ni empleados ni podía ingresar en razón de la edad en la legión de voluntarios?, pues entonces conviértase en un mentor o asóciese con un grupo de amigos para lograrlo. "Sea un mentor", es la nueva campaña, el nuevo proyecto educativo de la incansable señora subsecretaria. "Beque a un mexicano". Se becan muchachos campesinos o hijos de obreros tanto para ingresar a las escuelas elementales como para aprovechar la educación superior en universidades mexicanas y hasta extranjeras siempre y cuando hubieran contado con un promedio de aprovechamiento sobresaliente. Nadie puede quedarse fuera. Cada estudiante becado es una mecha que se apaga, una amenaza social menos para garantizar la estabilidad de México. Con gran satisfacción se da a la prensa una fotografía de Josefa al lado de un empresario norteño productor de válvulas y un muchacho de la Chontalpa que había sido aceptado y becado por aquél para estudiar en una universidad norteamericana una vez concluidos sus estudios superiores en el interior de la República.

Aparecían por todo el país letreros con el tema: ¿Usted ya becó a alguien? Los automóviles llevaban calcomanías con el mismo texto. La radio y la televisión bombardeaban al público con la misma campaña de convencimiento.

Un grupo de propietarios de hospitales del Distrito Federal funda una escuela de enfermería, más tarde harían lo propio con una de medicina. Los dueños de hoteles, moteles y restaurantes aportan fondos conjuntos para construir a su vez un colegio de hostelería y restauración. Los empresarios aportan los fondos deseosos de empezar a contratar a los egresados, capacitados ahora bajo su propia supervisión, en provecho de ellos mismos y del país en general.

La magia, el hechizo del poder, trajo una idea de la mano de la otra. ¿Existía una emoción, una satisfacción superior, al hecho de descubrir las raices indígenas de México? Decidió explotar un sentimiento anclado en el fondo de todo mexicano, desenterrar la grandeza de nuestros antepasados, desenterrar México. Todo un honor participar en semejante experiencia. ¿Por qué permitimos la destrucción de joyas arquitectónicas, de verdaderas reliquias coloniales consideradas como patriminio cultural de la humanidad? ¿Por qué nuestro desprecio o nuestra indolencia en la preservación de los tesoros antropológicos heredados por nuestros antepasados cuando en otros países una sóla y triste piedra podría ser reverenciada, iluminada y aislada con burbujas de vidrio por su contenido histórico, mientras nosotros hacemos astillas nuestros portones, derribamos nuestras fachadas virreinales y dejamos enterradas bajo toneladas de indiferencia las explicaciones y el testimonio de lo nuestro? Una nación que desprecia o ignora su herencia histórica, un pueblo desmemoriado, perderá el rumbo, se extraviará y confundido caerá en el caos o perecerá absorbido por otras culturas.

Intervienen en este ambicioso proyecto diversos representantes del Instituto Nacional de Antropología e Historia, de la Asociación de Hoteleros de la República, de la Secretaría de Turismo, de Fonatur, administradores de grandes cadenas hoteleras estadounidenses, japonesas y europeas, antropólogos de su generación escolar interesados en presidir uno de los tantos proyectos de exploración. La campaña "Desenterremos México" adquiere una notable popularidad y arraigo.

Por intrucciones del Jefe de la Nación -expuso Pascual el día del lanzamiento de la gran idea entre maquetas, especialistas, camarógrafos, reporteros y el gabinete en pleno -hemos procedido a desenterrar nuestro pasado precolombino para conocernos mejor y mostrarle al mundo entero las riquezas de nuestro patrimonio histórico y el fecundo ingenio de quienes nos antecedieron en esta tierra milagrosa. Gracias, señor Presidente -exclamó agradecido el Secretario de Educación Pública -gracias por mostrarnos esta opción, gracias por su estimulante patrocinio en el rescate de las mejores causas de México.

Surgen de la penumbra sitios como el Castillo de Teayo, Quauhtoxhco, Cuyuxquihui, Tres Zapotes y Quiahuiztlán en Veracruz; Calakmul en Campeche; Chinkultic, en Chiapas; Kohunlich, en Quintana Roo; Aké, Balankanché, Dzibilchaltún, Loltún y Xlapac en el Estado de Yucatán; Mitla, Huamelulpan, uno de los primeros centros urbanos de la Mixteca Alta y Huijazoo, Dainzú, Lambiteyco en Oaxaca. Una revolución arqueológica y turística simultáneamente. El presupuesto federal fluía abundantemente al sureste del país. El verdadero México desconocido surgía a la luz deslumbrando a la humanidad. Las culturas precolombinas asentadas en el territorio nacional eran comparables en esplendor a los mejores años de Egipto. Las compañías internacionales de reservaciones tenían la última palabra: México empezaba a ser un destino inevitable.

Josefa sonreía sardónicamente mientras la Secretaría de Turismo promovía hoteles, moteles y condominios con vista al mar, la vista que habían dominado siempre los mayas, los zapotecas y los olmecas entre tantos otros más. Con vista a la selva donde se escuchaba en las noches al jaguar, al ocelote, al lince y en la mañana se contemplaba al faisán, a las guacamayas, a los tucanes y a otras tantas aves tropicales de plumaje multicolor. Se construían campos de golf, aeropuertos, canchas de tenis, carreteras, marinas, todo género de instalaciones deportivas. Se preparaban estudiantes especializados en dichas regiones, los guías no sólo aprendían una especialidad, sino otros idiomas, adquirían una nueva categoría social, otro nivel de ingresos, mientras los empleados y sus hijos asistían a la escuela primaria. Nunca era tarde para aprender, nadie, a ninguna edad podía quedarse fuera de la escuela. ¿Avergonzarse por aprender? ¡Vamos hombre! La vergüenza estaba reservada a los ignorantes...

Por lo que hacía a la Ciudad de México y a otras tantas ciudades del interior de la República se procedió a levantar un inventario de bienes inmuebles catalogándolos como "monumento nacional", además de una placa de bronce colocada en un lugar visible del edificio. Nadie podría tocar ni sus estructuras internas ni sus fachadas ni siquiera con autorización del gobierno federal salvo que fuera para embellecerlas y mantenerlas sometiendo previamente un programa de trabajo a la autoridad. Quien destruyera una joya urbana de esta naturaleza se haría acreedor a sanciones que podrían llegar hasta la pena corporal. De otra manera jamás concluiría con la barbarie. Se editaron libros con la historia de cada lugar y un buen número de fotografías de la época y actuales. Se explicaron los antecedentes, la identidad de los primeros propietarios, la de los posteriores herederos y otras personas que llegaron a habitar las casonas porfirianas, los palacios virreinales o los templos del siglo XIX donde se habían tramado tantos planes para impedir el arribo del México liberal. En cada calle, plaza, parque y esquina había una huella de nuestros abuelos, un testimonio vivo de nuestra historia que debía ser recogido respetuosamente para revelarlo a las futuras generaciones. No demolería ningún edificio anterior al siglo XX para desenterrar las ruinas de otro que se hubiera construido sobre éste. En todo caso trabajaría en galerías subterráneas para poder exhibirlas al público interesado en la medida de lo posible y después proyectaría audiovisuales. No, no derribaremos nada, Pascual, no haremos de dos cosas buenas una mala...

Lo mismo haría en Bonampak, Palenque y Yaxchilán, en general, en toda la región maya localizada en el interior de la República. Mostraría glifos, pinturas murales, inscripciones jeroglíficas, estelas y dinteles reveladores de la personalidad del mundo maya. En Bonampak resaltaría el edificio I, la famosa Acrópolis, por sus monumentales estructuras y sus casi 112 metros de pinturas murales, uno de los testimonios pictóricos más importantes y mejor conservados del período Clásico. ¡Imposible dejar de ver "La Celebración de la Victoria", una de las más notables pinturas donde se exhibe a los señores de Bonampak con ricos atuendos y grandes tocados confeccionados con plumas de quetzal acompañanados por una banda de músicos tocando trompetas, tambores, sonajas, caparazones de tortuga, así como un grupo de individuos ataviados con grotescas deidades para la celebración de un ritual! ¿Cómo perder esta Acrópolis precolombina? ¿Y en Palenque? ¿Qué tal amanecer a un lado de El Palacio y el templo de las Inscripciones —el grandioso mausoleo que guardaba en su interior la tumba del Rey Pacal- después de haber escuchado toda la noche los enigmáticos sonidos de la selva.

En Tulúm propondría una obra maestra de cara al azul turquesa del Caribe mexicano. Un magnífico complejo hotelero imitando la arquitectura maya. ¿Qué mejor ambiente para un turista extranjero que tener contacto con la naturaleza y con lo mejor de nuestra cultura histórica? Nuestras ruinas, nuestros templos y pirámides, nuestros centros ceremoniales y capitales precolombinas, además de nuestras playas y nuestras selvas, ¿no constituían los polos magnéticos más poderosos para cautivar la atención de los turistas cargados de divisas? Claro que sí. Entonces, ¿por qué no aprovecharlos? De la Quinta Avenida a Montealbán. De Frankfurt a Chi—-Chén Itzá. De Tokio a Uxmal. Embrujémoslos, atrapémoslos con todo lo nuestro. Ellos ni sueñan con las dimensiones de nuestra riqueza cultural.

Se imprimen los textos idóneos para los espectáculos de luz y sonido, se distribuyen folletos a color en diferentes idiomas, se venden réplicas audiovisuales, se alquilan grabadoras para recorrer nuestras zonas históricas, se representaría el juego de pelota con la indumentaria y a la usanza de la época, se repetirían los rituales aztecas, zapotecas, olmecas y mayas entre los de otras tantas civilizaciones más apegándose lo más posible a las ceremonias originales con el decorado, la música, los trajes y la ambientación precisas. A la gente le hubiera gustado presenciar una ceremonia romana o egipcia o babilónica, ¿no? Pues bien, ¿por qué no revivir un ritual azteca frente a la piedra de los sacrificios tal y como la habían creado nuestros antepasados o tal vez dejar caer a una princesa maya en el corazón de un cenote sagrado como una bella ofrenda a los dioses? Eso sí, en cualquier caso, se apegaría a las restricciones establecidas por las autoridades y grupos ecológicos en lo relativo a la preservación y cuidado del medio ambiente. Un proyecto perfecto.

Josefa estaba feliz pero se le agotaba el tiempo para acometer sus principales planes, precisamente los que la habían llevado a aceptar el cargo. Muy bien lo de los legionarios, un acierto, sí, bien aquello de desenterremos México y lo de construir hoteles en los centros precolombinos, hermoso proyecto en verdad, igual de hermoso que el sistema escolar incorporado en los empresas de diversos giros, sólo que yo quiero darle al sistema educativo mexicano la vuelta como a un calcetín... A eso vine a la subsecretaría. No podía extirpar esa sensación de malestar. Faltaban tres años, sí, tres años, pero a nadie escapaba que el último era de campaña y el anterior de precampaña para la Presidencia de la República. Los políticos ya no tomarían decisiones. Empezarían a acomodarse sin comprometerse con medidas arriesgadas que pudieran empañar su imagen y obstaculizar su futuro. En realidad le quedaba un año y medio. Nada podría hacer en tan corto plazo, si acaso dejar sentados los cimientos para el futuro, pero claro está, Pascual, mientras más tardes en darme la luz verde, más posibilidades tendremos de irnos a la calle sin haber hecho nada de lo que nos planteamos, le dijo al secretario la noche de la celebración del tercer año de gobierno cuando regresaban de Los Pinos comentando la reunión. Pascual iba al volante y la escolta los seguía de cerca en un par de automóviles.

—No me lo autorizará el Presidente —respondió Portes dentro de un gran pesimismo y cerrando los ojos como quien echa mano por última vez de su reserva de paciencia.

—¿Lo has intentado?

—El otro día se lo insinué y me vio como si yo fuera un extraterrestre.

—Tienes que convencerlo —insistió Josefa como siempre. Invariablemente quería dar un paso más.

Acostumbrada como estaba a presionar a su amigo y superior, Josefa no escogió el mejor momento para abordar el tema. Para ella constituía una rutina, para él, un monólogo recurrente y cada vez más difícil de conciliar. Ni siquiera estudió las respuestas de su rostro ni la expresión de sus manos. A su padre no se le hubiera escapado semejante auscultación, era todo un experto en comportamiento humano. Sabía medir y bascular inmediatamente la menor respuesta del cuerpo, interpretaba un giro de la cara, una mueca o un suspiro. En aquella ocasión el comprensivo de Pascual, el político tradicional que parecía tener oídos, paciencia y sonrisas para todos, además de un equilibrio ejemplar, empezaba a perder los estribos cansado ya de tanta insistencia e intransigencia. Aquella noche deseaba hablar tal vez de frivolidades, de tomar una copa en casa de Josefa y Alonso, en familia, gozando el sentido del humor del ganadero, contando tal vez chistes.

Hacía tanto tiempo que no los oia ni siquiera los que se hacían de él en la calle o en las cantinas y bares. Gozaba mucho el ingenio del mexicano, el ángulo gracioso desde el cual contemplaba su vida. Sin embargo, él no podía engañarse: de tiempo atrás se sentía acosado por Josefa. Llegaba al extremo de rehuirla, de evitarla cuando le pedía acuerdo porque ya sabía que invariablemente caerían en la conversación de siempre. ¿Y el plan nacional? No tenemos tiempo... Tú me prometiste. Yo te creí. Por esa razón vine. No lo olvides. Ya eran demasiadas reclamaciones. Josefa era una mujer de fijaciones, de una terquedad a veces insoportable. Empezaba a esquivarla, a evadirse. Podemos hablar de otras cosas, ¿o no?

—No me mando sólo —contestó con repentina aspereza desconocida en él—. Tenemos limitaciones, obstáculos y muchas dificultades políticas para vender las escuelas públicas en este momento. ¿Te das cuenta del tamaño de la decisión?

—¿Y el Presidente se da cuenta de las ventajas presupuestales, educativas, económicas y políticas qué representa compartir la carga educativa con la sociedad? Él no debe ver los resultados a la luz de su sexenio sino a la del próximo siglo —repuso la subsecretaria disgustada por el tono de su colega—. Eso se llama tener visión del futuro y definición en el ejercicio del poder. Ser todo un estadista. ¿Para qué quieres el poder si no lo usas? —Ella también estaba harta de tanta espera y pretextos, pretextos y más pretextos para encontrarse al final con un "el Presidente no me lo autorizó" o "tú no te preocupes, lo lograremos", "confia en mí, dame tiempo". Cuentos, cuentos y sólo cuentos, pensaba para sí la antropóloga cuando recordaba las palabras usadas por Pascual para justificar una y otra vez los aplazamientos.

Las condiciones para un estallido entre ambos amigos y viejos colegas se presentaban gradualmente de la misma forma en que el público pasa a ocupar sus localidades y se prepara para una función de teatro. Faltaba simplemente una chispa. Y la chispa llegó.

—Claro que se da cuenta, Josefa, pero se da cuenta también, como nos damos cuenta la mayoría de los seres pensantes, que este país está lleno de tabús —tronó sin más el prudente Pascual— Ella nunca lo había visto alterado, por lo general lo conocía en sus actitud negociadora. Pasaban en ese momento sobre el Paseo de la Reforma frente al Castillo de Chapultepec—- Ve a decirle —agregó sin ocultar su irritación— al Secretario de Industria que convenza al Presidente de las ventajas de vender Pemex a los gringos por más defectos que tenga en su operación y en su administración. Dile, dile eso y verás a dónde te manda —concluyó Portes con rudeza.

—Pues precisamente por no decirlo y no hacerlo, los campesinos nos volverán a arrastar tarde o temprano por las calles, porque preferimos que los mitos acaben con nosotros y no nosotros con los mitos, como podría parecer lógico a cualquier ser pensante —devolvió Josefa el golpe con la misma virulencia y el mayor sarcasmo en el adjetivo.

—¡Qué fácil es hablar cuando no tienes la responsabilidad en tus espaldas! Las contradicciones deben despertar la atención no la pasión...

—Y qué difícil es callar cuando ves que se acerca la mecha a la pólvora y la gente sigue en el jolgorio —repuso Josefa de inmediato como si hubiera estado esperando la respuesta.

—Aquí no hay ningún jolgorio —gritó fuera de sí el Secretario golpeando el volante con la mano derecha.

—!Claro que sí lo hay!, ¿o no vivimos una situación de emergencia nacional como siempre dijimos? —cuestionó Josefa sin disminuirse ni dejarse impresionar por el tono de voz— Es ahora o nunca —exigió ella furiosa—. Si la gente no se da cuenta nosotros sí y a nosotros nos toca por lo mismo responsabilizarnos y actuar sin tardanza antes de que tengamos que entregar nuestras oficinas a los politicotes de siempre dentro de 3 años. Yo no vine aquí a cobrar mi sueldito cada quincena, te consta, ¿o no? —dejó caer la pregunta sabiendo la irritación que causaba en Pascual.

—Se toman las decisiones, ahí están a la vista de todos, pero no somos suicidas, entiéndelo de una buena vez por todas. ¿No pulverizamos al sindicato de maestros al responsabilizar a las 32 entidades federativas de cada uno de ellos? ¿No te queda claro el problema que nos quitamos de encima distribuyendo esa fuerza política por todo el país? Pulverizamos a uno de los sindicatos más grandes e influyentes del mundo entero, decapitamos una fuerza política petrificada, tiránica, con un enorme poder de movilización, desmantelamos un peligroso aparato dotado de cuantiosos recursos económicos, un peligroso enemigo de la paz pública y del equilibrio institucional de México, que además tenía una marcada orientación política y en ningún caso pedagógica ni académica, dejamos de ser un blanco tan obvio, Josefa, tú misma lo viviste y ahora parece que se te olvida como también se te olvidan tus legionarios y tus campañas para desenterrar México... No podemos dar tantos pasos al mismo tiempo porque nos tropezaremos, entiéndelo por favor...

—¿Suicidas? ¿Has dicho suicidas? —tomó Josefa la parte de la conversación que más le convenía haciendo caso omiso de los otros éxitos alcanzados conjuntamente—. ¿Por qué no me dijiste eso mismo cuando me invitaste a trabajar contigo? Si me hubieras dicho desde un principio que era suicida vender escuelas del gobierno, verdaderos centros de incubación de mediocridad, no hubiera nunca venido a trabajar contigo- agregó la subsecretaria perdiendo también la compostura.

—Es que no entiendes que la política es el arte del momento, de la coyuntura, de la oportunidad —exclamó Pascual agotando su última reserva de paciencia. Movía nerviosamente los labios de un lado al otro y apretaba la quijada como si ésta resistiera todo un caudal de improperios que vertiría cuando ya no pudiera más.

—Y tú lo que no entiendes es que esto ya se acabó, que en escasos dos años estaremos en la precampaña y que después no se moverá una sóla hoja más y ya podremos entonces regresar a nuestras casas con todo nuestro fracaso a cuestas...

—¿Cuál fracaso, Josefa, ¡por favor!

—Ni tú ni yo vinimos a robar, ¿verdad?, vinimos a trabajar, Pascual, y si no estamos logrando todo aquello a lo que tú y yo nos comprometimos, déjame retirarme a hacer otra cosa.

Josefa le estaba renunciando otra vez sin respetar el plazo acordado. Una nueva presión de esta fanática incomprensiva. No entiende mi entorno ni el suyo. Quiero, quiero, quiero, la niña mimada de los Cortines. Dámelo, cómpramelo, lo necesito por favor... Pascual Portes se hacía de elementos para destruirla, para sacarla de su vida, descalificándola, desprestigiándola a sus ojos, destacando sus manías, recordando sus defectos. Accionaba un mecanismo de defensa para justificar su conducta y hacerse de una explicación personal en el caso de un rompimiento. Se había equivocado de cabo a rabo llamándola a trabajar a su lado. Nunca debió haber perdido de vista que en el fondo, a pesar de sus cualidades, era una mujer intratable que jamás entendería la problemática política ni la complejidad de los tiempos ni estaba dispuesta a esperar la mejor oportunidad para actuar garantizándose el éxito... No, nada, es ahora y pase lo que pase...

—No me amenaces otra vez con tu cuento de que te vas —explotó deteniendo el automóvil a un lado de la Fuente de Petróleos y encarando a Josefa para siempre—. Estoy harto de tus acosos y de tu incomprensión —arremetió aliviándose de un peso que había cargado por lo visto sobre sus espaldas buen tiempo atrás—. Ya no soporto tus quejas ni tu egoísmo ni tu falta de tacto político —golpeó sin más cobrando cuentas añejas—. Si te quieres ir —agregó aflojándose instintivamente la corbata como si se asfixiara— hazlo de una buen vez, pero terminemos con las cantaletas y las amenazas. ¿Te quieres ir? ¡Vete!, vete hoy mismo, ya no se me da la gana tranquilizarte ni convencerte ni hacerle al sicólogo.

Josefa respiraba con dificultad sin pronunciar palabra alguna. Su semblante a luz de la noche tenía la palidez de un muerto. Miraba fijamente a la cara de Pascual, a ese monstruo que nunca supuso pudiera habitar en él.

—Fíjate muy bien —advirtió blandiendo el dedo índice— y bien visto, no es que tú renuncies —agregó Portes fuera de sí— es que quiero que te vayas, quiero tu renuncia ahora mismo, pero ¡ya! —exigió tronando repetidamente los dedos— ¡dámela ahora mismo! Aquí nadie es indispensable —concluyó de un manotazo en el tablero—. ¿Buscabas pretextos? Pues ya te dieron resultado. Acabemos.

Josefa significaba una severa pérdida para la institución que él presidía, una situación inexplicable de cara al presidente, sobre todo después de los Legionarios y del proyecto Desenterremos México, pero era cierto: la situación se había vuelto insostenible. De nada habían servido los mensajes ni las insinuaciones ni las palabras suaves ni los comentarios al propio Alonso para hacerla entrar en razón. La terquedad se imponía de más a más. Le dolería, sí, pero por otro lado no podía ya tolerarla. La convivencia había llegado a ser imposible. Ya buscaría una buena razón para justificar su salida ante el Presidente de la República.

La subsecretaria se resistía a aceptar semejantes palabras provenientes de su gran amigo de toda la vida. Pascual Portes, ¿un malagradecido, un déspota, un insolente? La vida era una caja de sorpresas como la mayoría de los políticos y su colega desde luego no podía ser una excepción. Había sido traicionada.

—Atacarme para disculparte no es una estrategia inteligente entre nosotros —devolvió Josefa los cargos con repentina serenidad. La verdad empezaba a distinguirse gradualmente según se dispersaba la bruma y se definían los perfiles, los tamaños y los colores. Se aclaraba finalmente el panorama: Una estafa, todo había sido una estafa, una jugada de ajedrez, el movimiento de un peón. Los políticos de México, los de todo el mundo eran iguales. Siempre había sabido lo que debería esperar de ellos y sin embargo se había dejado convencer como una impúber. ¡Estúpida, eres una estúpida! A Pascual, como a la mayoría, sólo les interesaba mantenerse en el presupuesto y bajo los reflectores en lugar de abrazar con denuedo la misión por la que habían buscado el cargo. ¡Ay, los políticos desememoriados!, tan pronto sentían el poder en el puño de su mano perdían la memoria de golpe.

—No, mira, no se puede por el momento, los empresarios están irritados por el aumento de impuestos, no se les puede pedir más —acotó Josefa imitando a Portes con su conocido tono sarcástico que podía descomponerlo—: La prensa, querida Jose, se ha metido mucho con el presidente por la venta de paraestatales, no creo prudente plantearle ahora lo de las escuelas. Sería incendiario, esperemos mejor a que se asiente la polvareda —expuso otro de los argumentos que habían sido muy eficaces para detenerla una vez más. La antropóloga se ayudaba con las manos para acentuar sus exageraciones. Se burlaba de Pascual. Hacía una caricatura de sus respuestas que ella llevaba amartilladas en el revolver. ¿O ya se te olvidó cuando me decías que tan pronto pasaran las elecciones en el Congreso de la Unión y concluyera el cambio de poderes en doce entidades federativas, año electoral, tú sabes, lo plantearíamos, y ya vería yo cómo todo se cumpliría de acuerdo a nuestros planes? ¡Ay Pascualito!, ¿me crees idiota? ¿Crees de verdad que yo no sabía que no te atrevías ni a planteárselo al presidente? ¿Quieres que te diga cuándo dejé de admirarte?

Se hizo un pesado silencio que ella aprovechó para tomar sus guantes y su bolso. Portes recorría con la vista la continuación del Paseo de la Reforma. Deseaba terminar cuanto antes con el trámite. Ella sujetó la manija, abrió la puerta:

—Tú sabes mejor que yo cuál es el gran drama de este país. Lo sabes, seguro que lo sabes, lo hemos discutido toda la vida y es precisamente ahora —exclamó sin voltear a ver al secretario— cuando ocupas la posición más importante para lograr el cambio, cuando sales con las elecciones federales, las estatales, los impuestos y todas las evasivas que te puedas imaginar en lugar de jugarte el todo por el todo...

Pascual jamás concedería que no estaba dispuesto a jugarse su futuro político en una "escaramuza" salvo que previamente se hubiera garantizado el éxito sujetando todos los hilos. No estaba para experimentos ni para caminar sobre superficies jabonosas. Él no era un principiante. Si salía a la arena era para ganar y ganar siempre sin excepción ni benevolencia: O se era o no se era un triunfador. La política era un juego de adultos en donde no cabían las pasiones adolescentes. Exigía frialdad, dureza y perseverancia con tal de alcanzar las metas. A buena hora se iba a dejar arrastrar por una fanática.

—No es posible plantear la venta de escuelas oficiales en este momento ni siquiera compartir los gastos educativos ni darles a los empresarios la participación necesaria en la educación en México. No puedo, no es el momento, ¡entiéndelo!

—Con que la política es el arte de lo imposible, de la oportunidad, ¿verdad? ¿No es esa tu frasecita dominguera?

—¡Basta ya Josefa!

—Pues bien, te quedan dos opciones —alcanzó a decir antes de azotar la puerta— o eres un incapaz porque no haces posible lo imposible o eres engañosamente prudente, casi te diría yo cobarde... Cuidado contigo...

Pascual echó a andar el motor:

—No tengo por qué seguirte escuchando.

—No, claro, no, espero que tengas tiempo para leer por lo menos mi renuncia. La encontrarás mañana a las nueve de la mañana sobre tu escritorio —sentenció sin mayores aspavientos mientras descendía finalmente del automóvil.

Pascual vio todavía cómo el chofer de Josefa le abría la puerta trasera de su automóvil y la cerraba ceremoniosamente: Pinche vieja, se dijo enfurecido, es como todas, no dejaría de ser mujer...

El rompimiento irreparable se produjo un viernes en la noche tan pronto agotaron un voluminoso arsenal de calificativos encubiertos que adquirían más y más resonancia según se cargaban con viejos rencores retenidos en su intimidad por prudencia o afecto. La repentina fractura alcanzaría el ámbito político, el familiar, el académico y el social. Se extinguiría de golpe cualquier posibilidad de convivencia. No cabemos bajo el mismo techo. Este es el final, ¿me entiendes?, el final. No tenemos nada de qué hablar, ya todo ha sido dicho y para siempre. ¡Embustero! ¡Caprichuda! Sí, sí, claro que sí... Sólo que así como las brujas de un aquelarre confeccionan metódicamente un elixir para llevar a cabo el maleficio, así el futuro les preparaba una sorpresa que ni sus mentes conspicuas podrían suponer en el más audaz de los vaticinios. La suerte, veleidosa como el viento marinero, podía cambiar de rumbo y de intensidad en los momentos más inesperados. No faltarían los vuelcos, giros, paradojas y casualidades. Menuda jugarreta les tenía reservada el destino.

A Josefa la sorprendió el amanecer desahogándose con Alonso. Evaluaba, razonaba, deshojaba la decisión y reestructuraba su porvenir y el de su familia. Ni siquiera cuando la ira y la decepción llegaron a dominarla se le llegó a ver una sola lágrima en el rostro. Mostraba una fortaleza sorprendente. Estaba convencida de su decisión y de sus alcances, ¿para qué una escenita?

—Yo sabía que la frustración podía acabar con los políticos cuando abandonaban el poder, bien porque nunca alcanzaron a coronar sus planes o si los coronaron, ¿cómo resistir la extinción de tus facultades en el anonimato de la vida privada? ¡No es posible apartarse el poder con una sonrisa en los labios...!

"Descuidé marido, hijos, amigos; dejé de viajar, de estudiar, de publicar, todo un esfuerzo, un sacrificio personal que ahora me pagan con un gracias señora Cuevas, gracias por sus legionarios, gracias por sus aportaciones al turismo y a la arqueología de México, gracias por desenterrar nuestro pasado y descubrir nuestras raíces, ahora bien, hágame el favor de irse por aquella puerta al carajo con todo y sus merecimientos: Aquí acabó su numerito -repetía lamiéndose las heridas, amenazando, quejándose agobiada mientras Alonso la escuchaba pacientemente conociendo de antemano la imposibilidad de consolarla mientras la herida supurara. Josefa demandaba justicia, alegaba deslealtad, infidelidad a la causa, maldecía los intereses ocultos, el eterno juego de máscaras y de disfraces, la natural inclinación humana a la manipulación para ser, para tener, lograr y dominar. ¿Por qué alterar o prometer cuando de antemano se sabe que se incumplirá? Si tarde o temprano se conocerá la verdad, ¿por qué insistir en las trampas y en exhibir tanta torpeza? Si no hay crimen perfecto, si todo ha de saberse ¿por qué hacerlo?, ¿por qué? ¿por qué?, Alonso. ¿Por qué el timo, el hurto y la zancadilla si de alguna u otra forma se habrá de conocer al impostor, al delincuente y al ventajoso? No cabe duda Chato: Lo primero que es un traidor o un embustero es un imbécil y lo es por su falta de imaginación para alcanzar legítimamente sus propósitos. El ladrón roba porque no sabe ganar dinero en forma ortodoxa. El violador viola porque no puede o no sabe seducir a una mujer con talento y categoría. Son formas de incompetencia, reconocimientos implícitos de estupidez humana...

Alonso no logró un diferimiento de la decisión de su mujer a pesar de haber "echado al asador sus argumentos más sólidos". Empleó sus mejores razones y ni así pudo convencerla de aplazar la presentación de su renuncia. Lo que debes decidir ahora mismo es no decidir nada. Dale tiempo al tiempo. Espera a que se te enfríe la cabeza...

Sin embargo, el sábado, a las siete de la mañana Josefa y su equipo de trabajo empezaron a guardar sus pertenencias en las cajas de cartón que tanto odiaba Silverio. Las había utilizado muchas veces hasta que para su desgracia ya no volvió a necesitarlas nunca jamás. Igual podían recordarle enormes alegrías que provocarle una inmediata descomposición estomacal. En su casa las tenía prohibidas. El equipo de secretarias y ayudantes, su personal de confianza colaboraba en esta penosa tarea, injustificada, irreflexiva, violentamente anticipada. Hasta ellos se habían contagiado del éxito de la LEGION DE JOVENES VOLUNTARIOS. ¿Quién en México no había hecho suya la campaña DESENTERREMOS MEXICO. ¡RECUPEREMOSLO!

Señor Secretario:

Desde el momento en que usted me distinguió con el puesto de Subsecretaria de Asuntos Culturales empeñé mi mejor esfuerzo con el fin de alcanzar las metas que nos habíamos impuesto conjuntamente...

Josefa resumía su estancia de tres años en la dependencia sin sujetarse al protocolo burocrático ni dirigirse según los usos políticos al *Jefe* de la Nación, ella, al fin y al cabo le debía el puesto a Pascual... No recurría al sobado texto aqual de "por así convenir a mis intereses" escondiendo las auténticas razones a la opinión pública, ocultando las discrepancias y cuidando las apariencias. Al diablo con aquello de que "agradezco a usted la oportunidad" o "le aprecio la confianza depositada en mí persona". Era hora de darle merecidas explicaciones al electorado. ¿Fracasamos? ¡Que se sepa nuestro fracaso! Revelemos la verdad.

No entiendo el poder sin un contenido que implique la realización de una serie de propósitos de cambio. Mi presencia en la subsecretaria se justificaba en la medida en que pudiera ejecutar un amplio proyecto académico del que sigo plenamente convencida. No siendo este el caso y por respeto a la institución y a mi persona, creo llegado el momento de ceder mi puesto para que lo ocupe quien pueda proseguir con las metas que usted se ha planteado.

De acuerdo a lo anteriormente expuesto le presento a usted mi renuncia *irrevocable* como Subsecretaria de Educación, ya que, como no escapará a su conocimiento, no he encontrado ni en el Presidente de la República ni en usted el apoyo imprescidible para ejecutar los programas de trabajo que me condujeron a aceptar tan alto encargo.

Firmó la carta. Cerró el sobre. Lo dejó sobre el escritorio de Pascual. Pasó la vista por última vez por el largo despacho que alguna vez había sido ocupado por José Vasconcelos, aquél auténtico forjador del México moderno. Se dirigió a su automóvil. Antes de abordarlo volvió a ver los murales de Diego Rivera. Ella había empezado a rescatarlos de la indolencia burocrática para evitar que la contaminación ambiental diera cuenta de ellos. Los hizo proteger para evitar una pérdida irreparable en el acervo cultural mexicano. ¡Bah!, había tanto por hacer...

Salió rumbo a su casa aproximadamente a las catorce horas treinta minutos de aquel sábado fatídico que los anales de la historia de México recogerían con crespones negros. Hacía mucho más de cien años que un eclipse de semejantes dimensiones no ensombrecía el territorio nacional con tanta severidad y sorpresa. El cielo plomizo de los meses de invierno parecía resquebrajarse sobre la otrora Ciudad de Los Palacios. El panorama no podría ser más desolador ni la hecatombe de mayores proporciones...

¡Qué lejos se encontraba Josefa Cortines de poder imaginar siquiera que precisamente en el momento en que ella traspasaba la magnífica reja de salida de la Secretaría de Educación Pública después de depositar su renuncia irrevocable en aquel histórico escritorio de caoba tallada, el mismísimo Presidente de la República, nada menos que el Jefe Supremo de las Fuerzas Armadas, el Jefe de la Nación, el Jefe del Ejecutivo, el Jefe las Mayorías Nacionales, el Abanderado de la Nación, el actual padre de la Patria, el Primer Mandatario estuviera agonizando de un infarto fulminante ante la insoportable impotencia de propios y extraños! Muerto, sí, muerto. El drama sobrevino cuando el presidente nadaba en la alberca de la residencia oficial de Los Pinos como era su costumbre hacerlo los sábados antes de comer cuando no salía de gira a lo largo y ancho del país. Nada ni nadie había podido resucitarlo a pesar de los auxilios médicos de urgencia que le administró el equipo de ayudantes encargado de su seguridad tan pronto fue sacado del agua con los últimos espasmos de vida. Se murió, sí, se murió sin poder pronunciar una sola palabra más. Murió sin poder nombrar a su sucesor ni señalarlo siquiera con su dedo mágico... Hubiera querido decirle: Haz esto, cuida lo otro, no se te ocurra meterte en lo de más allá. Con los gringos así, a nuestros paisanos de esta manera... Al fallecer intestado dejaba a las fuerzas políticas del país la ardua tarea de interpretar su silencio...

Unas poderosas manos invisibles parecían haberle oprimido el cuello sin la menor piedad, en tanto él había tratado inútilmente de retirárselas de la tráquea. El rostro enrojecido, los ojos desorbitados y crispados y la boca desesperadamente abierta reflejaban una angustia macabra previa al trance agónico. Repentinamente había empezado a desaparecer la tensión de los músculos de la cara, una señal inequívoca de que abandonaba la lucha y se resignaba a su suerte. Expiraba. Sus brazos caían exangües a sus lados entre los gritos de horror de los médicos y de los altos funcionarios del Estado Mayor Presidencial y algunos familiares que habían concurrido apresurados a la piscina oficial. Cuando lo ingresaron a toda prisa en el Hospital Militar había dejado ya de existir a pesar de las inyecciones, los resucitadores, el oxígeno y las mascarillas y toda la parafernalia médica que le aplicaron para rescatarlo de los brazos de la muerte. Todo esfuerzo fue en vano. El ciudadano Presidente de los Estados Unidos Mexicanos dejó de existir el Dos de Diciembre precisamente a las catorce treinta horas.

¡Ay!, sábado endemoniado, sábado maldito del dos de diciembre, parecía que la maldad hubiera estado esperando a que el Jefe de la Nación cumpliese sus tres años en el puesto para descargar sobre él arteramente su furia, su inquina y su vesania. ¿Por qué sobre él si era uno de sus hijos más notables? ¡Ay!, Patria mía no tengo el valor de ver tu rostro compungido ni puedo consolar tu terrible dolor ante tan irreparable pérdida...

El Presidente de la República no podía dejar un testamento político. ¿Quién puede guardar un secreto de esa naturaleza sin tratar de lucrar políticamente con una información tan valiosa? ¡Nadie!, ¿verdad que no? Si el Jefe de la Nación confesaba en la más absoluta intimidad su decisión al elegido antes de tiempo correría riesgos inenarrables y si moría sin *destapar* a su sucesor podría detonar un conflicto económico, político y social de insospechables consecuencias en razón del vacío de poder extremadamente peligroso que se produciría. La incipiente democracia mexicana, democracia en todo caso dirigida, podía llegar a provocar el caos político y social ante la ausencia repentina e irreparable del Jefe de la Nación. La confusión sería total.

Desde la época de Benito Juárez no se veían moños negros colgados de las puertas, ventanas y balcones de Palacio Nacional, del Castillo de Chapultepec, de los edificios públicos, de los privados, de residencias y jacales, de calles, farolas y azoteas. Las banderas nacionales ondeaban entristecidas a media asta. Se improvisaba una liturgia necrológica que afortunadamente no se recordaba en el país. Los Presidentes de Estados Unidos morían aproximadamente cada veinte años. El recuento macabro se había iniciado desde el asesinato de Abraham Lincoln, muerto en 1865; el de James Abraham Garfield igualmente asesinado en 1881; el de William Mc.Kinley en 1901; la muerte en el poder del presidente Warren Harding 1923; la de Franklin D. Roosevelt en1945 y el magnicidio de John Kennedy acaecido en 1963. Nuestros vecinos del norte tenían, lamentablemente, experiencia en la inhumación de sus presidentes, los mexicanos, carecían de ella.

Se impuso luto nacional en todo el país durante tres días. Las estaciones de radio transmitían solamente música clásica. Se suspendían labores, se cerraban escuelas y comercios en señal de duelo. Los cines cancelaban sus proyecciones y las compañías de televisión alteraban su programación para recordar los detalles biográficos del destacado difunto. Los políticos se pusieron una banda negra en el brazo derecho. Muchos asumieron un rostro adusto sin saber ellos mismos si su actitud respondía al pesar originado por tan irreparable pérdida de dimensiones nacionales o a la incertidumbre que les deparaba el destino. Pensaban para sí que mientras más afectados se vieran, más exhibirían su eterna lealtad al Jefe de la Nación. Muchos no se separaron del cadáver en toda la noche: El último adios al amigo, al jefe, al ídolo, algunos le daban el postrer adios al socio apenas pudiendo ocultar unas voluminosas lágrimas con las que exhibían su profundo dolor y la pérdida de oportunidades... Otros aprovecharon los días de duelo, no podía faltar, para hacer "puente". Las playas se animaron de inmediato. Era imposible conseguir boletos de avión. Las casetas a la entrada de las autopistas se encontraban rebosantes de viajeros.

Acostumbrados como estaban los políticos a cumplir instrucciones sin atreverse a tomar la menor iniciativa no tardaron en presentarse los problemas ante la ausencia de las debidas directrices. Todos miraban al cielo en busca de una señal, de una voz, de una luz pero el silencio era evidente. Nada. La pesadilla de la orfandad se imponía. Las complicaciones surgieron desde el momento en que en el seno del gobierno nadie se podía poner de acuerdo ni siquiera respecto al recinto de honor que sería habilitado como velatorio para llevar a cabo la ceremonia funeraria de cuerpo presente en que aparecería el finado antes de ser depositado respetuosamente en su última morada.

¿En Bellas Artes? No, hombre, ¿cómo en Bellas Artes si el difunto, que en paz descanse, se caracterizó por ser un presidente del pueblo, nunca un presidente elitista. ¿No iba a los toros los domingos a compartir con su pueblo e invitaba cervezas a todos los de la barrera de sol? ¡Sí!, entonces que lo velen en la Plaza México o en el auditorio. ¡No!, que lo velen en Los Pinos, su casa, su última residencia. Entró ahí como presidente, pues que salga como presidente. Otro apuntó: Mejor que lo velen los suyos en su domicilio particular. Que reciba el trato de todo hombre normal, de todo ciudadano, de todo *jefe* de familia. ¿Qué dices? Él nunca fue un hombre normal ni un ciudadano común y corriente ni pertenece a su familia: Él es patrimonio del pueblo de México, y por lo tanto yo propongo la catedral. ¿Qué? ¿Cómo que la catedral si México es un Estado laico? Sí, pero él creía en Dios y tan creía que iba a escondidas a misa... Aun cuando así fuera, cosa que dudo, respetemos la separación iglesia y Estado. Los curas se pondrían imposibles si les concediéramos ese honor. Ni hablar. Ya sé, propuso alguno de ellos eufórico, el Castillo de Chapultepec es un terreno neutral y reúne todos los requisitos. ¡No!, eso sí que no: ahí vivió Maximiliano y a él no le hubiera gustado pasar sus últimas noches donde pernoctó un invasor de nuestro país. Descartémoslo sin más. ¡En el Congreso de la Unión!, sí, sí, velémoslo en el Congreso de la Unión. ¡Imposible!, solicitud denegada, saltó un un priísta desde su curul tratando de preservar la memoria del recién fallecido: Él invariablemente respetó la división de poderes consagrada en nuestra Carta Magna. Velarlo ahí sería entendido como un atentado, una burla en contra de quien nos enseñó hasta el último momento a respetar la soberanía y la autonomía de los poderes de la Unión... Surgió entonces la posibilidad de velarlo en la oficina Presidencial de Palacio Nacional, ahí habían velado a Juárez. A Juárez lo velaron por el lado de Moneda. No importa, aquí lo velaremos por el lado de Corregidora, en el Patio de Honor por donde él entró cada mañana de su gestión. ¿Y si enviáramos el cadáver un par de meses por el interior de la República a una última gira para que todo el pueblo pueda despedirse de él?

¡Horror! Alguien siempre tenía que imponer su ley en México como fórmula de convivencia. Los mexicanos no sabían dirimir sus diferencias votando democráticamente. Se requería un manotazo. Se hace así. Punto. Hemos terminado. A otra cosa. Sólo que en este momento nadie tenía autoridad para imponerse. Nadie contaba con semejante privilegio. Sin embargo, y para la gran sorpresa de muchos, la adaptación de un recinto como Velatorio Presidencial empezó a pasar a un segundo término. Lo verdaderamente significativo se presentó cuando la familia política mexicana, la familia revolucionaria, una vez digerida la ingrata sorpresa, cayó en cuenta que el ilustre desaparecido había expirado sin dejar el debido testamento político suscrito con su puño y letra. Nada de que me dijo o yo oí. No señor: Con su puño y letra, he dicho. Él, que era siempre tan responsable, mira que morirse sin dejar una sola línea ni pronunciar un solo nombre...

¿Segurito que no dijo nada, tú? ¿Hablaron con los médicos y camilleros que lo atendieron?

Sí.

¿Y nada?

Ni pío. No entendieron nada, nada, lo que es nada. Sólo emitía sonidos.

¿Pero algún nombre habrá balbuceado?

Ninguno. Claro ahora todos dicen que pronunciaba el suyo, pero la puritita verdad no alcanzó a decir ni esta boca es mía. Se peló mudo.

¿Buscaron en sus cajones?

Sí, sí, en todos lados. Revolvimos *con todo respeto* su escritorio, volteamos archiveros, abrimos cajas fuertes; vaciamos carpetas, folders, buscamos una carta, una nota, algún nombre manuscrito por él mismo perdido en su correspondencia particular, en los libros de la biblioteca, en su domicilio particular; le preguntamos a sus secretarias y ellas dicen, claro está, el nombre del que les parece el bueno. Intereses, intereses, tú sabes cómo nos las gastamos los mexicanos.

Entonces, ¿nada, tú?

Ni rastro, nada.

¿Le preguntaron a su esposa?

Sí.

¿Y qué pues?

Nos mandó al carajo. Dijo que éramos unos perturbados, unos desalmados.

¡Andas! ¿Y qué tal que lo del muertito es pura finta y se nos aparece el presidente mañana en Los Pinos, vivito y coleando?

Ni el mundo político ni la sociedad se percataban de que a partir de esas fechas los mexicanos empezarían a disfrutar uno de los escasos momentos de auténtica libertad en lo que iba del siglo. ¿Del siglo? ¡Qué va!, mucho más que del siglo, ¡siglos! Los escasos períodos de vida democrática de México no deberían rebasar los veinte años en su conjunto tomando en cuenta los gloriosos años del liberalismo mexicano del siglo pasado que parecían haberse olvidado para siempre. Veinte años, siendo generoso desde la fundación de la gran Tenochtitlan... Se presentaba una gran oportunidad para abrir las ventanas de la nación y oxigenarla, inhalar el aire puro, disfrutar los amplios espacios que proporciona el libre albedrío sin intromisiones ni designaciones autoritarias. Los mexicanos y sólo los mexicanos tendrían que resolver su propio destino sin imposiciones ni insinuaciones ni consignas. ¿Sí? y ¿cómo?, ¿cómo ponerse de acuerdo si alguien siempre había administrado su voluntad con o sin su conformidad? Se incursionaba por caminos nuevos e ignorados. Algún día habría que empezar a hacerlo...

Se convocó a una reunión de urgencia a todos los secretarios de Estado. Pero, ¿quién convocaría?, por favor, ¿quién? Ése que convocaba, ¿ya tenía más autoridad que los demás? Por tratarse de un problema de política interna se aceptó que lo hiciera el Secretario de Gobernación, pero la junta, eso sí, se llevaría a cabo sin discusión alguna en Palacio Nacional, un terreno neutral. Alguien propuso el ingreso restringido, una selección de secretarios: no todos tenían la misma jerarquía, por supuesto que no. El de la Reforma Agraria ni es secretario ni es nada. Eso es una broma de secretaría, igual que la de Pesca, la de la Contraloría, hasta la de Turismo. Esas déjalas a nivel Departamento, pero no de secretarías de Estado. Seamos serios, por favor... Sin embargo, se impuso la mayoría: Deberían asistir todos los secretarios de Estado sin excepción, su opinión era importante. ¿Y el Secretario Particular del ínclito desaparecido? ¿El confidente, el dueño de sus confianzas? ¡Pamplinas! Nadie es dueño de la confianza de un presidente. Además vendrá a decir un nombre, a repetir el que supuestamente oyó para hacerse al menos de una descentralizada. No, no, que no asista el secretario particular, sólo secretarios de Estado. El Colegio Cardenalicio en pleno.

Los acuerdos en ese sentido se produjeron magistralmente. Al día siguiente empezaba la ejecución sin precedentes de la primera parte de las exequias fúnebres presidenciales. El carruaje usado por el propio Benemérito de las Américas, cuidadosamente preservado en un recinto especial del Castillo de Chapultepec, fue adaptado de la noche a la mañana para transportar el ilustre cadáver a marcha lenta desde Parque Vía y el Paseo de la Reforma, hasta llegar a la Avenida Juárez seguido y custodiado por distinguidos cadetes del Heroico Colegio Militar, vestidos con uniformes de gala, los descendientes de quienes custodiaron con tanta dignidad a Madero en su trayecto del Castillo de Chapultepec a Palacio Nacional durante los días aciagos de la Decena Trágica. Ellos contaban con merecimientos y calificaciones indiscutibles para hacerlo: Sin duda se trataba de mexicanos ilustres de conducta intachable.

Los cadetes eran precedidos por varios escuadrones de motociclistas de la policía capitalina. Un brioso caballo negro sujeto a la carroza por las bridas, el albardón colocado sobre los lomos y una bota negra perfectamente pulida con su respectivo acicate dorado introducida en uno de los estribos, acompañaría a la procesión. Así se honrará a la usanza militar, la ausencia del Jefe de las Fuerzas Armadas de la Nación, el ilustre soldado caído, explicó el Secretario de la Defensa a quien nadie osaba contradecir. Cuando él hacía uso de la palabra de inmediato se producía un impresionante silencio. La amenaza de la fuerza no dejaba de preocupar. ¡Qué lejos estaban algunos de los asistentes de saber que el mismo general de cinco estrellas del Ejército Mexicano escribiría en su diario que "ningún gobierno militar en la historia de México había funcionado a su juicio, salvo para precipitar la destrucción de las instituciones mexicanas y estimular el desaliento cívico de la nación".

Los formalismos se cumplían al pie de la letra y salvo alguna que otra ocurrencia pasajera las honras fúnebres se desarrollaban de acuerdo a lo establecido. El pueblo de México se despedía de su malogrado líder. La gente se volcaba en las calles. Niños, amas de casa, obreros, burócratas, contemplaban el cortejo desde balcones, ventanas, azoteas, calles y esquinas de los edificios del Paseo de la Reforma y de la Avenida Juárez para no perder detalle del histórico momento. El otro México seguía cómodamente a través de la televisión cada paso del ritual necrológico. Los hombres se descubrían la cabeza en señal de respeto, las mujeres con los ojos enrojecidos, estallaban en llanto enjugándose las lágrimas con un pequeño pañuelo que guardaban arrugado en el puño de la mano. No podían aun así sustraerse al insistente coro popular: "No te has ido..." "Llora que llora, el pueblo sí te llora..." "Con agua-con-frío, el pueblo está contigo..." Los niños, invariablemente curiosos pedían ser levantados para grabar en su recuerdo la imagen histórica del trágico suceso. Unos aparecían sentados sobre los hombros de sus padres, otros sobre los toldos de los automóviles. Los ancianos asistían en silencio y reconstruian en su mente los días de dolor y sorpresa que habían seguido al asesinato de Alvaro Obregón en La Bombilla. No faltaban los vendedores ambulantes de algodón rosa, de dulces variados ni los boleros ni globeros ni los fotógrafos y sus tripies ni los vendedores de "palomitas" ni los de lotería ni los de jícamas y pepinos rebanados como si fuera un día más en la Alameda. Cuando la lluvia empezó a manifestarse tímidamente la gente empezó a decir: "Hasta el cielo está llorando..."

Un conjunto de veinte organilleros ubicado a un lado del antiguo hotel Regis interpretó Las Golondrinas al paso del féretro. Muy pocos podían controlar la emoción en aquellos momentos. Ninguna despedida podía ser más mexicana. Los barrenderos se dieron igualmente cita en avenida Juárez y tocaron al unísono sus campanas para darle el último adios al "Presi". Lo mismo hicieron en su momento los carteros de la ciudad al hacer sonar todos su silbato. Una mujer decía: "Hay que acompañarlo, llorarlo, no saben cuanto lo he llorado ya..." El pueblo entero estaba presente siguiendo al cortejo a pie, en bicicleta o en coche cuando se lo permitían los agentes de seguridad. Una gran manta colgaba de un edificio con la siguiente leyenda:

En nombre mío y de tu pueblo entero te damos las gracias por haber sido tan generoso, caritativo, amoroso de todos. Y no dudo que diosito ya te abrió las puertas del cielo. Sabemos lo grande que eres... Ojalá desde donde estés te acerques al Señor y pidas por tu México querido, que estoy seguro que para nosotros, tú, nuestro Presi, serás, eres, inmortal. Ahora ya estás junto a Pedrito Infante. Te prometemos ser cada día mejores mexicanos como siempre nos dijiste.
El pueblo, tu pueblo.

La ceremonia se llevaba a cabo con contagiosa solemnidad. Finalmente un clarín anunció la llegada del cortejo fúnebre al palacio de las Bellas Artes. De inmediato detonaron 21 salvas de honor a cargo de una unidad de artilleros de la XXIV Zona Militar. Los cadetes desenvainaron sus sables cruzándolos en el espacio hasta hacer un tunel de acero refulgente a través del cual ingresó el imponente ataúd tricolor a paso lento y perfectamente sincronizado. Ocho cadetes impecablemente uniformados condujeron el féretro al interior del palacio sobre un tapete rojo, flanqueado por gladiolas blancas. La distinguida escolta lo cargó sobre sus hombros, marchando penosamente al ritmo de un redoble de tambores, con la cabeza humillada al amparo de aquél tunel de acero hasta depositar el ataúd en el vestíbulo principal, a unos pasos de la escalera central, entre un medio círculo formado por coronas y flores. En lugar de cirios pascuales y dentro de los extremos propios de un Estado laico y para evitar rivalidades políticas, se instaló de inmediato la primera guardia de honor a cargo de los propios cadetes del H. Colegio Militar.

Surgió entonces un detalle imprevisto: El féretro tenía un Cristo adherido en la tapa! ¿Un Cristo en la tapa...? Ni hablar, no le hagamos el juego a la reacción. Siempre hay alternativas para satisfacer al prójimo, adujo alguien con voz serena y reposada: Cubramos el ataúd con la bandera nacional y dejemos abajo la figura del Cristo redentor. Así no lastimaremos a nadie y daremos gusto a los creyentes. Después de todo no queda mal como símbolo para explicar nuestras relaciones con la iglesia...

Acto seguido se colocó al pie del féretro de caoba una fotografía del presidente desaparecido cruzada por una banda negra ubicada en la esquina inferior derecha. Un profundo estremecimiento recorrió entonces a todos los presentes cuando la banda de música de los Guardias Presidenciales, otra

251

institución encomiable que haría la valla desde Los Pinos hasta Bellas Artes, empezó a interpretar vigorosamente el himno nacional.

El pueblo acudió durante todo el día y la noche. Pasaba un instantes frente al féretro, alguien intentaba una breve genuflexión, otros se persignaban respetuosamente o tocaban tímidamente una de las esquinas del ataúd sin dejar de murmurar una plegaria o un pensamiento. El peregrinar de admiradores era interminable. Los arreglos florales se acumulaban por instantes al pie del ataúd, al igual que las cartas, fotografías, cuadros y otros recuerdos. Particularmente llamó la atención la presencia de los fanáticos taurinos de sol general que compartieron muchos domingos de brava afición con el Jefe la Nación, quien invariablemente quería estar con la gente, cerca de la gente, a un lado de la gente. Los cartelones y mantas tenían leyendas que decían así: "Mi Presi, estamos contigo hasta el final." "Presi querido, te llevaste a la tumba nuestro corazón". "Presi, tú lo sabes, hoy votaríamos otra ves por ti." "Como tú, ni el Benemérito, nunca te olvidaremos: La porra de los Tigres del Soconusco." "La afición te guardará para siempre tu lugar en el estadio aunque le hayas ido a las chivas..."

Otra muestra de afecto fue el arribo de los aficionados al box con quienes llegó a departir muchas noches como uno más del generoso público de la Arena Coliseo. Los grupos de toreros, boxeadores, beisbolistas, los cronistas de deportes especializados a quienes el Presidente de la República invitaba a cenar a Los Pinos para intercambiar y discutir puntos de vista deportivos, hicieron acto de presencia al igual que los artistas del Blanquita, del Vodevil mexicano, los mariachis de Garibaldi con quienes de pronto aparecía tomando tequila y cantando canciones sin que nadie le faltara el respeto ni pretendiera excederse. Jamás se vio un guardaespaldas ni siquiera disfrazado. Desde luego los habría camuflados, pero atendía los sentimientos de los suyos para no ofenderlos ocultando la menor desconfianza. De ahí que compartiera panuchos, sopes, tacos y tortas como las que le llevó una señora vestida con un delantal desgastado que pretendió dejarlas a un lado del ataúd junto con un plato de mole con la pechuga de pollo desmenuzada, un último obsequio, como a él le gustaba comerlo en Las Cazuelas, su lonchería. Fue retirada discretamente con todo y alimentos. ¡Ay!, si él hubiera podido defenderla de aquellos tipos macabros que escondidos tras unas enormes gafas negras, la jalaban discretamente del brazo hasta ponerla en la calle porque su apariencia desentonaba con la solemnidad del espectáculo...

La primera parte de la liturgia funeraria se cumplía sin mayores complicaciones. Faltaba sin embargo, desahogar un punto sustancial sin dilación alguna. El de la representación nacional de cara a la recepción de pésames por parte de los jefes de Estado extranjeros interesados en asistir al sepelio de ese notable mexicano. ¿Quién recibiría las condolencias a nombre del gobierno y del pueblo mexicano? ¿El Secretario de Relaciones Exteriores? Sí, como no, ¿para que se sintiera candidato? Llegaba pues el momento de convocar al Congreso de la Unión para que nombrara un Presidente Sustituto con el objeto de concluir el término iniciado por el finado y una vez ungido con la debida personalidad legal procediera a representar al país con todas las obligaciones, derechos y prerrogativas que le otorga la Constitución al Presidente de la República. La vicepresidencia había desaparecido con la Constitución del 17 y ahora, en caso de falta del Jefe del Ejecutivo, el relevo presidencial debía instrumentarlo el Congreso de la Unión. Los tiempos de Calles y Obregón habían pasado y sin embargo, la constitución no se había modificado. Ningún vicepresidente recurriría al magnicidio del presidente para hacerse del cargo.

Correspondía al poder legislativo nombrar al sucesor en el ejercicio de sus facultades soberanas. La división de poderes ¿no era una realidad palpable según se decía hasta la saciedad en los discursos oficiales?, o ¿sólo se trataba de un instrumento demagógico más para arrancar discursos de campaña? Pues había llegado ya el feliz momento de demostrarlo. El gabinete debía abstenerse de intervenir en asuntos de la absoluta competencia de los legisladores. Cualquier gobernador que tuviera la osadía de intervenir le sería declarada la desaparición de poderes en su Estado, acto seguido se le desaforaría convirtiéndolo en un ciudadano común y corriente en menos de setenta y dos horas si es que no era acusado y aprehendido por malversación de fondos en caso de terquedad suicida. ¿Controles? Todos. Lo mismo acontecería con los empresarios insolentes que intentaran rebasar su campo de acción: Les sería practicada una auditoría fiscal fulminante que podría costarle su libertad personal así como la de los suyos. No había espacio para contemplaciones. Los legisladores y nadie más que ellos deberían elegir, de acuerdo a lo dispuesto por la Constitución, a la persona que se haría cargo del Poder Ejecutivo, aun cuando en su mayoría escasamente supieran leer y escribir y sólo hubieran sido designados y supuestamente votados para integrar una porra del sistema imperante desde hacía ya tantas décadas de intransigencia política. A ellos correspondía para bien o para mal juzgar los merecimientos, la madurez, las convicciones patrióticas, las inclinaciones políticas, la formación intelectual, la honradez, la preparación y la capacidad de trabajo de los diversos candidatos. A ellos y sólo a ellos tocaba en esta ocasión defender una división de poderes existente sólo en el papel; quienes jamás habían tomado una decisión política que no fuera dentro de la línea más severa y radical del partido deberían ahora decidir la suerte de millones de mexicanos al elegir en sesión secreta solemne al presidente de todos los mexicanos. No había gabinete ni Colegio

Cardenalicio ni gobernador ni empresario ni juez que pudiera opinar ni sugerir ni interferir directa o indirectamente. Llegaba la hora de la dignidad, de la independencia, de la sujeción estricta a la ley. ¿Maduraban políticamente de un solo golpe...?

¿Pero cómo dejarlos solos? No nos engañemos, si los diputados y senadores fueron nombrados de "dedazo", ¿cómo van a elegir ahora, así por sus purititas pistolas, al Presidente de la República?, ¿eh? Todos sabemos que son un relleno político, por favor... El Secretario de Gobernación los palomeaba siempre y cuando fueran absolutos incondicionales... Nadie se creerá en serio que es senador o diputado de a deveras, ¿o sí? Es como darle a un chiquillo una pistola cuarenta y cinco cargada...

Nuestra Carta Magna establece...

Sí hombre, sí, tu carta Magna. No estamos para discursos ahora, hermanito. Hoy no es día para dar clases de derecho...

Que vengan los Presidentes de las Cámaras de Diputados y de Senadores. *Parlamentemos* con ellos y si no a la cárcel con quienes se opongan... ¿Quién dijo cárcel por querer ejercer sus facultades de acuerdo a la ley? ¿Quién? Dejémoslos libres para que nadie tenga ventajas...

Más, ¡Oh, sorpresa!, los legisladores también tenían sus candidatos. Ya nunca se dejarían manipular. A partir de ese día exigirían respeto. Quien en lo sucesivo intentara dirigirlos como "borregos" que se atuviera a las consecuencias. Ejercitarían su criterio, sus derechos y sus facultades de acuerdo a la Constitución y a las leyes del caso. Impondrían su autonomía legal a cualquier precio... Ignorarían las presiones del gabinete y las de los presidentes de la cámara de Diputados y la de Senadores. A nosotros nos eligió el pueblo y como tal defenderemos los intereses de nuestros representados.

Pero es que el gabinete, el secretario de Gobernación, el de hacienda y el de Comercio opinan que...

¡Éste es un poder independiente, soberano: no hay secretario ni Juez ni Ministro de la Corte que valga. Nos mandamos solos a partir de hoy!

Es suicida, absurdo, ridículo, iremos a la anarquía...

¿Anarquía? A la anarquía iremos precisamente si seguimos fusionados en un sólo poder como la Santísima Trinidad. A nosotros nos corresponde aplicar en este caso lo dispuesto por nuestra Constitución de 1917 y por lo tanto decidiremos, cueste lo que cueste, lo más conveniente a nuestro país. Nosotros nombraremos al presidente sustituto sin permitir influencias de nadie.

Habituado como estaba después de tantas décadas de obsecuencia incondicional del Congreso, el gabinete en pleno se miró sorprendido a la cara: ¿Y 'ora, tú? ¿Les aventamos al ejército para que vean que no andamos jugando? No, no, saltó en ese momento el señor Secretario de la Defensa: Ni hablar de violencia. Recordemos a dónde nos condujo cuando El Chacal de Victoriano Huerta la utilizó. Además yo no quiero dar esos ejemplos entre las fuerzas armadas, ni darlos ni permitirlos, porque nadie de nosotros podrá luego controlarlos si les abrimos los ojos o les mostramos miedo y debilidad. Olvidemos esa opción. Yo controlo al ejército. Dejémoslo en paz.

Sin embargo, los líderes mundiales empezarían a llegar a México en los siguientes tres días y para entonces deberían constar las pruebas necesarias de consistencia civil e institucional que exigían los tiempos modernos. Una muestra de democracia al mundo que miraba a México a través de una lupa gigantesca observando cada unos de sus movimientos. Los columnistas internacionales no dejaban de reconocer que se estaba ante la presencia de la máxima prueba de fuego del sistema político mexicano. ¿Tal vez había llegado el momento de liquidar una factura de más de sesenta años de dictadura disfrazada. Los corresponsales extranjeros enviaban sus notas saturadas de sarcasmo y acerba crítica planteando todo tipo de pronósticos funestos. "México: huérfano, pobre e ignorante, se dirige de nuevo al caos." ¿Cómo podrá México utilizar de inmediato una estructura democrática después de haber prescindido de ella durante casi toda su vida política?, ¿podría improvisarla con imaginación *latina*? ¿Se desplomaría la bolsa de valores? Los bancos norteamericanos estaban listos para recibir en sus arcas hasta el último *penny* de las reservas monetarias mexicanas que los acaudalados empresarios mexicanos acompañados de un enorme sector de destacados políticos enviarían una vez más al extranjero ante las dudas de un destino incierto. Sólo protegemos nuestro ahorro, nuestros intereses, nuestro patrimonio de una nueva vorágine. Nadie está peleado con su dinero, nosotros tampoco, por eso lo cuidamos. ¿Qué hay de malo en ello?

Se cruzaban apuestas, que si el Secretario de Gobernación, el amigo tradicional de los presidentes, el hombre las confianzas. No, no, ahora la economía exigía una mayor comunicación e identificación, por eso ganará el de Hacienda, o el de Comercio. Ni hablar del de la Reforma Agraria, es un demagogo ni del de pesca especializado en sardinas ni el de turismo ávido de bikinis. Frivolidades no, por favor, no al menos en esta coyuntura histórica... Seamos serios, señores... Se hablaba también de proponer al Presidente de la Suprema Corte de Justicia de la Nación como en los años de la Constitución de 1857 y los años dorados de la Reforma, pero no, la era de los abogados ya había sido superada y además un especialista en códigos, leyes y reglamentos tenía una visión muy estrecha de los problemas nacionales. ¿Y el de Relaciones? No, tampoco, saben más de afuera que de adentro. Déjalos donde están. Algunos de ellos han sido buenos especialistas para discutir con los gringos. Están bien en su papel.

El gabinete discutía de día y de noche buscando al candidato idóneo ante la imposibilidad de interpretar algún designio del ilustrísimo desaparecido. Cada quién alegaba merecimientos y exhibía impresionantes credenciales. Los candidatos, sin embargo, eran descalificados uno tras otro, o bien porque no reunían los requisitos constitucionales, o por su pasado ligado a una actividad o persona de escasa gravidez moral. Uno jamás se pondría la banda en el pecho porque su madre era alemana de nacimiento, yo lo sé, lo juro, una tía suya me contó que eran de Berlín. ¡Por Dios Santo que es verdad, alegaba besándose una cruz improvisada con los dedos! Otro porque su padre era mexicano pero por naturalización; uno de los que satisfacía las condiciones legales ya contaba con más de setenta y seis años de edad -él reconocía setenta y dos- y su nombramiento ya implicaba un nuevo riesgo que nadie quería correr. ¿Dos presidentes difuntos en un sexenio? Cambiemos el tema. Ni lo discutamos. Se analizó la candidatura opuesta, pero aquél Secretario de Estado tenía veintinueve años ni siquiera tenía el mínimo de edad exigido por la Constitución. ¡Ni pensarlo siquiera! Se descartaban a la vista del público cada uno de los más probables contendientes como ocurrió con el que había nacido en Guatemala y tenía un acta apócrifa de Pénjamo, Guanajuato. ¿Ya empezamos con trampas? Fue eliminado, como también lo fue otro que estaba casado con americana de pelo rubio, ojos azules y billete verde... ¿Una Primera dama gringa? ¡Ni hablar!

En el Congreso de la Unión la crítica era peor, mucho peor. Las respuestas para eliminar a los opositores eran de una crueldad estremecedora. ¿Cómo va a ser *ese* presidente si calza del dos? El otro que ni lo sueñe por chaparro, cabezón y prieto y envaselinado... ¿Ya te fijaste en sus modales?, *ni tomar el tenedor sabe...* ¿Quieres que vaya a la Casa Blanca a representarnos esa imitación de humano con sus manos de dos colores? Surgían a la superficie los complejos raciales a su máxima expresión. Desaparecía la piedad en los comentarios. Se imponía el humor negro, el agudo sarcasmo, la sevicia; se recurría a toda estrategia imaginable con tal de destronar y excluir de la competencia al menor de los adversarios. No había enemigo pequeño. El que asome el copete siquiera, ¡Zas! con él. Sin contemplaciones. Es más, que no venga nadie de la oposición al sepelio: Miserables malagradecidos que sólo le hicieron la vida imposible al señor Presidente. Que no vengan ahora con su carita de hipócritas a darnos el pésame si nunca supieron ni quisieron trabajar en equipo...

Los presidentes de las Cámaras de Diputados y de Senadores bien pronto agotaron su repertorio de candidatos entre ellos mismos. Se integraron comisiones mixtas integradas por todos los partidos para "estudiar conjuntamente el asunto" con el gabinete. Imposible ponerse de acuerdo en el

Congreso de la Unión. Uno de los diputados era peor que el otro. El día cinco de Diciembre llegarían los primeros invitados, entre ellos, el propio Presidente de Los Estados Unidos de Norteamérica. El desaparecido Primer Mandatario igual departía animadamente con el Jefe de la Casa Blanca, que con un humilde Presidente Municipal. Podía dar un discurso histórico en la Organización de las Naciones Unidas que en una plaza pública en Torreón. Faltaban catorce horas sólamente y la discusión se centraba en que si era prieto, extranjero, hijo de madre alemana, casado con gringa o comprometido con el pasado, un inconveniente por sus ligas y antecedentes políticos.

—¿Ya se les olvidó que el muerto está todavía en Bellas Artes y hay que darle sepultura? Sigamos después con la discusión y enterrémoslo primero.

Se llegó a un acuerdo transitorio: Que el señor Secretario de Relaciones Exteriores recibiera a los mandatarios y aceptara a nombre de la nación sus condolencias. Pero eso sí, que su nombramiento otorgado para cumplir esa delicada encomienda, en ningún caso fuera interpretado como una distinción que lo pusiera a la cabeza del resto de los candidatos. Que quedara bien claro: Se le concedía ese honor en función de las facultades inherentes a su cargo. Sólo por eso.

El entierro de uno de los grandes estadistas mexicanos se llevó a cabo el día siete de Diciembre en presencia del pueblo de México. Aquel pueblo generoso y cálido, leal y solidario tantas veces a lo largo de la historia, cuya verdadera fuerza muy pocos habían comprendido y menos aprovechado, se volcó conmovido en El Panteón Jardín para acompañar a su última morada a uno de los pocos Presidentes de la República que había sabido conquistar su corazón y simpatía. Más tarde se estudiaría su traslado a la Rotonda de Los Hombres Ilustres. Aparecieron camiones de diferentes ciudades y pueblos del interior del país fletados por el PRI para rellenar aquellas zonas por donde transitaría el cortejo y que no estuvieran debidamente "representadas por la gente". Recibieron su refresco, un bocadillo y dinero sólo para perderse en la muchedumbre porque desde el principio se advirtió la inutilidad de este esfuerzo. Un México silencioso y apesadumbrado rompió la valla para sumarse penosamente a la marcha tras la carroza del Benemérito y de los cadetes uniformados y de a caballo a cuyo paso Los Guardias Presidenciales tocaban permanentemente redobles de tambor que concluían cuando un lejano clarín anunciaba el final de una batalla. ¿Acarreados? ¿Hoy? ¿Qué acaso no hubiera sido suficiente leer la mirada de la gente y observar su comportamiento para prescindir de todo artificio en estos momentos de grave pena nacional? Dejen conocer el rostro del verdadero México, ¡carajo!, verán que formidable luce sin maquillajes. ¡Entiéndanlo!

Asistieron varios Jefes de Estado extranjeros, entre ellos el de Estados Unidos, Canadá, Argentina, Brasil. Al de Cuba se le sugirió "diferir sus visitas" para impedir algún roce con el de la Casa Blanca, lástima de tiranía, queríamos tanto al pueblo cubano; Colombia, Ecuador, Guatemala y España. La popularidad internacional del famoso desaparecido quedaba de manifiesto. El Presidente norteamericano había tenido muchas diferencias con el difunto pero había aprendido a respetarlo. Cómo olvidar cuando le dijo en cena formal y de etiqueta que si no hubiera sido por los mexicanos, Estados Unidos hubiera extendido su frontera hasta la Patagonia. Nosotros y sólo nosotros los mexicanos habíamos sabido contener el expansionismo norteamericano, frenarlo, detenerlo, desviarlo para no perecer absorbidos por sus armas y por su *cultura*. Meter la mano en México era meterla en un panal. No me cuente de sus leyes migratorias, señor Presidente, sin los mexicanos que trabajan como espaldas mojadas en el sur de Estados Unidos, ustedes, los norteamericanos tendrían un grave problema de abasto y de mano de obra. Y ustedes los mexicanos, respondió el Jefe de la Casa Blanca, lo tendrían igualmente si dejaran de contar con los dólares que les envían sus braceros de Texas y California principalmente... Pues todo eso se habían dicho y sin embargo, asistió olvidando todos los sinsabores que había padecido cada vez que México votaba en contra de las mociones americanas en las Naciones Unidas y en los otros foros internacionales. Si algo sabía de América Latina se lo debía al Presidente mexicano hoy lamentablemente desaparecido. Hay que educar a los gringos, no tiene remedio, solía repetir, enseñarles hasta donde pueden llegar para que no se equivoquen. Si te agachas con ellos y te ven los calzones, estás muerto... De modo que siempre paradito con ellos...

Las primeras planas de los periódicos mexicanos y extranjeros recogieron la noticia día a día, así como los noticieros televisados proyectaron sus imágenes a los Cinco Continentes. No dejaron de transmitir igualmente algunos aspectos de la vida en los cinturones de miseria en el Distrito Federal ni afirmar que sin duda alguna México era una de las ciudades más contaminadas en la actualidad, una monstruosa comunidad humana, el ejemplo de lo que no se debería hacer. Una capital con severos contrastes: o la insultante pobreza de los alrededores o la increíble riqueza de las zonas residenciales que envidiarían muchos países del orbe. Dolían las escenas, irritaban, ofendían, pero eran ciertas, nadie las había inventado. Ahí estaban los puestos de los vendedores ambulantes de alimentos cuyos hedores podían inducir al vómito y su ingestión a la muerte prematura. Cuando se revelaba la existencia de dos Méxicos tan extremistas no se podía impedir la aparición de un sentimiento de vergüenza y de coraje, pero poco, muy poco hacía la sociedad y el gobierno en su conjunto para resolverlo eficazmente.

La ceremonia concluyó aquella mañana nublada, heraldo de los primeros fríos invernales, cuando la bandera tricolor fue retirada marcialmente por los cadetes uniformados del Colegio Militar y entregada delicadamente doblada a la viuda del señor presidente, quien lloraba desconsolada deteniéndose escasamente de pie. Muchas mujeres jóvenes ubicadas alrededor de la tumba sentían tener igualmente derechos para disputar el honor de recibir la bandera a aquella señora ya de edad avanzada. El difunto siempre tuvo verdaderos problemas para no derramar la vista tan pronto pasaba una falda bien ceñida frente a él. En las giras por el país siempre se las arreglaba para pernoctar en una habitación comunicada con otra por medio de una puerta. Tenía que ser discreto. Sentado en el presidium, se le oyó decir al oído de sus ayudantes en términos imperceptibles para nadie más: ¿Ves la del vestidito rojo esa tan mona que está a la entrada recibiendo gente? Pues me la bañan, sólo me la bañan, canijos, me la perfuman y me la llevan después de la cena... ¿Quieres ascender? Pues ya sabes... El Estado Mayor se encargaba permanentemente de esos exquisitos detalles de elemental logística que si un Primer Ministro europeo se hubiera atrevido a poner en práctica, le habría costado el cargo además de un nombre mancillado para el futuro. En México inspiraban simpatía las andanzas íntimas del Presidente de la República. Más entre los hombres que entre las mujeres, aun cuando algunas de ellas hubieran sacrificado muchos bienes a cambio de haber gozado de ese privilegio y el consecuente beneficio medible invariablemente en dinero y en poder.

Los poetas populares improvisaban versos a un lado de la tumba del máximo líder de los mexicanos. Uno de ellos sólo alcanzó a decir entre una vigorosa porra de estudiantes: "Como dijo *Chakespeare*: Te juites, pero te quedates; te juites porque te morites. Pero te quedates. Porque aún estás aquí." Muchos jóvenes saltaban por encima de las barda del panteón para no perder detalle del espectáculo. Los niños aparecían con mochilas en sus espaldas después de haber salido de la escuela. Mujeres con bolsas de mandado tomando de las manos a uno o dos pequeños llorosos por el hambre o el cansancio buscaban un espacio para poder ver algo. ¡Qué bonito les está saliendo, ¿no?, decía una de ellas. Una valla humana que agitaba permanentemente un sinnúmero de banderas mexicanas parecía interminable. Una vendedora de golosinas no dejaba de repetir: "Chicles, chocolates, muéganos..."

La Banda de la Secretaría de Marina empezó a interpretar el himno a su máxima sonoridad, el último homenaje rendido por aquellas notas motivantes que derribaron los últimos bastiones de resistencia anímica de la familia y de los colaboradores y amigos más cercanos del ilustre difunto. Las mujeres no pudieron contener el llanto, los hombres se calzaron discretamente

259

las gafas oscuras sin retirar la vista del brillante ataúd de madera preciosa que empezó a descender lentamente según detonaban estruendosamente las salvas que acallaron cuando el sonido de un clarín tocado por un ordenanza anunció la llegada del féretro a su último destino. Un clavel, una rosa, una paletada de tierra bastaron para que los asistentes vestidos solemnemente de negro pensaran en iniciar el retiro. Pero faltaba el homenaje del pueblo. Pocos hubieran podido suponer que en esos momentos pudieran sonar los instrumentos y las voces de un mariachi que cantaba "La Negra", una de las favoritas del "Presi"; al concluir se escuchó la marcha de Zacatecas, El rey, Mi Chaparrita para concluir como era de esperarse con Las Golondrinas. ¿Casas? No, no les había dado casas ni mejorado su ingreso ni creado los empleos necesarios ni respetado su voto en las urnas: les había dado cariño y eso no lo olvidaremos jamás, patroncito querido que estás ahora tan lejos y tan cerca de nosotros y que no me dejarás mentir, verdad de Dios que te acoja para siempre con su infinita misericordia. Se pronunciaron discursos verdaderamente estremecedores que hablaban de la inmensa capacidad de amor de este pueblo comprensivo y abnegado que siempre te recordará. Cada año vendremos a verte en este mismo lugar hasta que nos juntemos contigo allá donde tú estés ahora cuidando nuevamente de todos nosotros.

El ritmo de la vida tenía que seguir su marcha inexorable...

Los invitados regresaron a sus respectivos países en aviones supersónicos y dejaron a México solo con su problema. El Presidente de Estados Unidos no dejó mostrar sus inquietudes en torno a la creciente influencia de la izquierda en México. Somos un pueblo católico se le contestó en la intimidad. En México se gobernaba tomando siempre en cuenta la voluntad popular. No se respetaba, pero se tomaba en cuenta. Un país particular, ¿verdad? De los españoles aprendimos el obedézcase pero no se cumpla, ¿está claro?

Las discusiones a puerta cerrada continuaban. Se analizaban detenidamente los antecedentes de los candidatos finalistas, los que reunían todos y cada uno de los requisitos de orden constitucional. Se aplicaba la Carta Magna. Operaba el milagro. Las hojas con informes iban y venían. Se investigaba el pasado, los nombres, los vínculos, actitudes e inclinaciones de los finalistas. Quedaban ya sólamente tres pero todavía no se producía el acuerdo esperado. Se habían revelado muchas verdades ocultas, inimaginables, insospechadas. Alguno había resultado que cobraba en la CIA y nadie lo suponía, pero de tiempo atrás rendía informes confidenciales a las máximas autoridades en Washington. ¿Cómo era posible que el embajador en Washington insinuara preocupaciones o temas que habían sido discutidos en la más hermética intimidad de las salas de juntas de la Presidencia de la

República? ¿Había micrófonos? No: espías, hijos de puta traidores a su propia patria... Las sorpresas eran enormes. El sistema democrático iniciaba una profunda purga para eliminar a los indeseables. Como por arte de magia llegaban datos relativos a aquellos que aspiraban a la Primera Magistratura de la Nación. ¿Los proporcionaba la oposición? ¡Quien sabe! Pero llegaban, llegaban en abundancia hasta las mesas de trabajo haciéndolas volar por los aires como si se tratara de bombas de tiempo. Fotos, sí, señor, hasta fotos de un Secretario de Estado que estando casado besaba a su novia y otro que hacía lo propio con su novio... Copias, copias fotostáticas de voluminosos estados de cuenta o de testimonios de propiedades radicadas en Estados Unidos de altísimos funcionarios supuestamente honrados. Eran delatados en este momento por causas desconocidas. Alguien cobraba viejas cuentas pendientes en esta delicada coyuntura de sus carreras políticas. Ninguna oportunidad más favorable que ésta para actuar sobre todo desde el más oscuro anonimato. Así, impúnemente, sin posibilidad de represalia alguna. Una antigua confesión en la intimidad ayudada tal vez por el alcohol o la euforia seguida por una deslealtad posterior y los ingredientes de la venganza estarían totalmente dados. Los golpes, pues, eran feroces... Las descalificaciones se daban a diario por una razón o por otra. Quien lograra salir airoso de la prueba y contara con un pasado impoluto, podría "tal vez" aspirar a ocupar el cargo más importante del país si satisfacía, además, otros requisitos. Por primera vez la selección operaba como una depuración de los candidatos. Entre los propios interesados se demolían los unos a los otros. El triunfador final debería tener una conducta intachable.

Pero mientras estos trascendentales sucesos desenmascaraban una realidad fundamental para el futuro de México nadie era capaz de detener el tiempo, de impedir el tránsito incontenible de las manecillas del reloj. La creciente incertidumbre propiciaba de nuevo la fuga de capitales, se debilitaba la moneda y crujían las estructuras del país al erosionarse la confianza popular, su piedra angular, su arquitrabe. Comenzaba a cundir una peligrosa inquietud en las filas del ejército, los generales miraban discretamente sus vitrinas donde tenían guardadas sus carabinas desde tiempo inmemorial. ¡Por favor!, que ni pensaran en sacarlas ni aceitarlas ni en limpiarlas! ¡Que dejaran en sus armarios sus uniformes de combate! ¡Que no vieran las fotografías en trajes de campaña de sus abuelos! ¡No, no, que no!. Los curas tomaban posiciones aprovechando el vacío de poder, alertaban a sus feligreses desde el púlpito, los invitaban a la acción como siempre de acuerdo a sus intereses materiales y políticos, olvidándose de sus obligaciones evangélicas.

La clase política desesperaba, surgía la efervescencia social, la prensa nacional publicaba artículos inéditos en el país. En sólo tres días surgían plumas valiosas, desconocidas, sosteniendo puntos de vista ciertamente reveladores. Emergía una opinión pública con una fortaleza realmente estimulante acostumbrada a gritar en voz baja o a callar apercibidos de los riesgos en que incurrirían de persistir en la *imprudencia y en la cobardía...* Los escritores y articulistas tradicionalmente reprimidos hablaban, decían, denunciaban, cumplían con su papel de profilaxis social. "Los reporteros limpian el cuerpo social de sus amenazas y enfermedades", había apuntado Belisario en uno de sus escritos. Llegaban periodistas extranjeros, acompañados de sus camarógrafos para no perder detalle del gran espectáculo que se avecinaba. Empezaban a aparecer manifestaciones urbanas aisladas tanto en la capital como en el interior de la República. Se bloqueaban carreteras, puentes, puntos fronterizos. El desenlace podría ser impredecible e incontrolable si alguien no se colocaba sin tardanza tras el timón y recuperaba el rumbo y el mando de la nación. En México sólo existía un tema de conversación del Río Grande al Suchiate. En Estados Unidos surgía una grave preocupación por un nueva inestabilidad al sur de sus fronteras. Los inversionistas extranjeros observaban detenidamente. El país se paralizaba, se descomponía por instantes. ¿A quién se le había ocurrido un mecanismo sucesorio tan complejo? ¿Por qué no una sucesión automática? ¿Una Vicepresidencia? Ni pensarlo porque el Presidente de la República se constituiría en el deporte nacional de moda, un perfecto tiro al blanco de dimensiones históricas. Falso, falso, esos temores eran infundados y anacrónicos. Nunca un vicepresidente mexicano había ordenado el asesinato del presidente, nunca. Temores de los agoreros, de los pitonisos de siempre. No era propio de nuestra idiosincrasia semejantes acciones. De cualquier forma se imponía la toma de una decisión democrática antes de que comenzaran las asonadas o a alguien se le ocurriera tomar el poder por la fuerza de las armas. No había tiempo qué perder. Lo que no habíamos podido crecer en siglos tendríamos que hacerlo en escasos días...

Quedaban sólo dos personas sin compromisos con grupos y que garantizaban el sereno equilibrio de la balanza. Alguien que permitiera a los secretarios de Estado concluir el sexenio por lo menos sin altibajos y que pudieran conducir al país en paz y a salvo hasta puerto seguro. ¿Y la oposición? Con qué la consolamos? Démosle algunas presidencias municipales y ya está... Esas dos figuras políticas además de cumplir estrictamente con todos y cada uno de los requisitos constitucionales satisfacían simultáneamente las condiciones establecidas por la comunidad política. Unos habían aceptado la derrota de su candidato a cambio de que no fuera éste o aquel que encabezaba grupos poderosos de presión. Ni tú ni yo, un juez imparcial, una mano blanca y noble. Renuncio, bien, pero que también lo haga aquel... ¡De acuerdo!, por esa razón quedaron sólo dos candidatos en la recta final. Los dos formaban parte del gabinete. El Congreso de la Unión cumpliría sólo con los requisitos formales. Una era mujer, Rosa Berúmen, la señora Secretaria de Obras Públicas; el otro era Pascual Portes, el señor Secretario de Educación Pública.

En la votación final perdió la señora Secretaria de Obras Públicas. ¿Razones? Su sexo. ¿Verdad que no se requieren más argumentos? Ni hablar, descartada. ¿Una mujer en la Presidencia de la República mexicana? ¡Vamos hombre!, hablemos de otra cosa. No entremos ni siquiera al fondo del tema. ¡Descartado! ¡Asunto concluido! El otro, Pascual Portes, el oscuro Secretario de Educación empezó a ser aceptado por el supremo colegio cardenalicio ya que con el se garantizaría el *statu quo*, una figura ciertamente imparcial. No era manejable porque tenía criterio y caracter, era neutral y joven. No era un hombre de pasiones que pudiera desatar una cacería. No se le conocía por ningún resentimiento ni era una persona de venganzas. ¡Cuídate de los resentidos porque como los huracanes destruyen todo a su paso! Disfrutan el mal ajeno. Además se trataba de un técnico notable con la madurez y el reposo necesario para desempeñar bien el cargo sin
entregarse a un bando o a otro. Se decía que su humildad natural estaba hecha a prueba de las adulaciones propias del sistema. Pascual empezó a ganar adeptos por instantes, por horas, por minutos. Al final y para su sorpresa se quedó solo en la contienda. La mañana del 15 de Diciembre fue electo Presidente de los Estados Unidos Mexicanos.

Día a día, Belisario parecía tragarse el polvo con el que las manos del tiempo, disciplinadas y puntuales, se encargaban de forrar los expedientes de los archivos históricos. Empezó a enfermar, a tener complicaciones respiratorias que los médicos se explicaban como parte de la contaminación ambiental sin percatarse de la verdadera causa de sus padecimientos. Su malestar se acentuaba sobre todo en las mañanas, cuando, agotado por el insomnio y los restos de la fiebre, todavía tenía que soportar el paso fugaz de Laura, su esposa, acicalándose apresuradamente por los pasillos de la casa, dando instrucciones en voz alta a diestra y siniestra, quejándose de la desvelada frente al restirador, de la gente, de sus clientes, de su menstruación, ¿por qué tenía que ser hoy, precisamente hoy?, del calor, de la incapacidad de su servicio doméstico, del tráfico que la esperaba mientras pedía su coche a gritos como si se negara a perder un solo minuto de la vida de su despacho, disculpándose telefónicamente de su retraso a un desayuno de negocios, ordenando el mandado, cambiándose de bolsa sus cosas según descendía por la escalera dándose los últimos toques de perfume, hasta rematar la diaria rutina con su tradicional "come lo que quieras del refrigerador...", seguido de un portazo que anunciaba su salida meteórica dejando a su paso el mismo desorden y agitación de un furioso torbellino.

Una gripa y otra gripa, cada cual más agresiva, iban minando la salud, la energía y las fantasías de Belisario. Las infecciones respiratorias acababan gradualmente con su coraje, los medicamentos con su estómago y la inmovilidad con su paciencia, mientras los médicos extraviados en la búsqueda de un diagnóstico certero no lograban devolverle el pulso necesario a su vida. Te lo dije, recordaba las palabras de su madre, tan pronto las batas blancas entran en casa, los inquilinos se visten de negro... Los fríos, los humos de la ciudad, la toxicidad del ambiente, el fecalismo de la atmósfera, usted sabe, respondían con el rostro severo, las alergias, agregaban a falta de una respuesta convincente, propiciaban frecuentes recaídas de las que Belisario salía cada vez con mayores dificultades muy a pesar de los remedios caseros recomendados por la tía Iris, ungüentos, soluciones y menjurges, uno más inútil que el otro, pero que Hercilia aplicaba religiosamente en el pecho de su hijo siguiendo al pie de la letra las instrucciones telefónicas dictadas por su querida comadre.

Sólo Yolanda, una compañera de cubículo, historiadora, mujer joven de unos treinta y cinco años, de baja estatura, menudita, bien formada, de ojos vivaces, poderosa imaginación y disciplina espartana, según el propio Belisario, logró resolver para siempre su problema poniendo en manos de su colega la gran solución, tan simple como inesperada: un tapabocas, el sabio resultado de su experiencia personal a su paso por los archivos de la nación.

—¿Cómo que un tapabocas? ¡Por favor! —repuso Belisario en tono festivo.

—Si revisas expedientes sin saber si eres o no alérgico al polvo tarde o temprano caerás en la neumonía... Nunca lo subestimes, el polvo es el enemigo de todo historiador novato...

El tapabocas fue el gran remedio. Gracias a el terminaron las interminables antesalas en consultorios médicos, las inyecciones intravenosas, las mascarillas e inhalaciones, los análisis en laboratorios especializados, la respiración artificial, los accesos de tos y la cadena de estornudos, el uso de cajas y más cajas de papel desechable, de jarabes y medicamentos, de reclusiones forzosas con vaporizadores y humidificadores. Meses de cansancio, de pérdida tiempo y de perspectivas desdibujadas de cara a su futuro. ¿Cómo podía resignarse a un final tan precoz como injustificado cuando ni siquiera había empezado a decir ni a publicar? ¿Una triste pulmonía y se acabó? Un extraño temor a morir joven e improductivo se empezó a apoderar gradualmente de él . Miedo, sí, miedo a perecer tempranamente sin poder desdoblarse ni gritar ni participar ni opinar con toda la fuerza de sus razones y de sus convicciones. Se percató de su fragilidad, de su vulnerabilidad. Comenzó entonces una carrera angustiosa contra el tiempo. Él se encargaría de que su voz fuera escuchada...

Muchas decisiones se toman en la cama después de hacer el amor, al salir de una enfermedad o durante la silenciosa soledad nocturna con los brazos cruzados tras la nuca, pero en la cama, pensó para sí Belisario, según empezaba a controlar los calosfríos y temblores de la mandíbula provocados por los altibajos de la última fiebre. Fue precisamente en esas circunstancias, recuperando apenas el aliento, cuando decidió abandonar definitivamente a Laura sin darle mayores explicaciones. No se las merecía. Una noche, cuando ella llegara de su despacho simplemente no lo encontraría. Así, sin más, habría desaparecido. Tal vez ella tardaría dos a tres semanas en percatarse de su ausencia, pero se divorciaría, sí que se divorciaría.

Su situación matrimonial se había venido complicando a partir del momento en que Laura se convenció de la inminente renuncia de su marido a la Secretaría de Relaciones Exteriores. Él se había retirado temerariamente del gobierno sin considerar sus posibilidades de evolución personal dentro del sistema. Su futuro político, el escalafón, la burocracia y el mundillo oficial le parecían intrascendentes de cara a su nuevo proyecto profesional. Laura se sintió exhibida familiar y socialmente, invadida por un vacío desconocido. Pero si éramos una pareja de triunfadores... En honor a la verdad, ella había decidido esperar a conocer el destino político de Belisario para tomar las medidas del caso: Si él llegaba a la subsecretaría y se convertía en una figura política fulgurante, sería incapaz de abandonarlo, Belisario, Belisario de mi vida, ¡qué orgullosa estoy de ti!, siempre estuviste a la altura de las circunstancias. Bien, ¿y si el tan esperado ascenso no llegaba a darse o acaso hasta lo cesaban?, ¿cómo tolerar la presencia de un burócratito en casa, Cortinitos, un mediocre capaz solo de engrapar y poner sellos en la correspondencia oficial con su visera y sus cubremangas negras? Si no aceptaba semejantes perspectivas, ¿cómo convivir entonces al lado de un fracasado en política que ahora, a su edad, deseaba empezar a jugar a las letritas cuando su discurso político ya debería estar sacudiendo al mundo entero? Ni hablar, Laura se respetaba mucho más que eso. Tengo otras ambiciones en la vida, otros horizontes con más, mucho más colorido, profundidad y dimensiones, otras ilusiones y expectativas. ¿Con quién me fui a casar, ¡demonios! Y mira que ya me habían hablado de la familia Cortines... ¡Qué lejos estaba Belisario de suponer que de su permanencia en el poder público dependía igualmente su vida conyugal!

—Hay dos tipos de hombre, marido —le disparó su esposa una noche a quemarropa cuando la decisión se aproximaba sin que él pudiera convencerla de las ventajas personales de su dimisión— las locomotoras y los vagones, los que arrastran y los que son arrastrados y todo parece indicar que tú eres de los últimos, queridito...

Le hablaba una profesional de la arquitectura que había conquistado recientemente diversos galardones intenacionales en Francia como la mejor proyectista en el concurso El Hombre y su Habitat. Laura, como siempre, sólo pensaba en espacios, en volúmenes, en colores y figuras, en el paisaje urbano, en el universo, en fin, de las formas. Vivía embriagada con el éxito que ella había conquistado a título personal con las escuadras, los compases, su talento y sus manos. Sí que tenía mérito. Hay que ganar terreno palmo a palmo, abrirse paso uno mismo sin esperar nada de nadie, empleando lo mejor de nosotros sin conformismos ni treguas ni consideraciones banales. No había tiempo para el abandono ni para la resignación. La felicidad, Belisario, consiste en desarrollar al máximo las facultades de cada quien, las creativas, las deportivas, las espirituales, pero, claro está, si sólo sirves para cargar el portafolios del señor ministro... Ella había nacido para ser arquitecto, era por supuesto arquitecto y moriría arquitecto. Jamás tuvo la menor duda de su vocación profesional. Rechazaba sanguíneamente las indefiniciones y la mediocridad. ¿Sólo buscas en la vida un papá o una mamá que te lleven de la manita por la vida? ¡Por Dios!, sé hombre Belisario, sé hombre...

Laura exigiría la separación de su marido tan pronto supiera que no habría posibilidades de ascenso para él o que éste renunciaría para dedicarse a estudiar sus odiosos temas históricos. No era una mujer torpe. Sabría guardar las apariencias como toda una especialista. Esperaría, esperaría astutamente a pesar de que ya no podía resistir la compañía de Belisario en el lecho ni en la mesa ni en el campo abierto. Su presencia le resultaba insoportable. Había perdido irremediablemente lo primero que se pierde en un matrimonio: el respeto, el santo respeto. Ella transigiría un tiempo más por interés en un puesto político que le diera relevancia a su matrimonio, por lástima o por un sentimiento confuso de pudor que le impedía ejecutar sus planes de momento. No hubiera sido bien visto darle con la puerta en la nariz, negarle abiertamente la entrada al hogar conyugal a sólo dos días de haber salido del gobierno porque se hubieran precipitado sobre ella una voluminosa catarata de feroces epítetos y calificativos que la hubieran exhibido socialmente como una mujer frívola, interesada y egoísta. Las formas, cuidemos las formas... Había que dejar pasar el tiempo, distraer a sus amistades y familiares. Guardar luto, hacer una pausa para que el divorcio no pareciera una consecuencia directa de su renuncia al gobierno.

Necesitaba tiempo y ella se tomó todo el necesario para acometer con éxito sus planes. Laura quedaría libre de todo cargo y de toda culpa. Que haga sus ensayos de alta literatura con su madre...

Cuando Belisario regresó a su casa con todo y sus cajas de cartón durante aquellos días anteriores a la navidad los problemas se hicieron presentes cada vez con mayor intensidad. Por aquel entonces ella había terminado de construir con sus propios recursos una casa que habitaba la pareja hacía medio año aproximadamente. La que había comprado Belisario, una pequeña e insignificante para empezar a vivir, su primer nido de amor, fue rematada sin mayores trámites y el dinero aplicado por la arquitecta al pago de un par de jornales de la nueva residencia, pero sólo un par, ¿me entendiste? no te hagas ilusiones... si acaso alcanzó para la comida del perico...

Belisario pretendía recuperar el tiempo perdido estudiando hasta altas horas de la noche. En muchas ocasiones el amanecer lo llegaba a sorprender sin haberse bañado el día anterior, con su misma ropa, la misma bata o los pantalones de pana de siempre, los azul marino, sí, aquellos, los mismos. Hacía apuntes. Repasaba sus temas. Hacía músculo, como él decía, preparándose para dar el salto más ambicioso y audaz de su existencia. Ya sentía desplomarse en el vacío, en espacios desconocidos o al menos olvidados. Jamás supuso donde caería finalmente después de esa magnífica aventura por el mundo de la investigación y de la novela. Sentía su vocación en el pecho, en la sangre, en la voz, en el puño de su mano, en sus sueños y en sus pesadillas, creía haber nacido para escritor, para ser novelista, ese era su ideal, su fantasía, hacia allá encaminaría sus energías sin saber si era el rumbo cierto o simplemente una nueva pasada de su imaginación, otra falsa corazonada proyectada por el genio del mal que habita en todos nosotros, quien festejaría con estruendosas carcajadas el nuevo fracaso que estaba provocando. La vida —pensaba para sí— es un baile eterno de máscaras, un conjunto de engaños y sensaciones equivocadas proyectadas por nuestra mente para jugar al juego de las confusiones. ¿Cuál de todos los bailarines encarna la auténtica verdad? ¿Cuál representa nuestra alma, nuestra vocación escondida entre tantos disfraces? ¿Por qué se nos ocultan nuestras propias esencias encubriendo perversamente el único papel que debemos jugar en esta vida? La primer gran tarea de todo hombre consiste en desenmascarar su propia personalidad y acabar con este conjunto de imágenes y sensaciones que nos confunden, nos extravían y nos inmovilizan.

En ocasiones amanecía dormido con la cabeza descansando sobre el escritorio o bien recostado sobre uno de los sillones de piel de la sala cuando no podía ya resistir el cansancio. La escena, aceptémoslo, no era realmente digna de ser imitada y menos aun aceptada por la madre de Laura, quien vino a encontrarlo precisamente en esas condiciones un día cuando daban las doce de la mañana y visitaba a su hija acompañada de unas amigas interesadas en conocer la nueva residencia de la feliz pareja. Belisario se encontraba tirado boca arriba sobre el sillón principal, profundamente dormido, con la mano y la pierna derecha tocando el tapete de lana *beige*. Respiraba con suma facilidad sin exhibir el menor complejo de culpa. El piso se encontraba cubierto por un sinnúmero de hojas de papel arrugadas que por lo visto Belisario había arrancado desesperado de la máquina de escribir. El retrato vivo de todo escritor que intenta extraer sus ideas del fondo de su imaginación, destrabarlas y materializarlas al contacto con la luz. A un lado, bajo su bata igualmente desordenada, asomaba una de sus pantuflas. Tenía ostensiblemente abierta la camisa del pijama, crecida la barba de tres o más días y una palidez similar a la del ebrio consuetudinario. Representaba sin duda la vida rutinaria de un borracho en la fase final del vicio, la de un vago de mala muerte o tal vez la de un mantenido... Y mira a su esposa siempre tan dinámica, fresca y perfumada, ¡menudo contraste...!

La madre de Laura lo disculpó cerrando apresuradamente la puerta y alegando una indisposición del muchacho... No dejó de pasar la vista por el suelo en busca de una botella de licor barato. ¡Ay!, qué familia, se dijo para sí apesadumbrada. ¿Y yo que mandé a mi hija a Manchester, a Laussane y a Cambridge para que se viniera a casar con este mugroso calzonazos hijo de un ratero igual de borracho que él?

—Oye, ¿es cierto que se dedica ahora a escribir?

—Sssiii, eso dice —contestó la suegra con ganas de cortar la conversación.

—¿Y a quién le escribe todo el santo día, eh?

El malestar crecía en el seno de la familia. La decepción y el coraje ocupaban el lugar de la consideración y el respeto. Hasta la propia Hercilia llegó a decirle en una ocasión, ¿y a ti, Beli querido, quién, por el amor te Dios te dijo que te dedicaras a eso de la *escritura*, tú? ¿De dónde te lo sacaste hijito de mi vida? Belisario sufría desde agresiones inconscientes hasta las más intencionadas cargadas de sorna y desdén.

"Él es el Shakespeare mexicano, un genio del siglo XX, todo lo que le falta es sentarse a escribir y publicar algún día por lo menos una triste línea, por lo demás se trata de un autor completísimo"...

Unicamente Josefa estuvo permanentemente a su lado, animándolo a no acusar los golpes, acicateándolo e insistiendo en que su mejor respuesta sería su obra. —Ignóralos, son envidias —decía sonriente celebrando el humor negro mexicano —la mayoría de la gente vegeta atrapada en la rutina y no está dispuesta a dar virajes espectaculares en sus vidas por más que los necesiten como el oxígeno para sobrevivir y tengan que acumular día con día la amargura originada en su carencia de audacia o de talento para realizar sus más íntimas aspiraciones —insistía reforzando la decisión de su hermano y negándose a admitir que su proyecto abortara por meros caprichos sociales o familiares. —¿No te das cuenta, Belisario, que quienes te critican por lo general son víctimas de su propia cobardía y viven presos tras unas rejas que ellos mismos se impusieron? Irritas con tu sentido de la independencia, enojas a quienes te ven ahora revolotear por el espacio más libre que un pájaro.

Más tarde concluiría como correponde a toda una socióloga:

—En los círculos de borrachos nadie deja de beber ni puede retirarse a su casa cuando le viene en gana. Nadie sale con que ya me voy, los dejo, he decidido abandonar el trago y dedicarme a trabajar y a reconstruir mi vida —esgrimía con suavidad—. La cohesión social en esos grupos obliga a sus integrantes a sentarse a beber conjuntamente y a dejar de hacerlo a altas horas de la noche siempre como hermanos inseparables. De aquí no se va nadie, porque quien se vaya amargará la existencia de quienes se queden, enfrentándolos consigo mismos, con su derrota, con su triste situación que se niegan a ver con lucidez y valor. Cuando alguien se ausenta obliga a los demás a contemplar su lamentable figura, su aspecto deplorable frente a un espejo en el que nadie quiere verse -sentenciaba con argumentos contundentes. ¿Lo ves claro? No hay independencia ni autonomía posible, Belisario, retendrán al insurrecto echando mano de todo tipo de chantajes hasta ahogar sus iniciativas en alcohol para hacerle olvidar sus intenciones de abandonar el grupo y sustraerse del vicio. Aquí nos vamos a morir todos juntos -exclamaba dramatizando su ejemplo. -Quienes desean imitarte y no se atreven, tratarán de destruirte como siempre ha hecho el ser humano con lo que no puede dominar. Los borrachos no permiten que nadie se salga del grupo, los envidiosos tampoco... Si te atacan, vas bien...

Las quejas de Laura aumentaban de tono en cuanta ocasión se presentaba. Durante una cena a la que difícilmente pudo ir acompañada de Belisario —éste llevaba una semana garrapateando sólamente un párrafo sin poder armarlo a su gusto y no estaba para "reuniones sociales"— afirmó que los maridos y la basura debían salir de la casa tempranito en la mañana. Un requisito de salud hogareña, ¿no creen?, concluyó risueña en tanto las comensales del sexo femenino le tributaban un estruendoso homenaje en forma de carcajadas. ¡Qué ocurrencias las de esta Laura! Durante la navidad sólo les llegó un turrón de yema de huevo enviado puntualmente por el querido compadre Alberto. ¡Qué tiempos aquellos en que tenían que comprar una libreta para apuntar en ella los nombres de las personas o empresas que enviaban presentes para agradecérselos posteriormente en tiempo y forma! Ahora sólo valemos el equivalente de un pinche turrón de yema de huevo, le confesó Laura a su madre a lo largo de una de las comidas dominicales. Ahora sólo nos invitan a que nos vayamos al demonio...

—¿Pero si el padre de Belisario también es borracho y haragán, no *mi'jita*?

—Belisario no es borracho, mamá, es un imbécil. Mira que perder la brújula a estas alturas de nuestra vida... ¡Imagínate si hubiéramos llegado a tener familia! Él nunca entendió que una mujer se pudiera negar a ser madre. Tú bien lo sabes, para mí sólo es una manera más de complicarse la existencia... ¡Qué se busque una mujer gallina de esas que se dedican todo el día empollar! No, no me equivoqué, no...

—¿Cuánto te pasa de gasto?

—¿Gasto? ¡Por Dios! Antes era por lo menos un aporta quincenas, ahora ni eso. Lo que él me da no me alcanza ni para hacerme el *manicure*.

—¿Y qué dice de eso tu "nene"?

—Dice que si hubiéramos seguido viviendo en la casa que me regaló cuando nos casamos, él hubiera enfrentado desde luego sus responsabilidades, a eso se había comprometido, pero que no tiene por qué financiar construcciones palaciegas superiores a sus fuerzas y mucho menos si ni siquiera le consulto su opinión. Se disculpa alegando que para sostener mi tren de vida debe hacer negocios, cosa que no hará ni muerto porque su camino está en la novela histórica. ¿Qué tal, eh? Según él debo atenerme a sus ingresos, porque si el día de mañana me da por comprarme una casa en Long Island o en Boca Ratón, ¿te acuerdas el lugar aquél tan mono con atracadero de yates en cada casa?, él no va a venir con su chequera tras de mí pagándome todos mis caprichitos y apartándose de lo suyo...

—Mira, tú...

—Sí, sí, él cumple con lo que puede pero no con lo que yo quiero, mamá.

—Pues págatelo entonces tú y déjate de cuentos.

—Sí, cómo no: a él como hombre le corresponden esos gastos, salvo que se haya casado conmigo para dar un buen braguetazo...

—Pero si él quiere dedicarse a otra cosa...

—¿A qué?, ¿a escribir mientras nos morimos de hambre? No, no, mira, todo se puede hacer sabiéndolo hacer: Él que se dedique a lo suyo, pero eso sí, que no se olvide de mí ni de sus responsabilidades conyugales ni mucho menos de nuestro nivel social: no se puede ser tan egoísta. Además, bien visto, ¿para qué me sirve si yo tengo que pagarme mis gustos?

—Puede ser que te convenga consentirlo mientras se ubica y se orienta, Laurita...

—Claro que sí, consentirlo, claro, consentirlo y a esa edad -contestaba una Laura sarcástica reacia a hacer la menor concesión.

A Belisario no se le podía molestar a ninguna hora o porque estaba buscando la idea o porque le estaba llegando en ese momento. Sus gritos se escuchaban a cuatro manzanas a la redonda cuando alguien se atrevía a interrumpir su santísima inspiración para ofrecerle una manzana. Hablaban ya muy poco y cuando lo hacían él siempre estaba en otro mundo, pensando en otra cosa, por lo demás, mamá, ya no me toca ni me busca ni me llama ni me acompaña a ningún compromiso, salvo cuando ya se *vació* y está de buen humor, una verdadera lotería. Al día de hoy es un fantasma, una sombra de lo que fue mi marido cuando nos casamos. Del Belisario que yo conocí y quise no queda ni el esqueleto.

—¿Y por lo menos vale la pena lo que escribe?

—Ya te imaginarás las ganas que tengo de leer sus genialidades... ¡Que se vaya al demonio!

Y al demonio se fue efectivamente al final de una cena íntima servida por Laura para diez personas, sus socios y dos de sus clientes más destacados en la que se esmeró como en ninguna otra de tantas recepciones servidas. La mesa, la vajilla, los cubiertos y la cristalería eran de *magazine*, al igual que la confección, presentación y gusto de cada uno de los platillos, de los vinos, los licores y los quesos. ¡Un esfuerzo realmente insuperable! Un trío amenizó la velada interpretando canciones que formaban parte de la antología romántica de todas las épocas. Los boleros, ¡ay!, podía morir con los boleros... La organización era perfecta al igual que todo lo que emprendía la anfitriona. Una mujer completa, elegante, bella, jovial, distinguida ama de casa, honorable y gran señora, además de una destacadísima profesional y por si fuera poco trilingüe natural. Un cúmulo de virtudes, imposible pedir más. ¡Qué detalles en la casa, en los baños, verdaderos alhajeros, los vestidores y el Belisario me voy a ajuarar a Los Angeles la semana entrante, los cuadros iluminados con luz negra, los tapetes talentosamente combinados con los colores de los sillones y las alfombras importadas haciendo juego con los lomos de los libros de la biblioteca que ella había adquirido personalmente desechando los de Belisario por horrorosos, viejos y gastados. Flores y plantas por todas partes, sí, plantas en el comedor, en la sala, en las espaciosas habitaciones reservadas para invitados que nunca las inauguraban, cuartos espaciosos y bien vestidos pero sin la ternura y el calor de los niños, ese desorden travieso y conmovedor, pero eso sí, con vistas espectaculares al jardín decorado con fuentes, árboles exóticos iluminados y un antecomedor nunca visto en el que se encontraba una gigantesca jaula de canarios de todos los colores para que los animalitos pudieran columpiarse, volar y trinar a su gusto, un alarde de imaginación arquitectónica y sin embargo, el imbécil de Belisario cayó dormido a la mitad del convivio. Ese fue el único detalle que escapó a los planes de Laura. Belisario, Belisario, ese estúpido animal... El cansancio lo venció en el momento más inoportuno. Cayó, cayó rendido con todo y su fino rostro de arcángel incomprendido. El aspirante a escritor realmente hizo notables esfuerzos por participar, por resistirse, por estar en la plática y en la reunión, pero la somnolencia lo invadía como si entrara en un tunel interminable. Se levantó varias veces a lavarse la cara con agua fría. Fracasó. Posteriormente mojó papel del baño y se lo colocó en la nuca sintiendo el escurrimiento helado de las gotas a lo largo de la espalda. Nada parecía funcionar. Desfallecía. Contra su costumbre bebió Cognac para alegrarse, ¿no despertaba el cognac?, ¿no alegraba y estimulaba? Una copa, dame una copa y otra más. El efecto mágico no operaba. Se prendió un puro para distraerse con las inhalaciones a pesar de que tampoco fumaba. Imposible, la cabeza se le movía como un badajo encima de los hombros. Estaba tocado de muerte. Metió la mano en la champañera de plata y como quien juega con el hielo se colocó sendos pedazos bajo el cuello de su camisa. Hacía esfuerzos titánicos para mantener la línea vertical y la vigilia. Se despeñaba irremediablemente. ¿Despedirse?, un problema. ¿Quedarse?, otro. ¿Qué hacer? ¿Cantamos? La velada no estaba para cantos, más aun si se discutía la construcción de un gigantesco centro comercial al norte de la ciudad. No, no, ni hablar, sería ridículo en esos momentos. ¿Qué tal los chistes?, se los sabía de todos los colores, pero intuía que hubiera parecido un débil mental de haber empezado a contarlos. Bajaba la guardia. Se rendía sin darse cuenta. Dejaba caer los brazos abandonándose a su suerte ante la mirada atónita de Laura. Ya flotaba, ya, dejaba de resistirse. El señor historiador se entregó gradualmente al canto melifluo de las sirenas según entraba en una densa niebla al anochecer de aquel viaje sin fin... Clavó el pico.

Pues cayó, si cayó sobre la silla con la boca y el ojo izquierdo abiertos como era normal en él. Muerto. Fulminado por un rayo. Hercilia todavía se confundía cuando entraba a su cuarto de niño y lo veía con el ojo abierto. No sabía si descansaba o bromeaba con ella. Beli, Beli, soy tu ma, pero Belisario no contestaba. Dormía efectivamente con el párpado levantado, tal y como le aconteció aquella noche en compañía de las personas más importantes en la vida de su mujer.

Optó por despedirse cuando volvió apenado y no menos asustado a la realidad, sólo que ya era tarde, muy tarde. El daño ya estaba hecho. Laura jamás se lo perdonaría. Me importa madres que sea un problema metabólico, le dijo aquella noche según llegó a la habitación hecha una pantera y lo encontró dormido sobre la cama con el traje y los zapatos puestos.

—Es que yo...

—Nada de que yo.

—Tú y yo ya no tenemos nada de qué hablar, ¿te queda claro? ¡Nada!

El pleito fue mayúsculo. Los adjetivos, retenidos por muchos años rebotaban violentamente por las cuatro paredes de la habitación. Se utilizaban despiadadamente todo tipo de armas. Se trataba de aplastar sin más al enemigo. Una mujer que se niega a tener hijos es una arpía, ni los animales, Laura, ni ellos carecen de instinto maternal. Le importaba su despacho y el dinero, el dinero y sólo el cochino dinero: eres una vulgar alcancía sin sentimientos. Por unos centavos sería capaz de sacarle los ojos a su propio padre, apuñalar a sus socios, saquear a sus clientes, timar a sus hermanos respecto a los verdaderos haberes de la herencia familiar, estafar a los proveedores y por supuesto al fisco con tal de hacerse de un puñado de pesos más. Su ambición acabaría con ella tal y como ya estaba acabando con su matrimonio. Él también ya quería irse, abandonarla para siempre sobre todo porque su ropa estaba llena de manchas, les faltaban botones a sus camisas o estaban deshilachadas cuando llegaba a encontrarlas. Llevaba años desayunando y cenando solo por sus compromisos de siempre. Años sin verte, sin poder charlar tranquilamente, cuidando mis palabras para evitar tus furias repentinas e irracionales, midiendo mis reacciones para no disgustarte. Años haciendo el amor mecánicamente si acaso los fines de semana y siempre y cuando no tuvieras jaqueca o te doliera algo nuevo. ¡El culo!, ¿por qué nunca te dolió el culo? —arremetía un Belisario conocido por la comprensión que dispensaba a los problemas ajenos y por su inagotable capacidad de escuchar con la misma paciencia de un párroco de aldea.

—Ojalá y a mí me hubieras dispensado una cuarta parte del tiempo que invertías en tu arreglo personal. Una cuarta parte nada más. Eres perfeccionista en tu ropa, en tu maquillaje, en las recepciones que haces en tu casa, en el diseño, en tu profesión y en tu vida en general, pero el perfeccionismo se agota cuando tienes que dispensar atenciones, devolver las cortesías, mostrar alguna vez tu agradecimiento por un favor o un obsequio recibido, ya no digas de tu marido, a ese imbécil nada, ¡qué va!, a la gente en general —Ella todo se lo merecía. Siempre la movía algún interés con quien se rodeaba. ¿Un acto desinteresado? ¡Ni muerta!, ¿verdad?— Algo quieres tú siempre de todo el mundo, pero eres incapaz de dar, de dar cariño, porque nunca lo conociste —Laura era una asaltante profesional que tras su sonrisa cautivadora escondía invariablemente un propósito concreto, material, económico. Si no podía extraerle nada a su interlocutor durante una reunión, suavemente lo sustituía por uno que tuviera los bolsillos repletos de monedas.

—¿Crees que cuando hablas con alguien y pones tu cara de embeleso no es clarísimo que estás midiendo el número de billetes que traerá en la cartera o imaginando la casa en el extranjero que te prestará en las próximas vacaciones o el negocio o la obra que te podrá dar o la persona con la que te podrá conectar para ver qué le quitas o les pides o les extraes a uno o a ambos o a todos? Eres incapaz de una acción desinteresada... A tu propio padre lo toleraste mientras tuvo algo que le pudieras quitar...

—¡Jamás le haría yo daño a mi padre! —repuso encendida lo que quedaba de la señora Cortines.

—¿Que no le harías daño? —se preguntó Belisario fuera de sí—. ¿Ya se te olvidó que tu padre te heredó noblemente en vida y cuando él más tarde cayó en desgracia perdiendo el resto de sus bienes por haberse metido en malos negocios y vino a pedirte ayuda a ti, a su hija, a la que él había llenado las manos generosamente, no fuiste para darle ni un quinto porque andabas mal de "liquidez" ni una miserable limosna a quien todo te lo había dado y a quien todo le debías, y por eso, nada más que por eso, lo lanzaste sin piedad al trago y más tarde al panteón lleno de asco por el género humano? ¡Tú lo destruiste, tú y sólo tú!

Laura caminaba nerviosamente de un lado al otro sin encontrar la respuesta oportuna. Se hacía de argumentos, armaba su ataque con una furia imprevisible.

—Por lo menos mi padre no fue un ratero...

—Yo no hablo de tu padre, hablo de ti —repuso Belisario sin acusar una puñalada en la yugular. Laura conocía sus partes débiles después de tantos años de matrimonio. Ahí, precisamente ahí metía sus manos vengativas para producir el mayor daño posible.

—Bueno, en ese caso no soy hija de ratero... A mí no me vistieron ni me alimentaron ni me pasearon ni me compraron mis útiles con dinero ajeno, con los ahorros de todos los muertos de hambre que hay en este país.

Belisario palideció. Se quedó anclado en el piso como una figura de hierro. Paralizado, petrificado, inmóvil.

—Sí, sí, tanto habla tu padre del honor, de la dignidad, de la nobleza y no es sino un bandido, un borracho y un corrupto igual a los que tanto acusa...

—No estamos hablando de mi padre...

Laura continuó como si no hubiera escuchado nada. —Se duele de los pobres, de los desamparados, de los desposeídos, ¡ay los desposeídos!, cuando tiene caballos de millones de dólares que ya extrañaría un jeque árabe y propiedades adquiridas precisamente con los recursos de quienes tanto pretendía defender —arguyó dramatizando sus palabras como si hablara también con las manos. —Mentiras y sólo mentiras, son ustedes un punta de embusteros... La arquitecta se tiró igualmente como una fiera hambrienta al cuello de su marido. Había llegado la hora de ajustar cuentas, ¿o no?

Todo lo que ustedes tienen desde un cortauñas hasta sus Mercedes Benz es robado. Ustedes dejaron sin gises a las escuelas y sin aspirinas a los hospitales para poder hacer sus mansiones. ¡Oyelo bien!: ¿sabes cómo se llama a quien ha vivido siempre del patrimonio de los demás? Gusanos, sí, se llaman gusanos, las familias de políticos como la de ustedes están hechas sólo de gusanos...

Un impulso natural hizo a Belisario apretar los puños. Él era distinto y ella sabía perfectamente el trabajo que le había costado sacudirse esa imagen de la que él era totalmente inocente. ¿No había renunciado al apellido paterno por vergüenza? No tienes la menor noción de la nobleza, pensaba para sí mientras la fulminaba con la mirada. Ya se acercaba a ella cuando empezaron a pasar por su mente las imágenes de su madre acostada en la cama con el dedo amputado y el rostro masacrado. No, golpes no, mejor retirarse. En nada quería parecerse a su padre.

—Yo no soy responsable de los actos de mi padre y tú lo sabes perfectamente bien.

—¡Cuéntale a otra ese cuento!: Tú estás manchado para siempre, estás embarrado con mierda de por vida porque compartiste igualmente el botín-. Laura utilizaba las mismas expresiones de su marido cuando éste le confesó en la intimidad del lecho conyugal la separación definitiva de su padre el día del rompimiento. Belisario le había externado sus razones, sus argumentos con toda transparencia y lealtad y ahora era ella quien los utilizaba en su contra.

—¡Eres un alacrán!

—Y tú un maldito gusano.

Belisario fue a hacerse de algunos efectos personales para salir a la brevedad posible de su casa. Al otro día hallaría la forma de enviar por el resto. Hasta el vestidor lo alcanzó Laura con sus insultos, herida como estaba de muerte, la noche aquella de su cena tan importante. Los rencores y frustraciones tantos años retenidos buscaban una salida furiosa a través de gestos y palabras.

—Te puedes largar de esta casa, sí, huir como siempre has huído de los problemas, de los retos. Por eso había huído de Filosofía y Letras, por eso había huído de los negocios, por eso había renunciado a Relaciones Exteriores y ahora confundido por no atreverse a enfrentar la realidad se refugiaba en la historia y en las letras hasta que después de un par de meses saliera con que quería ahora ser chelista o párroco de La Ventosa. Por cobarde, por eso te desorientas, porque eres incapaz de terminar lo que comienzas, porque tienes miedo, ¡qué miedo!, ¡pánico! al éxito. Podrás cambiar mil veces de profesión, mil, dos mil, las que quieras y pueda pagarte el bolsillo sin fondo de tu papacito como mantenido que naciste, eres y morirás, pero escúchame bien, bragueta de oro, jamás podrás huir de ti mismo ni podrás desprenderte de tu sombra ni de tu pasado. Vayas a donde vayas, te quites o no infantilmente el Cortines, serás Belisario Cortines Bonilla hasta el último día de tu rastrera y mediocre existencia.

Belisario guardaba apresuradamente algo de su ropa mientras sentía perecer lapidado. Imposible dejar de oir ni de omitir los rabiosos proyectiles. Uno tras otro hacían blanco devastadoramente. Si sabía ella a donde apuntar...

—Jamás podrás huir de ti mismo aunque cambies de país, de cielo, de universidad o de esposa... Pasarás la vida buscando en la política, hoy en la literatura, mañana tal vez en la mecánica, pero mientras no te aceptes como un menor de edad en busca de un parvulario a los casi cuarenta años de edad, no saldrás nunca del agujero.

La empujó al salir rumbo a la biblioteca. No abandonaría sus trabajos, sus fichas ni sus apuntes. Juntó su material en un instante. Apiló los libros, guardó su máquina de escribir, cerró sus archiveros bajo llave, se llevó unos expedientes valiosos, reunió las cuartillas redactadas ya en limpio mientras ella continuaba lanzando improperios desde su impotencia como si estallara simultáneamente en mil pedazos.

Belisario la volvió a empujar cuando intentó salir. Ella se plantó finalmente a medio camino impidiéndole el paso. Él pensó en ponerle la palma de la mano en pleno rostro y lanzarla para atrás contra sus vitrinas de Steuben Glass.

—¡Apártate! —tronó amenzante.

—¡Apártame! —respondió una Laura desafiante.

Belisario dejó caer al suelo las maletas en las que cargaba dificilmente sus pertenencias. Sus ojos estaban inyectados de sangre. El gesto demudado. ¿Gusano?, se dijo para sí, ¿gusano, yo que he renunciado hasta a mi nombre?, ¿y tú que lo sabes mejor que nadie...? Laura lo vio venir lívido, empalidecido, los labios blancos y trémulos. Parecía decidido a todo. El horror se apoderó de ella. Prefirió retroceder.

—Pégame, sí pégame —exclamó sin cubrirse el rostro—, pégame al estilo de los Cortines, de los de toda tu calaña. Así han tratado siempre a las mujeres. ¡Dame, dame! —insistió temeraria— así te llenarás de más mierda y estarás todavía más cerca de tu padre, tu gran ejemplo...

—Lárgate y no vuelvas más —le gritó desaforadamente cuando Belisario pasó apresuradamente frente a ella arrastrando sus maletas—. Aquí no volverás a comer gratis con todo y tu cara de sabio —amenazó ávida de más palabras. En el fondo buscaba la discusión para bajar posteriormente el tono y llegar a un acuerdo, pero Cortinitos, como ella le decía no se detuvo por más palabrotas e insultos que le lanzó directamente a la cabeza, al estómago y al corazón. Él siguió su paso inconmovible en tanto que ella lo ofendía con la voz cada vez más entrecortada: Gañán, bastardo, miserable, no me dejes, no, no, repitió hasta caer de rodillas y golpear con los puños cerrados primero y luego con la mano abierta aquellos tablones de duela austriaca pefectamente barnizados. Belisario, Belisario, Belisario...

Cuando Belisario tomó su automóvil recordó un pasaje que había escrito en su diario, en realidad, lo único que había escrito. He vivido equivocado: Mi concepto de lealtad —dejó asentado— consiste en hacer feliz a otra persona aun cuando su felicidad suponga mi destrucción en una vida que no tiene regreso...

Bonilla se instaló en un modesto hotel al sur de la Ciudad de México. Ahí permaneció varias semanas hasta que encontró un departamento minúsculo en los alrededores de Coyoacán cuando los primeros conatos de apatía empezaban a minar su ánimo. Después de 30 días de vivir en un cuarto de hotel la depresión hace acto de aparición decolorando todo a su paso, escribía en la sección de ideas de su futura novela. El piso constaba de una pequeña habitación, tan pequeña que para que entrara el sol tenía que salirse el mismo Belisario, no cabemos los dos, decía con su muy particular sentido del humor, además de una pequeña estancia en la que acomodó tentativamente sus libros y su equipo de música. Se hizo de una mesa de trabajo, no más allá de un largo tablón de madera sobre el cual podría tener diversos libros y expedientes abiertos para consulta simultánea. El sol calentaba puntualmente el pequeño taller de "hojalatería de la palabra", porque no se podía escribir sin el debido "equilibrio térmico"...

Belisario Bonilla había pagado un precio muy elevado para poder llegar finalmente a su estudio, a esa diminuta "plataforma de lanzamiento" desde donde emprendería el viaje más audaz y ambicioso de su existencia. Había renunciado a la Secretaría de Relaciones dejando una imagen confusa respecto a la verdadera justificación de su salida. ¿A escribir? De haberse orientado a los negocios, a la docencia si acaso, hubiera hecho más digerible su renuncia, sí, sí, sin duda así era, pero encerrarse a escribir sin haberse probado nunca antes en ese terreno resultaba difícil de admitir. ¿Quién se lo iba a creer? Haber elegido un mejor pretexto. Poses, poses, la gente vive de poses... La factura se elevaba a diario con el distanciamiento de viejos y queridos amigos, cuyas esposas saboteaban la práctica de una vieja amistad, porque tu tal ese Belisario, estará todo el santo día rodeado de putitas y metido en mil vicios de soltero, amor, búscate mejores compañías. No te tardas si sales con él, ¿verdad, amor?

Belisario se quedaba solo. Había llegado finalmente el momento de enfrentarse a los fantasmas que lo habían acosado desde su infancia. La decisión ya era en todo caso irreversible. Si eran sólo eso, fantasmas, fantasmas que habían pretendido extraviarlo y confundirlo por motivos que no alcanzaba a comprender, ¿por qué a él?, desde luego que no resistirían el menor asalto de la razón. Se disiparían con la primera brisa de la alborada. Si por contra sus impulsos eran ciertos y quien habitaba dentro de él cada vez encubierto con un nuevo antifaz era realmente un escritor, si llegaba a descubrir su auténtico rostro, comenzaría un largo peregrinaje por los caminos descritos por sus voces internas a la diáfana luz de las estrellas. Ya no había espacio para más argumentos ni contemplaciones. La confusión ni la duda ni la pérdida de tiempo tendrían la menor cabida en su vida profesional.

Los temas a desarrollar, unos más atractivos que otros, consistían en conversaciones, pactos y acuerdos reales o imaginarios llevados a cabo en el interior de elegantes salones de gala, en recintos legislativos europeos, norteamericanos o mexicanos decorados con banderas multicolores, en sobrios despachos presidenciales, en cantinas de pueblo, en lujosos bares y restaurantes de México y París, a bordo de un tren o montando un caballo en plena Huasteca tamaulipeca; en campos de batalla, humeantes y sonoros; en los burdeles de moda, tras unas milpas o a lo largo de unos inmensos callejones flanqueados por bananos; en gigantescos territorios, en cuyo subsuelo se encontraban fantásticos yacimientos petrolíferos o cuyas superficies estaban dedicadas a la siembra de plátano, de azúcar o de piña; en los puertos de Veracruz o Tampico invadidos, bombardeados y humillados; en recepciones oficiales en el Castillo de Chapultepec, en el de Schönnbrunn o el de Miramar a las que asistían formalmente emperadores, primeros ministros, diplomáticos, gabinete, diputados y senadores, jueces y hombres de negocios; en herméticas entrevistas en La Casa Blanca, en reuniones secretas en el Foreign Office y en los palacios Imperiales de Verano de los Kaiseres alemanes donde se tramaban buena parte de los complots contra Estados Unidos y México.

Ahí estaban unos de sus personajes vestidos con uniformes de gala y condecoraciones, sotanas color púrpura o fracs, monóculos, anillos nobiliarios, chistera y polainas hablando durante un cocktail, una cena de oro y plata, champagne y armagnac. Otros de sus protagonistas los dibujaría exhibiendo su tela de manta a lo largo de una simple merienda alrededor del fogón, sentados en cuclillas sosteniendo entre las manos el jarro con atole, mostrando los huaraches encostrados de lodo, cruzado el pecho por las cananas y el sonido de una harmónica lejana mientras concluían los planes para tomar la hacienda y *afusilar* a los malditos patrones hijos de la rejija. Nos van a faltar palos pa' colgar a estos pinches rotitos, verdá de Dios que las deben todititas...

¿Por qué Polk había hecho una excepción durante el bloqueo americano en Veracruz dejando pasar curiosamente sólo a Antonio López de Santa Anna a su regreso de Cuba donde sufría la soledad del exilio? ¿Por qué a él y sólo a él? ¡Qué curioso que después México no ganara una sola batalla en la guerra contra los yanquis cuando el propio Santa Anna capitaneaba nuestras tropas? ¿A qué acuerdo oscuro e inconfesable habría llegado Polk con él antes del estallido del conflicto que le permitió a Estados Unidos hacerse de más de dos millones de kilómetros cuadrados al término de una guerra vergonzosa? ¿A dónde fueron a parar los quince millones de dólares que México recibió a modo de una ridícula indemnización por la pérdida irreparable de tan vastos y ricos territorios?

¿Y un libro intitulado *La Pólvora y el Poder*? Tampoco escapaba a su atención escribir una novela relativa a la historia de la iglesia en México pasando por la Santa Inquisición, la iglesia terrateniente, la iglesia proteica, promotora incansable de golpes militares domésticos, la iglesia en la época juarista, la iglesia durante el movimiento cristero, la iglesia y el poder. La iglesia en México, ¿por qué no explorar por ahí también?

Pero había más, muchos más. Otro tema inmensamente atractivo consistía en las implicaciones políticas, económicas y militares que se habían desprendido del telegrama Zimmerman. El ministro Zimmerman invitó a Venustiano Carranza a declararle la guerra a Estados Unidos con el "debido apoyo alemán", para que al final de la contienda y una vez coronadas por el éxito las armas México-Germanas, nuestro país recuperara los territorios de California, Arizona, Nuevo México y desde luego la Tejas que nunca debimos perder. Explorar la historia del famoso telegrama, el ingreso irreversible de Estados Unidos en la Primera Guerra mundial a dos meses de haberse descifrado el texto secreto del telegrama constituía una aventura sin límites, como también lo era en otro orden de ideas, estudiar el papel de Estados Unidos en la derrota final de Pancho Villa. ¿Era cierto que las bombas que le habían vendido los yanquis tenían el mismo poder destructivo que un cohetón de feria, simplemente porque se las habían vendido sin pólvora porque Estados Unidos ya había decidido la desaparición política y militar del Centauro del Norte? Y todavía con respecto a Villa, ¿le habrían dado los alemanes los famosos ochocientos mil marcos para que invadiera Estados Unidos y asesinara algunos gringos de Santa Isabel y Columbus con el objeto de provocar una guerra entre Estados Unidos y México, una magnífica conflagración que el Kaiser necesitaba a como diera lugar dentro de sus planes militares? Mientras el emperador alemán terminaba de aplastar a Inglaterra y a Francia, los rusos se destruirían a sí mismos durante una sangrienta revolución a cuyo término, las potencias centrales se harían con gran facilidad de Eurasia, para poder orientar ahora sí con toda tranquilidad sus amenzantes baterías y acorazados contra la poderosa Unión

Americana ocupada en la matanza de indios mexicanos. Así se habría hecho Alemania de dos terceras partes del mundo.

Preguntas y más preguntas, dudas y más dudas. ¿Cuál estrella brillaba con más intensidad dentro de una constelación? ¿A cuál apostar aquellos años vitales y entregar sin reservas lo mejor de su tiempo? Las posibilidades eran de lo más variadas. ¿Qué tal revelar los planes secretos de Francisco Serrano para asesinar a Plutarco Elías Calles, Presidente de la República, a Alvaro Obregón, candidato oficial y a Joaquín Amaro, Secretario de Guerra y de Marina durante un desfile militar en el que un batallón blindado abriría fuego repentinamente contra la tribuna presidencial amputando de un sólo tajo el máximo poder político de México? ¿Cuánto dinero había recibido Serrano de los petroleros americanos y europeos y qué apoyo directo o indirecto habría obtenido asimismo de la Embajada de Estados Unidos, del Departamento de Estado y tal vez de la propia Casa Blanca y del Foreign Office inglés para llevar a cabo el doble magnicidio? Increíble, ¿verdad? Pues valía la pena abundar en la hipótesis. ¿Por qué no? Había tanto qué investigar y divulgar... ¿Y la pólvora? ¿Qué papel había jugado la pólvora en la historia militar de México? Así como los conquistadores nos lograron dominar porque habían contado con pólvora y con nuestra ignorancia respecto a sus poderes destructivos, de igual manera Estados Unidos nos había mutilado para siempre al final de la guerra de 1847 gracias al alcance de sus obuses y a la capacitación de sus artilleros. Ellos si acaso eran quince mil soldados, nosotros sumábamos millones y millones de mexicanos y sin embargo nos dejamos vencer, conquistar y humillar. ¿Por qué si superábamos en número y supuestamente en coraje al enemigo perdimos ambas guerras sin masacrar a los temerarios invasores quienes escasamente se mancharon los uniformes de campaña? ¡Qué poco se había hablado de la pólvora y sus efectos en la historia política de México!...

Belisario también ardía en deseos de incursionar en la estrategia adoptada por el *Jefe Máximo de la Revolución* para perpetuarse en el poder. Haría saber cómo sus herederos habían aprendido y aprovechado magistralmente sus teorías hasta nuestros días ostentando una estructura de gobierno supuestamente democrática, pero que el fondo significaba el gobierno de un sólo hombre durante seis años. *Un Maximato Sexenal* que la Casa Blanca aplaudió a rabiar no sólo por la genialidad de Don Plutarco, sino porque el nuevo sistema político mexicano les reportaría finalmente la necesaria estabilidad al sur de la frontera así como les garantizaría la debida atmósfera de tranquilidad a sus inversionistas. A los críticos se les respondía: ¿Hay una efectiva renovación de poderes cada seis años? ¡Sí! ¿Es el mismo presidente, son los mismos diputados y los mismos senadores como acontece en las tiranías? ¡No, no, no! ¿Hay Congreso de la Unión integrado por dos cámaras legislativas? ¡Sí! ¿Hay una Suprema Corte de Justicia y Tribunales a todos los niveles a lo largo y a lo ancho del país? ¡Sí, señor, sí los hay. ¿Consta la tan cantada división de poderes en la Constitución y existen elecciones municipales, estatales y federales para que el pueblo nombre a sus gobernantes? ¿Hay periódicos, radio y televisión para que la gente se exprese? ¡Sí! Entonces, ¿cuál dictadura? Cambiemos de página. Amarillistas, trotskystas, hijos de Stalin, de Mao y de quien sabe quien más... México es entonces una auténtica democracia. ¡A callar!

Belisario explicaría cómo durante la dictadura de Díaz, los gobiernos de Carranza, Obregón y posteriormente el de Calles, se había descremado políticamente a la nación. Se había perseguido y asesinado a la oposición. Flores Magón, Madero, Pino Suárez, Zapata, Carranza, Belisario Domínguez, Villa, Francisco Serrano, el propio Alvaro Obregón, entre otros tantos más, todos habían muerto violentamente asesinados o por sus ideas o por su posición política. La bala, el boleto en un lujoso vapor o la cárcel. El que no había muerto se había expatriado como Adolfo de la Huerta o José Vasconcelos o simplemente se había callado. Con Calles había muerto la esperanza, se habían derrumbado los sueños y fantasías democráticas no de la nación, sino sólo de un pequeño grupo progresista. El pueblo para los políticos era un fantasma que nunca había existido y si había existido era sólo para llenar los zócalos municipales en los días de campaña electoral. ¿Cómo se podía hablar de un pueblo consciente de sus derechos políticos si a finales del porfiriato existían en México 90% de analfabetos? ¿Cómo se podía establecer una democracia sobre esas bases? ¡Gran ventaja para el sostenimiento de un régimen centralista y absoluto!

En México no se podía hablar de una tradición democrática. Escasamente habíamos conocido la estabilidad y la libertad a lo largo de nuestra vida independiente. Si no era un tirano, era una junta de gobierno y si no un presidente interino. ¿El voto? Los mexicanos en realidad nunca habíamos conocido la fuerza ni la eficacia de los sufragios. O no habíamos podido votar por alguna convulsión social o por alguna invasión extranjera o alguien sustraía las boletas de las urnas o levantaba "mal" las actas o se perdían o se incendiaban accidentalmente o simplemente no había elecciones o como decía Don Porfirio con su deliciosa sorna: Quien cuenta los votos gana las elecciones.

¿Eficiencia en el ejercicio de los derechos políticos? Los mexicanos pocas veces los habíamos ejercitado válidamente y menos podríamos lograrlo si ya mucho antes del Maximato, el Jefe del Ejecutivo, un iluminado en turno, tenía la capacidad de interpretar la voluntad política de la nación decidiendo de acuerdo a sus estados de ánimo e intereses personales lo más conveniente para nosotros en lugar de someterse a los deseos de las mayorías,

281

muy a pesar de que éstas pudieran poner *peligrosamente* el poder en manos *inexpertas, torpes o desleales* como sin duda lo era cualquier persona que tuviera un punto de vista distinto del prevaleciente en el sistema.

Belisario C. Bonilla haría un breve recuento de la historia electoral de México en el introito de la promera de sus novelas:

Francisco I. Madero pierde las elecciones de 1910 con *un amenazante escándalo nacional* que casi hizo estallar la revolución. Los gritos de fraude se escuchan de un lado al otro del país. De la Huerta pierde las elecciones *dentro de un amenazante escándalo nacional* seguido de un baño de sangre. Obregón se reelige *dentro de un amenazante escándalo nacional* a pesar de que una de las conquistas de la revolución consistía en la tesis del Sufragio Efectivo. No Reelección. Pagó con su vida el intento. Vasconcelos pierde las elecciones *dentro de un amenazante escándalo nacional* condicionando su derrota a un "casus belli". Almazán pierde las elecciones *dentro de un amenazante escándalo nacional* originando casi un levantamiento armado. Henriquez Guzmán pierde las elecciones *dentro de un amenazante escándalo nacional* evidenciando una vez más en el interior y en el exterior la ausencia de un aparato electoral y de una autoridad solvente. Los sucesivos gobiernos advirtieron que la respuesta social al fraude electoral se reducía a un escándalo que se desvanecería gradualmente hasta caer en el olvido. La nación por su parte comprendió la inutilidad del escándalo y empezó a concurrir al urnas "como quien va a los toros" con tal de no enfrentar una nueva guerra civil entre mexicanos.

El abstencionismo se adueñó de la situación: con el se presentaría la impunidad de la autoridad ante la indiferencia ciudadana. Al abandonar nuestros derechos políticos nos convertimos en un país de cínicos. Hicimos del Laiser fair, laiser passér una teoría muy a la mexicana. Acordamos implícitamente con la autoridad que mientras la esfera de negocios privados fuera intocable, la esfera oficial permanecería intacta. Ambos nos toleraríamos en tanto no nos invadiéramos recíprocamente. Tendríamos dos campos de acción igualmente inaccesibles e inescrutables. Dos mundos, el político y el económico. El gobierno se ocuparía de el mismo y de los pobres. Los empresarios de su dinero. Abandonamos toda lucha política. Renunciamos a nuestros derechos y al imperio de la ley. El orden jurídico se derrumbó ante la embestida de la influencia y del privilegio. Nos corrompimos. Nos dividimos. Se consolidaron los dos Méxicos. Nos limitamos a observarnos mutuamente. Empezamos a desperdiciar una fecunda energía cuya derrama lleva ya más de cincuenta años. Se enfermó nuestra sociedad. Las nuevas generaciones se desarrollaron dentro de una atmósfera contaminada y envenenada.

"La imposición de los candidatos condujo al abstencionismo; el abstencionismo a la impunidad por parte de la autoridad ante una comunidad inerte y apática; la impunidad al desfalco de los ahorros nacionales y en consecuencia al atraso y a la involución de una sociedad integrada por cínicos o indiferentes."

¿Y la novela de la teocracia militar de los aztecas? Si la intolerancia ya se había dado en México antes de la llegada de los españoles, ¿qué papel había desempeñado en la formación de la idiosincrasia nacional? Escribir, tenía que escribir la novela de toda la historia de México, para él la única forma de arrojar una cubetada de luz en nuestro pasado. ¿Y la novela de la Santa Inquisición? ¿No acaso creía Belisario que después de 300 años de padecer los horrores de la inquisición, México jamás podría desprenderse de ese sentimiento de miedo, pánico, inseguridad y resignación que se había encunado en la mentalidad colectiva transmitida de generación en generación durante tres siglos de quemar a los herejes en leña verde o de despedazarlos en las plazas públicas al golpe de cuatro fuetazos dados contra los lomos de cuatro de caballos a los cuales se había atado firmemente las extremidades de los enemigos de la fe? ¿Y la novela de Guerra de Independencia? ¿Se conocía a fondo a Allende, a Abasolo, a Guerrero, a Iturbide y sus delirios imperiales, a la Corregidora, a Morelos y sus lugartenientes? ¿Qué tal escribir la novela política del México liberal, la del Imperio de Maximiliano y la de la Restauración de la República? Una novela política del porfiriato, ¿dónde estaba? ¿Cómo se podía vivir como nación con semejante vacío? Urgía, urgía comenzar a redactar. Empezar de inmediato a como diera lugar. Bien lo sabía Belisario: ya le faltaba vida para acometer él sólo una tarea de tan ambiciosas proporciones.

Una mañana tomó finalmente una resolución. Escribiría una crónica de las circunstancias, coyunturas y paradojas que habían configurado el perfil actual de nuestra identidad nacional, una novela relativa a la historia de la idiosincrasia nacional. La intitularía *El cincel y el martillo*. En este gran tema cabían todas las hipótesis, los anatemas, los tabués incluidos. Hablarían personajes de diversas extracciones socioeconómicas y de las más encontradas orientaciones culturales y políticas. Se analizarían las grandes corrientes históricas y filosóficas; se establecería un diálogo generacional, nos hablaríamos los mexicanos de todos los tiempos, formaciones, actividades, tendencias y costumbres. Justificaríamos nuestra conducta, nos explicaríamos, nos defenderíamos como si asistiéramos a un tribunal integrado por mexicanos de todos los tiempos y posibilidades. Todos participarían en esta conversación familiar alrededor de la chimenea de la historia. Los mexicanos teníamos mucho que decir, él ayudaría al planteamiento del gran discurso...

Sí, sí, los planes eran insuperables, sólo que la supuesta vocación literaria de Belisario Bonilla debería ser sometida todavía a pruebas no menos severas. Tendría que aprender a salvar determinados escollos apartándose oportunamente de tentaciones que podrían convertir sus sueños y fantasías en tristes girones cenicientos.

Una tarde, harto ya de libros, papeles, datos y fechas recopiladas a lo largo de varios meses de reclusión, *intoxicado de letras*, intentó refugiarse en Prokofiev escuchando su Sinfonía Concertante, una hermosa tabla de salvación. Su estado de ánimo caía a su mínima expresión. Oyó después a Grieg, a Dvorák y su Serenata para Cuerdas, a Bartok y su Concierto para Orquesta y a Bruckner para rematar con Holst y Los Planetas. Ni la música, una panacea para combatir la apatía lo ayudaba. Pensó en otras alternativas mientras el techo amenazaba con desplomarse sobre sus espaldas. Removiendo documentos en busca de su agenda dio con una invitación a la exposición de un artista soviético en una galería del Norte de la ciudad. Iría, sí, iría perdiendo de vista la habilidad con que las manos del destino tejen a veces redes improvisadas, trampas de caramelo para engatusar a los candorosos merodeadores.

Belisario recorrió con atención la muestra, se trataba de una obra dotada de una extraordinaria plasticidad. Un lenguaje abstracto, tumultuario, de una rica espiritualidad, todo un resúmen existencial vigoroso y audaz. El artista debía ser un hombre de fuertes impulsos de los que daba muestra el colorido y la composición de su obra. En la ejecución de aquel trazo largo y definido se encontraba un mensaje optimista y vital apartado de toda tibieza y timidez.

—¡Cuántas veces me he sentido así en mi vida! —dijo una voz de mujer como si reiniciara un diálogo eterno al lado de uno de los cuadros.

El intercambio de palabras e imágenes no se agotó durante el término de la exposición. Continuaron en un restaurant, la temática parecía interminable, uno le arrebataba las palabras al otro. Corrió el vino, se desbordó el entusiasmo, creció la ilusión, reían, llegaba el primer gran momento de reconciliación desde su separación. Yvonne, de aproximadamente unos treinta y cinco años, graciosa y ocurrente, guapa, de tez oscura, ojos verdes traviesos, cargados de picardía, mente ágil, intensamente apasionada por el mundo del arte, dueña de unos labios carnosos y sugerentes y de un pelo negro como el carbón, tenía tan sólo un defecto: era arquitecta.

—¿A qué te dedicas —le preguntó a Belisario a quemarropa.

—A escribir —repuso apenado.

—Te apena ser escritor —agregó ella durante la cena al advertir su reacción.

—Soy un escritor que no tengo nada escrito...

—No digas tonterías —interceptó ella airadamente—. Todos los escritores estuvieron alguna vez en tu situación, ¿o crees que nacieron con una obra maestra bajo el brazo?

—Es igual, tratan igualmente de agredirte —repuso él con un aire de cansancio—. Basta con que rompas con los convencionalismos e intentes hacer algo distinto de los demás, por ejemplo, tratar de ser feliz y auténtico sin tratar de impresionar a nadie ni superar a nadie, simplemente siendo tú y ya te dicen que si no vas a ser el Cervantes de la literatura mexicana debes dedicarte a otro asunto —le había advertido un empresario de su relación mucho mayor que él—. O eres lo mejor en tu campo o la nada, no tienes alternativas.

—Pues si el que te lo dice es empresario y no es John Rockefeller —agregó cáustica— más le vale pegarse un tiro o donar sus compañías a la beneficencia pública. ¿No eres Rockefeller, chulo? ¡No! Entonces la pistola, dame la pistola, acabemos con la mediocridad.

Belisario se encantaba con las respuestas y actitudes de aquella mujer.

Nada importaba aquella noche en que volvía a oir el paso agolpado de su sangre por el cuerpo. Vivía. Reía de nuevo, retozaba enredando aquella abundante cabellera oscura entre sus dedos para tener después a Yvonne entre sus manos en la misteriosa soledad literaria de su estudio. Esa misma noche sin fin, la tuvo una, dos, tres veces, imaginándose sonreir con el sarcasmo de un fauno mientras inhalaba aquella piel suave y perfumada, un tributo, un homenaje que rinde la naturaleza a las mujeres que se abren en flor para recibir a plenitud los últimos rayos del sol, las últimas gotas de vida antes de que el otoño empiece por marchitarles irreversiblemente las orillas de sus pétalos mágicos. Los labios de Yvonne, trémulos y helados como la nieve, delataban al historiador el arribo de los mejores años de aquella mujer. Su cuerpo agradecido obsequiaba por doquier perlas de todos los tamaños en tanto recibía con los temores de una novicia la suave fortaleza de Belisario, quien la besaba y recorría con el rostro ardiendo y la boca sedienta, ilusionado de perderse para siempre en los laberintos encantados del máximo bien terrenal. Tal y como había acontecido desde la primera noche en que la mujer abrió las puertas de la eternidad para alojar y custodiar los mágicos poderes viriles. Una mujer: magnífica síntesis de belleza, inaccesible a los pinceles y a las plumas, a los sonidos y a los adjetivos, al lienzo, al pentagrama y a la cuartilla.

Una y otra noche, uno y otro fin de semana, uno y otro comienzo mañana, al fin y al cabo siempre debe haber tiempo para el amor, el abandono de su obra, la pérdida del ritmo, de la tensión en la narrativa, de las secuencias; el alcohol nocturno, el lujurioso amanecer, la satisfacción de los sentidos, el implacable hechizo femenino, el magnetismo de sus refinamientos, el poder de sus encantos, de sus aromas, de sus esencias; el atractivo de la carne y el cautiverio de la belleza distrajeron a Belisario de sus rutinas y de sus trabajos. Una mañana de domingo cuando él regresaba de practicar algunos ejercicios encontró de golpe uno de los roperos lleno de vestidos y zapatos y varios cajones ocupados con ropa interior femenina cuidadosamente acomodada. Yvonne había decidido mudarse.

—Si ya casi vivimos juntos, hagámoslo bien, cariño...

Belisario sufrió una dolorosa vergüenza: había decidido no concederle a nadie semejante oportunidad. Su trabajo era su trabajo. Mientras no pusiera el punto final en El Cincel y el Martillo no le abriría la puerta a ninguna mujer. Si él fracasaba en el intento ni las lágrimas propias ni las ajenas lo consolarían en lo mínimo. La desgracia y el dolor serían sólo de él, como serían igualmente suyos su frustración y su malestar. Nadie le acompañaría en estos sentimientos. No quería siquiera pensar en el momento de los pésames. Una mujer lo habría distraido, lo habría desviado de sus propósitos y echado por tierra el objetivo más caro de su existencia. No, no Belisario, tú eres un auténtico Cortines. ¡Quítate ya de tanto Bonilla y tanto cuento! ¡Cortines! Eres todo un Cortines, ¿te queda claro? Ahora ya sabes la respuesta. Cuando te preguntabas si dentro de ti hallarías luz o mierda, era claro que encontrarías la mismísima mierda que de antemano te negaste a ver. ¿Verdad que tu vanidad acabó contigo, caricatura de escritor? ¡Ay!, el destino cuántas broma sabe jugar? Vuelve pues a los cubre-mangas, a la burocracia querido Cortinitos, a los sellos y a la visera, tus verdaderos elementos de trabajo, tu medio natural...

Una pausa tras otra, el un día más no pasa nada, una mujer así no se le puede abandonar; el me lo merezco, es un paréntesis necesario y saludable; el ¿quién puede resistirse a una mujer hermosa?, ¿a un contacto efímero con el máximo de los placeres?, interrumpieron el método, lo apartaron de toda disciplina, ¡ay! de la disciplina y terminaron por taponear la fuente encantada por donde fluían copiosamente sus fantasías literarias. ¿Dónde estaban?, ¿de dónde venían?, ¿cómo se producían? Cuando fue en su busca de ellas se encontró con que la imaginación era una mujer celosa que al sentirse desatendida cobraba cara la deslealtad, el olvido y la desvergüenza: Ni una palabra ni una línea ni una oración completa ni una idea cuerda y lúcida. Nada, absolutamente nada. Cada alegoría más insípida que la otra. Ninguna mefáfora, no, ninguna. El extravío era total. Imposible retomar la trama. Sus motivos lo habían abandonado. Estaba perdido. Los elementos había desaparecido. Caía en la ordinariez. La inspiración, aquella mujer veleidosa lo despreciaba, lo ignoraba y le hacía pagar el costo de la traición. Ni un pensamiento. Nada. ¿Te gusta la frivolidad? ¡Paga su precio!

Yvonne hizo repentino acto de presencia precisamente la noche del suplicio, de la confusión, del extravío, en el instante en que Belisario llegaba al extremo de no poder colocar en su orden sujeto, verbo y complemento. La dejó entrar de mala gana, bebieron de mala gana, cenaron de mala gana, hablaron de mala gana, hicieron el amor de mala gana y trató de conciliar el sueño a su lado de mala gana, sí, de mala gana, ¡ay!, maldita noche de la mala gana. Al otro día se levantó temprano en la mañana como había sido su costumbre, dispuesto a un nuevo encuentro consigo mismo. Constató a su paso silencioso el descanso de Yvonne, semicubierta por las sábanas desordenadas que dejaban entrever aquellos senos de ébano entre los que había perdido el rumbo. No presentía en ese momento la inminencia del *Gran Finale*.

Belisario luchaba de nueva cuenta con el adjetivo, buscaba cada palabra en el fondo de un cajón de sastre, la veía a contraluz, buscaba los sinónimos, cuidaba la sintaxis, la prosodia, enhebraba atentamente la aguja tratando de coser los conceptos con hilo transparente. Ahí estaba otra vez esperando la madrugada, sentado a un lado de su mesa de trabajo como corresponde a todo un artesano de la oración, afinando el pulso, empeñado en su creación, inmerso en ella sin escuchar ni sentir nada en su entorno, incomunicado por sus sentidos, cuando de pronto Yvonne, la gran Yvonne, la de la piel de tersa y perfumada poblada de rocío le rodeó el cuello con sus brazos interrumpiendo de nuevo el despegue al infinito que pretendía iniciar.

—¿Me dejas un momento en lo que termino esta idea —preguntó con suavidad haciendo su mejor esfuerzo por no caer en la aspereza.

Ella le besó la oreja e introdujo sus manos en el interior de su pijama, jugaba con los vellos de su pecho. —Vengo dispuesta a quitarte el mal humor que tenías ayer —agregó azucarada como una gata de angora.

Belisario sintió que alguien había disparado una escopeta y espantado a las palomas en el preciso momento en que él se acercaba cuidadosamente a atrapar al menos alguna de ellas. Todas levantaron el vuelo precipitadamente perdiéndose en el vacío. Trató de desasirse de sus brazos sin ocultar ya su desagrado. Se percataba de su situación. Navegaba nuevamente a la deriva. ¿Cuál era el norte, el sur o el infierno? ¡Carajo!

—Te pedí que me dejaras un momento, ¿verdad? —reclamó estando a punto de perder la escasa paciencia que aun le quedaba. ¡Dios mío!, hazme el favor de llevártela al carajo...

—Ven, ven conmigo, te quitaré el mal humor, mis poderes te devolverán la calma —exclamó sin suponer el nivel de desesperación de Belisario. Le arrojó entonces vaho en el oído para terminar de convencerlo y hacerlo derrumbarse como un esclavo a sus pies en tanto sus manos recorrían ávidas su pecho en espera de una respuesta que jamás llegaría.

Belisario perdió los estribos. Retiró violentamente del cuello aquella víbora gelatinosa que amenazaba asfixiarle. Pateó la silla ante la mirada atónita de aquella musa digna de ser inmortalizada en lienzos, en cuartillas, en partituras y sonetos. Giró descompuesto para enfrentarla de pie, viéndola fijamente a la cara mientras la rabia se le desbordada por cada uno de sus poros. Estaba convertido en un auténtico energúmeno. Que si sabía Belisario el daño que se había hecho él mismo y del que esa mujer era su cómplice...

—¿No te pedí que me soltaras, carajo?

—Pero Belisario, yo...

—Tú, nada, te lo dije, ¿verdad?

—Quería darte mi cariño, ser amable contigo, mi vida...

—No me digas mi vida —tronó como si cada palabra lo perforara—. ¿No te das cuenta que no es hora de cariño ni de amabilidades? Estoy aquí, a la deriva, precisamente gracias a tu cariño. Llévatelo, ¿me entiendes? Llévatelo ahora mismo...

Ella no contestó. Palidecía. En cualquier momento Belisario perdería el control. ¿Se habrá vuelto loco? Ya me habían dicho que su padre era un maníaco... Decidió apartarse lentamente para ponerse fuera del alcance de sus manos. ¿Tenía algún sentido discutir ya nada sobre todo en semejantes circunstancias? Tal vez defenderse devolviéndole los insultos, pero en ese caso sólo lograría irritarlo mucho más al extremo de hacerle perder la escasa paciencia que todavía le permitía tener el mínimo control. Se cubrió instintivamente la cara descuidando aquellas piernas espigadas que otrora lo habían seducido y sobre las que Belisario había escalado tantas veces en busca del universo... Las piernas de una mujer son las columnas donde descansa el templo del amor... ¿Agredirlo? ¿Llorar? ¿Lanzarle un objeto?

—¡Aplástate en ese sillón hasta que yo te diga! —ordenó su voz imperiosa como si proviniera de las alturas.

—Yo te lo entregué todo, Belisario, no es para que me hables así, eres un malagradecido como todos los hombres...

—¿Que me entregaste qué? —repuso encendido el escritor.

—Todo, te lo entregué todo y bien lo sabes no lo niegues ahora.

—Las mujeres como tú entienden "por entregarlo todo" a enloquecerte en la cama mientras te hago el amor, a mudarte a mi casa, a empezar a administrar mi cartera, a salir de viaje y gastar tantas veces se pueda, a disponer de todo lo mío y finalmente a apellidarte como yo, ¡eso entiendes tú por entregarte!, para ti entregarte es quedarte con todo lo mío -concluyó Belisario gritando desesperado ajeno a su costumbre de guardar absoluta calma para poder pensar.

Yvonne se retiraba lentamente, pegada la espalda a la pared sin ocultar su estupor ni retirar la mirada del rostro ni de los puños de Belisario.

—Te digo que me dejes y no me dejas, que me sueltes y no me sueltas, que no me respires en el oído y me respiras en el oído, que me dejes trabajar y ahí vienes a jorobarme como si lo hicieras intencionalmente...

Yvonne se perdió de vista al llegar a la habitación. Instantes después se escuchaba un sonoro portazo y unos pasos acelerados que se dirigían por lo visto hacia el elevador.

—Bestia, eres una bestia, alcanzó a decir Yvonne entre sollozos...

—Sí, sí, lárgate al demonio, ¡al demonio! ¿me has oído? Nunca debiste salir de ahí —le gritó Belisario corriendo todavía hacia la entrada para que no se le fuera a ocurrir siquiera llamarle por teléfono.

Yvonne no volvió ni llamó ni se insinuó ni intentó jamás volver a acercarse al escritor.

Desde entonces trató de escribir a piedra y lodo. Ni siquiera hizo acto de presencia en el hospital cuando su padre fue internado de emergencia con una grave intoxicación alcohólica que los médicos entendieron como una tentativa de suicidio. Nadie podía ingerir voluntariamente semejantes cantidades de *whisky* sin perder el sentido. Tampoco lo visitó cuando una aguda depresión casi acaba con Silverio después de una travesía a bordo de un pequeño yate por el Caribe a donde según él había ido, desde luego acompañado, para poner en orden sus ideas y su vida.

El origen de sus males, según el tratamiento psicológico radicaba en la incapacidad de aceptarse desprovisto de poder político. Podía tener dinero en abundancia, sobrarle los recursos para comprar medio mundo, pero jamás podría remontar una autoimagen carente de personalidad oficial. Sin poder se sentía desnudo en el centro de una reunión de etiqueta. El anonimato iba acabando con él. La apatía generalizada se extendía como una metástasis incontrolable. ¿Putas, coches, dinero, joyas, barcos, casas y viajes? ¡Al carajo! Si no tengo un cargo todo a mis ojos es insípido e incoloro, doctor, le confesó una mañana al psiquiatra encargado de su caso. Soñaba en volver a presidir reuniones en las oficinas de gobierno, estar rodeado de colaboradores que ocuparan ambos extremos de la mesa, listos para celebrar sus ocurrencias y mira que las tenía y por demás, ciertamente jocosas. Hablar con ellos, que le consultaran, que opinara, que se le respetara y aquilatara; que pudiera tocar el botón colocado bajo el tapete y que apareciera risueña y perfumada cualquiera de sus múltiples secretarias con el block de dictados y el lápiz entre sus manos, siempre dispuestas a satisfacer cualquiera que fueren sus deseos en ese momento... ¿Y la red? ¿Qué te costaría Dios mío? Hace años que ya no tengo red, ¿cómo sobrevivir sin red? ¿Quién se es, doctor de mi vida, quién, si se carece de una red para hablar con el gabinete? ¿Un simple ciudadano más indefenso ante las arbitrariedades de la autoridad? ¿Eh? Nada, nada, no es usted nada, se contestaba solo. Si usted carece de tarjetas de presentación con el escudo nacional no logrará que le abran ninguna puerta en ninguna parte del país. Está usted muerto, más muerto que los muertos, repetía una y otra vez. ¿Y si nos tomáramos un tequilita, doctorcito? Sin embargo, retenía a su lado a su chofer, al gran Tristán, por su lealtad y como recuerdo de aquellos felices años en que fui alguien. Este hombre, mi fiel escudero, es el único que me distingue con atenciones a pesar del paso del tiempo. ¡El único!, ¿me ha escuchado usted? Nunca ha dejado de abrirme la puerta del automóvil ni de la casa ni de mi despacho. Me espera como un perro guardián a lo largo de mis parrandas y jamás me ha pedido dinero ni me ha faltado el respeto, todo un hombre, médico, todo un hombre. Es increíble que uno reciba más cariño de personas que no tienen nuestra misma sangre, ¿no cree usted? Sólo me queda él como recuerdo de mis años de gloria... Nunca nos cansamos de revivir aquellos viejos tiempos como un par de buenos amigos... Ya está en mi testamento. ¿Qué pues, lo invito a una champañita, al fin de cuentas ya son las nueve de la noche en París?

Sólo Hercilia estuvo a su lado en todo momento en el hospital predispuesta a ver salir a cualquiera de los portadores de las malditas batas blancas con la noticia fatal en los labios. Se nos fue señora, se nos fue. Sea usted fuerte, resígnese y acepte la suprema voluntad del Señor... Pero no, la noticia no se produjo ni Hercilia tuvo que llamar en ningún caso a sus hijos para pedirles compañía y apoyo. No fue necesario. La tía Tachis, Iris, la comadre Nonis, Betti, Chachis, la güera, Rosalinda y la prima Meche, Virgen y Flor se turnaban en el nosocomio para asistirla permanentemente. Con unas hacía tejido de punto o comía la botana que le llevaban puntualmente; jamás faltó la cochinita ni la jícama ni los pepinos con limón y chile piquín. Con otras, la mayoría, veía las telenovelas o conversaba respecto a diversos temas ante la insistente prohibición de jugar su "canastita" en la cafetería del sanatorio o en las salas de espera porque el murmullo y el humo de cigarros afectaba a los enfermos, o bien llegaban para acompañarla a la capilla a una hora determinada a rezar, a pedir muchas de ellas por la inmediata desaparición física de Silverio: Llévatelo Dios mío, te lo suplicamos, llévatelo al mismísimo al carajo, ¿qué no ves que no deja de jodernos todas las santas tardes en nuestras partiditas de póker? ¿Por qué nos castigas así? ¿Qué te hemos hecho estas pobres viejas que ya pronto te rendiremos cuentas? Disculpa sobre todo a mi comadre Hercilia, ella es tan buena e inocente que hasta lo quiere, tú mejor que nadie lo sabes... Perdónala, Señor, pero llévate al carajo a este mequetrefe que hasta mala suerte no *trai*...

¿Y cómo sigue tu Silverio, comadrita querida? Esperamos que se recupere pronto...

Intensos lazos de amor, humor y lealtad preservaban la cohesión social dentro del grupo de mujeres del que Hercilia formaba parte; para Josefa constituía un caso digno de estudio. Era ciertamente ejemplar. ¡Cuánta unión había entre los mexicanos de todos los sectores, edades, niveles y regiones! ¡Ay!, si alguien supiera y pudiera despertar toda esa fuerza y canalizarla a la construcción del nuevo país que creíamos merecernos...

La antropóloga pasó en Los Cuatro Vientos los últimos días de aquel fatídico mes de Diciembre en compañía de Alonso y de sus hijos. Su madre y su hermano estuvieron de una u otra forma a su lado; la una con mimos, pastel envinado, cocada y dulce de zapote; el otro con razones y entusiasmo. "La historia inmortaliza a los artistas apartándolos para siempre de las miserias humanas, mientras a los políticos los tendrá permanentemente sentados en el banquillo de los acusados sin absolverlos jamás -le comentó Belisario una mañana a su hermana: Vivaldi, Rembrandt, Goethe o Aristóteles, jamás podrán ser reos de culpa alguna, ellos ayudaron con su talento a la reconciliación de la humanidad. Su obra trascenderá cuando ya todo se haya perdido y olvidado junto con los nombres de los Jefes de Estado que les haya tocado padecer en su tiempo. Abandona ya la política. La verdadera tracendencia está en la creación..." Silverio, ya repuesto, permaneció al margen sin telefonear a su hija ni escribirle siquiera una breve nota para demostrarle su comprensión y apoyo. Si nunca entendió su nombramiento menos iba a sorprenderle su cese. ¡Alguien debía concluir con semejante arrogancia! Entendámoslo: la política y la guerra son cuestiones de hombres, como el mandado y los bordados corresponden a las mujeres, comentaba satisfecho al comprobar una vez más la validez de sus teorías. Ellas están para parir niños y lavar pañales, nosotros, para elevarlas a una vida digna...

Josefa buscó en el campo, en aquellos inmensos horizontes, espacios, silencios y colores el reencuentro con ella misma. ¿Planes?, ya los armaría en su oportunidad, por lo pronto volvería a gozar del paisaje, del aire limpio, de la equitación, de la naturaleza, del mundo del que se había visto apartada durante tanto tiempo. Volvió a galopar entre los trigales como en sus mejores años de soltera seguida ahora por sus hijos Rodrigo y Claudia Eugenia. Practicaba largas caminatas familiares improvisando cualquier lugar para comer a la sombra de un sauce. La bota de vino aparecía siempre mágicamente de alguna parte de la indumentaria de Alonso. ¡Cómo salir al campo sin botiquín!... Nadaba en la piscina a un lado de los manzanares o dormía en la hamaca del patio central. ¡Cuántos recuerdos y momentos felices se encontraban sembrados en aquella tierra de ilusión!... En esos días de tregua y recuperación no se le vio con ningún libro entre las manos, si acaso se le recordaba con una canasta de huevos frescos bajo el brazo a su regreso de los gallineros o cargando un recipiente con leche fresca recién ordeñada en los establos. En apariencia disfrutaba y evadía el asedio de los recuerdos de aquellos años intensos en el servicio público; lograba superar de cara a terceros el momento particularmente ingrato de su dimisión sobre todo por las desafortunadas condiciones en que se había producido. Podía engañar a los suyos, sí, pero no a su mente que la hacía desplazarse una y otra vez a la Secretaría de Educación con inaudita terquedad. Ahí volvía a analizar el origen de la ruptura, evaluando sus éxitos y fracasos, midiendo su responsabilidad personal en el desenlace. Intentaba, en fin, convalecer lo más rápido posible para poder olvidar, olvidar y olvidar.

Una mañana cuando rejoneaban en descampado en medio de unas vaquillas al final de los linderos de Los Cuatro Vientos, uno de los capataces avistó de pronto un automóvil negro que cruzaba apresuradamente la hacienda por uno de los caminos vecinales levantando a su paso una densa polvareda. Josefa dejó de juguetear de inmediato con un enjundioso novillo que trataba de alcanzarla inútilmente con su escasa cornamenta cada vez que ella lo provocaba colocando su mano sobre su testuz acerado. Al levantar la vista y clavarla en el vehículo acusó de inmediato un agudo golpe en el estómago. Estaba segura. Lo sabía, desde luego que lo sabía. Tarde o temprano mandaría por ella. Josefa leyó de inmediato los ojos de su marido. Coincidían. No cabía la menor duda, no podría ser sino un enviado del Presidente de la República.

Ajeno a la escena Alonso le daba clases de toreo a su hijo Pascual: Tú te pones aquí, ni te quita el toro ni te quitas tú, si sabes torear —le explicaba inmerso en su vida, constatando que el chiquillo aprendiera el oficio lo más rápido posible hasta que igualmente vio acercarse el automóvil envuelto en una nube de polvo.

A una señal de Alonso los caporales, armados con sus largas varas de madera, empezaron, entre voces y chiflidos, a arriar las reses rumbo al río. La escena taurina se detuvo como captada en una fotografía. La tierra estaba seca después de una mala temporada de aguas. Sólo el viento movía las ramas de los pirúes y peinaba rítmicamente los alfalfares. Bien pronto los animales empezaron a pastar distraídamente. Josefa no tardó en constatar la identidad del ilustre mensajero. Se trataba de Felipe Pasquel, el secretario particular de Pascual desde que éste había ingresado en la Secretaría de Educación Pública. El hombre de su confianza. La antropóloga encaminó al paso a la Traviesa, su yegua favorita, en tanto preparaba sus respuestas. A nadie podía escapar el propósito de semejante visita. Ella lo saludó a la distancia y se acercó lentamente con los codos reposando sobre la montura cubierta con piel de borrega. ¡Cómo lucía el rostro de Josefa con la tez tostada, su blusa blanca de olanes y el sombrero cordobés tocado con un clavel rojo, aquella chaquetilla gris oscura con botonadura de plata y el pelo recogido sin tensión alguna como quien remata con media verónica! Habían transcurrido sólo quince días desde su salida de la secretaría y parecía haber recuperado diez años. No cabía duda, la libertad rejuvenecía. El propio Alonso jamás hubiera podido interpretar el brillo de los ojos de su mujer aquel día en que a media mañana el sol colgaba implacable de la bóveda celeste. Nadie llega nunca a conocerse ni mucho menos a conocer a los demás.

Se confirmaban uno a unos sus presentimientos: El Jefe de la Nación la invitaba a tomar un café en Palacio Nacional pasado mañana a las doce del día. Quería intercambiar puntos de vista con ella...

El ganadero la dejó hablar y vociferar, ir y venir posteriormente en la sala del rancho, preguntarse y contestarse ella misma recargada en la chimenea o en los ventanales, gesticular, levantar los brazos o golpearse la piernas como era su costumbre antes de poder entrar en razones.

—¿Para qué, Chato, para qué me quiere? ¿No quedó claro nuestro fracaso? ¿No? —se repitió la pregunta airadamente—. ¿Para qué quitarnos entonces las costras? Pascual y yo no tenemos ya nada que hacer juntos. Dejaría de ser político si no le hubieran sobrado los pretextos para no hacer nada: O el presidente dijo o el sindicato opinó o el presupuesto no lo permite o las circunstancias no lo aconsejan. Ya está bien, Chato, ya está bien. Por mí todos los malditos burócratas pueden irse al demonio.

Alonso sonreía en su interior prestándose al juego. Creía conocer a su mujer y percibir a donde se dirigía en cada paso. Aun así había que saber retirarse con dignidad y elegancia, sobre todo tratándose de Pascual. ¿No crees? ¿Para qué la descortesía y la arrogancia? Había que dialogar civilizadamente, conversar exponiendo con respeto y cordialidad sus respectivos puntos de vista. Háblense Jose, háblense... ¿Por qué un rompimiento violento entre personas bien intencionadas e inteligentes? Es torpe. ¿No funcionó el experimento en el gobierno? Pues ahí iría ella a explicarle sus argumentos, después de todo se le debía consideración y afecto. No se podían tirar por la borda, así porque sí, tantos años de amistad. Pascual era todo un caballero, claro está, con las limitaciones de los políticos, pero al fin y al cabo todo un caballero. Bien se merecían ambos una explicación, una satisfacción que les permitiera si no trabajar ya juntos, al menos convivir como amigos igual que en los viejos tiempos. ¿Por qué no seguirlo siendo ahora en Los Pinos? ¿Por caprichos o rabietas? No, no voy, ¿que venga a pedirme perdón de rodillas? ¡Vamos hombre! Desde cuando habían superado semejantes niveles de inmadurez...

Por lo demás resultaba imposible negarse a asistir a una invitación expresa no ya de Pascual Portes, el compadre, el amigo de la infancia, el compañero de aula, el antiguo jefe y colega de mesas redondas, conferencias y seminarios. No, no: estaría desairando al propio Presidente de la República. ¡Que no se perdiera de vista esa circunstancia!

Asistiría; sí, asistiría. Bien sabía ella que carecía de opciones. En el fondo deseaba felicitar a su querido amigo por su meteórico ascenso hasta la mismísima Presidencia de la República, pero su orgullo y la posibilidad de que Pascual malentendiera la felicitación como una insinuación para volver a acercarse a él por interés bloquearon sus intenciones. Visto sea con la debida serenidad, la coyuntura para limar asperezas no podía ser más oportuna y generosa. Convenía delinear ahora una estrategia para la entrevista desde su arribo a la oficina más importante del país.

—¿Me tenderá la mano fríamente?

—No, hombre, claro que no, te dará como siempre un beso en la mejilla.

—¿Y si no?

—¡Por favor!, ¿crees acaso que te invita para continuar el pleito? Tú hazme caso Jose, no lo dejes hablar: vacíale toda la cartuchera a quemarropa antes de que él pueda desenfundar. Te entenderá, sabrá resignarse, no te puede obligar, no es tonto —agregó ocultando una sonrisa sardónica. Por supuesto entreveía las intenciones ocultas de Josefa y se prestaba gustoso a la trama. Ella debía ofrecer, seria, muy seria sus servicios, pero eso sí, sin compromiso alguno. Asesorarlo cuantas veces fuera necesario. Haré las veces de una consultora externa si tú no tienes inconveniente, pero he de volver a la cátedra, a la docencia, a lo mío. ¡Jamás volveré a perder mi libertad...!

Cargada de sus razones, Josefa Cortines hizo acto de presencia frente a la puerta misma de la antesala presidencial cuando las campanas de la catedral metropolitana anunciaban las doce horas de la mañana en punto del día de la cita. Un oficial del Estado Mayor elegantemente uniformado la escoltó a través del Patio de Honor de Palacio Nacional hasta llegar a una escalera ancha y sobria cubierta por una alfombra roja reservada para el uso exclusivo del Jefe de Estado Mexicano. La antropóloga disimulaba su nerviosismo recurriendo a una conversación banal a la que le respondían con los monosílabos y las sonrisas mecánicas establecidas en el reglamento. El entorno no podía ser más impresionante ni solemne. Cada columna de cantera, cada oficina, cada barandal de latón y fierro forjado, cada ladrillo del techo o de las paredes, cada pincelada de los murales y cada pieza de barro del piso habían sido testigos mudos de los pasajes más sobresalientes de la historia de México. ¡Ay! si pudieran rendir su testimonio... En este recinto depositario de los más elevados valores de la mexicanidad se sentía permanentemente observada por los ojos y escuchada por los oídos de nuestro más auténtico y doloroso pasado.

En aquel escenario se habían escrito los momentos culminantes que le habían dado a México su configuración actual. Se encontraba en el interior de la gran fragua de la nacionalidad mexicana. Aquellos pasillos los habían recorrido un sinnúmero de virreyes españoles, además de su ilustrísima serenísima, el Emperador Agustín de Iturbide, Guadalupe Victoria, Vicente Guerrero, claro que también Santa Anna, el quince uñas, el gran traidor, el vendepatrias más siniestro de la historia de México; igualmente los había utilizado el propio Benito Juárez y el invasor Maximiliano de Habsburgo a pesar de sus ideas progresistas, invasor, mil veces invasor. Podía escuchar las conversaciones de Porfirio Díaz con el Manco González, con sus Científicos, con Limantour, con los máximos prelados de la iglesia católica y con el Vicepresidente Corral, aquel que renunció por telegrama ya desde el exilio cuando estalló la revolución; las charlas de Madero con Pino Suárez o con su hermano Gustavo, las de Victoriano Huerta, el sanguinario chacal, con Henry Lane Wilson, el embajador norteamericano que lo había ayudado a llegar a la presidencia; las de Carranza con el inolvidable Bonillas, las discusiones entre Villa y Zapata cuando se pelearon por ocupar la silla presidencial tapizada en terciopelo verde con el escudo nacional bordado en oro; las pláticas y estrategias de Obregón y Plutarco Elías Calles; las del Jefe Máximo con Portes Gil, Ortiz Rubio y Abelardo Rodríguez, los famosos Peleles del Maximato, y las de Lázaro Cárdenas con Mújica y Suárez y tantos otros más. ¡Cuántas anécdotas, cuántos testimonios mudos encerraban esas paredes centenarias!

Precisamente en este recinto Juárez había firmado alguna de las leyes de Reforma, Porfirio Díaz había decidido mantenerse una y otra vez a cualquier precio en la Presidencia de la República. En estas mismas paredes había estado preso Madero antes de que lo asesinaran arteramente al trasladarlo supuestamente a la Procuraduría. Avila Camacho había decidido declarar la guerra a las Potencias del Eje en la Segunda Guerra Mundial al igual que Cárdenas había dispuesto aquí mismo la expulsión de Calles del país y más tarde la expropiación petrolera. Aquí, en este mismo lugar, López Mateos había nacionalizado la industria eléctrica y decidido oponerse al bloqueo comercial auspiciado por Estados Unidos para asfixiar a la Cuba de Fidel Castro. Desde este mismo recinto Díaz Ordaz había dispuesto también la masacre de Tlaltelolco. Bien lo decía Belisario: Díaz Ordaz tenía una vieja cuenta pendiente con México que lo ubicaría para siempre en el pudridero de la historia... ¡Cuántos recuerdos! ¡Cómo hubiera disfrutado Belisario este entorno con todos sus conocimientos!

Josefa tenía la esperanza de hacer todavía una breve antesala antes de su audiencia. Intentaría reconstruir una vez más el orden de exposición de sus ideas. Hacer una última composición del lugar. Se comportaba como si nunca en su vida hubiera conocido a Pascual. Poco faltaba para que pudiera comprobar cuán equivocada estaba en cada uno de sus pronósticos... Tan pronto ingresó en un salón decorado con gigantescas pinturas discretamente iluminadas que recordaban episodios de la Guerra de Reforma y de nuestra lucha por la Independencia de España, una joven edecán la recibió ahora con una fresca sonrisa y la condujo sobre un piso crujiente de duela impecablemente barnizado hasta donde se encontraba otro oficial elegantemente uniformado. Éste la acompañó finalmente hasta una puerta gruesa de roble tallada y barnizada al natural, una auténtica reliquia de tiempos de la colonia. Después de anunciarla con tres leves golpes, en realidad apenas una insinuación, la invitó a pasar sin esperar ya respuesta alguna.

Pascual, puesto de pie, vestido con un impecable traje azul marino instruia en voz baja a Felipe Pasquel. Al fondo resaltaba un cuadro monumental de cuerpo completo del Benemérito de las Américas con la banda presidencial en el pecho y San Pablo Guelatao a sus espaldas. Por el tono y la seriedad parecían ultimar los detalles de un plan secreto. Ambos voltearon simultáneamente:

—¿Estamos? —cortó el presidente lacónicamente.

—Sí, señor —contestó con toda sobriedad el secretario particular. Éste se retiró de inmediato saludando a Josefa con una amable sonrisa pero sin detenerse ni cruzar palabra con ella.

El Presidente de la República se acercó a ella sin ocultar una intensa emoción en la mirada. Con Josefa no tenía por qué disimular. Se conocían casi desde niños. La besó en la mejilla. Tomándola suavemente por los hombros la vio de arriba a abajo halagándola como siempre por su belleza y su elegancia. Era inocultable su satisfacción por el reencuentro. No la había visto desde el sepelio.

—El oxígeno del campo te ha sentado bien —adujo sin soltarla en tanto una generosa sonrisa surcaba su rostro. El Jefe de la Nación se veía sereno y reposado.

—No sabes qué orgullosos estamos de ti, Pascual, has conquistado finalmente la cumbre. —En el uso del plural disfrazaba Josefa habilmente cualquier confesión personal. No cabían las exaltaciones afectivas sobre todo después de la escena frente al monumento a la expropiación petrolera la noche del rompimiento—. No puedo creer que seas el Presidente de la República —apuntó ella con un repentino acento de emotividad y admiración.

—El peso de la responsabilidad no me ha dejado darme cuenta cabal de lo que me pasó —repuso con toda humildad soltándola y recargándose en el escritorio reposando las manos a ambos lados. -Siento sobre mi la mirada de millones de personas que esperan actos de magia en mi administración.

—Podrás, Pascual, claro que podrás —exclamó ella animándolo— no te falta nada para seguir conquistando el éxito —agregó con un optimismo contagioso. De golpe parecía olvidarse el percance que ambos habían sufrido. ¿Cuándo iba a suponer Josefa, ni siquiera en sus fantasías más alucinantes que Pascual Portes, sí, su amigo del alma, Pascual, sí, Pascual, su compañero de pupitre, llegaría a la Presidencia de la República? No dejaba de sorprenderse por encontrarlo y encontrarse juntos en semejantes alturas. ¿Pascual? Finalmente llegaba a aquilatar la trascendencia del cargo de su amigo.

El Jefe de la Nación no desaprovecharía la emotividad de su colega. Capitalizaría cada una de sus impresiones tan pronto ella ingresara en este despacho-museo de la historia de México. La emboscaría, la enredaría, la comprometería. Ella misma se iría cerrando sus propias puertas de salida con cada una de sus respuestas. La conduciría con tal rapidez al centro mismo del laberinto que le sería imposible salir sin ayuda.

—Podré como tú bien dices, siempre y cuando amigos de tu capacidad y talento me apoyen en esta experiencia que parece haberme robado el sueño para siempre —agregó cáusticamente esperando una contestación inevitable. Había colocado la trampa en el lugar y en el momento oportuno. Un paso más de Josefa y jalaría del cordel para dar por concluido el asunto.

—Cuenta conmigo, Pascual nadie podrá asesorarte con más desinterés y afecto que yo —contestó cautelosamente desviando la vista al soberbio escritorio presidencial coronado con un sobrio tintero de bronce patinado con la forma del escudo nacional muy probablemente hecho en Francia en los años del porfiriato—. Podré equivocarme, sí, pero siempre será de buena fe —concluyó sin confesar su estremecimiento. La estrategia de abordaje de la antropóloga se desvanecía como un castillo de arena mojada. Se veía forzada a comenzar por el final.

El Presidente de la República guardó un prudente silencio mientras ponía el dedo en el gatillo observando detenidamente las reacciones de su interlocutora. Josefa admiraba discretamente dos banderas tricolores descoloridas y desgarradas colocadas en vitrinas en los extremos de la habitación pertenecientes a su juicio al Ejército Trigarante. ¡Qué privilegio poder verlas y trabajar a su lado todos los días!...

—¿Verdad que entre hermanos sabemos olvidar? —disparó Pascual a bocajarro sin entrar ni permitir mayores aclaraciones.

Josefa vio fijamente a los ojos del Primer Mandatario. Sus facciones no-

297

bles y su mirada segura terminaron por convencerla y desarmarla. A los cuarenta y seis años de edad la expresión del rostro ya no engaña a nadie. —Por supuesto que sí —contestó finalmente bajando la vista mientras era bañada por la luz del enorme candil central que alumbraba la oficina presidencial.

—¿Verdad que nuestra amistad se ha sometido a pruebas muy severas y ha salido siempre airosa? —insistió el ahora Jefe de la Nación con su natural humildad tratando todavía de mostrarse sereno. Algo escondía en su actitud. Que si lo sabría ella...

—Claro Pascual —repuso intranquila al advertir en el jefe de Estado la presencia de una creciente ansiedad.

—¿Verdad que confiamos el uno en el otro? —interrumpió Pascual bruscamente volviendo a preguntar dominado por un extraño nerviosismo. Parecía no haber escuchado la respuesta anterior.

—Sí, sí, Pascual sabes que yo jamás te fallaría, ¡lo sabes! —subrayó con firmeza para no dejar la menor duda de su inocencia en el rompimiento anterior. ¿Cómo rebatir en esas circunstancias, en esas precisas circunstancias a su amigo y al mismo tiempo al Presidente de la República?

—Lo que pasć —trató de explorar en el lamentable malentendido que los había distanciado...

El presidente no la dejó continuar. No necesitaba saber nada más. Todo había sido ya dicho. A ninguna parte irían con un intercambio de palabras. Fue entonces cuando con los modales exquisitos de siempre le retiró su bolsa del brazo izquierdo y sus guantes de la mano derecha dejándolos a continuación sobre su escritorio. Había tomado una repentina decisión y por lo visto ya nada parecía detenerlo. Le era irrelevante no haberla invitado siquiera a tomar asiento. Sin pronunciar palabra alguna y aprovechando la confusión y la sorpresa de Josefa la condujo de la mano a lo largo de una sobria sala de juntas integrada por una mesa larga de caoba tallada y barnizada al natural rodeada por unos sillones tapizados en piel negra y elevados respaldos, destacando precisamente el de la cabecera, vestido en terciopelo verde claro, en cuyo ángulo superior izquierdo aparecía con gran dignidad el escudo nacional bordado a mano, además de un par de esculturas italianas renacentistas esculpidas en mármol blanco colocadas a cada uno de los lados de una espléndida pintura de excepcionales dimensiones y colorido que recordaba aquellos honrosos días de la batalla de Puebla en que "las armas nacionales se habían cubierto de gloria..."

—¿A dónde vamos? —preguntó asombrada dejándose vencer por la curiosidad pero sin resistirse a la iniciativa del Jefe de la Nación. Seguía sus pasos firmes y decididos. En el fondo le halagaba la confianza que él se tomaba al llevarla amistosamente de la mano. Era Pascual, el querido Pascual de siempre. ¿Quién más podría ser?

—Ahora mismo lo sabrás, —Jose, cortó rebosante llamándola como el primer día de clases. El sí, sí, Pascual, sabes que yo jamás te fallaría, ¡lo sabes!, le hacía sonreír como a un niño travieso—. Te presentaré a mi grupo de asesores con los que habrás de pasar buena parte de tu tiempo —exclamó insinuante a punto de revelar su secreto. ¿Jugaba? ¿Sí? La antropóloga no tardaría en descubrirlo... ¡Qué pronto tendría que demostrar todo lo que había aprendido a lo largo de su vida! Se vería forzada a echar mano de lo mejor de ella, a recurrir a unas reservas, a un temple, a una fortaleza, cuya existencia probablemente ella misma ignorara. Menuda prueba le deparaba el destino...

Josefa pensó candorosamente que le mostraría la oficina anexa a la suya, donde prestaría eventualmente sus servicios el equipo de asesores especializados de la Presidencia de la República, pero cual no sería su sorpresa cuando otro uniformado del Estado Mayor Presidencial abrió una puerta de roble que conducía a un enorme salón de conferencias, en donde se encontraba una verdadera nube de periodistas nacionales y extranjeros, camarógrafos y reporteros. Todo un equipo de profesionales de la comunicación específicamente convocado para la ocasión, se puso inmediatamente de pie sólo para acribillar al unísono con haces de luz blanca provenientes de cada uno de los extremos del recinto las figuras del señor presidente y de Josefa Cortines.

¿Pero qué era todo esto?, ¿de qué se trataba? El humo concentrado de los cigarrillos impedía ver con claridad. Las luces eran enceguecedoras. El recinto entero se vistió de blanco en instantes. El murmullo de los periodistas era similar al de un palomar. Te lo dije que era ella. ¿Una mujer? Pero si se habían distanciado... ¡Qué distanciado ni que nada!, ¿no ves? Josefa sentía derrumbarse. Imposible esconder su azoro. Las piernas difícilmente la sostenían. Estaba paralizada. ¿Tanta prensa para un simple asesor?

Las cámaras de televisión dotadas de poderosas lentes y alineadas al fondo como un sofisticado pelotón de fusilamiento la apuntaban como si fueran a desintegrarla con tan sólo recibir la señal necesaria. Dichos aparatos parecían tener la capacidad de practicar radiografías de cada uno de los sentimientos y sensaciones de los anfitriones sin permitirles esconder la menor emoción; las grabadoras, esos endemoniados delatores, recogerían sus silencios, su respiración, su voz entrecortada, recia o temblorosa, el auténtico registro de su personalidad: la única verdad. Frente a ellos se encontraba un nudo de micrófonos multicolores de todos aspectos y tamaños con la apariencia de un monstruo de mil cabezas que la devoraría a la primera equivocación. Los *flashes* de los fotógrafos le estallaban provocadoramente en pleno rostro, mientras atendía a un nutrido grupo de periodistas con *blocks* de notas en mano tomando apuntes, recogiendo declaraciones, la última, la más comprometedora, la que utilizarían para redactar morbosamente su sentencia de muerte. Los periódicos, bien lo sabía ella servían para dos cosas: Para matar moscas y para aplastar a los políticos...

El Presidente de la República dejó pasar unos instantes antes de levantar levemente los brazos para pronunciar unas palabras. El rostro de Josefa parecía incandescente:

—Señoras y señores —un silencio cerrado se apoderó la reunión cuando se escuchó la voz del Primer Mandatario de la Nación— de acuerdo a las facultades que me concede la Constitución Política de los Estados Unidos Mexicanos, he designado a partir de hoy a la señora licenciada Josefa Cortines, antropóloga y socióloga, gran conocida de todos ustedes, para que se haga cargo de la cartera de la Secretaría de Educación de Pública.

Josefa experimentó una detonación interior. Los flashes disparaban rayos de luz con mucha mayor intensidad. El aplauso no se hizo esperar. Un intenso estremecimiento la recorría escandalosamente amenazándola con hacerla temblar en cualquier instante. El calor de los reflectores parecía sofocarla. La recién ungida secretaria de Estado, consternada por la emoción volteó a ver al Jefe de la Nación. Éste se había sumado sonriente al aplauso. Desde luego se inauguraba una nueva tradición política en México: Más espontánea, menos formal y protocolaria. El presidente presentaría a la prensa a cada uno de sus colaboradores. La antropóloga no podía llorar ni reclamar ni hablar, escasamente podía mantenerse en posición vertical. Debía ocultar sus sentimientos, regla número uno, según Silverio Cortines. Un nombramiento así no se lo podían estar comunicando en esos momentos. Necesitaba agradecer con naturalidad como alguien que sabía de su nuevo cargo desde buen tiempo atrás. La comedia debía continuar. Imposible revelar el juego ni la estrategia demoníaca de su jefe, hermano y amigo. Buscaba palabras desesperadamente, no le quedaba la menor duda que debería hacer algunas declaraciones. Imposible hacerlas tartamudeando como una novata. Menuda manera de presentarse a la opinión pública cuando apenas podía controlar el llanto y el peso de su cuerpo sobre sus piernas.

El gran recinto iluminado, unos reporteros de pie, otros sentados, el calor, el humo de los cigarrillos, el encendido de los reflectores, el rumor venenoso, la sonrisa obligada y estudiada para exhibir seguridad y confianza, la educación y el control de cada músculo facial, la carga al rostro de decenas de cámaras dirigidas hacia ella, los haces de luz enceguecedores, el contacto con la gloria y la inmediatez del infierno, el temor hasta de tropezarse cómicamente al subir al templete antes de colocarse tras un sobrio atril ubicado a mano izquierda con el escudo nacional al frente, las banderas tricolores a los lados, los comentarios en voz baja, las sonrisitas de los reporteros especializados, la clausura de todas las puertas de salida. Todos esperaban atentos.

¿Quién pudiera ayudarla ahora a interpretar desinteresada y correctamente la verdad oculta en las entrelíneas de cada cada pregunta, a bascular la trascendencia de cada respuesta, a desentrañar la intención escondida en los gestos de sus verdugos? Toda conducta tenía un significado, un mensaje mudo, cuya comprensión exigía el dominio de ciertas claves, códigos y lenguajes. Ignorarlos era suicida. Romántico. Estúpido. Era tanto como negar una de las reglas más elementales de supervivencia no sólo ya en los sofisticados medios políticos, sino también en el de las relaciones humanas más primitivas. Hay que ser un buen lector del hombre en su conjunto o prepararse a vivir en el fracaso.

El presidente entró en su rescate. —Es para mí un privilegio hacer este nombramiento conocidos los méritos sobrados que concurren en la persona de la señora Josefa Cortines. Los demostró en las aulas como estudiante —agregó con evidente satisfacción— más tarde como catedrática y en últimas fechas como subsecretaria de la propia dependencia. Me constan personalmente su talento y capacidad, mismos que reconozco públicamente en este momento —continuó con evidente orgullo. El presidente hizo una breve pausa para medir de reojo el impacto causado en la nueva secretaria del ramo y constatar si estaba lista para enfrentarse a los micrófonos—. Doy fe y quiero ser bien claro en este punto —subrayó con severidad y firmeza— de la calidad moral y del alto sentido del honor de esta gran profesional de la educación —argulló triunfalmente. ¿Un Presidente de la República avalando la concepción de la dignidad de uno de sus colaboradores y frente a las cámaras del país? ¡Caray! No cabía duda de que se trataba del advenimiento de nuevos tiempos. Se podía reconocer su capacidad profesional, ¿pero comprometerse así responsabilizándose por su calidad moral? ¿Cuántos bribones habían llegado a alturas similares en el resto del gabinete a pesar del conocimiento público de sus inclinaciones delictivas? ¿Tanta importancia se le concedía ahora al honor?—. Estoy seguro —concluyó el Jefe del Ejecutivo— que su desempeño rebasará con creces mis más optimistas expectativas.

Le extendió la mano, se la estrecharon mutuamente viéndose a la cara mientras fotógrafos y camarógrafos capturaban la escena que aparecería en todos los rotativos y en los noticiarios vespertinos. Josefa acusaba al presidente lanzándole una discreta mirada de picardía.

—Hoy no habrá declaraciones, señores —terció el Director General de Prensa de la Presidencia de la República, interrumpiendo los aplausos, cuando percibió una señal imperceptible previamente acordada con el

301

presidente—. La señora secretaria los convocará a ustedes a una rueda de prensa cuando lo estime pertinente. Se les entregará a la salida la información curricular de la señora Cortines. Buenos días.

Mientras esto acontecía el presidente le cedía el paso a Josefa de regreso al despacho presidencial. Por supuesto que no la tomó del brazo en público. Se perdieron tras esa puerta hermosa tallada por artesanos poblanos expertos en el trabajo de malaquita. Josefa pensó en abalanzarse sobre Pascual y abrazarlo, ese fue su primer impulso, el natural, el genuino, pero un político que no sabe guardar las apariencias ni es político ni es nada, había escuchado siempre de labios de su padre. Disimula tus emociones, escóndelas o los terceros te conocerán como un libro abierto y te dominarán como a un crío.

—¿Pero Pascual? —preguntó Josefa incapaz de practicar la teoría.

—Nada, mujer, nada. ¿No me acababas de decir que estabas dispuesta a trabajar conmigo?

—Ssssiiii, pero...

—¿Pensaste que como mi asesora, no? —cuestionó a punto de soltar la carcajada— bueno pues en ese caso eres mi asesora en materia de educación. Lo de menos son los títulos, ¿no crees?

Pascual Portes giró a un lado del escritorio y tomó dos hojas. Una contenía el nombramiento de Josefa Cortines Bonilla firmado por él mismo acreditándola como Secretaria de Educación Pública. Se lo extendió a Josefa.

Los ojos se le anegaron esta vez. Lo había supuesto, sí, pero llegar a vivirlo y en esas circunstancias era algo muy distinto. ¿Cómo levantar la cabeza sin que Pascual la viera llorando? Leía y volvía a leer el texto contenido en el pergamino tratando de recuperarse a como diera lugar. No se percataba que Pascual tenía en la mano el golpe final que la derrumbaría irremediablemente. ¿De dónde sacaría ni ella ni nadie fuerza para sobreponerse a semejantes honores? ¡Qué control de los músculos de la cara ni qué nada si estaba finalmente frente a su amigo, su compadre, su colega, su hermano y además estaban fuera del alcance de las cámaras indiscretas.

Pascual le extendió la otra hoja sin dejarla reponerse ni reflexionar más. Estaba en blanco. Ni una letra ni un escudo. Nada. Vacía.

—¿Y esto? —cuestionó la antropóloga levantando la cabeza sutilmente y dejando a Pascual ver el fondo de su corazón.

—Tienes una carta en blanco para hacer todo lo que soñamos e idealizamos en los salones de clases, en los cubículos y en la universidad. ¿Te acuerdas de nuestras discusiones, nuestros proyectos, nuestras ideas? Pues hazlas entonces realidad, Jose de mi vida —expulsó Pascual igualmente un sentimiento retenido—. Es nuestro momento —siguió diciendo mientras ella lo abrazaba y lloraba incapaz de controlarse más. El presidente la estrechó igualmente entre sus brazos. Para ambos constituia una conquista. Vivían unos de los momento más afortunados de su carrera. Poder premiar así a una persona, a su sombra, a su doble sin lugar a dudas; tener la oportunidad, el privilegio de reconocer con tanta emotividad y convencimiento la honradez, el talento y los conocimientos demostrados de Josefa, no le pasaría con ningún otro miembro de su gabinete. Con ninguno tenía vínculos de esa naturaleza. ¡Con ninguno!

—¿Qué te puedo decir? —exclamó ella apartándose y enjugándose las lágrimas.

—Nada, no digas nada. Trabaja y sal por esa puerta —exclamó con humor para relajar la tensión—. Otro día seguiremos conversando —acotó Pascual deseando poner fin a la entrevista para evitar que los sentimientos de ambos se desbordaran—. Me espera el Secretario de Hacienda, Jose —agregó tomando su bolso y conduciéndola amablemente a la salida—. Abajo te espera un chofer, el que tenías en la subsecretaría, te llevará a donde tú desees.

El presidente entreabrió la puerta en tanto ella concluia su arreglo y se enjugaba una vez más. Salió y giró dejando a Pascual en el umbral. Tomó fuerza, se aliñó el pelo ensortijado tras la oreja, se calzó unos lentes oscuros y apuntó a la frente del presidente:

—¿Sabes?

—No —repuso intrigado con la sonrisa en los labios.

—Haremos un viraje espectacular desconocido en la historia de este país. Nunca te arrepentirás de haberme nombrado.

—Lo sé, señora secretaria, lo sé: Ahora tú tienes la palabra.

Momentos después Josefa bajaba a la calle de Corregidora por un elevador privado operado por un uniformado. Ahí la esperaba su chofer, una escolta secreta y un motociclista. Se cuadraron al unísono. Comenzaba una nueva etapa de su vida. Ahora podría ejecutar como la máxima autoridad educativa de México todo aquello en lo que había soñado. Una carta en blanco, una carta en blanco y entregada además en mano por el mismísimo Presidente de la República... ¡No desperdiciaría jamás esta oportunidad! El cambio se haría sentir de inmediato!

Al día siguiente asistió a la Secretaría de Educación un par de horas únicamente para tomar posesión de su puesto y confirmar de inmediato a aquellas personas cuya responsabilidad no requería acuerdo presidencial. No jugaría con los sentimientos ajenos ni especularía con sus miedos y temores. Tú aquí, tú allá. A ti te agradeceré tu renuncia hoy mismo, no esperes nada de mí. Tú serás mi secretario particular, tú mi secretaria privada, tú la auxiliar. Definía y decidía como si su nuevo cargo le fuera totalmente familiar. Era plenamente consciente que el tiempo la atropellaba. ¡Ay! de nuevo el tiempo, el maldito tiempo, ¿quién pudiera detener las manecillas de reloj? ¿Quién? Faltaba escasamente un año y medio antes del nuevo destape, la mexicanísima y no menos pintoresca institución que tanto disfrutamos y al mismo tiempo tanto lamentamos. Gobierno y gobernados somos tal para cual. Festejamos el delito que cometemos en contra de nosotros mismos. Uno propone y el otro acepta: Trato hecho. Una de las grandes manifestaciones de inmadurez política de la nación.

Sí, sí, faltaban menos de dieciocho meses para el destape. La flamante Secretaria de Educación apenas y tendría tiempo para echar a andar una vieja locomotora pesada y oxidada, sin duda alguna la burocracia históricamente más grande y viciada del país, una máquina arrumbada, aquella la que sin duda había resentido con más severidad los efectos de la verborrea oficial, el insufrible griterío de los líderes políticos que pretendían educar con discursos aldeanos, con la inyección de presupuestos desbordados, cuyo destino pocas veces se traducía en los beneficios escolares y académicos prometidos. El crecimiento del presupuesto educativo casi siempre contrastaba con la pobreza de sus resultados. Menuda paradoja. ¡Cuántos esfuerzos desperdiciados e intenciones desvanecidas! Bastaba con mirar el nivel educativo de nuestra gente...

Josefa decidió encerrarse a piedra y lodo con dos de sus principales asesores en Los Cuatro Vientos durante una semana antes de convocar a ninguna conferencia de prensa para anunciar su ambicioso programa educativo. Se aislaría posponiendo la ceremonia de felicitación de los funcionarios del sector, de los líderes sindicales, de los representantes regionales de maestros, de directores y profesores de escuelas particulares, de universidades y tecnológicos, de institutos de artes y ciencia, de organizaciones de padres de familia, de patronatos educativos, de fundaciones y organizaciones culturales, de agregados culturales de las embajadas acreditadas en México, de amigos y lambiscones deseosos de llevarse algo de su gloria... No estaba para nadie. Se dedicaría a estructurar y poner en orden sus ideas cuidando que la audacia de su planes no fuera a levantar una tolvanera de prejuicios. Bien sabía ella que caminaría sobre campo minado, un campo minado desde hacía varias décadas. En cualquier momento se podría producir una detonación que echaría por tierra sus planes dejando el terreno aún más azaroso e intransitable a quien le sustituyera en el cargo y tuviera sus mismas ideas. No sólo debía impedir un daño personal, sino evitar que lo sufriera la institución, el propio presidente y en consecuencia el país. Lo tenía muy claro: Cualquier mal que recayera sobre el Presidente de la República lo pagaría la nación entera. Se imponía la cautela. Por esa razón los diarios de México, los noticiarios de radio y televisión destacaron la siguiente síntesis informativa que aun cuando no especificaba sus verdaderos planes, sí dejaba entrever la cruzada contra la ignorancia que se proponía acometer para poder materializar las fantasías mexicanas de todos los tiempos y generaciones. Los periódicos, curiosamente, recogieron a ocho columnas la misma frase con la que concluyó su conferencia unos días después:

INVIERTA HOY EN AULAS Y NO MAÑANA EN CARCELES: JC

La prensa, justo es decirlo, le dedicó un inesperado espacio a su presentación comentando las principales ideas del cuerpo de su discurso y publicando fotografías de los momentos más sobresalientes. "El futuro de México depende de lo que podamos hacer a partir de hoy en la escuela", citó un columnista. "Una noble convocatoria al alcance de todos." "En la escuela, el origen de nuestros males y de nuestros bienes": Josefa Cortines, dejó asentado un diario vespertino, mientras otro consignaba: "La solución del problema educativo atañe a quienes quieren un México mejor." Un periódico matutino hizo constar en una nota populachera: "Una mujer nos viene a enseñar el ABC de la educación."

Los demás medios básicamente asentaron lo siguiente:

* Es mejor pagar el costo de la educación y no el de la miseria.
* Becar un estudiante serio cuesta dinero, no hacerlo cuesta mucho más.
* Un peso invertido en educación ahorrará mañana miles en asistencia pública.
* Somos lo que comemos y lo que estudiamos en la escuela.
* El amenazante ecocidio lo retendremos con educación: La gran panacea.
* Los grandes desafíos los conquistan las grandes mentes.

Cada reportero recogió diversos aspectos de la reunión. Los modales, el estilo de la nueva funcionaria, la puntualidad, el aplomo y la sencillez de su trato, ninguno pudo ver en ella el menor rasgo de arrogancia o de insolencia tan comunes en políticos de su jerarquía. Ninguno continuó con las especulaciones "de pasillo" en torno a su rompimiento con el que anteriormente fuera el secretario de educación, hoy Jefe de la Nación. La noticia de su dimisión se había filtrado irremediablemente aun cuando nunca se había informado oficialmente a la opinión pública. El fallecimiento repentino del presidente en funciones había acaparado por dos semanas los titulares de la prensa nacional. Si tan bien había funcionado el programa de su famosa

305

LEGION DE JOVENES VOLUNTARIOS PARA ERRADICAR EL ANALFABETISMO, se cuestionaban mordaces, si el éxito de su campaña DESENTERREMOS MEXICO era innegable, ¿por qué entonces una fractura tan patente y repentina en su relación? En los corrillos de la prensa se empezaba a hablar de una desavenencia amorosa entre "su jefe" y ella. El rumor, la novela, uno de los medios de comunicación preferidos entre los mexicanos, no podía faltar en este tipo de encuentros. Tampoco faltaron igualmente las risitas imbéciles de quienes creen saberlo todo y ocultan con picardía mal disimulada en el rostro un secreto inexistente. ¡Ay! cómo les reconforta a los mediocres el daño ajeno! ¡Cómo les tranquiliza saber o al menos imaginar vicios, defectos o bajezas en quienes les rodean para arrastrarlos en su mente hasta el mismo nivel de la cloaca pestilente donde sobreviven!

La mayoría de los periódicos serios no dejó de subrayar la distinción y elegancia de Josefa, una mujer trigueña, alta, con una sonrisa cautivadora y una personalidad magnética, enfundada en aquel vestido de seda negro salpicado de lunares blancos. Desde luego no era la primera mujer en llegar a un puesto de semejante responsabilidad pública y por esa razón los reporteros de la fuente escasamente hicieron alguna mención al respecto, pero eso sí, no dejaron de reconocer el realismo de los conceptos que manejaba.

Tras de aquella enorme mesa cubierta por un mantel de paño verde, rodeada de cámaras, camarógrafos y micrófonos, acompañada por sus subsecretarios recién nombrados y por el Director General de Prensa, concluyó la lectura de su ponencia escondiendo en breves párrafos colocados hábilmente al final del texto sus verdaderas intenciones. Sólo el Presidente de la República, los más íntimos colaboradores de Josefa y por supuesto Alonso captarían las entrelíneas del mensaje:

—Hay millones de niños trabajando en las calles del país. Nuestras perspectivas no pueden ser más sombrías si los mexicanos de la presente generación no alteramos radicalmente esta amenazante realidad.

Más adelante dejaba entrever algunos aspectos de su programa de trabajo:

Los gobiernos posteriores a la revolución mexicana llevaron a cabo un esfuerzo faraónico en materia de construcción de escuelas primarias. Hoy contamos ya con la suficiente infraestructura escolar exclusivamente a nivel de enseñanza elemental y cada niño mexicano tiene acceso asegurado a un pupitre. Hemos cumplido una etapa, comienza ahora una nueva, ésta vez a cargo de la sociedad mexicana en su conjunto. Ya no es posible sostener a más egresados incapaces de leer sus propios diplomas. Requerimos de medidas audaces, ciertamente revolucionarias, un viraje pactado y razonable porque todos sabemos que el máximo riesgo en cuestiones educativas es no correr ningún riesgo.

Josefa partía del supuesto de que el pueblo de México había sido engañado permanentemente por sus gobernantes mucho más allá de una centuria. Deseaba expresar la verdad sin apartarse del contexto político. En ningún caso aceptaría que México fuera un país de menores de edad...

El subdesarrollo de México, señores, se incuba en la aulas. Por esa razón las empresas, esas magníficas células generadoras de riqueza, deben participar intensamente en el proyecto educativo de nuestro país, no como un simple negocio, sino como un detonador del crecimiento económico y como un elemento vital de supervivencia de nuestra cultura. Donde los empresarios construyeron universidades, florecieron deslumbrantes polos de desarrollo que han hecho posible un México mejor. Es obvio: donde hay tecnológicos hay capacitación y empleo; donde hay empleo, hay prosperidad y riqueza pública y privada imprescindibles para satisfacer dignamente las necesidades inherentes del ser humano. Donde por el contrario, faltan universidades, y repasemos el mapa de la República Mexicana, la decadencia y el atraso dejan al descubierto los alcances de nuestra sensibilidad y la justa dimensión de la amenaza social que se cierne sobre nosotros.

Sus párrafos inusualmente realistas también podían ser atemperados:

Sólo a través de la escuela se podrán combatir estos dramas humanos. Sólo a través de la escuela se podrá contar con la capacitación necesaria para obtener mejores empleos, elevar el nivel de ingreso de los mexicanos y ensanchar nuestro mercado doméstico. Sólo a través de la escuela, por lo tanto, se podrán incrementar las utilidades de las empresas y por lo mismo los volúmenes de ahorro público, cuya carencia impide resolver las más elementales necesidades ciudadanas. En la escuela está la clave.

¿Cómo contratar a quien no sabía hacer nada? ¿Cómo elevar el nivel de ingresos de una comunidad mayoritariamente ignorante? ¿Cómo motivar a quien había sobrevivido en la apatía de generación en generación? ¿Cómo evolucionar sin aprender? ¿Cómo competir internacionalmente cuando entendíamos la capacitación como un gasto inútil? ¿Cómo imaginar una planta industrial oponible a la de las grandes potencias cuando en la nuestra escasamente se manejaba con destreza el uso de la escoba?
Las primeras declaraciones las había dictado repetidamente la señora

secretaria en la cátedra, consignado en sus trabajos, insistido en ellas una y otra vez en sus ponencias y en cuanta ocasión le era propicia. Su coraje se desbordaba sobre todo cuando escuchaba decir: ¡Ah!, es sólo un maestro... En esos momentos perdía la compostura. Si alguien merecía un sueldo ejemplar eran precisamente los maestros porque representaban la continuidad de México y la mejor garantía de su futuro, sólo por eso. Ellos y sólo ellos eran los verdaderos constructores del país. Pocas actividades profesionales eran tan delicadas y trascendentes y demandaban tanta paciencia, vocación y sabiduría como el magisterio. Su misión dentro del cuerpo social consistía en la formación de los mexicanos del futuro: ¡Nada más! ¿A dónde iba una nación sin maestros? Un país que los abandonaba a su suerte, debería asumir la desaparición gradual de su cultura histórica y el deterioro de su desarrollo económico y social. Se derrumbaría como un árbol sin raíces. Para conocer a fondo un país bastaba hablar con sus maestros. No necesitaba recorrer sus calles ni visitar sus museos ni sus centros fabriles ni sus campos ni sus barrios antiguos. Le era suficiente hablar con sus maestros. Háblame de tus maestros y te diré qué país tienes.

¿Quién en México creía en las palabras de los políticos? ¿Quién? Para Josefa la conferencia de prensa formaba parte de un número más dentro del gran circo político. Ella simplemente rehuiría las palabras: había llegado finalmente el momento de la acción, del cambio tan esperado como prometido. Impondría su voluntad, materializaría sus idealespara eso era el poder y ella lo tenía de sobra; ahora bien, si llegaba a convencerse de la inoperancia de sus ideas o de la imposibilidad de ejecutarlas dimitiría por elemental honestidad. En ningún caso permanecería en el puesto sólo por disfrutar los privilegios derivados de su autoridad oficial. Si estaba equivocada se retiraría, renunciaría para que otras personas, tal vez más hábiles y talentosas, tuvieran la oportunidad de poner a prueba sus convicciones. Se trataba de un problema de autenticidad: Ni soy una cínica ni necesito el poder para compensar vacíos personales...

¿Un político hablando así? ¿Pero qué es esto? ¿Una burócrata con principios? Si para lograr que los funcionarios mexicanos soltaran el escritorio era menester llegar a golpearlos en los nudillos, doblarles un brazo, tirarlos de la corbata y arrastrarlos hasta la calle sepultándolos a continuación bajo el peso de sus inolvidables archivos... ¿De cuándo acá contaba la dignidad y la autoestima en política? Su propio padre, don Silverio Cortines, ¿no había estado a punto de ser bajado de las solapas por unos corpulentos oficiales del Estado Mayor Presidencial porque se había atrevido, ya cesante, a sustituir la tarjeta y a sentarse cómodamente en uno de los lugares reservados a los invitados de honor en el presidium de un solemne acto oficial con tal de intercambiar a como diera lugar unas palabras con el Jefe de la Nación?

¿De dónde saldría esta pasante de política con semejantes arranques? ¿Estaría loca?

¡Ay! la mañana aquella en que se sentó por primera vez en el mismo escritorio que ocupara José Vasconcelos allá en los dorados veintes. ¡Cómo olvidarlo! Antes de hacer ninguna llamada ni de comunicarse a través de la red con Pascual ni citar a ninguno de sus colaboradores, pasó la vista por los libreros rindiendo un breve homenaje a ese histórico despacho desde el cual era posible cambiar para siempre el rostro de México. Repasó algunos de los títulos mientras se desplazaba lentamente arrastrando el dorso de la mano por la mesa de la sala de juntas. Pascual no había movido ni una sóla obra de su lugar. Al fondo de la estancia se encontró los mismos cuadros conocidos de Guerrero Galván, de González Camarena, otro más en la esquina de Saturnino Herrán, una imponente marina de Joaquín Claussel, un tema poco recurrido en él, además de un paisaje impresionante del Castillo de Chapultepec pintado por José María Velasco, obras todas ellas integrantes de la colección plástica de la Secretaría de Educación Pública. Resentía por primera vez el peso de su responsabilidad. Tenía la sensación de encontrarse dentro de una vitrina observada por aquellos millones de ojos a los que se refería Pascual. ¿Criticar?, cualquiera podía criticar, pero ¿hacer y ejecutar dentro de una maraña de intereses creados, mitos y tabúes antiguos y burocráticos? Ya veríamos. La voluntad política de ejecutar un cambio no era suficiente, se requerían otros ingredientes igualmente importantes... En el papel todo era muy sencillo, la práctica podía ser radicalmente adversa.

Bien lo sabía Josefa: la clave del éxito radicaba en la posibilidad de encontrar un grupo económico que confiara en sus ideas y aceptando el peligro social latente diera audazmente un primer paso junto con ella. Dentro del sector empresarial seguramente encontraría mexicanos progresistas dispuestos a adquirir un buen número de escuelas oficiales propiedad del Estado sin que su oferta fuera entendida como un chantaje: O colaborábamos todos o todos habríamos de enfrentar las consecuencias. Ofrecía una fórmula irrefutable para garantizar la supervivencia civilizada de México y para impedir una nueva devastación masiva de la que no había surgido el México en el que habíamos soñado. ¿La revolución había sido un fracaso? ¡Por supuesto lo había sido...!

¿No estaban los hechos a la vista de cualquier observador medianamente objetivo? De presentarse otra vez la violencia, de llegar otra vez a un conflicto armado, desde luego no habrían vencedores. ¿Quién iba a gobernar? ¿Quién iba a llegar a Los Pinos? ¿El líder furibundo de una colonia de paracaidistas incapaz de escribir su propio nombre sin errores, un hombre saturado de odios y rencores que ya había nacido con la sangre envenenada?

¿Quién? ¿Quién podía predecirlo si las grandes masas depauperadas eran las primeras en sufrir en carne propia los horrores de la explosión demográfica? Cuando se propagaba un incendio forestal resultaba muy difícil controlar la dirección del fuego, el viento podía jugar siempre malas pasadas... Las masas, sí, las masas enloquecidas y vengativas volverían a arrasar todo a su paso destruyendo cuanto habíamos podido construir en las décadas siguientes a una revolución inútil. ¿Quién, quién resultaría el vencedor definitivo? ¿Cuál de los líderes de arrastre popular, uno más ignorante y analfabeto que el otro, acaso un individuo descalzo que nunca tuvo un libro en sus manos, que no asistió ni al primer año de primaria, un claro subproducto del analfabetismo incapaz de expresarse con corrección, otro déspota en potencia según fuera conociendo las dimensiones de su poder, uno de esos seres ignorantes que contemplan la Presidencia de la República como la dorada oportunidad para destruir todo aquello que lo reprimió, mutiló o sometió lanzaría a las masas iracundas contra Palacio Nacional para empezar por colgar al propio Jefe de la Nación del asta mayor del Zócalo y salir después al balcón central para recibir con la banda tricolor en el pecho la ovación de su gigantesca grey? Un juego, un juego divertido colgar de los postes de la ciudad a estos *rotitos* causantes del atraso. No todos se llamaban Emiliano Zapata. Un hombre con otra sensibilidad y principios ajeno a la vulgaridad citadina. El gran perdedor sería por supuesto México. Sí, sí, podría llegar al máximo poder mexicano un fiel representante de esos 40 millones de mexicanos hartos ya de vivir en la miseria y que de llegar a tomar el Palacio Nacional retrasaría cuando menos 50 años el reloj de la historia por cada año de estancia al frente del país.

Cuidado con el hambre y con las revoluciones. Cuidado con la pérdida de la paciencia. Cuidado con las abismales diferencias sociales; cuidado con menospreciar el silencio de las masas y subestimar los sentimientos de resignación cincelados por la iglesia católica desde los tiempos de la Santa Inquisición; cuidado porque los mexicanos jamás habíamos aprendido a parlamentar, históricamente no habíamos podido aprender o nadie nos había enseñado: el absolutismo español lo había impedido, el siglo XIX no nos había dejado colocar una piedra sobre la otra en el orden parlamentario. En lugar de parlamentar podríamos tirar del gatillo sólo para involucionar y para dar al mundo otro espectáculo macabro de inútil salvajismo.

De tal manera que, o los empresarios, titulares del capital, los verdaderos dueños del dinero en México, cedían una pequeña parte de su patrimonio para educar aquí y ahora mismo o se expondrían a perderlo todo en un plazo relativamente breve e imprevisible. No había mucho qué pensar... ¿No estaba claro? Deberían, en consecuencia, firmar en blanco cualquier condición. Nadie podía estar peleado con su vida ni con la de sus hijos ni con su dinero. ¡Por supuesto que no! ¿Alarmista? ¿Amarillista? ¡Al tiempo, seño-res! El tiempo dictaría su veredicto cuando ya todo fuera irremediable...

La primera iniciativa la tomó sorprendentemente Alonso, el ganadero, sí, su marido, un hombre apartado del mundo de la cultura y de las artes dio la pauta para cumplir con el plan inicial a tan sólo un par de semanas de la toma de posesión de Josefa. ¡Ay!, que mañana aquella en Los Cuatro Vientos cuando Alonso convidó a una paella a sus socios y colegas del sector agropecuario y tanto él como los niños y algunos caporales se ocupa-ron de los detalles con los que ella gustaba distinguir a sus invitados. No faltaría nada. La fiesta de sorpresa resultaría un éxito.

La misma mañana de la celebración, cuando Josefa, acostada boca abajo, empezaba a salir pesadamente de un largo sueño, estiró a ciegas el brazo derecho en busca de Alonso. No logró alcanzarlo. Negándose a des-pertar intentó entonces a hurtadillas trenzar sus piernas con las de él. No dio con ellas. Recorrió con la mano las almohadas en busca de su cabeza, de su cuello, de su pecho, algo de él para tenerlo cerca, para empezar a juguetear y a reir empleando aquellos recursos infantiles que tanto los habían divertido y unido a lo largo de su matrimonio. No daba con el gana-dero. Tuvo que levantar perezosamente la cabeza con los ojos entornados para constatar que su marido ya no estaba. ¿Se habría ido a montar tan temprano? Este maldito robavacas, ¿por qué será *siempre* tan magruga-dor...? Tal vez la había visto tan cansada que había preferido dejarla dor-mir. El intenso trabajo en la secretaría y el peso de la responsabilidad pare-cían agobiarla. Ya se envolvía Josefa de nuevo en las sábanas dispuesta resignadamente a enhebrar unos instantes más de sueño cuando oyó caer el agua corriente de la ducha en el cuarto de baño anexo. No todo estaba perdido, se dijo en silencio mientras una leve sonrisa surcaba esquívamente en su rostro. Permaneció con los ojos cerrados librando una efímera lucha interior. Dormir, dormir, mejor dormir, siempre dormir pero nunca ceder a las fantasías... Anda Josefa, levántate ahora mismo, sé valiente y métete con él bajo la regadera antes de que sea demasiado tarde... Por toda res-puesta se dio bruscamente la media vuelta tratando de escapar a todo trance de semejante ocurrencia.

Si tienes apetito, si algo vivo se mueve en tu interior, déjalo ser, hazlo volar, libéralo, disfrútalo mientras puedas... insistieron al oído las voces de la tentación, pronto cerrará las llaves, Josefa, por Dios apúrate... No sabes cuánto tiempo lleva ya bañándose... Deja la solemnidad para tu oficina, ahí es donde debes controlar tus impulsos, pero, aquí, en casa, ¿con tu mari-do...? ¡Vamos hombre!

Por el ritmo con el que caía el agua Josefa entendió que el ganadero estaría como siempre con la cabeza recargada contra la pared "masticando"

311

planes y problemas como era su costumbre. Ahí, en la ducha, mientras se remojaba la espalda, decía encontrar siempre los caminos y las soluciones.

Jose, Josefita, si de verdad eres tan audaz no tienes tiempo para meditar... Es precisamente ahora mientras el agua todavía fluye tibia y acariciante cuando debes entrar desnuda en la regadera para enjabonarle los rincones del resurgimiento y del perdón. No pierdas este guiño de inspiración, no acontece todos los días, atrapa la emoción en su momento, ábrela como una fruta madura y devórala sin más... Cuando caiga la última gota todo habrá concluido, ¿serás tan cobarde como para dejar pasar esta hermosa oportunidad? ¿Qué tal ser de vez en cuando espontáneo y natural liberando esa fuerza interior que sale de lo más profundo de nosotros mismos? Sé menos racional, señora secretaria. Suéltate, baja, ven y disfruta el mundo de las locuras y el de las emociones: nunca nada le dará una mejor justificación a tu existencia. Sin ellas la vida resulta totalmente insípida... Además, había pasado tanto tiempo sin hacer travesuras... ¡Ay! las travesuras, hermosa palabra, hermoso concepto, hermosas vivencias, hermosos recuerdos de cuando nos divertíamos tanto con tan poco...

No toda la vida tendrás estas ilusiones, le cincelaba la misma voz cada vez más impaciente... Sin detenerse a pensar arrojó de pronto las mantas a un lado dirigiéndose a su tocador en busca de sí misma. Una vez frente al espejo deslizó el cepillo por su cabellera trigueña. Sonreía en tanto adquiría la necesaria fortaleza interior. La picardía afloraba en sus labios. Ya nada la detendría. Dos toques audaces de perfume le bastaron para dirigirse sigilosamente al baño dispuesta al gran encuentro. Alonso se hallaba con ambos brazos levantados como si colgara del tubo de la regadera mientras el agua caía a raudales por su pelo, por su rostro y por su pecho. El cuarto de baño, todo el blanco, estaba inundado de luz. Las cortinas abiertas permitían ver a través de la ventana la interminable planicie del Bajío. Josefa advirtió la presencia de los primeros botones de sus geranios en el balcón. Florecían. El canto aislado de unos gallos continuaba anunciando el amanecer. Abrió cuidadosamente la puerta empañada de vidrio con sus iniciales biseladas y entrelazadas al centro y sin haberse desprendido siquiera del camisón de algodón blanco generosamente escotado que habían adquirido en un viaje a Tlaxcala, le acercó sus labios sedientos mientras se envolvía con él bajo aquel chorro generoso como si se dispusiera a morir junto con él, así, en un último abrazo.

Alonso recibió sorprendido pero no menos gozoso la repentina visita de su mujer.

—Pero señora secretaria... usted aquí con un hombre desnudo en la ducha...

Ella se ocultó tímidamente recargando la cabeza contra su pecho, rodeándolo firmemente con sus brazos mientras el agua empapaba su cabellera, humedecía su piel y recorría ventajosamente aquel cuerpo de mujer eterno y misterioso que nunca nadie acabaría de descubrir. ¡Joseee, Joseee...!

Poetas, músicos, pintores, escritores, escultores y salmistas lo habían evocado, exaltado, inmortalizado, dibujado, esculpido y cantado sin agotar ni remotamente el tema de inspiración. Los historiadores hablaban de guerras, conjuras y derrocamientos, quiebras y suicidios provocados por alguna mujer, mientras los escritores acabarían antes con toda la tinta existente en el mundo pero no podrían terminar de describir el encanto hechicero ni los poderes avasalladores de la belleza femenina sobre la débil voluntad de los hombres. ¡Ay! un cuerpo de mujer, manantial inagotable de juventud, fuerza y optimismo... ¿Quién puede resistir sus empeños sobre todo si son amorosos?

Ella se aferraba a Alonso, lo atraía contra sí, en tanto las manos del ganadero le disputaban al agua el feliz momento del descubrimiento. Por instantes le sujetaba el rostro para beber en la fuente de su boca despejando de su frente los cabellos mojados, en tanto el camisón de algodón blanco se convertía en un estorbo, un odioso tropiezo que se interponía entre ellos para consagrar la comunión final.

—¡Qué hermosa eres, señora secretaria! —susurraba el ganadero sonriente en el oído de su mujer mientras recorría una y otra vez con los labios, el cuello y los hombros de Josefa enervándose con su fragancia y su tersura. Sólo unos tirantes rematados por unos moños blancos y rosas le impedían entrar al jardín de los aromas. Sin dejar de sujetarla firmemente con los brazos, jaló con los dientes uno de los listones de satín y de inmediato el otro y aun así, el camisón totalmente humedecido se negaba a desvanecerse adhiriéndose agónico al fino contorno de Josefa como si intentara todavía proteger en esos postreros momentos, al modo de un celoso cancerbero, los tesoros más codiciados por el hombre. Alonso lo hizo deslizarse hundiendo sus dedos pulgares en los costados hasta llegar a aquellos muslos de fuego que ya no opondrían la menor resistencia. La prenda arrogante no cedía. Tuvo entonces que arrodillarse para dejar ahora si expuesta la belleza de Josefa a su máxima expresión y sólo así, como se adora a toda divinidad, levantando lenta y humildemente la cabeza se encontró solo frente al origen del universo, hincado frente a aquella figura de roble blanco que revelaba los mágicos secretos que explican la dinámica del mundo.

Entablaron una contienda sin territorios prohibidos ni límites ni condiciones; una lucha muda y exaltada entre la fuerza y el poder, la potencia y la habilidad, entre el vigor y la ilusión para conquistar el bien supremo, un grandioso acto de generosidad y egoísmo donde todo ha de entregarse antes de alcanzar, conocer y compartir la paz final.

Alonso le cubrió delicadamente la cara con sus manos mientras le acariciaba los párpados con los pulgares tratando de penetrar en las fantasías de Josefa y compartirlas con ella en la realidad. Recibía sus mejillas entre sus palmas como quien sujeta un caliz sagrado y sorbiendo goloso el agua de su frente, de sus cuencas y de su boca, sus dedos empezaron a descender haciendo apenas contacto con su piel hasta su cuello, tomándola en seguida de los hombros y bajando ávidamente tras su espalda hasta precipitarse en los montes de la reconciliación. Quien ha habitado en ellos, quien ha dormido en su molicie y palpado su abundancia, quien ha contemplado el horizonte de la vida desde esa perspectiva, quien ha admirado los valles y la inmensidad de la naturaleza en su perfección insuperable, no puede imaginar condiciones mayores de grandeza y recompensa alguna: ha dado con la virtud.

Cuando Alonso se recargó contra la pared y la elevó a ella a las alturas, igual como el agua formaba un remolino para escapar, así los dos, firmemente atenazados, integrados el uno al otro, acoplados según consta en los divinos mandamientos, así empezaron a girar frenéticamente abrazados, atados, ferozmente trabados, fundidos como un solo cuerpo, unidos por una sola boca, una sola lengua, un solo propósito, una sola mente, una sola ilusión. Giraron, se contornearon, se revolcaron, se revolvieron, arremolinándose, arrollando todo a su paso, tensándose con la respiración entrecortada y las manos crispadas hasta que un estallido, las luces, los sonidos, los colores, las imágenes de la anunciación, los estremeció conjuntamente, los sacudió como si hubieran estado buscando ese último instante para justificar sus vidas, fundidos el uno del otro entre ayes, risas y lamentos provenientes del piso donde habían ido a dar en su viaje por el universo sin fin.

Instantes después, todavía húmedos, volvían a juguetear ahora en la cama que Josefa empapaba con su cabellera escasamente envuelta con una toalla. Alonso no estaba dispuesto a concederle tregua alguna. Volvían a retozar como un par de adolescentes. Ya venían de regreso de otro viaje por las llanuras del bien y dormitaban todavía trenzados cuando Macrina, ¡ay! Macrina lo que le hacen a tu niña, anunció por tercera vez, ahora ya irritada, la presencia de los chilaquiles de pollo en salsa verde y queso derretido que había preparado para el desayuno. Los niños ya se habían adelantado al acostumbrado paseo dominical a caballo. Apenas tenían tiempo para alcanzarlos...

La familia completa regresó al paso a Los Cuatro Vientos pasada la media mañana del domingo después de haber dado largas carreras a pleno galope entre los alfalfares y los callejones de los maizales y de haber desafiado a los niños a llegar antes a la poza de agua fresca donde nadaron y se refrescaron. Volvían con la piel tostada y la bota de vino tinto vacía. De sorbo en sorbo y de trago en trago habían dado cuenta de ella entre los dos. Tú sabes, los calores del Bajío... Tan pronto entraron a pie al Patio de los Naranjos ahí se encontró Josefa de golpe con unos cincuenta amigos sentados alrededor de unas mesas decoradas con distintos arreglos florales. La señora secretaria no podía salir de su asombro.

—Ahí los tienes, son todo tuyos —le dijo Alonso socarronamente al oído—. O estos hijos de su pelona le entran a las escuelas o los mando en mi próximo encierro a la México...

—Yo creía que era una comida de sorpresa por mi nombramiento —repuso ella evidentemente emocionada.

—¡Qué nombramiento ni qué nombramiento!, la sorpresa se la van a llevar éstos cuando sepan para qué los invitamos —le dijo conduciéndola de la mano al centro del patio donde se encontraba la gran parrilla donde habían cocinado la paella a la vista de todos. Josefa abrazaba exultante a unos, besaba a otros sacudiéndolos por los hombros, llamándolos con nombres o apodos o los saludaba con la mano a la distancia con una inmensa sonrisa de felicidad en el rostro. *Sus amigos, su gran patrimonio*. Los mariachis ubicados al fondo empezaron a interpretar improvisadamente Las Mañanitas pensando que tal vez se trataba de un cumpleaños.

En cada mesa estaban dispuestos unos porrones con vino tinto que eran sustituidos permanentemente por otros llenos cuando restaba tan sólo para un par de tragos. Igualmente habían fuentes con bolillos y teleras recién horneados, además de "cubitos" de tortilla a la española preparada con atún, ejotes o simplemente con cebolla, salchichas de cerdo entomatadas, morcilla, entremeses en general de gusto suave para no quemar el paladar de los comensales y permitirles disfrutar el platillo estelar.

En el momento culminante, una vez puesto el nombre de Josefa con tiras de pimiento morrón rojo y después de haber dejado "reposar" la paella fuera de la hoguera ya rociada *a boleo* con un poco de whisky, se llevó a cabo la suerte máxima tal y como indica la más añeja tradición valenciana: la paella fue exhibida verticalmente para sorpresa y admiración de los comensales. ¡No se cayó ni un solo grano!

A ella le correspondía el honor de servir la primera cucharada en medio de los aplausos y la algarabía del festín. A continuación el arroz fue servido con sus debidos *tropiezos* en platos de barro café con las iniciales de los anfitriones. El tamaño de los camarones de Mazatlán, los pedazos de langosta del Caribe mexicano, las almejas y los calamares del Golfo, las salchichas de cerdo, las pequeñas piezas de pollo cortadas especialmente para la paella acaparaban la atención de los invitados "rematándose la faena" con la aparición de enormes ensaladeras de madera conteniendo hojas de lechuga, romanitas, trozos de jitomate verde y rojo, apio, pepinos rebanados, cebollines, rábanos, zanahoria deshebrada, coliflores crudas y algunos granos de maíz hervidos, acompañados simplemente de aceite de oliva y vinagre para "desengrasar el arroz". Se daban cita los más estimulantes colores de la huerta mexicana, de la granja y de las costas mexicanas para abrir el más frugal de los apetitos.

A continuación siguió el membrillo con queso, el flan, la crema catalana, el pastel de manzana con crema batida, sin faltar por supuesto al final y para coronar la sesión gastronómica, las frutas del trópico mexicano, las fresas gigantes de Irapuato servidas con crema, las frambuesas de Villa Guerrero, melocotones, las manzanas, las peras de Chihuahua, los mangos de Jalisco, Nayarit y Colima, las naranjas de Montemorelos, un auténtico manjar de los dioses. Cuando la fiesta llegaba a su punto más alto y circulaban el café de olla, los habanos y los licores, Alberto López, mejor conocido como Nelson, porque su padre había sido un reconocido marino mexicano, un viejo y querido ganadero entre todos ellos, fue el encargado de felicitar a Josefa por su nuevo nombramiento. Al agradecer las palabras de su amigo, rodeando al gran Nelson por el hombro, reveló por primera vez la dimensión de sus planes. Un intenso estremecimiento le recorría el cuerpo. ¡Gran augurio!

En un principio habló de banalidades haciendo saber cómo se había producido su nuevo encargo cuidándose por supuesto de ocultar las intimidades. El foro integrado por amigos era el adecuado pero no todos ellos gozaban de su confianza para revelar una confesión de semejante naturaleza ni tal vez fuera el momento idóneo para hacerla. Pensaba en la mejor manera de abordar el tema delicadamente para no interrumpir la fiesta con un odioso sermón dominical. Empezó a girar imperceptiblemente la temática hasta centrar a su auditorio en el objetivo que perseguía desde tantos años atrás. Una oportunidad tan esperada... Saltó a la arena resumiendo a modo de confesión los problemas a los que se enfrentaría en la secretaría, les hizo saber que los niveles de enseñanza primaria estaban decayendo peligrosamente, que la deserción escolar era alarmante y que se debía fundamentalmente a la incapacidad económica de los padres, no sólo para sufragar los gastos escolares, sino los relativos al sostenimiento de la propia familia. La asfixia económica obligaba a los niños a desertar para realizar todo tipo de trabajos con tal de llevar dinero a la casa y escapar del fantasma del hambre a como diera lugar. Mientras no se fortaleciera la economía familiar difícilmente podrían los menores asistir a la escuela y terminar sus cursos y mientras los niños continuaran, por una razón o por otra, sin asistir a la escuela nuestro porvenir sería cada vez más negro. Cada deserción significaba un fracaso para México y el conjunto de deserciones significaba en sí una amenaza social. Adujo que la enseñanza intermedia y superior por ningún concepto cumplía con las formación requerida para el México competitivo que todos deseábamos. Que el Estado requería construir escuelas de oficios y profesiones varias, cursos breves y sencillos de adiestramiento para calificar por lo pronto la mano de obra, facilitar su contratación y tratar de mejorar el nivel de ingreso de la familia con el objeto de asegurar, entre otros propósitos, la permanencia de los chiquillos en la escuela.

—Si los padres no mejoran sus ingresos, los niños desertarán y en ese caso el problema no sólo consistirá en encarar la mediocridad nacional, sino en enfrentar los peligros que surgen cuando la gente toma la calle, vive en la calle, pernocta en la calle, vende en la calle, procrea en la calle y defeca en la calle.

Se trataba de masas absolutamente ignorantes, inútiles en el sentido más amplio de la palabra, enormes aglomeraciones de incapaces de proponer ni de aportar absolutamente nada positivo, lastres, enemigos del progreso que cada noche se reproducían y multiplicaban por doquier ajenos a la menor noción demográfica, de higiene y de cultura. ¿A dónde íbamos con un México que explotaba demográficamente y por si fuera poco, además, un México prófugo de las aulas? ¿Qué podíamos esperar del México callejero? Se estaba pagando muy caro el rompimiento del equilibrio entre la ciudad y el campo, el del abandono de las tierras donde millones de mexicanos habían enterrado sus mejores esperanzas antes de invadir las grandes capitales en busca de una mejoría, sin saber que en éstas ni siquiera podrían encontrar una sepultura decorosa: las inmigraciones multitudinarias integradas por gente miserable estaban empezando a asfixiar al país y a amenazar la paz social. La salud de una sociedad dependía, según Josefa, del grado de educación alcanzado. Se proponía iniciar el rescate de los mexicanos por los propios mexicanos...

¿Quién contrataría a un tragafuego?, ¿quién y para qué? ¿Y a los vendedores ambulantes? ¿Y a los ejidatarios dueños sólo de su hambre y de su título? ¿Quién de ustedes emplearía a los paracaidistas? ¿Quién los metería en su casa como choferes, jardineros o mozos,verdad que nadie?, se apresuró a preguntarse ella misma ¿Y saben por qué? Porque no saben hacer nada, absolutamente nada. Por esa razón, por esa, amigos, es mil veces peor la ignorancia que el analfabetismo. ¿Cuando reventarán estos depredadores del ambiente que subsisten hacinados en un metro cuadrado de la ciudad?

Lo que tiene uno que soportar a cambio de comer y beber gratis —pensó para sí uno de los invitados disimulando su apatía. Ya veremos si después de que le empiecen a llegar las mordidas multimillonarias a su despacho le

317

van a seguir importando sus escuelitas y los pinches pobres. Su propio padre es un especialista en la materia... Tú sigue hablando, Jose querida, como si no conociéramos a todos los Cortines como tú... habla... sí, sí, habla, habla, tú habla...

—Es preferible —advirtió conspicua— enseñarles a los jefes de familia un oficio para tratar de aliviar antes que nada las finanzas familiares, que obligarlos a memorizar inútilmente los nombres de las caravelas de Colón.

—¡Ay! Jose, mira —interrumpió una voz perdida entre los convidados— mejor ni les preguntes a esta punta de *charolais* el nombre de los mentados barquitos porque te llevarías una sorpresita... —El patio de los Naranjos estalló en carcajadas y en comentarios jocosos de mesa a mesa. Las risotadas le resultaban particularmente ordinarias. Pensó en desistir y en buscar una mejor ocasión. No era momento de bromas. Un guiño de Alonso la tranquilizó. Con una sonrisa forzada en los labios esperó a que se reestableciera el orden. Continuaba con el brazo encima del hombro de Nelson controlando su impaciencia. De vez en cuando tomaba su jarro de barro para dar unos tragos del café preparado por Macrina, quien la escuchaba atenta entre los caporales con las manos como siempre envueltas en el mandil.

—El gobierno, bien lo saben todos ustedes —esperó discretamente a que se desvanecieran las bromas— no tiene fondos para construir escuelas ni universidades ni tecnológicos —confesó tratando de emplearse a fondo—. ¿Cómo vamos a superar el atraso si no invertimos en educación? —se cuestionó como si todos los asistentes compartieran sus preocupaciones e inquietudes. ¿Cómo garantizar nuestros niveles de bienestar si no abatimos la desigualdad social, siendo que para abatirla resulta esencial invertir en educación?

—Los aquí presentes carecemos de los recursos necesarios para financiar nuestros propios proyectos —intervino uno de los presentes intentando atajar la argumentación de la anfitriona—. Tu problema es el de todos, Jose: el dinero...

—Hay de proyectos a proyectos y de prioridades a prioridades —devolvió de inmediato el comentario.

—Mi empresa es mi primera prioridad —repuso orgulloso el mismo ganadero.

—De acuerdo, pero no olvides las enseñanzas de la historia: quien no invierte en escuelas tarde o temprano tendrá que invertir en armas —asestó el golpe sin la menor piedad.

La sentencia cayó como un balde de agua helada. Josefa se había excedido. Ese no era el camino ni mucho menos la estrategia ni el momento. Había que apartarse de toda rudeza para poder convencer. ¿Cuándo dejarás de ser impulsiva? ¿Cuándo?, Josefita de mi vida, ¿cuándo?

—La unión hace la fuerza —agregó con una confusa mezcla de inseguridad y simpatía aprovechando el instante de silencio—. Nos necesitamos los unos a los otros —insistió percatándose cómo se iba dando la atmósfera necesaria para llegar al gran final. Vio venir la oportunidad esperada, apuntó y disparó:

"Ustedes cuentan con elementos de los que nosotros carecemos y a la inversa —mencionó dejando caer un velo de misterio—. Con la ayuda de ustedes podremos convertir en dinero fresco buena parte del patrimonio de la Secretaría de Educación —concluyó empezando a bajar la baraja sobre el paño verde revelando finalmente su juego.

¿Dinero?, ¿quién dijo dinero? ¿Dónde?, ¿dónde? La curiosidad y la expectación se apoderaban gradualmente de la reunión. ¡A callar!, con las cosas de comer no se juega... Las ocurrencias y los juegos de palabras pasaron a un segundo término. Detonar la palabra dinero en el centro mismo del Patio de los Naranjos había cambiado el curso de la reunión. Josefa acaparaba por instantes la atención de sus invitados, al menos ese era su sentimiento. Sólo faltaba plantear la fórmula para captar ese "dinero fresco." Alonso vigilaba, cruzado de brazos, la marcha de los acontecimientos con la misma seriedad con la que revisa el comportamiento de sus toros cuando salen de toriles.

—Yo compro la puerta central de Palacio Nacional para ponerla en mi hacienda —gritó un ganadero de Chihuahua, famoso por el argumento que se había atrevido a utilizar ante un banco con tal de no exhibir su balance personal en la contratación de un crédito: "Nunca le mostraré a nadie mi verdadero balance —adujo ante el Consejo de Administración— porque con los dineros pasa como con las nalgas, cuando se enseñan se antojan..."

No podía ser: ni en los momentos más serios podíamos guardar compostura... Josefa inclinó la cabeza viendo al piso. Deslizaba lentamente la mano izquierda por su cara cubriéndose los ojos, la nariz y la boca hasta retirarla nuevamente después de acariciarse la barbilla. Con qué facilidad confundía la gente la confianza y la camaradería con la vulgaridad y la grosería...

—No, queridos amigos, no —repuso con aquella tolerancia aprendida en las aulas— probablemente lo que me propongo sea igual o tal vez aun más difícil, ustedes lo juzgarán —agregó guardando un estratégico silencio.

El hábil manejo del misterio y de los espacios para hacerse escuchar le permitían irse haciendo de los hilos de la reunión. ¿Qué querrá ésta, vender la basílica, tú?... Más bien creo que han de querer subastar el morral de Juan Diego, bromeaban todavía en voz baja dos grandes productores de leche del interior de la República.

El experimento resultaba ser una valiosa prueba. Si Josefa no lograba convencer ni a esa íntima comunidad de amigos, a pesar de contar en su favor que ya varios de ellos conocían de antemano sus intenciones, sus ánimos podrían empezar a flaquear. ¿Qué podía esperar entonces de empresarios desconocidos y tradicionalmente escépticos hacia todo aquello proveniente del gobierno, quienes, si acaso, la conocerían a través de los periódicos?

—Vamos a vender las escuelas oficiales que podamos para fundar, en su lugar, tecnológicos y universidades con dichos recursos —disparó finalmente disfrazando la tensión como podía y esperando cualquier tipo de reacción del grupo.

—Es más fácil que alquiles el Zócalo para hacer Kermeses —repuso de inmediato un productor de café del Soconusco. Una nueva serie de risotadas inundó el Patio de Los Naranjos. Tal vez Alonso se había precipitado en organizar la reunión, ella en anunciar sus planes en esa coyuntura y todos se habían equivocado sirviendo los licores antes de sus palabras. La gente por lo general no sabía beber. Su paciencia se agotaba.

Sin embargo, justo es reconocerlo, ya sólo la mitad de los invitados se sumaba al desorden. El resto la animaba a continuar o pedía silencio para terminar de escuchar su planteamiento. Con uno, uno sólo que entresacara de todos ellos, tendría un primer ejemplo, el necesario para comenzar. Uno, uno sólo... La idea les parecía audaz, muy audaz, interesante, sí, ni hablar, pero cuando ya se hablaba de dinero... ¡caray!

¡Claro que los empresarios se encargarían además de las prestaciones de los maestros, del mantenimiento decoroso de las instalaciones, del abastecimiento del equipo adecuado para la enseñanza y se someterían a la supervisión de las autoridades educativas en lo que hacía a la formación de los niños y a la capacitación de la plantilla de profesores...!

Josefa no estaba dispuesta a retirar el dedo del renglón. Nunca faltarían los provocadores, los escépticos, los pesimistas, los eternos saboteadores de la marcha del mundo que parecían disfrutar con el daño ajeno, los egoístas y los torpes incapaces de la menor originalidad, los cobardes francotiradores de siempre, se dijo para recuperar ánimos. Imposible pensar en la unanimidad. ¿A dónde iba con semejante pedantería? Vertiría su entusiasmo en quienes advirtiera la intención genuina de acompañarla en la aventura. No voltearía al graderío. Ya decidida a emplearse a fondo, retiró su brazo del hombro de Nelson para poder hablar también con las manos de acuerdo a su estilo tan personalísimo de expresión:

Con el producto de la venta de estas escuelas se construirían las de oficios varios tanto en la capital como en el interior de la República y se empezarían a fundar los tecnológicos que iniciarían sus trabajos por lo pronto con muy pocas pretensiones. Se trataba de comenzar con algo y comenzar ya, ahora mismo y con quienes estuvieran dispuestos a seguirla.

—Un largo camino se inicia dando un primer paso —señaló animándolos sin disminuir las dimensiones de la tarea. Los ahí reunidos tendrían el honor de encabezar el proceso de construcción del México nuevo.

"Nadie conoce este proyecto, ¡nadie! —agregaba visiblemente emocionaba—. El México que siempre todos soñamos para nosotros y para nuestros hijos está naciendo aquí, en estos momentos, entre este selectísimo grupo de amigos, somos los verdaderos pioneros —¿No era un privilegio?— Si queremos la mejoría de nuestra gente enseñémosla a hacer algo —insistía como si fuera imposible que alguien no pudiera comprender la importancia de la educación en el desarrollo económico, político y social de un país. Si era necesario sacudir, sacudiría, suplicaría, presionaría y llegado el caso daría a gritos, si fuera preciso, la voz de alarma para tratar de apartar al país de su derrotero suicida.

Ya nadie hablaba. El mejor momento o tal vez el peor había pasado. Algunos bebían licor, otros daban largas fumadas a sus puros veracruzanos; los demás allá se concretaban a arreglar algún detalle de la mesa o simplemente a mirar el techo o a permancer con los brazos cruzados después de haberse ajustado el paliacate en el cuello. Analizaban la proposición, la mascaban a su manera. Unos esperarían hasta el final para revelar sus conclusiones. Por lo pronto guardarían silencio y escucharían. Los eternos observadores. Otros buscaban el gato encerrado, la desconfianza natural a la novedad.

Si ya pagamos impuestos, alegaban entre sí, que el Estado los destine a construir las escuelas, ahora bien, si querían que las construyera la iniciativa privada, muy bien, pero en ese caso dejarían de pagar sus impuestos. Sólo faltaba ahora que ellos se tuvieran que encargar también de las carreteras, de los hospitales, de las presas y a dotar con agua y alumbrado a los pueblos. ¿Para qué servía entonces el gobierno y qué hacía con las millonadas de impuestos aparte de clavárselos? No, no Josefita, no... Por otro lado el problema educativo le correspondía al gobierno y no a los empresarios. ¡Trabajen por lo menos!, parecía ser el sentir de los presentes, para eso tienen el presupuesto federal y cientos de miles de profesores amafiados.

Narciso Henríquez, un ganadero poblano mejor conocido por su tozudez y pesimismo como La Alegría de Loreto, levantó el brazo pidiendo la palabra. Bastaba la sola solicitud para ser tomado en cuenta y sin embargo, ajeno a la menor cortesía, no estaba por lo visto dispuesto a bajarlo hasta que no se la concedieran antes que a nadie. Lo que él tenía que decir, por lo visto, era mucho más importante que los razonamientos de los demás. Imposible ya ninguna otra postura a partir de ese momento. Sin pronunciar palabra alguna y con la mirada clavada en el piso se concretó a negar con la cabeza cada uno de los argumentos de la secretaria. No respetaría ningún turno. Su punto de vista debía ser escuchado en ese preciso instante según había acontecido en otras ocasiones en que había utilizado la misma estrategia para llamar la atención.

—Mira Jose —exclamó con los ojos entornados y exhalando humo— este es el país de lo irreversible e irreversiblemente, tarde o temprano, nos habrá de llevar el carajo a todos —sentenció como un Dios precolombino desde un montículo de osamentas humanas—. No te dejarán vender ni un triste gis ya no digas la escuela completa —Nadie ignoraba su desprecio por todo aquello que proviniera del gobierno, así como su tendencia natural a hablar en público a la menor oportunidad. Una parte muy importante de su personalidad cobraba vida en esos momentos—. En el caso remoto de que te lo permitieran en razón de tu buena fe —acotó haciendo ochos con su copa sobre el mantel— una maraña de burócratas se ocupará de *interpretar* tus instrucciones a su estilo y ya verás entonces a dónde irían a dar tus planes revolucionarios...

La secretaria apretó firmemente las mandíbulas. Había supuesto una eventual resistencia pero nunca agresiones frontales. El ambiente se hacía espeso e incómodo. Por otro lado no dejaba de sorprenderle que Henriquez mismo parecía aceptar implícitamente la idea siendo a su juicio el propio gobierno el enemigo a vencer. ¿Se podría llegar a contar con él mismo si el gobierno aceptaba?

—Te felicitamos por tu programa y tus buenos deseos —apostilló con una sonrisa irónica sin que nadie le hubiera autorizado a hablar en representación de los demás— pero yo te diré lo que pasará en la práctica con tus planes —continuó sin dar oportunidad a una respuesta—: El dinero que se logre recaudar por la venta de las escuelas irá a dar a las arcas de la nación; una vez depositado ahí, la mitad quedará a disposición de los políticos para financiar la construcción de sus casas de recreo, de lo que tú por supuesto, a todos nos consta, no te enterarás; esa parte la puedes ya dar por perdida; la otra mitad —concluyó ufano— se dilapidará en viajecitos al extranjero de los altos funcionarios y sus amantes o en la pintura de los pueblos por donde pasará la comitiva presidencial los fines de semana o en el pago de campañas políticas de los diputados municipales de quién sabe donde carajos —adujo sin el menor empacho acomodándose con dificultad en el equipal—. Oyeme bien —advirtió desde su trono de humo blanco— vamos a malinvertir esos centavos o vamos a desperdiciarlos y al final nos quedaremos sin escuelas, sin dinero, sin maestros y sin los tecnológicos que dices, Jose. Mejor déjalo todo como está, al fin y al cabo medio funciona —concluyó invitando a los presentes a la resignación sin permitir interrupción alguna—. A saber dónde irán a dar esos dineros cuando entren en la

Tesorería —agregó moviendo las manos como si se las hubiera quemado— y entre tanto, sólo habremos cambiado el problema de lugar: ahora las escuelitas serán de los empresarios, de quienes los políticos creen que tenemos maquinita impresora de billetes en lugar de caja registradora —afirmó tomando un largo trago de cognac como el patriarca que viene de regreso en la vida—. Olvídalo, Jose, olvídalo, somos una raza maldita —sentenció jadeante al pronunciar su frase favorita— no tenemos remedio alguno. Olvídalo —concluyó tratando de ser cariñoso respirando difícilmente no se sabía si por la obesidad o la emoción— nos conocemos desde hace mucho tiempo y no queremos verte fracasar como todos los que supuestamente han querido hacer algo por este país. A ver mariachis, ¿se saben el Rey?

Henríquez todavía esperaba una ovación de reconocimiento por la clarividencia de sus predicciones. Volteaba discretamente su rostro seboso de un lado al otro en busca de aceptación. ¿No había estado brillante? Un gran lunar negro al lado derecho de la papada le hacía particularmente desagradable. Alonso se había visto obligado a invitarle porque formaba parte de un grupo muy influyente, cuya participación resultaba vital en razón de su capacidad económica. Habían fallado sus planes y no quería lastimar ahora los de su esposa. De cualquier manera él había concebido un plan para ayudarla pero no contaba con los "Henríquez" que uno siempre se encuentra a lo largo de la vida.

—Narciso tiene razón, cantemos —adujo Alonso dando por concluidos los discursos, acabemos con esto, pensó para sí aceptando su derrota. Había llegado sin duda el momento de dar por cancelados los discursos.

Josefa se negó inclinándose hacia adelante y colocando ambas manos sobre una de las mesas: —Yo tengo todavía algo que decirle a Narciso —La fiesta amenazaba en convertirse en tragedia. Alonso sabía que a partir de ese momento ya nadie podría detenerla. Arremetió entonces a fondo sin tomar en cuenta la presencia de meseros, peones o caporales que ayudaban al servicio. Hubiera preferido por pudor abstenerse de pronunciar semejantes palabras frente a ellos, pero no habría otra oportunidad para saldar cuentas. Además no podía permitir que su idea abortara y mucho menos que empezara a hablarse despectivamente de "las ocurrencias" de la nueva secretaria de educación. De modo que nada de música. Su seriedad quedaría en entredicho. ¿Quién iba a decirle a ella que alguna vez tendría que defender al gobierno, a todos los Silverios Cortines que ella tan bien conocía? Imposible guardar silencio y dar por aceptadas las afirmaciones de Henríquez. No le concedería ese privilegio. Además, ahora los tenía a todos juntos.

—Te agradezco tu sinceridad —adelantó con la boca seca tratando de no delatar su nivel de tensión. Esperaba no palidecer ni perder la voz, según le había sucedido desde niña cuando se disgustaba. Se sabía sola y en una precoz prueba de fuego—. También te agradezco tu vocabulario selecto, pero no comparto la imagen generalizada que tienes de nuestro país.

Alonso prefirió no voltear a verla. Lo sabía todo. Podía anticipar paso a paso el desenlace. El estallido era inminente. Pobre Henríquez.

—Si nada tiene remedio —cargó enfurecida— si cualquier medida es inútil y tarde o temprano abortará, si nos hundimos en un mar de veneno y ya nada ni nadie puede rescatarnos, si los mexicanos somos una raza maldita y podrida, como tú dices, porque si uno no es corrupto es imbécil y si no es imbécil le importa un pito y dos flautas su porvenir y el de sus hijos, ¿qué estamos entonces haciendo todos aquí en lugar de irnos ahora mismo al demonio? —se cuestionó tonante para sacudir hasta el último de los presentes con palabras inusuales en ella, pero el momento así lo exigía. En el cambio de golpes ya no podía limitarse—. ¿Para qué perdemos el tiempo? —continuó furiosa recurriendo a sus facultades histriónicas— quememos el país, destruyámoslo, metámosle una gran bomba y acabemos de una buena vez con ochenta millones de inútiles buenos para nada... ¿Para qué seguir la farsa? Si se agotó el espíritu de lucha y la fuerza para seguir construyendo, si ya no interesa cambiar el mundo que les heredaremos a nuestros hijos, si este es el país de lo irreversible e irreversiblemente nos iremos al carajo, como tú dices, entonces quitémonos de cuentos, seamos honestos y mejor vendámosles México a los gringos o a quien sea.

—Yo no dije que nada tuviera remedio, Jose —acotó Henríquez reculando a su estilo.

—Tú dijiste que éramos una raza maldita a la que irreversiblemente se la llevaría el carajo —golpeó desaforada la moral del ganadero—. ¡Mantente por lo menos en tu posición! —insistió con aquella mirada furiosa que aterrorizaba a Hercilia.

Narciso estaba entrampado. ¿Cómo desdecirse?, quedaría como un imbécil o lo que era peor, como un auténtico cobarde. Su única alternativa consistía en devolver el ataque y morir si fuera el caso defendiendo su posición. —Sí, sí lo dije, lo afirmo y lo confirmo ante quien sea necesario y dónde sea necesario, ¿y qué?, sí, ¿y qué? —se irguió poniéndose de pie para hacer valer aun más su desafío dando un manotazo en la mesa—. ¿Y sabes por qué lo dije? —cuestionó echándose el rifle al hombro—. Sal al campo, sal pero sin tu chofer ni tu coche negro —adujo sabiendo de sobra cómo rechazaba Josefa los artificios propios del aparato político— está seco, es un páramo. ¿Y sabes por qué no tenemos remedio?, porque tres cuartas partes del país son desierto, la mayoría de nuestros ríos, mares y lagunas están contaminados para ya ni hablar de la Ciudad de México, donde hasta las ratas se mueren por el envenenamiento ambiental... El aire de la Ciudad de

México es veneno puro, gas, gas altamente tóxico y ni gobierno ni gobernados hacen nada por resolver el problema como si a todos les fuera ajeno... ¿Quieres más pruebas? —preguntó adueñándose de la situación— pues mira lo que queda de Puebla, una ciudad patrimonio de la humanidad. ¿En qué hemos convertido ese patrimonio universal...? —reventó descompuesto—. ¿Cuál remedio vamos a tener?, ¿qué nos falta por destruir, por contaminar o envenenar? Si no somos una raza maldita, dime ¿qué hay realmente sano y que funcione en este maldito país? —insistió exhibiendo una rabia incontrolable en sus palabras. ¡Dime algo en México de lo que estés orgullosa! ¡Dímelo! ¡Dame un buen ejemplo de algo o alguien! —demandaba sin ocultar su alteración.

Alonso quería interrumpirlo y pasar a otra cosa pero se detuvo ante una breve señal de Josefa. La reunión podía desbordarse y desvirtuarse en cualquier momento.

—Los políticos de nuestra infancia prometían el oro y el moro en nuestro nombre supuestamente sagrado; ellos harían lo imposible por salvar a sus hijos en aquellos tiempos de la calamidad y del desastre, tal y como los políticos de hoy utilizan ahora a nuestros hijos como material de sus discursos —exclamó Henríquez retomando la ofensiva—. En realidad se trata de la misma película tomada treinta años atrás, con los mismos textos, las mismas promesas, los mismos parlamentos, sólo cambiaron los protagonistas: ya podían ser por lo menos más originales ¡carajo! —aducía burlándose abiertamente como un consumado actor frente a su público—. Trabajaremos, decían aquellos políticos iguales a los de ahora, en la construcción de un México mejor, más próspero, más justo, el que sin duda se merecen nuestros hijos —adujo engolando la voz como un declamador pueblerino mientras aplaudía mofándose abiertamente. El sarcasmo asomaba por sus mejillas rollizas y enrojecidas por el alcohol y el coraje— ¿y qué nos dejaron?, ¿en qué se tradujeron las promesas de bienestar, de honradez y desarrollo que nos aseguraron cuando nosotros éramos los niños, los merecedores de todo el bien universal?, ¿en qué se convirtieron? —volvió a cuestionarse en términos muy llanos—. Yo te lo diré: México es hoy día una gran cloaca, un país contaminado de cabo a rabo en el orden ecológico, en el moral, en el social y ya ni se diga en el político donde los funcionarios mexicanos se la pasan salvando y rescatando en el discurso sin comenzar jamás a rescatar ni a salvar a nadie en la práctica. Las buenas intenciones conducen al infierno...

Si este país nuestro hablara y dijera todo lo que tiene que decir, pensó Josefa dentro de su malestar, si realmente pudiera desahogarse sin represalias de ningún tipo, si rompiera ese silencio que comenzó cuando Cortés durmió por primera vez en el Palacio de Moctezuma con la Malinche. ¡Ay!, ya pronto serán quinientos años de silencio... Quinientos años de resentimientos... ¡Nunca acabaremos de ajustar cuentas! Jamás aprenderemos a hablar...

"No, Josefa, no, lo único que realmente vale son los hechos por más que vengas ahora a endulzarnos la vida con nuevas promesas —concedió como si quisiera bajar el tono de la condena y dar cabida al diálogo—. ¿Sabes por qué los pobres no tienen casas ni escuelas ni nada? Porque los políticos se clavaron el dinero con el que iban a construirlas o porque los empresarios se embolsaron los impuestos destinados a levantarlas. Porque el clero anda prometiendo también un más allá que tampoco nunca les llegará, pero que aquí en la tierra les hace resignarse y agacharse ante todo y en todo —cargaba de nuevo un Henríquez avasallador—. Porque aquí —concluiría por lo visto en cualquier momento su intervención— el que es pobre es porque es pendejo y todavía cree en la virgen, Josefita. De modo que no vengas a cambiar los problemas de lugar ahora que tienes chamba. Ustedes quédense con los suyos y nosotros con los nuestros.

Alonso saltó con los brazos en alto. El tono y el lenguaje habían rebasado con mucho los extremos de la tolerancia y la consideración. Había que cortar la escena a como diera lugar. En su casa no toleraría las majaderías y menos si iban dirigidas a su esposa. Llegó demasiado tarde...

—Si ya no crees en nada ni en nadie, para eso están las pistolas, Narciso, para huir de los problemas irresolubles. La pistola, Narciso, la pistola, no veo otra solución para ti —se interpuso Josefa dispuesta a llegar a las últimas consecuencias.

—¡Basta! —tronó Alonso demudado con los brazos todavía en alto— esta iba a ser una fiesta de amigos, en ningún caso una batalla campal.

Narciso apartó la silla bruscamente dispuesto a abandonar la reunión.

—Claro, te vas —increpó la secretaria ávida de más aclaraciones—. ¡Es lo más fácil!, me voy, ¡claro que sí!, renuncias a hablar como todo buen mexicano. Es hora de llegar a las manos, ¿no?

—Ya está bien, Josefa —exigió Alonso a punto de abandonar también sus esfuerzos conciliatorios.

—Yo ya no tengo nada que agregar —alcanzó a decir Narciso de espaldas pensando que lo dejarían salir para librarse de él.

—Entonces hagamos y ya no hablemos —repuso Josefa interceptando su salida.

Narciso la encaró sorprendido con el rostro empapado de sudor. La veía firmemente a la cara.

—Hagamos un compromiso tú y yo —desafió Josefa con una leve sonrisa en sus labios. La discusión adquiría un giro inesperado—. Después de todo yo en lo personal confío en ti y tú en mí, ¿o no?

Henríquez, colocado al centro del Patio de Los Naranjos, acaparaba todas las miradas. Los invitados seguían conteniendo la respiración. Josefa continuó:

—Tú y tu grupo compren cinco escuelas rurales y dos municipales —comenzó por indicar la mayor de las responsabilidades— con el producto de la venta, nosotros construiremos en los alrededores de Puebla un gran tecnológico agropecuario para enseñar a los jefes de familia oficios y técnicas que reporten ingresos inmediatos a los suyos: Sólo así rescataremos a los chiquillos de la calle y de las milpas y los meteremos en las aulas —argüía Josefa cerrando la puerta a cualquier nuevo pretexto—. Tú no darás mordidas y yo no permitiré desviaciones de ningún tipo. A mi lado podrás constatar el destino de cada quinto que inviertas...

—¿Y si no te dejan?

—Ese problema déjamelo a mí...

—¿Y si fallas?

—Aquí mismo nos reuniremos dentro de un año para rendirle cuentas a este gran jurado integrado por nuestros propios amigos —rebotó la respuesta sin tardanza alguna.

¿Cómo negarse si la propia Josefa administraría los dineros? —¿De cuánto estamos hablando? —preguntó Henríquez sin encontrar escapatoria posible.

Josefa ganaba la partida. Henríquez se quedaba gradualmente sin argumentos. —Nada que no puedas pagar —agregó en tono francamente conciliador—. Se trata de simples escuelas rurales y municipales, no te estoy invitando a comprar la Universidad Nacional- adujo evitando cualquier comparación entre la capacidad económica de sus invitados y la insignificante magnitud del esfuerzo al que los estaba convocando. Podía suponer su fortuna tomando en cuenta la calidad y cantidad de sus animales, la extensión de sus fincas, las superficies cultivadas, sus inmuebles y equipos, sus depósitos en dólares situados en el extranjero, así como su elevado nivel de gasto evidenciado, entre otros rubros, por la tenencia de departamentos y casas ubicados en los centros de veraneo o de deportes invernales en Estados Unidos. Conocía el patrimonio de su marido, podía suponer el de sus invitados. Sí, pero no se trataba de provocar a nadie sino de ganarse adeptos a su causa, ya bastante había expuesto con el explosivo de Henríquez.

El ganadero poblano estaba contra la pared. Si rechazaba la oferta quedaría como un charlatán más, otro hablador sábelo-todo de aquellos con copa de cognac en la mano, anillo de oro con el blasón de la familia en el dedo meñique e intenso aroma a lavanda inglesa. Genios en el decir, incapaces en el hacer. Otro sabio, otro vidente, otro pitoniso con enormes facultades para criticar y fanfarronear, para distinguir en términos preclaros, eso sí, lo más conveniente para la comunidad, pero cuando ya se trataba de ejecutar, decidir y comprometerse entonces parecían víctimas de su propia verborrea.

Por la mente de Narciso pasaron aquellos años dorados de la abundancia, de las sensacionales exportaciones de petróleo a precios de fantasía, de la masiva contratación de deuda pública, de los voluminosos ingresos en divisas por todo concepto. Una verdadera catarata de dólares había inundado como nunca nuestras arcas tradicionalmente vacías, y ¿qué habíamos hecho los mexicanos con semejante cantidad de dinero? Habían pasado por el país más de ciento cincuenta mil millones de dólares en un solo sexenio y ¿dónde estaban?, sí, ¿en qué se había convertido semejante riqueza sino en un vergonzoso e histórico saqueo en el que habían participado los mexicanos de todos los estratos y latitudes? Todos éramos responsables de una u otra forma, unos por permitirlo, otros por hacerlo; sí, sí, todos habíamos apuñalado por la espalda a nuestro país o por lo menos habíamos ayudado a sujetar a la víctima y Josefa todavía negaba que fuéramos una raza maldita... ¿Cómo se define a quien degolla y profana lo más querido y si no lo más querido, al menos lo que más necesita? ¿Cómo creer ya en nadie después de una experiencia traumática así? No se habían construido en aquel entonces los puertos marítimos ni los aéreos ni las carreteras ni los hospitales ni los tecnológicos ni las escuelas y universidades que ahora sí se pretendían levantar: No se había hecho nada, y ahora venía ésta con sus promesas y sus planes y su ahora sí, te lo juro... ¡Ay!, mira, déjame de cuentos, ¿quieres...?

—¿Y si una mañana me desayuno con la noticia de que ya no eres la secretaria de educación? —Henríquez echaba mano de cualquier pretexto.

Josefa se sintió cerca del éxito. Un poco más y sería suyo. —La vida es riesgo, querido amigo, riesgo y miedo, riesgo que hay que sortear y miedo que hay que vencer —manifestó cálidamente en busca del avenimiento final. ¿Quién podía garantizar que estaría vivo mañana? ¿Quién? Lo único seguro era la muerte. Era el momento de apostar por Puebla y por los poblanos, de intentar nuevas opciones, nuevos caminos y alternativas: alguna debería prosperar. Imposible perder toda esperanza. No se podía afirmar que México fuera una nación condenada a vivir. Menuda condena... Había soluciones, ¡claro que las había! Resultaba temerario continuar escapando a la realidad con tan sólo subir eléctricamente los vidrios de nuestros coches al ver venir hacia nosotros a millones de mexicanos callejeros pidiendo limosnas o propinas con las manos prietas y mugrosas después de haber realizado alguna peripecia en la vía pública. ¿Qué haría esa gente antes de morirse de hambre?

Narciso volteó a ver a uno de sus socios. Escrutaba su rostro. Él ya no tenía nada que agregar.

Josefa aprovechó el momento de indecisión para disparar sin piedad apuntando al corazón del ganadero poblano. Jaló la cuerda con los dedos índice y anular y la detuvo tensa todavía unos instantes antes de soltar la flecha en dirección al blanco: —Quien nada ama no puede ser feliz y tú eres un hombre eminentemente feliz —soltó su comentario tratando de alcanzar sus fibras sensibles aun cuando de sobra conocía la falsedad de su argumento en relación a Henríquez.

Tarde, muy tarde entró en operación el plan tramado por Alonso y uno de sus socios. Ambos habían acordado solicitar en el pleno de la reunión, la compra de un par de escuelas en Querétaro para animar a los demás a seguir su ejemplo. A un guiño de Alonso y sin parecer palero, Dorantes, el socio de toda su vida, debería mostrar en el momento preciso su convencimiento, sin que se te vea el plumero, animal, estableció El Chato jugando a estrangularlo. Debes inclinar la votación a nuestro favor, felicitarla por la idea, comprometiéndote con ella a darle el dinero mañana mismo sin mayores averiguaciones y todos los demás nos seguirán, tú lo verás... La estrategia era impecable, sólo que Alonso no contaba con que su querido amigo se paralizaría ante la virulencia de la conversación. La violencia estaba fuera del programa y de su sistema de vida. La rehuía por principio. Dorantes, un hombre corto de imaginación y de iniciativas, pero de gran corazón y enormes virtudes, enemigo de la brusquedad y de la rudeza, jamás entrevió la coyuntura ideal para hacer su oferta alterando el rumbo de la discusión. Él hubiera podido evitar el estallido, pero permaneció petrificado sin atreverse a participar a pesar de los insistentes guiños de El Chato...

Dorantes saltó a la arena ya cuando el peligro había desaparecido totalmente: "Yo compro cuatro escuelas en Querétaro —exclamó ufano—. Las tenemos vistas en San Juan del Río, en Tequisquiapan y en la capital del Estado..."

Tarde, muy tarde, pero aún estaban a tiempo. Narciso asentía una y otra vez con la cabeza quedándose solo. Estaba perdido, arrinconado por la presión. Josefa se acercó a él, lo rodeó con el brazo: ¿Cuántos tecnológicos vamos a hacer en tu patria chica —le susurró al oído. Henríquez sonreía con la cabeza agachada. La secretaria conocía muy bien la diferencia entre dar una palmada en la espalda o una patada en el culo, según la sabiduría y la experiencia de Hercilia. —¿Cuántas, tú, maldito gordo gritón? —insistió sin que nadie le escuchara. Narciso estaba a punto de caer en una risa nerviosa—. ¿Cuántas? —lo jalaba para sí Josefa sin que respondiera el ganadero poblano.

—¡Chantajista!, eres una chantajista —contestó Henríquez en el mismo tono de voz sin advertir escapatoria posible. Empezaba a reír abiertamente. ¿Cómo negarse? Además, en el fondo estaba feliz: él y nadie más que él había sido el amo y señor de la reunión y por si fuera poco encabezaría un novedoso proyecto que bien podría reportarle extraordinarias posibilidades de lucimiento.

—¿Qué dices?

Narciso se rendía negando con la cabeza: —Estoy en tus manos, me entrego —repuso exhibiendo sus muñecas para que le fueran colocadas las esposas en un espontáneo momento de humor muy raro por cierto en él. El ganadero de Chihuahua empezó a chiflar repentinamente una diana a la que bien pronto se sumaron jocosos la mayoría de los asistentes que pudieron hacerlo en lugar de reventar en carcajadas. ¡Qué manera de improvisar! ¿Una diana silvada? Hermoso país inaccesible a los extraños. ¡Arriba mi panzón!, gritaban sus colegas. ¡No hay gordo malo!, repetían otros. Las mujeres le sacan a este hasta las tripas...

La fiesta agonizó ya entrada la noche una vez que fue servido el pozole y la última taza de café cargado, "la caminera". Los invitados empezaron a "hacer carretera" dejando en el Patio de Los Naranjos un silencio jamás escuchado.

Ganaderos de Puebla, Querétaro, Hidalgo y Talxcala, además de productores de hortalizas, café y huevo de Veracruz, Sonora y Chiapas estuvieron a partir de esa noche dispuestos a seguir a Josefa.

A pesar de que Alonso se había precipitado con la mejor buena fe la señora secretaria había logrado ganar una importante partida. Ella entendía la reunión en el Patio de los Naranjos como un claro indicador de lo que se le avecinaba a nivel nacional. Antes de plantear la venta de escuelas oficiales Josefa debería iniciar previamente el proceso de convenciminento de la sociedad, del sindicato, del pueblo en general, explicando las ventajas de la instrucción en manos particulares con el control y supervisión del Estado. De lograr sus fines contaría con un arma de largo alcance en contra de los representantes sindicales que por supuesto se opondrían a sus planes y tratarían de sabotearlos por echando mano de cualquier recurso con tal de seguir disfrutando las canonjías y privilegios que sólo proporciona el poder. La educación nacional les era irrelevante, el poder político les era vital.

Sus principales enemigos serían los propios líderes magisteriales; sus aliados incondicionales, los mismos maestros rurales, municipales y estatales, quienes pasarían a depender de las asociaciones civiles locales integradas por grupos de empresarios regionales dispuestos a superar los índices educativos y por lo mismo los económicos de sus respectivos Estados comenzando por los de los propios maestros. No era lo mismo coordinar a cientos de miles de maestros distribuidos en toda la república, por más que éstos ya dependieran de las entidades federativas, que vigilar y supervisar de cerca el desempeño, carencias y dificultades de cuando mucho seis profesores por escuela. Se les respetarían sus derechos adquiridos sustituyéndose simplemente al patrón y se incrementarían sus prestaciones laborales de inmediato como una prueba irrefutable de buena voluntad. ¿Quién podría protestar ante una oferta de bienestar de semejante naturaleza?

Josefa se reunió entonces con su Director General de Comunicación y Relaciones con la Prensa. Él era el hombre adecuado para iniciar el ataque. Sí, se trataba de influir en la opinión pública, de prepararla para ganar el combate final en contra del sindicato. Comenzó por ordenar la realización de una serie de programas de radio y televisión para revelar la realidad prevaleciente en el campo de la educación en México. Nadie conocería la identidad del patrocinador. Se presentarían como una noticia más, como una preocupación de los medios masivos de comunicación para emprender de inmediato una serie de esfuerzos conjuntos orientados al verdadero rescate de la nación. ¿Cuántos niños sabían distinguir en el mapa donde se encontraba el Estado de Zacatecas? ¿Dónde estaba el Río Pánuco? ¿De qué se había tratado la Convención de Aguascalientes? ¿Y química y física y matemáticas? ¿Qué sabían de Newton, Edison o Kepler? ¿Qué era una hipotenusa? ¿A qué gimnasia se sometía la mente de los niños para enseñarlos a pensar?

Apoyados por los gobiernos locales, periódicos y revistas del interior del país empezaron a difundir reportajes de las escuelas rurales de Chiapas, Oaxaca, Quintana Roo y Yucatán, el sureste mexicano en su conjunto. Quedaba muy claro: O simplemente no había escuela o ésta se encontraba en un estado desastroso o los maestros no asistían porque tenían que ganarse la vida haciendo diversos trabajos o aquellos no estaban ni medianamente capacitados para el ejercicio del magisterio o los niños se dormían en el pupitre por insuficiencia alimenticia o eran incapaces de aprender por un escaso desarrollo cerebral debido a la dramática carencia de nutrientes o los estudiantes desertaban gradualmente porque eran requeridos en la granja o en la milpa para ayudar a sus padres y gracias a todo ello, a las consecuencias de la ignorancia y a la explosión demográfica, el estancamiento ancestral seguía flagelando severamente las espaldas cansadas de la gran mayoría de los mexicanos. ¿Cuál crecimiento? ¿Cuál evolución? ¿Cuál futuro promisorio?

Los documentales emitidos por la televisón en horarios estratégicos no dejaban lugar a la menor duda. La realidad era lacerante. Los profesores, además de su deficiente preparación, tenían que resolver necesidades más apremiantes antes que presidir un aula. Los niños, cuando finalmente llegaban al pupitre, enfrentaban el drama de la desnutrición con la que habían sido engendrados, habían nacido y habían crecido.

Los gobiernos estatales, en su gran mayoría, se encontraban imposibilitados para incrementar los sueldos, adiestrar y actualizar profesional y convenientemente a una gigantesca e inmanejable plantilla de maestros, se repetía constantemente en los reportajes. A malos maestros, malos estudiantes: a malos estudiantes en un país, malas condiciones de desarrollo, malas condiciones culturales, sociales, económicas, ecológicas, sicológicas, anímicas y morales. Malo, malo todo, malísimo: El conflicto entonces nacía también cuando quedaba evidenciada la insuficiente capacitación de la mayoría de los maestros de la nación. Si ya ellos adolecían de una instrucción ineficiente, ¿qué podía esperarse en ese caso de los alumnos a los que ellos enseñaran un conjunto de conocimientos prendidos con alfileres? Ese sería el México del futuro, precisamente un país en el que todo pendía de alfileres... ¡Cuánto peligro...!

Las enormes distancias, el número de educadores y las carencias presupuestarias daban al traste con los esfuerzos para preparar debidamente a la niñez y a la juventud mexicanas. Las escuelas carecían en ocasiones hasta de los pupitres suficientes para el alumnado, en muchas de ellas los vidrios estaban rotos y no existía un presupuesto disponible para repararlas. Los sueldos de los maestros no llegaban con la oportunidad requerida ni se abastecía de libros básicos, gises, escuadras y en general el equipo elemental de trabajo propio de una institución respetable de enseñanza. El horizonte económico y social de México era atrozmente negro. La miseria señoreaba a lo largo y ancho del país. Había que gritarlo, denunciarlo, explicarlo y demostrarlo no sólo para alcanzar el día de mañana la prosperidad tan ansiada como largamente prometida sino para impedir el resurgimiento de los motivos nunca extinguidos que anteriormente habían conducido al país a la violencia.

Los especialistas en comunicación causaron un impacto inmediato. Los resultados no se hicieron esperar. Bombardeaban de día y de noche a la opinión pública en cuanto vehículo publicitario estuviera a su alcance revelando en diferentes momentos, espacios y medios las razones más evidentes de nuestro atraso. Se filmaron telenovelas para atrapar una gran parte del auditorio en donde se manejaba con toda sutileza y profundidad el drama al que se enfrentaba la gente que no recibía en su momento la instrucción necesaria: Al tener muchos hijos y no poderlos mantener por carecer de empleo o bien de los recursos imprescindibles para satisfacer sus más elementales necesidades, los conflictos familiares no tardarían en hacer acto de presencia. Estos podrían ir desde la violencia doméstica misma en cada una de sus versiones hasta el alcoholismo y el consecuente abandono del hogar por parte del padre, ocasionando la desintegración final del núcleo familiar. Todo ello conduciría, por supuesto, a la deserción escolar de los hijos, quienes a su vez, ya carentes de todo tipo de instrucción y preparación, seguirían los pasos de sus padres formando en su momento "una familia" en condiciones similares a aquellas en las que habían crecido, repitiéndose así la historia tal y como había acontecido hasta nuestros días. La cadena de errores se alargaría hasta el infinito. Mientras la economía familiar no cambiara, aun cuando fuera en forma rudimentaria, mientras la escuela y los maestros no cambiaran, no cambiaría el país.

La imposibilidad de mejorar la economía personal, dados los niveles de ignorancia, continuaría estimulando la tensión y la desintegración familiar, incrementaría las enfermedades propias de la miseria padecida por cuarenta millones de mexicanos, propiciaría la deserción escolar, aceleraría el desastre ecológico hasta perecer sepultados en montañas de basura inhalando humos venenosos, subsistirían las tasas de mortandad infantil, seguirían nuestros desesperantes niveles de crecimiento económico originados en nuestro escaso desarrollo físico e intelectual, a su vez el producto de nuestra histórica insuficiencia alimenticia que no habíamos podido superar, a su vez, como parte de nuestro alarmante atraso educativo.

Al fin y al cabo, todo se resumía en un problema de educación, sugerían los comunicadores públicos y privados en anuncios, entrevistas, seminarios y programas de radio grabados que se transmitían de punta a punta en el interior de la República. No se detendría tampoco la explosión demográfica ni los abortos clandestinos, ya no sólo en razón de la criminal resistencia eclesiástica respecto a la maternidad voluntaria, no, sino también en razón de la falta de educación ahora sexual, del morbo, de la timidez y de los prejuicios de las mayorías, todo ello, nuevamente, un evidente conflicto educativo.

Nadie podría desconocer la magnitud del problema que nos golpeaba a los mexicanos por todos los costados ya que se utilizarían todos los medios a los que la sociedad recurría para informarse o distraerse.

Los niveles de información de los estudiantes extranjeros comparados con los mexicanos hablaban de las responsabilidades que cada uno adquiriría en el futuro. En este aspecto acertaba nuevamente el equipo de comunicadores que presidía veladamente Josefa. Las diferencias eran abismales: los unos se preparan para conquistar el mundo, para subsistir dentro de un sistema de poderosos bloques económicos dominados por la tecnología de punta, mientras nosotros teníamos a millones de niños ganándose penosamente la vida en las calles del país. ¿Qué posiblidades de éxito teníamos en esas condiciones?

333

Se radiadaron y televisaron diversos programas, entrevistas, documentales y diferentes series y mesas redondas analizando El Papel de la Educación en el Desarrollo, invitando a los más destacados expertos de los cinco continentes. Asistieron pedagogos, sociólogos y economistas hindús, tailandeses, una cuidadosa selección de peritos orientales, además de ingleses, estadounidenses, peruanos, argentinos, alemanes y franceses, dispuestos a enriquecer el evento con la experiencia conocida en sus respectivos países. Igualmente dictaron sus ponencias prominentes nutriólogos en diversos seminarios a lo largo y ancho de la República principalmente en universidades y tecnológicos donde los mexicanos sorprendieron por sus conocimientos y también, sí, por la indolencia con que la comunidad recibía sus afirmaciones. De sobra sabía Josefa que los mexicanos no nos concedíamos el debido crédito entre nosotros mismos, pero si las conclusiones ya eran dictadas por los más prominentes profesionales extranjeros de la materia, la huella y el efecto serían muy distintos. Por otro lado, el tema educativo siempre había parecido sumamente aburrido en México. ¿A quién le interesaba hablar de las aulas? Después de todo la instrucción nacional no merecía tanta atención. ¿Por qué concedérsela? Durante los informes presidenciales la gente entendía como un intermedio el momento en que el Jefe de la Nación se refería a la problemática educativa. Había otros temas prioritarios antes que el de la enseñanza, ¿o no?

Las autoridades educativas eran las culpables; el ruinoso estado de las finanzas nacionales otro de los grandes responsables, la burocracia, los intereses creados y la comunidad permanentemente apática, los cómplices del atraso. Resultaba inaplazable repartir entre toda la sociedad el peso de las tareas educativas, distribuir las cargas para llegar más fácilmente a los maestros y a los estudiantes. Los esfuerzos deberían acometerse en forma conjunta reestableciéndose los desayunos escolares a cargo de los gobiernos locales. Los niños que asistieran a las escuelas oficiales se les alimentaría antes de tomar la primera lección y se les daría además un complemento vitamínico, el mismo que igualmente empezarían a recibir las madres por conducto del Instituto Mexicano del Seguro Social; se prepararía y pagaría mucho mejor a los maestros y a los padres de los estudiantes que así lo solicitaran se les adiestraría en actividades remunerativas muy simples para hacer ingresar dinero al hogar y garantizar así la estancia de sus hijos en la escuela.

Si la madre no ingería los más elementales nutrientes durante la gestación y si el niño hasta cierta edad no hacía lo propio durante la lactancia y sus primeros siete años de vida, ya de nada serviría la mejor escuela del mundo, el subdesarrollo mental para entonces sería definitivo:

—Estamos creando una nación de débiles mentales, un país de idiotas, que irá requiriendo día a día ya no escuelas normales, sino escuelas para niños con serios problemas de aprendizaje, escuelas para personas con evidente incapacidad cerebral —sentenció Josefa en una reunión entre sus consejeros más cercanos...— Los que menos tienen son los que más crecen y los que menos se alimentan. La espiral que conduce al infierno se alarga creándose una inercia suicida que nadie podrá romper hasta que no se produzca la destrucción total —dejó asentado en una ocasión cuando no lograba imprimir el ritmo deseado a los cambios que pretendía instrumentar. ¡Qué trabajo reparar una maquinaria obsoleta y abandonada desde hace tantísimos lustros...!

Las campañas decían: "Somos lo que comemos". "Somos lo que leemos". "Somos lo que respiramos". "Somos lo que oímos, lo que vemos, lo que sentimos." Los resultados empiezan a ser notables. En la ciudad de México se empieza a hablar sólo del tema propuesto veladamente por Josefa. La Cámara Nacional de la Industria de la Comunicación se suma a la campaña como también lo hace con todos sus recursos el Consejo Nacional de la Publicidad. La televisión y la radio ceden gratuitamente sus espacios precisamente en las horas de mayor auditorio para difundir el mensaje: "Rescatemos México. No tenemos otro país." Bien lo sabía ella: En una comunidad ajena a la lectura, nada se podría hacer sin el apoyo de los medios masivos de comunicación, en particular sin el de los electrónicos. Bien pronto en México sólo habría un tema de conversación: La educación y la nutrición.

Los maestros se sienten comprendidos, aquilatados, apoyados y estimulados. Les invade un contagioso optimismo. Ser maestro es un motivo de orgullo. Ellos son los verdaderos padres de la Patria. En otros países ser miembro del cuerpo de policía o del ejército constituye una señaladísima distinción. En el extranjero, los militares son premiados en congresos, parlamentos y en los palacios reales por reyes o primeros ministros. En México ese lugar corresponde a los maestros. El Presidente de la República los premia, les impone condecoraciones con todos los honores, los visita en las aulas más apartadas de ciudades y pueblos. Hasta ahí llega la medalla, el pergamino, la fotografía y un jugoso reconocimiento en efectivo propuesto por Josefa. Se organizan desayunos en los Pinos con los maestros, en las giras presidenciales invariablemente se les convoca y se les reconoce sentándolos al lado del Jefe de la Nación: "Soy maestro, me debo a los maestros y estaré siempre al lado de los maestros", declara durante un acto en el corazón de la selva lacandona en el interior de una humilde escuela rural donde el maestro enseñaba sin recursos económicos ni textos actualizados ni elementos técnicos ni capacitación ni comodidad ni higiene ni bienestar

335

alguno. ¡Un héroe!, estaba junto a un héroe que no había sucumbido a la tentación de la gran ciudad y continuaba como todo un apóstol de la libertad impartiendo sus escasas enseñanzas sin esperar compensación alguna. ¿Cuántos como él estaban dispuestos a emular su sacrificio? ¡Qué bien se estaba en los lujosos restaurantes del interior de la República sin prestar atención a las miles de mechas que se encontraban prendidas en el campo y que los humos de la ignición convergían en la Ciudad de México? ¡Capi, Capi, queremos un Martini en vaso Manhattan con Beefeaters y aceitunas rellenas con anchoas y un vodka collins pero con Stolichnaya y para comer vaya descorchando un Chateau Margaux 75 para que respire... Sólo quiero esa cosecha... Sí, sí, sólo que dar dinero para gises, para desayunos o equipo escolar ni muertos, eso es problema de los políticos aun cuando la revolución, ¡ay, la maldita amenaza amarillista!, nos pueda atropellar a todos por igual... Donativos escolares, no, no y no...

Las bases del sindicato le niegan a Josefa su apoyo. Surgen a diario nuevos enemigos de entre las filas del inmovilismo. No importa, no debe detenerse, no se detendrá. No importan las amenazas. Promete una mejoría sustancial en materia de ingresos sin decir ni quién ni cómo se pagará mientras el secretario de hacienda declara la incapacidad federal de satisfacer las solicitudes económicas de los maestros. Las contradicciones se imponen. Se presenta una nueva dificultad ahora con otro colega. No hay dinero, Josefa, no hay y no vamos a financiar nada imprimiendo billetes. Tú tienes problemas, el país entero los tiene. Debemos atenernos a nuestras capacidades económicas por más justificadas y nobles que sean tus pretensiones. Nadie las discute, sólo que no hay dinero y no seré yo quien lleve al país a la bancarrota. Si cedo ante los maestros tendré que ceder ante todos...

Insiste la secretaria de educación ante las comisiones de profesores que la visitan periódicamente en la necesidad de redactar un nuevo plan de estudios, de actualizarlos en técnicas de enseñanza, de comprar equipo, de crear muchas más bibliotecas y dotarlas con muchos más libros. ¿Me darán su voto de confianza? El sí es multitudinario. Se acerca cada día al planteamiento final.

Josefa preve la inminencia de las manifestaciones públicas, el insulto encubierto en la prensa, la calumnia, las emboscadas concebidas por quienes entendían la reforma educativa como una agresión directa contra sus intereses, la venganza urdida por los afectados, los titulares de un poder espurio, las sanguijuelas de siempre, los parásitos que viven del esfuerzo ajeno, los ventajosos, amantes tradicionales del camino fácil, del hurto, del atajo ilícito permanentemente señalados por enriquecimiento inexplicable. Le harían pagar caro el intento de desbancarlos, de destronarlos, de retirarles para siempre de la boca las ubres de la nación; la atacarían sin piedad recurriendo al pasado de su padre, un prófugo como ella que inexplicablemente llegaba nuevamente al poder. Sus temores no tardaron en materializarse. ¿Qué acaso no se sabía quiénes eran los Cortines? ¿Se desconocía el origen de la fortuna paterna? Pagaría culpas ajenas. Si el padre había sido un bandido, la hija no podía ser sino astilla del mismo palo. Demagogia, sólo demagogia en las palabras del Presidente Portes. En su gabinete existían funcionarios que no deberían ocupar un ministerio sino una celda. Deberían estar en prisión y no en una secretaría de Estado. ¿En qué consistía la tan cantada honestidad de Josefa Cortines cuando ya había nacido manchada? Pascual guarda silencio ante su secretaria de educación. Jamás una sola aclaración, hubiera sido tanto como dudar de ella. Entendía la razón de los ataques. Guarda un escrupuloso silencio y refuerza sus apoyos. Josefa insiste, no se deja intimidar, se crece: si les duele, voy bien. Solicita entonces las modificaciones legales para proceder a la venta de las escuelas oficiales. Para su sorpresa, sectores progresistas del propio sindicato están dispuestos a acompañarla. Le manifiestan en la intimidad su compromiso y simpatía.

Su insistencia en abrir los medios masivos de comunicación como parte indispensable de sus planes educativos le reporta crecientes enemistades ahora en la Secretaría de Gobernación. A continuación habría de enfrentarse con los representantes del Consejo Ejecutivo Nacional del PRI por volver a promover la desintegración del sindicato de maestros, una fuerza electoral de más de un millón de personas que votaban tradicionalmente a favor del partido significando uno de los puntales de supervivencia del sistema. Si la negociación había sido intensa cuando se produjo la desintegración en 31 fracciones, su separación definitiva del sindicato con todas sus prestaciones y además patrones sustitutos constituía una tarea faraónica.

¿Alguna vez se ha visto a un náufrago renunciar a su tabla de salvación? Sólo un insensato perdería una fuerza electoral de semejante magnitud. Un suicida, un imprudente, un temerario que pretendía hacer estallar los cimientos de la organización política a la que México le debía tantisísimos años de estabilidad y paz social. Si empezamos por lastimar a quienes votan por nosotros y nos socorren con su confianza no tardaremos en asistir al derrumbe de las estructuras que levantaron con tanto tino y acierto nuestros abuelos... Al darles la espalda a nuestros incondicionales le estamos entregando el poder en bandeja de plata a la oposición. ¡Cómo se ve que esta advenediza, esta arribista rotita le importan un pito las grandes conquistas de la revolución...! ¿La revolución? En la actualidad cada quien la entendía en términos de sus propios intereses. Se va acercando el momento de ajustar cuentas... Si ella no tiene consideraciones, nosotros menos. Sus propios colegas del gabinete dan los primeros pasos orientados a una declaración de guerra. Se cavan las primeras trincheras para aniquilarla. El enemigo estaba en casa.

Josefa pide una audiencia, otra más. Visita como nunca a Pascual en Los Pinos. Pasan un par de fines de semana en Los Cuatro Vientos. Hablan y discuten, analizan, consideran durante el desayuno, hacen largos recorridos a pie, estudian y basculan durante los aperitivos y los entremeses; suponen en la sobremesa, pronostican y meditan a un lado de la chimenea y deciden después de la cena. Ambos resuelven hacerlo lejos de la casa presidencial. No resulta conveniente que la vean con tanta insistencia en Los Pinos. Las noticias se filtran. Los enemigos especulan en silencio. Siempre alguien informa de los detalles de lo acontecido en la residencia oficial. Mejor en Los Cuatro Vientos siempre y cuando hagas unos buenos tacos de cochinita pibil y salsa de cebolla roja y chile habanero bien picante, la compromete el presidente. Concluyen en la necesidad de adelantarse a los planes de los saboteadores profesionales. Mientras menos tiempo les concedieran, más posibilidades de éxito tendrían. No les demos alas a los alacranes, apuntó Pascual, bastante pican ya en el piso... Apresurémonos Jose, mojémosles la pólvora antes de que disparen contra nosotros.

El Presidente de la República invita "a tomar un café" en Palacio Nacional al líder de los maestros para *sugerirle* otras alternativas políticas... La democracia debe darse en todos los órdenes de la vida nacional, por supuesto también en los sindicatos. Lo recibe con esta frase para la historia política de México:

—Don Julián —dispara Pascual a quemarropa sin dejarlo tomar asiento, *madrugando* como siempre a sus visitantes cuando pretendía abordar y ganar un asunto delicado— le felicito por el nombramiento como candidato a Senador de la República con el que nuestro partido lo ha distinguido... ¡Bien merecido! —El estupor se reflejaba en el rostro del líder con una severidad incontestable.

"Me es muy grato constatar que usted es un hombre progresista que ha dado su vida por el bienestar de los maestros mexicanos y por lo mismo entiende y acepta lo más conveniente para ellos —Lo abraza emotivamente, no le permite hablar. Don Julián trata de precisar un posible mal entendido pero por lo visto tiene atorado en el pescuezo un hueso de melocotón de aquellos que cultivan los mormones en el norte de Chihuahua. Una verdadera pieza. Apenas y puede respirar. ¿Qué? ¿Senador, yo? —pregunta con la vista perdida en el enorme retrato de Juárez con el pueblo de San Pablo Guelatao al fondo. El líder se sabe tocado de muerte. Le están concediendo los últimos minutos para recapacitar. Entiende de sobra las entrelíneas del lenguaje político, no en balde ha vivido tantos años del sistema y en el sistema. Inútil insistir. Le conceden al menos una salida digna. Debe reconocerlo y someterse. No hay error que valga. Es el fin; más le vale aceptarlo y ahora mismo. De oponerse las venganzas podrían ser funestas. ¿Quién, quién se le pone enfrente en México al Presidente de la República?

¿Pero que a ese senador, a ese representante popular no lo deben elegir los mexicanos en edad de votar? ¡Ay!, por favor, nadie en el mundo tiene poderes como los del Presidente de México, él es el gran elector, la encarnación misma de la voluntad política de la nación... Pascual toma el sombrero de don Julián y lo acompaña a la puerta: -Mi gobierno le agradecerá para siempre su actitud patriótica para construir el México del futuro. Hemos de divulgar que usted cedió libremente su alto encargo para poner una muestra más de madurez política de México. Estoy seguro que la elección de Rafael Hernández como su sucesor habrá de ser siempre en beneficio del sindicato que usted presidió con tanto éxito e indudable tino... El abrazo cordial, la palmada de siempre en la espalda, la sonrisa expresiva, la comprensión siempre a flor de piel: gracias.

—Con usted hasta la muerte, señor presidente, de sobra sabe usted que soy un soldado leal... La reunión había durado dos minutos y treinta y siete segundos.

El gobierno de la República retiene el control político. Don Julián Aldaz agradece que no se investigue el destino de los fondos del sindicato. Había cometido un fraude mayúsculo que en cualquier otro país lo hubieran sentenciado por lo menos a cadena perpetua. En México no pasaba nada: El presidente había dispuesto su perdón incondicional en tanto permaneciera inmóvil, obsecuente y sonriente en la Cámara de Senadores. Si se opone a mis planes y comienza a intrigar enciérrenlo para siempre...

—Pero señor, si se robó cincuenta millones de dólares...

—Más se perdió en Dunquerque. Déjenlo en paz. Si se mueve ejecútenlo...

¿No vamos a aplicar la ley como corresponde a un fraude de esta magnitud?

Yo te aviso, por lo pronto disciplínate o te la aplico a ti...

Ni chistó don Julián. A buena hora iba a discutir con el Jefe de la Nación, si como decía Hercilia, todo mexicano y en especial los políticos tienen un cuete metido en el culo y sólo el presidente tiene los cerilllos... ¿O hay quien lo dude? ¡A callar! Don Julián no habló, no refutó, no negó con la cabeza. Acató, se agachó, cumplió y concedió en todo y en parte. Ya sabía él que a otro colega lo habían puesto frente a una disyuntiva ciertamente difícil: O te vas a la calle rico y próspero o te vas a la carcel pobre y enmierdado, escoge hermanito de mi vida... Hay veces que se gana y otras que se pierde. Tu dirás... Además, si sabía disciplinarse, todavía podría aspirar a ser candidato del tricolor a la candidatura como gobernador de su estado natal. La disciplina partidaria, la primera lección de todo político que medianamente se respeta...

Por toda respuesta los diarios del día siguiente exhibieron en primera plana la fotografía del Jefe de la Nación estrechando las manos del ahora exlíder de educación. Ambos expresaban una amplia sonrisa. El influyente líder había pedido audiencia con el presidente para hacerle saber su deseo de registrarse como candidato a una senaduría por su estado natal proporcionándole a los maestros la oportunidad de elegir a quien consideraran más conveniente para encabezar uno de los sindicatos más importantes del país. Rafael Hernández salió curiosamente electo como nuevo líder nacional dentro de unos sufragios transparentes e inobjetables. Los maestros estamos obligados a poner el ejemplo, señor...

¡Ay!, la magia del poder presidencial en México: Es sabido que los titulares de la Casa Blanca, los del Elíseo, los primeros ministros del 10 Downing Street y del Quirinale han envidiado abiertamente los poderes de los presidentes mexicanos. Esto se hace ¡así!, ¿está claro? y nadie protesta, nadie se opone, nadie renuncia ni refuta ni siquiera sugiere ni opina ni piensa ni considera ni discierne: ¡Nada! Las palabras divinas se acatan, se respetan, se obedecen sin interpretarse. Constituyen los dogmas políticos de la nación. En ellos descansa la infalibilidad del Jefe del Estado mexicano. Tan pronto alguien se atreviera no ya a criticarlas y a contradecirlas, sino simplemente a expresar su parecer y sus puntos de vista, recaerían sobre él los males más insospechados como si hubiera sido poseído por el mismísimo "maligno". Por supuesto un rayo fulminante le separaría del puesto a él y a todos los que se apellidarán como él en las próximas décadas por venir hasta que se apaciguara la ira deífica. El excomulgado de la política debería prepararse anímicamente para enfrentar un ostracismo inimaginable. No existiría para la prensa, jamás se le volvería a recoger una sóla declaración ni para la radio ni para la televisión ni para los periódicos y revistas. ¡Muerto! Ningún colega querría ser visto en lo sucesivo acompañado de un apestado. Somos conocidos, alguna vez coincidimos en un par de actos a la distancia... cuando la noche anterior, compadre de mi vida, estaré contigo en las buenas y en las malas, en las duras y en las maduras, seremos siempre hermanos, claro está mientras no llegara a oídos del Presidente de la República que alguien se veía con un cesante que había tenido la osadía de pensar.

Jeques, presidentes, primeros ministros, jefes de Estado, reyes y emperadores soñaban con tener la voz de trueno con la que se imponía la voluntad del primer mandatario mexicano. Sus órdenes supremas se ejecutaban al instante sin padecer los eternos enfrentamientos con la oposición, ¡así!, al tronar los dedos, en el tiempo máximo en que se pronunciaba un monosílabo, las instrucciones debían ser acatadas sin excusa ni pretexto. En México, la hora, la entrada de la estaciones, el día de la semana, el clima y la temporada de lluvias se fijaban desde los Pinos. Ahí se estrellaban todos los convencionalismos internacionales así como las leyes físicas y naturales. ¡Qué meridiano Greenwich ni qué primavera ni verano ni qué nada...!

El Primer Mandatario acaparaba la dinámica del país. Si él carecía de ella, México vegetaría, se apagaría como una flor en la oscuridad. Él y sólo él podía imprimirle ritmo y rumbo a la nación, humor y optimismo en las arduas tareas de gobierno. A él y sólo a él correspondía la obligación de inyectar vitalidad a la República recorriéndola constantemente de arriba a abajo, haciendo gala de eficacia en la solución de los problemas invitando siempre a la reconciliación entre los sectores. A él tocaba palpar el gran músculo mexicano, despertándolo, alertándolo, vigorizándolo hasta adquirir la debida fortaleza. Él representaba el papel de director de orquesta capaz de arrancar a los músicos notas inolvidables en la interpretación de la gran sinfonía nacional. Su presencia significaba la construcción efectiva de carreteras, puentes, centros de abasto, puertos y aeropuertos, hospitales y escuelas. La acción, sí, la acción, él era el depositario de la fuerza, de la tracción. Constituia el nervio, la fibra, el empuje originario y final imprescindible para acometer hasta los proyectos más insignificantes. El poder judicial y el legislativo funcionaban igualmente cuando la batuta los apuntaba metódica y rítmicamente. Las obras más espectaculares se ejecutaban mágicamente de la noche a la mañana siempre y cuando el primer abanderado de la nación hubiere anunciado su deseo de poner la primera piedra, vigilar la evolución de la obra un par de veces al año y finalmente inaugurarla, de otra suerte los trabajos jamás se iniciarían o se detendrían o se olvidarían. Si el presidente, el gran tutor, TATA, no iba a cortar el listón inaugural, si no había posibilidades de lucimiento ni de acrecentar la imagen ni de recibir una palmada, una palabra, una esperanza, resultaba inútil intentar esfuerzo alguno. ¿Quién me lo va a reconocer entonces? ¡El pueblo, el pueblo de México te lo va a reconocer! ¡Bah!, ya no estoy para esos cuentos...

Los estados de ánimo del Presidente de la República se traducían en las únicas normas legales aplicables en México. Si era conveniente por cualquier razón contratar más deuda externa simplemente se negociaba en el extranjero sin tomar en consideración los límites máximos establecidos en disposiciones legales emitidas por el Congreso de la Unión y sin mostrar la menor preocupación por las consecuencias que pudieran derivarse de la flagrante inobservancia de la ley. ¿La ley? ¿Quién ha dicho la ley? Aquí no hay más ley ni más Estado ni más tribunales que la voz del Presidente de la la República y él ha ordenado la suscripción de más deuda para financiar el viejo proyecto de la revolución con el que se otorgará finalmente la justicia prometida a millones de mexicanos marginados. ¿Ha quedado claro? ¿Quién tiene algo en contra? Si el país se desquicia económicamente será lo más conveniente para el país de acuerdo al criterio de nuestro Jefe Máximo...

Igual se gastaba mucho más de lo permitido en el Presupuesto de Egresos de la Federación y aun así se aprobaba en quince minutos una cuenta pública maquillada y alterada gracias a la votación aplastante de las mayorías priístas que ignoraban el griterío y la efímera rechifla de la oposición. ¿Meter la mano en la cuenta pública? ¿Auditarla? ¿Quién quiere aquí ajustar cuentas? Era irrelevante que se dislocara la economía con la emisión masiva de papel moneda y se provocara una carestía que más tarde se trataría de controlar con discursos incendiarios en contra de los enemigos del progreso y de la evolución social. El Primer Mandatario tendría siempre en el puño de su mano la solución de todos los problemas del electorado. Si no vas a aplaudir más te vale callarte... Si él había dispuesto la candidatura de un personaje de su confianza a un puesto de representación popular o las necesidades del servicio así lo exigían y en ambos casos se carecía de los requisitos constitucionales locales para acceder a puestos de esa naturaleza, se convencía a los adversarios concediéndoles otras oportunidades políticas y de enriquecimiento personal a modo de compensación por los servicios prestados a la nación y llegado el caso se improvisaban actas de nacimiento o hasta parroquiales, apareciendo repentinamente parientes, amigos, maestros de escuela del candidato, una casa, su residencia de toda la vida para satisfacer los requisitos legales con tal de hacer llevar al elegido a la curul o al gobierno estatal del caso acatando incondicionalmente la voluntad presidencial. ¡No faltaba más!

¿Cuál soberanía de los estados si en la práctica se le pedía la renuncia a un gobernador ya electo y en funciones que abdicaba de sus poderes con el sobado pretexto de los motivos personales y de la licencia indefinida? Éstos eran libres y soberanos de acuerdo a sus respectivas constituciones mientras el presidente no cambiara de opinión. En el fondo, tanto gobernadores como jueces de todo nivel no pasaban de ser sino empleados de alto rango del Poder Ejecutivo. No debe olvidarse que aquello de que JURO DEFENDER LA CONSTITUCION POLITICA DE LOS ESTADOS UNIDOS MEXICANOS Y LAS LEYES QUE DE ELLA EMANEN Y SI NO QUE LA NACION ME LO DEMANDE, estaba bien para provocar una nutrida ovación y para eternizar la escena en una fotografía a todo color, pero en la práctica ni se defiende la constitución ni las leyes ni mucho menos la nación demanda nada, absolutamente nada, ¿cuándo ha demandado algo? ¿A ver? La nación es muda, sorda, ciega, tolerante, resignada y humilde ante el sumo poder religioso o político. La persecución de funcionarios acusados ante el Ministerio Público de cohecho, malversación o peculado o las denuncias populares que relataban la reincidencia en los fraudes electorales, el encarcelamiento o excarcelamiento de un importante empresario acusado de defraudación fiscal, el castigo a un infractor de las costumbres morales, dependía de que un dedo invisible oprimiera un botón y echara a andar la maquinaria judicial a favor o en contra del protagonista. Mientras este hecho impredecible no se produjera los expedientes seguirían durmiendo el sueño de los justos. ¡Qué leyes ni qué leyes! ¡Qué Estado de derecho ni qué nada! No te confundas: Son párrafos redactados para consumo externo, para atraer respeto e inversiones en todo caso. Es la gran fiesta política mexicana, unos hacen como que gobiernan y otros como que se dejan gobernar...

¿No estaba terminantemente prohibido importar automóviles extranjeros a título individual para preservar la industria automotriz? ¿No estaban restringidas las importaciones y las exportaciones de una serie de artículos? Pues los permisos se concedían como igualmente se firmaban misteriosamente las autorizaciones respectivas para construir fraccionamientos o edificios enormes en zonas restringidas en términos del Plan de Desarrollo Urbano. Esto no se hará y se hacía, lo otro no pasará y pasaba, en este caso ni un paso atrás y se retrocedían otros veinte... Los actos circenses del gobierno ya no deslumbraban al público cuando los funcionarios, instalados en el centro del anillo parecían decir: Señoras y señores adviertan ustedes por dónde me paso las disposiciones legales... ¡Eh!, tú, legislador de la porra, mira lo que hago con las normas que tú emites para controlarme... Si en otro orden de ideas se debía sancionar a quienes alteraban los precios en contra de los ordenamientos aplicables o a quienes vendían kilos de 750 gramos o castigar a quienes se negaran a instalar los filtros estipulados para la correcta preservación del ambiente, un "sobre" o una recomendación oportuna evitaban las posibles consecuencias propiciadas por los funcionarios fanáticos de esos que existen extraviados en el sistema. Ya lo había dicho muy bien Silverio Cortines en la más cerrada intimidad: En México la ley sólo sirve para asustar a los pendejos o para sancionar a los tercos que quieren imponer sus ideas en lugar de enriquecerse...

Diversos líderes mundiales ya hubieran querido nombrar gobernadores, senadores, diputados, ministros, jueces y presidentes municipales a su antojo. ¿Qué tal si pudieran poner a sus incondicionales en los puestos clave, por ejemplo nombrar al estilo mexicano a los gobernadores de California o Texas entre otros tantos más? ¿Qué tal que pudieran gastar lo que quisieran en lo que quisieran sin reclamaciones molestas de la oposición? México era fantástico, realmente fantástico: el ejecutivo legislaba en lo que se le daba la gana cuando se le daba la gana, en la inteligencia que siempre se aprobarían sus proyectos y se rechazarían los de la oposición y por si fuera poco, nunca se castigaba a ningún alto funcionario, ni siquiera se intentaría acción penal alguna a pesar de la ostentosa riqueza amasada por los funcionarios durante sus respectivas gestiones, salvo que hubieran sido unos malagradecidos... ¿No es una maravilla? ¿Un cuento de hadas? Tenían lo que querían cuando lo querían, manejaban a su antojo al congreso, a la corte, a los tribunales imponiéndose en todo momento la inapelable voluntad del Presidente de la República. En todo caso la causa legal del procedimiento podía improvisarse sobre la marcha. Eso sí, regla de oro de la mexicanidad: Quien se peleara o se enfrentara con el Jefe de la Nación debería estar preparado para resistir una furia divina superior al poderío del relámpago nocturno que precede al Monzón o a la fortaleza de los huracanes que destruían el Caribe en la época de la barbarie pirata. Eso era poder, lo demás eran tonterías...

Los mexicanos, de sobra era conocido, no pensábamos en términos institucionales ni jurídicos: no entendíamos la ley como una herramienta eficaz para resolver nuestros problemas de convivencia social. Nuestra visión era bien distinta. Mejor mucho mejor recurrir a la influencia, a la recomendación, al amiguismo, a la negociación entre particulares, al soborno y en última instancia a la violencia. Todo antes de recurrir a la ley... El último ejemplo, el más claro de todos, había sido el de la expropiación de la banca: Teniendo los banqueros todos los argumentos legales para derrotar al gobierno en los tribunales, aquellos optaron por la negociación a pesar de tener la razón jurídica... ¿Cómo debía entenderse esta actitud? Muy sencillo: Se apoya en el temor a una represalia de mayores proporciones que tiene su fundamento en la impunidad. Las consecuencias de un desafío abierto al Estado podrían ser catastróficas y nadie movería ni un dedo para entrar en defensa de la víctima. Ante la pujanza del poder presidencial mexicano no hay sistema ni barrera legal que valga. El atropello puede adquirir dimensiones de barbarie sin sanción alguna para los autores materiales e intelectuales de la venganza. Mejor ceder, siempre ceder, en el enfrentamiento siempre habrá un sólo vencedor, el titular del poder político.

El público empieza a estar listo después de varios meses de intensa campaña publicitaria para predisponer a la sociedad en favor de la medida concebida por Pascual y Josefa desde sus años de estudiantes. Narciso alega que todo se trataba de un cuento más, la tardanza, según él, se debía a que en su opinión, la burocracia no se ponía de acuerdo en la forma como se repartirá el botín... Te lo dije... Empieza a desesperar ante el concilíabulo y la inacción. ¡Qué fácil es prometer! Yo prometo, tú prometes, él promete. ¿Y cumplir? Nadie cumple. Ahí se estrellan todas las conjugaciones... Muy pronto se tragaría sus palabras. Se aproxima a pasos agigantados el momento de dar la noticia. La tensión devora a Pascual y a Josefa. Acuerdan que el proyecto nazca como una oferta hecha por unos mexicanos ante la caótica situación por la que atraviesa la educación en el país. Ellos proponen... Se redacta una y otra vez el texto, se afina, se discute hasta concluir un boletín de prensa que se enviará entre otros más sin concederle en apariencia la menor importancia.

Varios grupos de compatriotas alarmados por la situación prevaleciente en el campo de la educación han ofrecido sus recursos para comprar una serie de escuelas rurales y urbanas encargándose de las prestaciones y del oportuno adiestramiento de los maestros, del mejoramiento del nivel pedagógico y académico de los alumnos y de su correcta alimentación. El llamado patriótico de este grupo de empresarios mexicanos del interior de la República sienta un precedente notable de lo que la comunidad mexicana puede hacer por la propia comunidad mexicana.

La Secretaría de Educación estudia detenidamente la oferta considerando que en todo caso retendrá los controles de supervisión académica y que se trata sectores empresariales serios y prósperos decididos a comprometerse a largo plazo y a garantizar la formación física e intelectual del estudiantado, meta que por el momento el gobierno no puede asegurar en razón de las contracciones presupuestarias actuales de todos conocidas.

La sola noticia causó un impacto que rebasó las más extremosas expectativas:

¿Que qué?, ¿qué has dicho maldita vende patrias, hija de Polk y de tantos otros de los sanguinarios enemigos de México? ¿Acaso no sabes que para conquistar la educación oficial así como la ves ahora, muchos, muchísimos mexicanos perdieron la vida? ¿No sabes que es una de las grandes conquistas de la revolución? ¿No conoces el significado del Artículo Tercero de nuestra Carta Magna?, ¿eh? ¿No lo conoces, no, francotiradora de los demonios? ¿Para eso fue el sacrificio de Cuauhtémoc, de Hidalgo, de Madero y de Zapata? ¿Para eso? Tú eres una más de las tránsfugas que hubieras animado a Polk a arrebatarnos el resto del territorio. Tú habrías ovacionado hasta el delirio a Scott a su paso triunfante por el Zócalo en aquellos días aciagos de 1847, ¿verdad?, ¿verdad que sí? ¿Verdad que te hubieras sumado al coro de invasores para entonar el himno norteamericano mientras izaban la bandera de las barras y de las estrellas frente a Palacio Nacional? Qué lástima que hayamos sobrevivido, ¿no?

Nada tiene que ver aquí Poinsett ni Polk ni Maximiliano —respondería Josefa—. ¡Por favor...! Ni soy francotiradora, ni tránsfuga ni vendepatrias ni me hables del himno yanqui. Lo único que pretendo es reformar nuestros sistemas educativos, rescatar precisamente nuestras raíces, dignificarlas, sí, pero sin perder de vista que nuestros niños deben concurrir a la escuela en igualdad de condiciones alimenticias, intelectuales y académicas que un niño alemán, o uno francés o uno japonés o nunca saldremos de este pozo en el que estamos sepultados desde hace ya tantos siglos. Nuestros niños no aprenden y si lo hacen es en forma deficiente, pasajera y superficial, si es que antes no desertan por cualquier razón y con ello aborta todo un esfuerzo nacional conjunto, un doloroso sacrificio, un penoso desperdicio.

Nosotros, los verdaderos mexicanos, señora doña Josefa, tenemos un concepto del progreso distinto del estilo sajón. Su idea del éxito y de la tenencia de bienes está reñida con nuestra concepción del progreso. ¿Habrás mamado tu sentido de la nacionalidad de una nodriza extranjera?

Si de verdad tuvieras argumentos oponibles a los míos, los utilizarías en lugar de parecerte a un oficial de la Santa Inquisición en pleno siglo XX. Simplemente hablamos de reformar la educación para salvar un presente amenazador y un futuro temerario. Tus ofensas demuestran tu falta de razones.

¿Pretendes reformar la educación nacional enajenando las escuelas oficiales a los hambreadores del pueblo para que los empresarios les puedan vender gises y pizarrones a los hijos de nuestros campesinos a un precio de oro, cobrándoles colegiaturas cuando difícilmente pueden siquiera calzarse o comer tortillas? Si ahora no tienen ni donde caerse muertos, menos, mucho menos tendrán después de que tus hambreadores hayan acabado con ellos. No me los presentes ahora vestidos de madres de la caridad...

Ese fanatismo mexicano —contestaría la señora subsecretaria si la ocasión llegara a presentarse— ese histórico miedo al cambio, ese insufrible inmovilismo, ese espíritu conservador heredado de la Inquisición, esa desconfianza, ese escepticismo que anida entre todos nosotros, ese cúmulo de prejuicios enmarañados, no nos ha dejado levantar cabeza ni unir esfuerzos ni contemplar otros horizontes ni evolucionar. Tememos lo nuevo, nos tememos entre todos nosotros. Nadie cree en nadie mientras siguen naciendo más de dos millones de mexicanos al año. Cada alumbramiento es una nueva mecha...

Somos producto de un pasado. No podemos ser de otra manera. Han sido muchos los golpes bajos, muchas las promesas, muchas las decepciones, muchas las esperanzas frustradas. No nos moveremos ni un milímetro. Quien se acerque a nosotros desde luego traerá intenciones inconfesables...

Los esquemas anteriores han fracasado. Está a la vista. La preparación de nuestros estudiantes es a todas luces deficiente. O cambiamos y pronto o las circunstancias darán cuenta de nosotros antes de lo que tú esperas...

¿Sabes, doña Corregidora, cuántas veces nos han traicionado nuestros líderes a lo largo de nuestra historia? ¡Jamás lo olvides! La traición es una institución muy arraigada entre nosotros. No somos escépticos a título gratuito. Busca el origen de nuestro escepticismo en nuestra historia. Estúdialo. Cada vez que se nos ha hablado de cambio, en lugar de prosperar hemos retrocedido. El cambio siempre ha implicado una nueva amenaza contra nuestros escasos bienes y contra nuestras personas. Por esa razón nunca venderemos nuestras escuelas oficiales a la iniciativa privada: no las venderemos ni aun y cuando fuera cierta la incapacidad de aprendizaje o la deserción escolar por carencia de recursos o la mala capacitación de los maestros del Estado. Quién sabe qué esconderás tras esos argumentos. Me temo que nos quieres volver a engañar al igual que cuando Cortés timó a Moctezuma cambiando oro por cuentas de vidrio o como cuando los petroleros ingleses o los americanos se llevaron nuestro petróleo mientras nosotros creíamos que sólo servía para curar los forúnculos de nuestras vacas. ¡Imagínate nada más!

¿Por qué no tratar de empezar a creer entre nosotros?-hubiera propuesto la joven funcionaria. ¿Por qué no intentar una reconciliación nacional auténtica, integral, a fondo, poniendo cada quien nuestras verdades sobre la mesa sin conceder la derrota antes de comenzar la partida? Dejemos de ser catastrofistas. ¿Qué necesitamos para reconciliarnos? Hay miles, tal vez millones de mexicanos dispuestos a hacer algo desinteresado, los hay, así como también hay millones de mexicanos que deben beneficiarse con ese desinterés. A nosotros nos toca coordinar a los unos con los otros. No porque pretenda un viraje radical soy una vendepatrias. No porque haya costado sangre llegar a una meta vamos a sostenernos ciegamente en ella, sobre todo cuando podemos constatar que fracasó nuestra estrategia educativa anterior y el mal avanza como un cáncer feroz. Ahí están si no los 40 millones de mexicanos en la miseria para reforzar mis argumentos...

Lo que propones me suena como si quisieras venderle el Popocatépetl a cualquier gringo malviviente.

¿Pero de qué ha servido la expropiación agraria, o la de los ferrocarriles o la de los teléfonos o la de la industria eléctrica? —preguntaría la antropóloga para hablar de realidades...— ¿No te has dado cuenta todavía de lo que pasa cuando el gobierno se encarga de alguna actividad? ¿Acaso se han ampliado las vías férreas? Nuestros gloriosos ferrocarriles al día de hoy no son sino un conjunto de fierros viejos retorcidos y oxidados. Velos si no, compruébalo tú mismo. ¿Acaso cuando se expropió la banca mejoró en algo tu economía? ¿Te empezaron a pagar tasas superiores de interés a partir de la nacionalización? ¿Ves alguna diferencia? ¿Dónde está el sentido social de la nacionalización que nos prometieron cuando se llevó a cabo? ¿En qué se benefició la nación con tantas expropiaciones? Observa tú mismo el lamentable estado del ejido, míralo nada más, constata la evidente incapacidad de proveer alimentos y víveres al país.

Funcione o no, es nuestro. Nuestro vino es amargo pero es nuestro vino. Para bien o para mal es lo único que nos pertenece...

No te pertenece nada -contestaría Josefa ante tanta ceguera. Ni siquiera me has contestado en qué te ha beneficiado aquello que sientes supuestamente tuyo. A ver, ¡dime!, ¡contesta! No estás frente a una muchedumbre integrada por acarreados a los que puedes dormir con dosis homeopáticas de verborrea.

Nos hundiremos con las decisiones históricas que forjaron nuestra nación. Sabias, imprudentes o equivocadas son nuestras decisiones, señora antimexicana, señora antinacionalista...

Y bien visto —replicaría finalmente Josefa—, ¿tú quién eres para hablar en nombre de México? Sí, sí, ¿quién eres para contestar en nombre de los muertos de hambre, de los ignorantes, de los miserables? ¿Cuáles son tus credenciales para responder? ¿Cuáles? ¿Quién es el verdadero interlocutor de México? ¿Quién goza del legítimo derecho para pronunciarse en nombre del país?

Ahora me doy cuenta que sólo representas a las miles de sanguijuelas que lucran con el dogma político —aduciría Josefa en caso necesario—. Cualquiera sabe que en las escuelas oficiales se incuba mayoritariamente el subdesarrollo, lo sabes, como sabes el triste y penoso estado de las escuelas rurales oficiales. Cualquiera conoce el fracaso del gobierno como administrador, pero te conviene exhibirte como defensor y vigía de los intereses públicos sólo para asegurarte una parte del botín. Defiendes a toda costa una posición que te ha reportado inmensos dividendos gracias a haber lucrado con el atraso, con la miseria y con la esperanza de la nación. Tú sí eres un hambreador del pueblo y por esa razón acusas a los demás con calificativos que a ti te son perfectamente aplicables, si no ¿por qué vives en las Lomas y defiendes a los campesinos desde tu automóvil último modelo? La iglesia y ustedes, los políticos corruptos que lucran con los miedos atávicos de la comunidad, encabezan la reacción y por lo mismo promueven la involución en México defendiendo por lo general oscuros intereses personales.

Apoyados los unos en la voz de Dios y los otros en la versión de la historia oficial, ambos han maniatado a México proyectándolo por diversas razones a la miseria, desde donde les ha resultado muy sencillo manipularlo sin detenerse a considerar los graves riesgos que todo ello implica -contestaría Josefa inmersa en sus fantasías.

Ya te entendí. Sé quién eres, te conozco: Ahora te veo perfectamente a contraluz... Ya sé cómo manejarte...

Empieza la batalla. ¿Batalla? Escaramuza, tal vez escaramuza. El máximo riesgo consistirá en pequeños brotes aislados que se extinguirán en la próxima temporada de lluvias o con la final del futbol profesional entre los Pumas y los Zopilotes del Valle de Mexicali. ¿Cuál capacidad de organización en las fuerzas políticas y sociales de México? Eso lo sabe de sobra el gobierno, por eso no teme las amenazas. Josefa se siente a la mitad del alambre. Imposible dar marcha atrás. Corre el mismo peligro. Se duele por haber metido a su amigo Pascual en un lío mayúsculo de impredecibles consecuencias. ¿En qué terminará todo esto? Para guardar el equilibrio durante la marcha, después de dar un paso se debe dar el otro para evitar el riesgo de una caída. No es momento para bascular la decisión. Bastante tiempo ha tenido ya para meditarla y sopesar los riesgos. Avanza, Josefa, avanza, ¿no estabas dispuesta acaso a asumir cualquier peligro con tal de ver coronada tu obra? ¿No llegaste a decir alguna vez que los políticos eran una mierda, gente inútil y embustera buena para nada? ¿Sabes qué necesitas precisamente en este momento para salir del atolladero? ¡Políticos! Sí, políticos hábiles y talentosos capaces de lograr una negociación concertada. Ellos hacen las veces de lubricante para lograr los cambios en un país. Saben hablar, saben vender los proyectos a bajo costo, saben comerciar con la esperanza y convencer siempre y cuando los resultados se ajusten a sus promesas y puedan salvaguardar su imagen para utilizarla en nuevos desafíos. No todos los políticos se llaman Silverio, querida Josefa, hay profesionales dignos de respeto. A ti te toca dar con ellos para materializar tus propósitos. ¿Y tú?, ¿qué tal si te empleas a fondo antes de pedir ayuda? ¿A dónde va un país sin buenos políticos, verdad? ¿No es cierto que la práctica es bien distinta?

El Congreso de la Unión aprueba la enejenación de las escuelas oficiales siempre y cuando el interés público así lo requiera... La misma legislatura podría pronunciarse en sentido contrario al día siguiente si así se le ordenaba. ¿Cuál división de poderes constitucionales? He ahí una de las grandes ventajas del sistema político mexicano... La moción es aprobada dentro de un efímero vociferío, el mismo que se produciría si se derogaba inmediatamente la misma medida. El PRI contaba con la eterna mayoría absoluta en ambas cámaras y más aun cuando la opinión pública estaba debidamente preparada para el cambio. Algunos partidos de la oposición abandonaron el salón de sesiones cuando quedó claro el sentido de la votación. Ya volverán, siempre han vuelto después de sus pataletas... El Congreso de la Unión tocaba invariablemente una comparsa. Se salvan los aspectos legales, la opinión pública aplaude. Era un problema de sentido común, talento y audacia...

Josefa convoca ahora sí a Narciso Henríquez y al grupo de empresarios amigos que había decidido apoyarla aquella tarde no menos difícil en Los Cuatro Vientos. La prensa entera espera en el salón contiguo pare recoger los pormenores y el resultado de la histórica reunión. Junto con ellos asisten otros ganaderos de Puebla, Querétaro, Hidalgo y Tlaxcala, además de productores de hortalizas, café y huevo de Veracruz, Sonora y Chiapas de Chihuahua. La gran mayoria de ellos conocidos cercanos. Alonso también asiste junto con Dorantes, ambos son después de todo partes interesadas. Se sorprende por la presencia de empresarios ajenos a las actividades agropecuarias. Se trata de gente relacionada con los suyos y que convencida por la generosidad de la idea se suma con sus capitales al financiamiento del plan. Se presentan uno tras otro. La respuesta no puede ser más generosa. Para su alegría no caben en su oficina. Tiene que acomodarlos en la sala de juntas contigua con la preciosa marina de Joaquín Claussel al fondo. ¡Cómo le gustaría ver la cara de Pascual en estos momentos! Adquiere una fuerza inusitada. Una confianza contagiosa. Tiene que hablar de pie para ser vista. Les informa que en las próximas semanas las legislaturas locales votarán a favor de la venta de algunas de las escuelas oficiales. Que resulta imperativo elevar sus ofertas de inmediato ante las autoridades educativas correspondientes informándoles el número y la ubicación de los centros de enseñanza que hubieren decidido adquirir. Aumenten los sueldos de los maestros, empiecen por pagarles por lo menos un salario decoroso, hacerles atractiva la idea, ofrézcanles una mejora notable para desarmar a los opositores y ganar la causa. Si los mismos profesores, los primeros supuestamente afectados ya están con nosotros, dejaremos sin argumentos a quienes están enamorados de un pasado inexistente y de un futuro temerario.

La campaña publicitaria había dado espléndidos frutos. En un primer recuento suman ciento treinta y dos escuelas susceptibles de ser adquiridas por los visitantes. Eso supone la creación de por lo menos catorce tecnológicos de tamaño intermedio en el interior de la República y sobre todo el rescate de cientos de maestros que ahora si se capacitarán, recibirán un salario digno y verán de tiempo completo por la superación académica de sus alumnos. Los maestros podrán ejercer su profesión sin agonías económicas.

La prensa nacional asiste a la suscripción de los acuerdos. Toma placas, película, videos, inmortaliza escenas, apretones de manos entre autoridades y empresarios y algunos profesores de la sierra Mixteca especialmente invitados al acto. "La inyección masiva de recursos en las escuelas antes oficiales bien pronto habrá de cambiar el rostro de México", anunciará al día siguiente en su primera plana uno de los periódicos más influyentes de la vida nacional. "Valiente decisión del Presidente de la República, la educación, el verdadero rescate que se merecen los marginados, lo otro eran palabras y más palabras", sentencia otro de los grandes medios nacionales. "Se venden Los Pinos y Palacio Nacional... Se alquilará el Zócalo para las fiestas de los niños ricos", plantea otro más eternamente crítico de las acciones oficiales. La radio y la televisión anuncian la privatización de las escuelas oficiales. "La intervención empresarial en el sector educativo elevará sustancialmente los ingresos de la comunidad regional y reducirá la inmigración a las grandes ciudades". "El incremento de la capacidad de gasto rural estimulará la producción de la industria mexicana. La transferencia de recursos intersectoriales nos habrá de beneficiar a todos". "La única forma de aumentar los ingresos de 40 millones de mexicanos que se encuentran en la miseria es enseñarles a hacer algo para ganarse la vida, la instrucción que propone la doctora Cortines por supuesto entraña una de las soluciones."

Para estimular el desarrollo económico regional nada mejor que las empresas locales aporten fondos para construir sus propios tecnológicos. Elevar la capacitación implica elevar el nivel de ingreso personal, por ende el de la familia y en consecuencia el de la nación en su conjunto. El señor Secretario de Hacienda voltea sorprendido como si alguien hubiera invadido sus dominios. ¿Te crees Josefita que la educación tiene que ver con todo y que puedes irrumpir impúnemente en cualquier área del gobierno...?

El fracaso de la educación nacional oficial estaba a la vista y, o hacíamos algo o las circunstancias nos harían volar por los aires el día menos pensado. No eran posibles semejantes diferencias económicas. El peligro era enorme. La educación era la única alternativa, el agua necesaria para mojar la pólvora...

Cuando el último empresario cierra la puerta de su oficina Josefa piensa para sí: he presionado a los gobernadores para que acepten mi propuesta apalancándome en el poder de Pascual. He pasado por encima de la soberanía de los Estados. He aprovechado el contubernio de poderes federales cuando me había prometido respetarlos a toda costa. He fallado, he presionado, he amenazado y pasado por encima de la ley y de mis principios. Sí, pero no tenía remedio: O eso o el fracaso. Tengo como disculpa que busco genuinamente el bien común. Tengo la fórmula para ayudar a millones de mexicanos.

Ay, mira, mira, Josefa, todos dicen lo mismo. Cada político tiene una disculpa para pasar por encima de todo. La disculpa, sí, la eterna disculpa. Siempre una disculpa por lo que hicieron y otra por lo que no hicieron.

Cada minuto cuenta. Un plantón en el Zócalo facilita la labor de los agitadores profesionales, demanda el secretario de gobernación. ¿Nadie de nosotros quiere que a estos maestros manipulados que están ahí en la calle azuzados por oportunistas se le sumen ahora los estudiantes de la universidad o los trabajadores del metro o los preparatorianos, verdad?

Señor presidente: Le estamos concediendo a los alborotadores profesionales una oportunidad dorada para desestabilizar el país.

¿Qué propone?

¡La negociación!

¿En qué términos?

Demos marcha atrás y discutamos el proyecto desde el principio.

¿Discutamos, quiénes?

Usted, la licenciada Cortines y su servidor, de no haber inconveniente.

¿Quiere usted decir que ella y yo lo hemos hecho mal?

¡No señor!

Entonces vea usted que no se sume nadie al plantón. Si alguien lo hace esa sí será su única responsabilidad... ¡Ah! y recuerde usted que durante el movimiento de '68, que conmocionó al mundo, no hubo un solo muerto en París...

Josefa resuelve revelar el plan total tan pronto quedaran registradas las peticiones de los empresarios. Cada minuto contaba. Los mismos maestros beneficiados con nuevas prestaciones se llevarían a sus colegas del brazo para mostrarles el nuevo contrato que tenían en el bolsillo. ¿Qué haces aquí? Te conviene mucho más depender de los patronatos privados. Ven, ven...

Ningún estudiante se quedaría sin universidad si las empresas decidían aceptar su proyecto. Invertir en escuelas no podía ser visto sólo como negocio sino como un elemento para la supervivencia de nuestra cultura. Cada empresa, una escuela. Dejemos de hablar. Si de verdad quieres un cambio, ahí estaba la oportunidad tan esperada. Sólo en California, Estados Unidos, había más universidades que en toda la República mexicana junta. Ahí estaba la gran diferencia...

Josefa nunca se dio cuenta cuando cumplió un año y medio al frente de la Secretaría de Educación Pública. La actividad febril a la que vivía sometida le hizo perder toda noción del tiempo. De golpe, una mañana, se enfrentó a una cruda realidad: Le quedaban dieciocho meses en el cargo, sí, sólo dieciocho meses, pero considerando que a finales de ese mismo año se produciría el tan anhelado destape y Pascual, mi querido Pascual, sería a partir de ese momento ya sólo medio presidente y ella medio secretaria, en ese caso tan solo le quedaban escasos seis meses de gestión al frente de la Secretaría de Educación Pública. Su concepción de la política para aquel entonces había cambiado ya radicalmente. No todos los políticos integraban pandillas de bandidos como ella había supuesto desde sus años de estudiante. No todos los políticos habían ingresado en el servicio público para compensar sus desequilibrios emocionales ni para llenar vacíos de su personalidad, la política para ella se había traducido en esos momentos en la gran posiblidad de hacer, de cambiar, la gran herramienta para promover la evolución y el progreso; la política era una mecha, un poderoso detonador para lograr el cambio y construir y modificar y desviar y purgar y consolidar y proyectar y modernizar y ayudar y proteger y rescatar y solventar. La posibilidad inédita de intentar la materialización de sus preocupaciones sociales. La política: ¡Qué maravillosa era la política entendida dentro de ese contexto...!

¿Robar? ¿Defraudar? No pasaban por su mente semejantes inquietudes y no precisamente porque tuviera resuelta sus situación económica sino porque la movía una auténtica vocación de servicio para beneficiar a la comunidad. Su concepción social había quedado bien clara desde sus años de estudiante. Ella y sólo ella había influido en forma determinante con su padre para que éste, cuando ella era soltera, mejorara las condiciones de vida de los peones y capataces del rancho Los Colorines.

—No discrimines a la gente, papá, no la discrimines porque es prieta, pobre e ignorante...

Ella y sólo ella había hecho cambiar la mentalidad de Alonso para que éste incrementara las prestaciones de su gente en Los Cuatro Vientos, construyéndoles casas-habitación, alimentándolos convenientemente, enseñándoles a leer y a escribir y becando a muchos de los hijos de los campesinos para que pudieran continuar con sus estudios. Ella y sólo ella había discutido con su madre una y mil veces para que ésta permitiera a las *criadas*, comer de todo lo que encontraran en la casa.

—¿No quieres que también les demos a las *gatas* el *whisky* o *la champaña* de tu padre, *m'ijita*?

Cuando ella ingresó al gobierno arrancaba, al principio, las hojas de calendario contando los días restantes para abandonarlo al término de la administración. Los papeles se habían alterado: Ahora contaba a diario el tiempo que le faltaba al frente de la secretaría para no desaprovechar ni un instante aquella fabulosa oportunidad que le había concedido la vida. Por esa razón no se cansaba de dictar políticas todos los días, estimular la graduación de orientadores profesionales, promover intensamente la matriculación de científicos, el país requería científicos, muchos más científicos. No dejaba de insistir en sus visitas personales a las escuelas por lo menos tres veces a la semana que el maestro debía despertar la curiosidad, no apagarla. Establece limitaciones para impedir que los reprobados repitieran más allá de una vez el ciclo escolar. La permanencia en la escuela promovía el desperdicio y la ineficiencia. No habría lugar para los fósiles, por contra, se

353

les facilitaría el acceso a otros estudiantes con más talento, más voluntad y mayor interés en prosperar. Los que no pudieran evolucionar por el rigor del nivel educativo y por problemas de aprendizaje irían a otras escuelas fundadas específicamente para esos efectos. ¿Una selección natural? ¿Fascismo en las escuelas? ¡No! Simplemente una solución práctica que agradecería toda la comunidad. Quienes sacaran diez de calificación estarían becados de por vida, quienes tuvieran reconocimientos inferiores tendrían que pagar el costo de su instrucción. No se debería fomentar la mediocridad ni premiar el ocio ni la vagancia. Beneficia a estudiantes y maestros para que éstos pudieran gozar de tarifas y precios reducidos en todo el comercio nacional cuidando su economía y protegiéndolos para que pudieran desarrollar con la máxima tranquilidad y éxito posible sus tareas. La señora secretaria Cortines de Cuevas iniciaba la gran revolución pedagógica de que se tuviera memoria desde los años de Vasconcelos.

Silverio Cortines también contaba a diario el tiempo que le faltaba a su hija al frente de la secretaría para no desaprovechar ni un instante aquella fabulosa oportunidad. Ante la reiterada negativa de la alta funcionaria de llamar a su padre y reparar su relación dañada desde la noche de la celebración del natalicio de su Majestad la Reina de la Gran Bretaña, ésta había decidido no volverlo a ver en lo que le quedara de existencia. —Te has muerto, te has muerto para siempre: Asesino, pudiste matarla —seguía retumbando en los oídos del señor ex subsecretario de Agricultura y más tarde del Deporte, las palabras cargadas de rabia y de impotencia de su hija Josefa, como si la pesadilla se negara a concluir. Silverio había dejado pasar el tiempo, deseando que las aguas volvieran a sus niveles, esperando que se olvidara la desdichada escena que por lo visto lo condenaría para siempre. El tiempo pasó, sí, pero Josefa no lo olvidaba, jamás olvidaría a su madre inconsciente, con la cara hinchada y cubierta de moretones, la cabeza vendada y el dedo entablillado. ¡Macho!, eres un macho: ¿Esa es tu concepción de un hombre? ¿Así quieres que entendamos la vida...?

Belisario había cedido en la misma medida que su madre había llegado a disculparlo. Aceptaba la realidad siempre y cuando no se atreviera a volver a tocar a la autora de sus días. Por lo que hacía a Josefa, Silverio había decidido, instalado en su orgullo paterno, no volver a cruzar palabra con su hija. ¿Eres radical? Yo también sé serlo. Administraba bien sus emociones y graduaba sus dosis de rencor como estrategia defensiva para que la culpa no lo arrollara. —Me equivoqué, sí, pero soy antes que nada tu padre. Pudo sobrevivir sin mayores contratiempos alejándose de ella hasta que Josefa llegó a ser Secretaria de Educación Pública. ¡Horror! Pero si ese puesto estaba reservado para mí o en todo caso para Belisario... A partir de entonces estuvo urdiendo la manera de llegar a ella, de presentarse con toda dignidad para robarse algo de su gloria política, es decir, para llevarse al menos un par de pedidos de los millones de libros que mandaba imprimir la secretaría fuera de los Talleres Gráficos de la Nación. ¿Libros no? Les vendo lápices, gomas, gises, escuadras, pizarrones, en fin, los niños en las escuelas necesitan tantos útiles. Con cualquier orden de compra me haré millonario...

Silverio convenció a Hercilia para que hablara con su hija y le dijera que después de una larga conversación, éste finalmente había cedido y estaba dispuesto a visitarla en la secretaría con tal de hacerse los tres juntos una fotografía antes de que concluyera el sexenio y ella tuviera que entregar el puesto a su sucesor. Sería la fotografía del recuerdo, la del perdón, la de la reconciliación final, también la que iniciaría una nueva y promisoria época de negocios para la familia Cortines —después de todo, hijos míos, yo se los dejaré todo a ustedes, porque como ya lo dijo alguien mejor que yo, los sudarios no tienen bolsas: los muertos no se llevan nada... ¿A quién he de heredarle el producto de mi esfuerzo si no ha de ser a mis propios hijos...?

A regañadientes y porque tú me lo pides, Mamá, aceptó Josefa la visita sin aquello de que después iremos a comer. -Si vinieras con mis tías, como lo has hecho siempre, ya sabes, aquí mismo comeríamos todas juntas para que pudieran decir a gusto sus palabrotas y para que se pudieran burlar de la gente a mandíbula batiente, ¿pero comer con mi padre, sentarnos en la misma mesa a compartir el pan y el vino? ¡Ni muerta, mamá!, ni muerta...

Silverio y Hercilia se presentaron una mañana de Julio, una mañana fría por cierto, en razón de un huracán que había destruido buena parte del Estado de Guerrero y Oaxaca desequilibrando el equilibrio atmosférico de medio país. Silverio llegó forrado en una gabardina inglesa y Hercilia cubierta por su estola de martas favoritas sin importarle los complejos ecológicos de su hija. ¡Oh!, sorpresa, ¡cómo había cambiado su padre...!

El tiempo y la falta de poder habían causado verdaderos estragos en él. Curiosamente lo vio más bajo de estatura; lo suponía más alto; lo notó pálido, muy pálido, demacrado y desprovisto de esa conducta optimista y estimulante con la que siempre había querido conquistar a propios y extraños. Se encontró con un hombre que había perdido bastante pelo, con un vientre que empezaba a ser protuberante por haber abandonado el deporte ecuestre; mostraba cierta dificultad en el andar y delataba una profunda tristeza en la mirada, un vacío, un peligroso agotamiento. No, ya no abrazaba a la gente ni le estrechaba la mano mostrando gran fortaleza y vigor ni tenía la sonrisa a flor de piel ni contaba con la palabra adecuada en el momento adecuado. Se le veía cansado, más aun cuando se calzó con torpeza unos anteojos para poder leer. ¿Dónde estaba el personaje incansable que montaba al Trigarante en la mañana, corría cinco kilómetros, nadaba en la piscina de Los Colorines, comía y opíparamente y bromeaba en tanto cuanto pudiera vender su imagen? ¿Dónde estaba el gran conversador que repetía de memoria sin que nadie se diera cuenta, párrafos completos redactados por grandes pensadores o el declamador que recitaba los versos de Espronceda, los de Amado Nervo y los de Darío entre otros tantos más? ¿Dónde estaba el intrépido político en busca permanente del mejor argumento para impresionar? Ahora sólo quedaba la figura de un hombre abotagado, hinchado de la cara y con una marcada expresión de cansancio en el rostro.

Josefa por su parte lucía espléndida. El poder la estaba haciendo pasar los mejores años de su vida. La rejuvenecía, la revitalizaba haciéndola sentirse joven y con la posibilidad de desarrollar al máximo cada una de sus facultades y aptitudes. Se sentía dueña de sí, audaz, lúcida, capaz de desafiar al mundo entero y de emprender las más audaces experiencias, de materializar los sueños más remotos que sin duda le reportarían gratificaciones extraordinariamente valiosas. Y pensar que de joven había despreciado la política... Podía dedicarse a ella sin mancharse... "Hay aves —recordaba— que cruzan el pantano y no se manchan, mi plumaje es de esos..."

Juvenil y animada en su andar, en su decir, en su mirar y en el hablar de la señora secretaria de educación pública recibió a sus padres vestida con una falda tableada gris Oxford y un saco ajustado del mismo color que contrastaba con una blusa de seda azul marino, medias oscuras y su pelo largo esponjoso, una imagen diferente de una alta funcionaria del gobierno federal mexicano.

Silverio la vio sin ocultar su orgullo ni su encanto. Al verla sentada tras el imponente escritorio de caoba y rodeada como siempre de tantos libros en los anaqueles, además de hermosas pinturas de los más destacados artistas mexicanos de todos los tiempos "todavía" colgadas de las paredes, aquilató la magnitud del puesto de su hija. ¡Las que ya debería tener en su rancho para gozarlas en compañía de Alonso...! ¿Y los teléfonos? ¡Cuántos teléfonos! Sólo tenía tres rojos, ¿cuál de ellos sería la red para comunicarse con todo el gobierno? Lo que se podría hacer si él pudiera tener una extensión de esas en su casa. Ahí no había nada de secretarias que impidieran el paso de las llamadas. La comunicación era directa: Silverio Cortines a sus órdenes, como en los viejos tiempos... ¡Qué envidia le producía! ¡Cuánto desperdicio...!

Josefa y su padre se besaron, un beso tangencial, de compromiso, un beso frío e indiferente que Hercilia contempló sin externar la aguda preocupación que le embargaba. Bien lo sabía ella: en cualquier momento podría detonar la bomba conociendo como conocía el temperamento tan fuerte de esos seres tan queridos en su existencia.

—¿Qué sientes? ¿Cómo te va? ¿Te ha sido difícil? ¿Qué tal tu relación con Pascual? ¿Ya vino tu hermano a verte? ¿En qué puedo ayudarte? Fue un éxito lo de tus niños de la legión de alfabetizadores, lo de Beque a un Mexicano, lo del desmembramiento del sindicato, lo de la salida de Aldaz, un ratero mi hija, un auténtico ratero, yo mismo le supe muchas cosas, qué bueno que lo corrieron... Bien por lo de Desenterremos México, bien por lo de la venta de escuelas oficiales, bien por lo de las fundaciones, bien por lo de los tecnológicos regionales, bien por lo de las nuevas normales para maestros, bien por lo de que los maestros eran heroes, sí que lo eran, bien por lo de la participación de las empresas en la educación y lo del nuevo programa de estudios a nivel federal: Silverio Cortines parecía saberlo todo como si él mismo hubiera trazado la estrategia seguida por su hija.

—Te felicito, has hecho un gran papel, no cabe duda que nuestras conversaciones que tuvimos en el rancho te fueron de utilidad —le dijo Silverio para empezar a medir la capacidad de agradecimiento de su hija. Ingrato es aquél, siempre lo pensó, que sólo en secreto es agradecido... Avido de reconocimiento intentaba saber hasta qué punto su hija le daba crédito por su posición actual, ¿o yo no tuve nada que ver? Si ella le acreditaba algo por mínimo que fuera ya tendría un servicio a su favor y en consecuencia algo qué reclamar, una oportunidad importante para demandar indirectamente lealtad y por lo mismo reciprocidad...

Josefa acusó de inmediato el golpe. Sabía que de aceptar el menor mérito de inmediato vendría una exigencia disfrazada o una petición abierta. No estaba dispuesta a concederle el menor punto. —Sabes —preguntó— ¿en qué podrías ayudarme y ayudar a tu país en forma importante? Tú que tanto lo quieres, ¿sabes qué podrías hacer por el y que te lo reconocerían muchas generaciones de mexicanos?

Silverio Cortines se vio como director general del Comité Nacional Constructor de Escuelas Oficiales. Ahí cobraría un porcentaje por cada tabique que se instalara aun cuando fuera en el mismísimo Valle de Mexicali. Él tenía una extraordinaria experiencia en construcción y bien haría el gobierno por conducto de su hija en no desaprovecharla. Bienvenida la oferta, ya era hora de que se le volviera a hacer justicia después de tantos años de anonimato...

—Pues mira —disparó Josefa sin la menor piedad y a quemarropa sin impresionarse por el aspecto físico de su padre— entrega al Instituto Nacional de Antropología e Historia todas las piezas precolombinas y coloniales que tienes en las vitrinas del rancho —Le iba a decir todas las piezas que te robaste y que tienes en las vitrinas, pero desde luego ese lenguaje no hubiera sino echado a perder una entrevista que debería ser breve dejándole sobre todo a Hercilia un agradable sabor de boca.

Silverio acusó el impacto en el centro mismo del pecho sin delatar la menor emoción. —¡Qué curioso! —dijo impertérrito— a eso precisamente venía, a ofrecértelas como un donativo —agregó sin dejar de pensar que la debería convencer a como diera lugar para poder tener acceso limpio y franco a la oficina del Oficial Mayor. Si devolver esas pinches piezas me va a purificar, ¡carajo! que si las escupo ahora mismo sin replicar. Al fin y al cabo, ¿yo para qué demonios quiero esas espantosas figuras de barro con las caras horribles de tanto indio maloliente? —Te las entregaré todas a ti o a quien tú instruyas con una sonrisa en los labios -pensó para sí Silverio en una fotografía de primera plana entregando unas mugres piedras que por otro lado llevaba años sin ver siquiera y que le concederían la dorada oportunidad de volver a tener un reconocimiento público al entregarlas como ilustre benefactor y mecenas de la Patria: Quedaré como un Médici del siglo XX...

Josefa captó de inmediato la actitud de su padre. Qué buena salida, no en balde había estado en la política tantos años... —A mí me gustaría que la donación se hiciera anónimamente, para que mi nombre no aparezca en los diarios ni se preste a sonrisitas de los mal pensados de siempre, tú entiendes, ¿no? Te mandaré un par de expertos para que cataloguen las piezas y las entregues... Dos días más tarde aparecerán en los museos del país como la obra generosa de un mexicano anónimo que quiso agrandar el acervo cultural de su patria. No podemos aparecer ni tú ni yo, está claro, ¿verdad?

Hercilia estaba alterada porque en cualquier momento la reunión podía convertirse en astillas dada la volatilidad de ambas partes. -Por supuesto que a nadie conviene, Jose, eso yo ya lo daba por descontado: haz el bien y no veas a quién... Me haces muy feliz concediéndome la oportunidad de donar piezas que pude coleccionar con tantos esfuerzos a lo largo de mi vida: gracias hija, te lo agradezco- confesó sin manifestar la menor frustración. Había ensayado muchos años el arte de la mentira como para que su propia hija, una novata, viniera ahora a sorprenderlo o a atraparle los dedos en la puerta.

—Además —insistió Josefa medianamente consciente de la fortuna de su padre— quisiera que construyeras con tus socios por lo menos un par de escuelas o un instituto en las inmediaciones de Los Colorines para beneficio de los campesinos y de sus hijos. Nosotros te diremos nuestras necesidades y si puedes ayudarnos te lo agradeceríamos mucho...

He de purificarme Señor, lo he de hacer, pensaba para sí Silverio mientras Josefa tocaba un timbre por donde entró su secretaria particular, una mujer de unos treinta y cinco años que Silverio jamás hubiera dejado viva si hubiera estado a sus órdenes. Pidió que la comunicaran con la directora del Instituto de Antropología como correspondía a toda una alta ejecutiva. La envidia que le produjo a Silverio el timbre, apretar un timbre y que alguien entrara, a sus órdenes señor secretario, era el sueño de su vida. De la secretaria particular se hubiera ocupado como condición previa a su contratación. ¿Quieres trabajar aquí? ¿Sí? Pues sé cariñosa, amor de mi vida...

El tiempo pasaba y Hercilia guardaba un prudente silencio. De vez en cuando Josefa revisaba su mano en busca de la cicatriz que le había quedado el día en que los médicos le habían adherido mágicamente el dedo después de la espantosa paliza. No, no se le notaba ya nada.

¿Por qué razón tengo yo que invertir siquiera un maldito quinto en humanizar a estos pinches indios buenos para nada? ¿Qué le han aportado a su país estos parásitos en los últimos quinientos años salvo lastres, cargas y vergüenzas? Que yo les de a esta punta de inútiles holgazanes una escuela no los va a mejorar en nada... Al rato la abandonarán hasta que se caiga de vieja y mi dinero se habrá ido al carajo... ¡Ay! la demagogia de los políticos...

—Cuenta con tu escuela Jose —agregó en tono monacal— como tú bien dices ha llegado la hora de rescatarlos —concluyó convencido de que se acercaba a la reunión tan anhelada con el oficial mayor. Lo que gane con sus pedidos será el equivalente a cien escuelitas de esas... Del mismo cuero saldrán las correas...

—¿No tendrías inconveniente en hacer dos escuelas y un instituto de oficios varios? Tú sabes bien, una escuela rural es insignificante para la capacidad económica de tus *socios*... Deben hacer algo que realmente los enorgullezca...

Ahora sucede que yo voy a ser el redentor de Teotihuacán, ¡carajo con ésta! Seré el nuevo Fray Bartolomé de las Casas del siglo XX, el fray Bernardino de Sahagún, el fray Servando Teresa de Mier de puro pinche semisalvaje...

—Tú di, Jose, de sobra sabes que mi dinero es tuyo también: Todo lo mío es tuyo —repuso a punto de comenzar una lección de catecismo.

Josefa no quiso entrar a discutir aquello de que lo mío es tuyo y por lo mismo ella se convertiría inmediatamente en cómplice si disponía del dinero mal habido, según había insistido una y otra vez Belisario en tantas ocasiones habían analizado el tema. Abordar conceptos tan espinosos en esos momentos no habría conducido sino al rompimiento que ya nadie debería tener. Josefa pensaba para sí: A pesar de sus enormes defectos todo lo que le debo a este hombre que está sentado frente a mí es la vida. Sólo es mi padre...

Hercilia se preguntó qué parte jugaba ella en la herencia. ¿Cómo de que lo mío es tuyo? Y yo, ¿qué? La Chila frunció el entrecejo pero guardó un prudente silencio. A ella nunca le había preocupado si en lugar de patrimonio familiar debería llamarse botín familiar. Le era irrelevante a esas alturas de su vida el origen de la fortuna de su marido. Si en el caso de Hercilia Josefa le hubiera pedido a ella que les hiciera al menos una casa a su servicio doméstico de toda la vida, con toda certeza su madre habría contestado: ¿Quieres que les de todo mi dinero a las *gatas*, el dinero que tu padre se ganó con el sudor de su frente? Estás loca Josefita, este puesto te ha vuelto loca de remate, serás muy secretaria de educación pero eres toda una pendeja...

¿Y te gusta tu puesto? ¿Y alguna vez soñaste siquiera llegar tan alto en política? ¿Y qué se siente estar a estas alturas? ¿Y qué tal las reuniones de gabinete, las disfrutas? ¿Tus relaciones con Pascual? ¿Lo llamas o te llama varias veces por la red? ¿Te vienen a ver gobernadores, senadores y diputados? ¿Comes con tus colegas en público para que los vea la gente? ¿Cuando vas a los Pinos tienes escolta? ¿Te gusta salir retratada en primera plana en los periódicos? ¿Te gusta que te entrevisten? ¿Te hace sentir importante que la prensa requiera tu punto de vista? ¿Cuánto tiempo haces esperar a quienes te piden audiencia? ¿Cuando te llaman por teléfono contestas a la primera? ¿Cuántas secretarias tienes? ¿Quién te gusta para candidato presidencial ahora que entreguen ustedes? ¿El de Hacienda, el del Departamento o tal vez se inicie una nueva tradición destapando a un gobernador en funciones con experiencia en puestos de elección popular? ¿Crees que el destape será como siempre o el partido hará algo diferente?

Silverio Cortines disparaba preguntas, una tras otra, en tanto modificaba la expresión de su rostro y hablaba con las manos proyectando una mirada entusiasta con tan sólo abordar el tema. La política, no cabía la menor duda, lo revivía, le inyectaba ánimos, lo hacía vibrar, sacudiéndolo y haciéndole recuperar el interés por su existencia, devolviéndole una justificación por qué vivir. Josefa contestó una a una sus preguntas unas veces risueña otras seria y reflexiva, las más de las veces prudente en razón de la elemental discreción que debía guardar sobre todo con otro político por más que éste fuera su propio padre. Le divertía el interés que Silverio mostraba por detalles insignificantes de su puesto. ¿Cuánto tiempo haces esperar a la gente cuando te pide audiencia? ¿Cuando te llaman por teléfono contestas a la primera? ¿Cuántas secretarias tienes?, eran inquietudes irrelevantes y hasta cierto punto infantiles. Todo, todo se lo contestaba con humor. ¡Ay! papá, ¿a quién le va a importar eso? Pareces niño chiquito...

—No, no sé quién será el próximo presidente.

—Ya, ya sé que no sabes, Jose, te pregunto quién es el que te gusta.

—Todos son buenos, papá, en el gabinete de Pascual no hay mediocres. Se ha rodeado en lo general de colaboradores de primera línea.

—No estás dando una conferencia de prensa, hija mía, estás hablando en confianza con tus padres.

—Te lo diría, te juro que te lo diría: Ningún aspirante a la Presidencia de la República puede ser un mediocre.

—Bien, ¿pero de entre todos, cuál es tu gallo?

—¿El de gobernación, el de hacienda, el de agricultura, el de comercio, el regente, el de marina, el de la reforma agraria, el de comunicaciones y el de patrimonio nacional?

Silverio estalló en una carcajada: estaba frente a la hija de todo un político. Jamás le arrancaría una palabra de más. Hija de pinto pintita... Aprendiste bien las lecciones Jose, el puesto te lo tienes ganado a pulso.

Entre risas y sonrisas Josefa se puso de pie y empezó a acompañar a sus padres a la puerta. Hercilia recordó entonces que el motivo de la visita había consistido en tomarse una fotografía los tres juntos en el despacho de Josefa como Secretaria de Educación Pública. Abrió una bolsa de piel de cocodrilo y de ahí extrajo una pequeña cámara para cumplir con su cometido. Josefa no pudo resistir la tentación:

—Mamá, ¿no sabes que en el mundo entero está prohibido matar cocodrilos porque es una especie en extinción? —preguntó esbozando una sonrisa en la boca sin la menor tensión.

—¡Ay! mira chula —repuso Hercilia arrugando la nariz como cuando sentía decir algo genial— infórmate antes de hablar, ¿quieres, señora ecóloga? — adujo esbozando una sonrisa en los labios— mira la etiqueta que te guardé para que vieras que por mi culpa no se va acabar el mundo... —El texto hablaba de animales criados en viveros y controlados por el gobierno de Singapur en donde constaba que no se atentaba en contra de especies en extinción. Se reproducían en viveros controlados para explotación comercial—. ¿No te lo sabías, mi secre, tú que eres tan sabihonda? —concluyó Chila preparándose para la fotografía que les tomaría un ayudante.

Ya en la puerta Silverio planteó con toda suavidad:

—Oye, Jose, quisiera comentarle un par de tontadas a tu oficial mayor, ¿podrías sacarme una cita con él? —se dejó caer con ese lenguaje disfrazado en el cual era todo un especialista.

Con Silverio Cortines, bien lo tenía aprendido su propia hija, no podía bajar la guardia ni un solo instante. La secretaria de Estado entendió perfectamente bien el significado de "un par de tontadas." —¿Qué te parece que te ganes la buena voluntad de los funcionarios de esta secretaría entregando —iba a decir devolviendo— las piezas arqueológicas que tienes en la biblioteca y haciendo una petición formal para que te vendamos o construyas dos escuelas y un instituto por la zona de Teotihuacán? Después —concluyó dándole un beso y una palmada en la espalda— hablaremos *siempre juntos* con el oficial mayor para ejercer más presión en él y garantizarnos que cumpla todo lo que le pidamos ¿te parece? —preguntó sabiendo de antemano que una reunión a solas con su padre y el alto funcionario podría terminar con la renuncia de éste último.

Silverio asintió con la cabeza y poniéndose la gabardina salió de la oficina de su hija sin acusar el menor malestar. Él estaba dispuesto a someterse a cualquier condición porque al fin y al cabo nada tenía que ocultar: su visita había sido del todo desinteresada... Hercilia lo tomó del brazo y caminando lentamente desaparecieron tras las puertas de acero del elevador central de la secretaría. Josefa se apresuró a llamar a su oficial mayor para informarle que por ningún concepto debería recibir a su padre a solas. Menos, mucho menos en estos momentos de ambiente político preelectoral... Invariablemente ella debería presidir la reunión si es que alguna vez ésta llegaba a darse...

La efervescencia política en el país iba cada día en aumento. Los analistas, la prensa, los odiosos columnistas, los observadores políticos, por supuesto los mismos interesados y sus respectivos equipos de colaboradores, la burocracia, el mundo político y el público en general, buscaban una insinuación en cada movimiento del Jefe del Ejecutivo, un gesto, una actitud, un hecho, tal vez un desplante, una distinción que les permitiera adivinar el nombre de la persona que él mismo elegiría para heredarle el poder. Cualquier decisión presidencial podía tener una interpretación política trascendente de cara a un electorado ávido de encontrar significados de cada movimiento en Los Pinos. Descifrar anticipadamente las verdaderas intenciones del primer mandatario podría propiciar la destrucción de la imágen pública del auténtico "tapado" en el entendido de que las fuerzas políticas contendientes buscarían dañar en forma encubierta la personalidad del elegido para descartarlo de la carrera presidencial. Por otro lado quien pudiera disponer de semejante información privilegiada contaría con una oportunidad dorada para lucrar políticamente a su antojo. De modo que para preservar el equilibrio entre todos los candidatos reteniendo el poder presidencial hasta el último momento era menester observar la máxima cautela y maniobrar con todo cuidado en la distribución de las piezas del rompecabezas para que nadie pudiera armarlo ni gozar en consecuencia de ventaja política alguna.

El electorado seguía paso a paso las declaraciones, las alianzas y el comportamiento de los contendientes. Cada acto, cada declaración, cada visita tendría un significado, una intención. Era el momento final de la acumulación de puntos de cara a la opinión pública, el de la evaluación de la obra política y de los merecimientos de cada uno de los aspirantes. El veredicto popular mayoritario no podía en modo alguno escapar a las consideraciones finales del Presidente de la República, aquel gravitaría siempre en su ánimo con un enorme peso específico, sí, sólo que antes que ningún otro valor tomaría en cuenta en un primerísimo término, la lealtad probada de su presunto sucesor. Después bascularía su concepción de la economía, su identificación política para continuar su obra, su sensibilidad social, sus verdaderas convicciones, no sólo aquellos principios con los que se ostentaba ante él, sino su verdadera personalidad, sus inclinaciones genuinas, las mismas que el presidente en funciones debería percibir y descubrir a tiempo empleando su intuición a su máxima capacidad, una intuición, por cierto, de la que dependía la paz social, el patrimonio, la estabilidad y el bienestar de ochenta millones de personas. Si aquella llegaba a fallar y el presidente no alcanzaba a conocer el verdadero rostro de los pretendientes en este interminable baile de máscaras de la política, tal como había acontecido en el pasado, el error lo pagaría de inmediato la nación en su conjunto y lo seguirían pagando las futuras generaciones de mexicanos que aun no hubieran ni siquiera nacido.

La Casa Blanca estaba igualmente atenta al máximo acto de magia de la pintoresca política mexicana. ¿A quién sacaría esta vez de la chistera el Presidente de la República para nombrarlo su sucesor ante un electorado integrado por los visto por menores de edad deseosos de aplaudir el prodigioso acto ilusionista? Si no se trataba de un hombre que fuera a preservar y a estimular la atmósfera de negocios entre ambos países, si resultaba un político con tendencias de izquierda o un individuo oscuro que proyectara confusiones ideológicas peligrosas, un mexicano de esos que no hubiera podido olvidar todavía la traumática experiencia de la guerra de 1847 en la que a México le habían arrebatado ante su impotencia la mitad de su territorio, si advertía en él tendencias veleidosas o una manifiesta inclinación contraria a los intereses norteamericanos, la sugerencia velada o la preocupación de Washington no se haría esperar. La opinión doméstica y el oportuno guiño aprobatorio de Washington deberían ser también tomados en consideración aun cuando limitaran las auténticas intenciones del elegido por el Jefe de la Nación. No podía ignorarse el caso de Francisco Mújica cuando Lázaro Cárdenas quiso cederle la estafeta y finalmente había tenido que decidirse por Avila Camacho ni la anécdota aquella de cuando Miguel Alemán deseaba pronunciarse por Fernando Casas Alemán y tuvo que resignarse con Adolfo Ruiz Cortines contra toda su voluntad política.

El presidente en funciones no podía permitir que ninguno de los aspirantes fuera descalificado prematuramente por la opinión pública. Él, en todo caso, los inflaría, los protegería, los arroparía y los estimularía resaltando sus cualidades y virtudes políticas y profesionales para no excluirlos de la contienda anticipadamente. Crearía un grupo compacto en el que todos en apariencia contarían con posibilidades similares en donde sería muy difícil distinguir la identidad del elegido ni siquiera dentro de la recta final hacia Los Pinos. Nadie podría adelantarse ni desmarcarse ni revelar ansiedad ni prisa ni desesperación: Se imponía un temple de acero, un control férreo de los nervios, el necesario para llegar a la primera posición de la nación. Se exigía en público una expresión noble, serena y confiada, la de quien se sabe el triunfador final o una actitud supuestamente indiferente como la de quien ya ha tenido todo en la vida y la presidencia sólo sería una medalla más, cuando en el fondo podrían estar dispuestos a dejarse cortar una mano o a sacrificar años de su existencia con tal de acceder a semejante privilegio.

El Jefe de la nación atento observador del escenario político analiza desde su platea el desempeño de cada uno de los candidatos. Desentraña los golpes bajos, advierte la presencia de los tradicionales francotiradores y califica y anota y concluye. Descubre, analiza, sanciona, lee, interpreta, sonríe, provoca y registra; registra equivocaciones, habilidades, intenciones, mensajes, malos entendidos, zancadillas, emboscadas y apunta, en fin, hasta el último detalle de la comedia política para confirmar su criterio respecto al protagonista principal o para modificarlo y en su caso derogarlo.

Cualquier traspié de los contrincantes sería aprovechado cabalmente por los demás, magnificado por la prensa oportunista y mercenaria y por la oposición para descartar rivales dentro de un esquema de alianzas trabadas para manipular la voluntad presidencial. Los directores generales de comunicación social invertirán el ahorro público de la nación, es decir, los recursos de las diversas secretarías de Estado en donde pudieran estar adscritos para cuidar la imagen del señor secretario, el candidato idóneo: el presupuesto quedaría finalmente bien maquillado para que ni el más avispado auditor pudiera detectar una sola partida desviada o divorciada de lo exactamente autorizado. Se trataba de asestar golpes anónimos escondiendo la mano e impidiendo la menor represalia, que invariablemente debería aparecer como injustificada ante la falta de evidencias.

En los momentos de máximo compromiso político antes de la revelación de la identidad del nuevo candidato revolucionario de las mayorías nacionales ya ninguno de los aspirantes se atrevía a tomar decisiones trascendentes que pudieran afectarlos. Era menester disminuir los márgenes de error y nada mejor para evitar conflictos inoportunos que prescindir de determinaciones peligrosas en momentos tan críticos. Sólo Josefa Cortines de Cuevas continuaba su programa de trabajo como si viviera ajena a su entorno político. Ella no estaba para perder tiempo ni exhibiría la inseguridad propia de quienes preferían la inmovilidad política con tal de no quedar atrapados en un repentino contratiempo que pudiera provocar su descalificación de la contienda. Josefa seguía trabajando febrilmente confiada en los beneficios de su tarea. ¿Sería acaso vulnerable por educar en cualquier tiempo a su país? No, ¿verdad?, pues a trabajar entonces. En la próxima administración federal ya tendría tiempo para descansar. Su verdadera oportunidad consistía en cumplir con su cometido como si se tratara de una locomotora en marcha.

Inicia una fecunda labor editorial respecto a la autoimagen del mexicano. Aparecen libros y nacen empresas editoras. Debemos conocernos para saber con qué contamos los mexicanos. Cómo somos, cómo operamos, cómo pensamos y funcionamos. ¿Y la familia? ¿La mujer?, ¿qué efecto tiene en el desarrollo económico y social? Promueve entonces la filmación de películas, series de nivel suburbano y rural para radio y televisión, novelas de proyección vespertina con un mensaje escondido y estudiado. Sienta los cimientos para la recuperación de la época dorada del cine de oro mexicano. Necesitaba hablarle a la gente, al campesino: Que se otorguen más concesiones a estaciones radiodifusoras y televisoras. Que surjan más periódicos y revistas. ¡Que hable México! ¡Que hable por todos los medios posibles...! Hablémonos, es la hora empezar a hablar aun cuando hayan transcurrido ya casi quinientos años... El Presidente de la República se niega en un principio, alega abiertamente la pérdida de poder político en momentos verdaderamente delicados, pero comparte también la tesis de la apertura y oxigenación de México. ¿No te interesa estimular la democracia y la estabilidad del país? Que surja las verdadera fuerza, el auténtico músculo mexicano. Que cada quien opine, diga, critique, sugiera y proponga. Estimulemos la participación ciudadana, dialoguemos en público, intercambiemos puntos de vista por opuestos que sean como corresponde a una familia plural, hablemos todos de México, destapemos nuestra imaginación contenida, abramos las ventanas, ventilemos nuestras ideas, defendámoslas en nuestras propias tribunas y que se imponga el criterio de las mayorías.

Pascual Portes visitó a Josefa un domingo en la mañana en Los Cuatro Vientos para discutir con ella algunos aspectos de la privatización de algunos medios masivos de comunicación todavía en manos del Estado. Quería conocer sus puntos de vista disfrutando el sentimiento de libertad que sólo el campo podía proporcionarle. En realidad deseaba escaparse al menos unos instantes de la tensa soledad de su oficina. Respirar, distraerse, desprenderse, como él decía, del casco y de la armadura. Era tan raro verlo en pantalones vaqueros y sombrero campirano... Con tal sólo saludarlo la secretaria de educación ordenó que ensillaran un par de caballos. De lejos había advertido que el presidente venía a hablar. Montarían un rato a lo largo de los alfalfares. ¡Que si conocía a su amigo del alma...!

Abordaron en un principio temas banales. El clima, la temporada de lluvias, el campo olía a fresco, la transparencia del aire, el efecto en la salud, el privilegio de tener una casa de fin de semana para descansar apartándose de las tensiones diarias, la actitud emocional y racional que debería asumir un jefe de Estado para superar los conflictos diarios sin que éstos lo rebasaran y abatieran su capacidad de discernir y pensar, si no sabes administrar los problemas de toda índole que se te presentan muchas veces de improviso, si no estás preparado anímicamente para la adversidad y la crítica tantas veces injusta, físicamente puedes extenuarte y destruirte... Imagínate el caso de un presidente aniquilado, abrumado por las circunstancias, demacrado, ojeroso y pálido e inseguro, un hombre abatido incapaz de decidir ni de resolver ni de dirigir y en consecuencia, imposibilitado para presidir la nación, ¿lo puedes imaginar? Jamás puedes darte el lujo de no tener la cabeza fría para poder observar la adversidad en su justa perspectiva, en este puesto no caben los prontos ni la espontaneidad ni te puedes dejar arrastrar por los acontecimientos: frío, frío, debes estar muy frío, pero al mismo tiempo transmitir calor y tranquilidad... ¿Pascual daba consejos o simplemente se desahogaba...?

Salieron por la enorme puerta de hoja doble de la hacienda, montando a través del Patio de los Naranjos —ya pronto estarían en flor— rumbo al campo abierto sin que ninguno de los dos volteara a ver la hermosa fachada que Alonso había mandado arreglar colocando sobre el marco la divisa de su ganadería tallada en cantera. ¡Que hermosa lucía en la noche cuando la hacía iluminar!

—El Presidente de la República —le confesó— está permanentemente rodeado de gente, sí, pero al mismo tiempo está permanentemente solo, solo, muy solo. Si dices que sí, malo, si dices que no, tal vez sea peor y si te quedas callado entonces dicen que el que calla otorga... ¿Qué tal? Lo único que cuenta para cualquier tipo de interlocutor con quien me encuentre donde me encuentre, Jose, o es informarse y atar cabitos para adelantarse a mis decisiones cualesquiera que éstas sean, o quieren pedirte algo como si fueras un rey mago —le dijo mientras daban al paso una vuelta a caballo en los alrededores del rancho—. Nadie, escúchalo bien, ¡nadie! se le acerca al Presidente de la República desinteresadamente, Josefa —El Primer mandatario llevaba recargados los codos sobre la silla forrada de piel de borrega, la preferida de Alonso— si hablas o no, si te ríes o no, si te pones serio o no, si te rascas o no: todo cuenta para aquella persona con la que te encuentras, hasta tus gestos tienen un significado: bostezó, ¿te fijaste?, quiere decir esto o lo otro cuando simplemente bostezaste, eso fue todo... Quien te visita pretende invariablemente hacerse de elementos para arribar a conclusiones que después agrandará notablemente con una imaginación por demás portentosa. Tú sabes, Jose, los mexicanos tenemos mucha imaginación...

—La gente siempre quiere saber, Pascual, siempre te quiere tirar de la lengua —repuso Josefa sonriente montada sobre un hermoso alazán. Su piel blanca adquiría un tono particularmente atractivo tan pronto se exponía unos momentos al sol.

—Sí, sí —agregó Pascual celebrando la ocurrencia— sólo que ya he llegado a temer la posibilidad de hablar hasta cuando estoy dormido —confió el presidente viendo a la cara de su secretaria de educación sin ocultar una amistosa sonrisa.

—¿No creerás que Blanca, tu esposa, usaría esa información para...?

—No, por supuesto que no sería en plan doloso, por supuesto que no, pero ella se lo puede decir por ejemplo a los suyos, eso sí, dentro del máximo secreto y ya a partir de semejante confesión ni quien pueda parar la bola de nieve. Todos contarán su versión personal cada vez más distorsionada, eso sí, insisto, en el máximo secreto...

—¿Duermes entonces boca abajo para no poder hablar? —preguntó Josefa con buen humor para animar la conversación.

—¿La verdad?, sí, porque si me pongo un traje color azul marino por tres días seguido entonces ya dicen por ahí que me está dando por la solemnidad y en ese caso el candidato será el secretario de relaciones conocido precisamente por apergaminado, perfumado y hermético... Te digo que todo cuenta en estos momentos. Si me pongo guayabera durante una gira estoy convirtiendo en tapado al gobernador de Yucatán, ¿qué te parece? Ya no te diría si un periodista nos saca una fotografía aquí el día de hoy, mañana dirían que tú eres tal o cual o lo de más allá —concluyó Pascual sin mencionar específicamente que sería la precandidata a la Presidencia de la República. Ya se cuidaba hasta de nombrar los cargos...

—Aquí puedes estar tranquilo, no nos verán ni los zopilotes. En esta casa siempre estarás a salvo —dejó caer Josefa su comentario para subrayar la transparencia de su amistad.

—Lo sé, lo sé, por eso estoy aquí —repuso con un acento de tristeza.

—Lo dices muy poco convencido, caray...

—No, Jose, no es por ti, lo que pasa es que si a un presidente que tuvo un sexenio completo siempre siente que no concluyó su labor porque deja un sinnúmero de asuntos pendientes todos ellos delicados y sin embargo, debe retirarse lo desee o no, imagínate entónces lo que significa para mí haberme quedado sólo la mitad del tiempo en la presidencia con un equipo de trabajo, además, que no era el mío... Me voy insatisfecho sin haber podido realizar casi nada de lo que yo me había propuesto.

Acaba de un plumazo con el tapadismo, le iba a responder Josefa, para eso siempre tienes tiempo, pensó en replicarle, pero no podía perder de vista que aun cuando fuera Pascual su amigo del alma, nunca dejaría de ser el Presidente de la República, un individuo a quien no se le podían dar consejos, menos, mucho menos en esos momentos en que podría sentirlos totalmente interesados.

—Sí, tienes razón —repuso Josefa, muchos proyectos se quedaron en planos porque como me comentaste en alguna ocasión, no podrías tomar una serie de decisiones si tú mismo ya no tendrías tiempo de instrumentarlas y que probablemente tu sucesor bien podría no estar de acuerdo con ellas.

—¡Claro! —se acomodó Pascual en la silla— es muy fácil tomar una decisión y que la administre el siguiente gobierno... Para mí la gloria, para ti los problemas de la ejecución: Eso es ser un bellaco. Yo no tomo una decisión a menos que yo mismo pueda llevarla hasta sus últimas consecuencias. Yo, yo y nadie más que yo, como hombre, como político y como profesional...

—Pero Pascual —interceptó Josefa el argumento— si en tan poco tiempo tomaste decisiones históricas que a corto plazo cambiarán el rostro de México —dispuso confiada echándose el sombrero para atrás sin inmutarse por el relincho de uno de los animales— haber modificado los regímenes de tenencia de la tierra fue una tarea faraónica, la desaparición gradual del ejido fue un acierto indiscutible a pesar de lo que digan los *masiosares* de siempre — ndicó creciéndose—. Tú mejor que nadie sabes que haber reducido la inflación, recuperado la soberanía monetaria, haber privatizado la banca y la mayoría de la industria paraestatal, haber devuelto la confianza y haber hecho manejable financieramente la deuda de México fue una proeza, Pascual: perdóname pero no veo la razón de tu malestar. ¿Te parece poco haber podido dejar firmado ya el Tratado de Libre Comercio cuando en México los acuerdos con Estados Unidos los ve la gente con un justificadísimo escepticismo? Venciste una inmensa resistencia histórica... Cambiaste la mentalidad de los nuestros, Pascual, ¿no es un gran activo para el futuro? —iba a concluir ensalzando su gestión ante el clero pero prefirió desistir, para ella meterse en cuestiones eclesiásticas era meter la mano en un avispero...

Ella entendió que la apertura de Pascual en torno a las iglesias había respondido fundamentalmente a una postura política. Ella ahora, precisamente de cara a esa apertura, invitaría sutilmente a una buena parte de las iglesias anglicanas, a las iglesias protestantes serias a predicar el culto en México. La ética calvinista, la doctrina luterana contenía tesis fomidables para combatir la pobreza y la descomposición social sin complejos de culpa ni flagelaciones. El protestantismo la seducía sin ser religiosa -ella ni siquiera se había casado por la iglesia- por la pujanza económica de su contenido espiritual. Josefa hubiera enviado agentes secretos a Canadá, Estados Unidos y a Europa con tal de disminuir a como diera lugar la influencia de la iglesia católica en México y abatir sus tesis depresivas, recesivas y anacrónicas. Establecería una especie de competencia entre ambas iglesias en beneficio de la feligresia.

Para Pascual y para cualquier político siempre faltarían un sinnúmero de metas por alcanzar. —Si hubiera tenido al menos los seis años —aclaró pensativo mientras intentaba sacudirse una inquietud que le había surgido de la conversación: ¿Cuáles serían los proyectos que a juicio de Josefa se habían quedado pendientes en la parte de la administración que a él le había tocado presidir?

—¿Qué se quedó para ti en planos, Jose?

—Lo que sea no es tu responsabilidad —adujo la secretaria cautelosamente—. Es imposible que en treinta y cinco meses al frente del gobierno hicieras los trabajos de Hércules —resumió para hacer sentir bien a su superior y para permitirse con la debida delicadeza la oportunidad de comentarle sus propios planes— al fin y al cabo tú no eres responsable, gran Pascual, ni podías cambiar en tres años un estado de cosas heredadas y amañadas a lo largo de siglos y siglos tal y como acontece con la educación en México. ¿Cómo inculpar a una sola administración? Hiciste horrores en muy poco tiempo. ¡Tú lo sabes...!

—Te escucho —repuso el presidente sin dejarse convencer—. ¿Qué se quedó para ti en planos...?

Le dijo entonces mientras pasaban por una acequia colocada al lado de un gigantesco Pirú que ella desde luego hubiera privatizado una buena parte más del gobierno federal sin dejar viva una sola descentralizada salvo un par de excepciones.

—¿Cuáles más hubieras privatizado tú? —preguntó Pascual mientras veía al fondo unas reses bravas que Alonso y los caporales y el pequeño Rodrigo conducían a los bebederos.

—¿Yo? —lo dudó por un instante Josefa pensando en no herir por ningún concepto a su ilustre amigo, un amigo por otro lado a quien tanto le debía. -Yo no le voy a enseñar al Papa a dar la bendición, Pascual, apiádate de mí le dijo en tono burlón.

—Sí, sí, tú, Jose, hablemos sin compromisos entre nosotros —adujo Pascual sobriamente. Imposible vivir sus asuntos con la menor frivolidad.

De sobra sabía Josefa que al hablar con un presidente se establecía sin lugar a dudas un compromiso, pero pensando que el sexenio ya terminaba y que su opinión podría ser recibida como un comentario aislado sin la menor trascendencia, le dijo a Pascual que ella hubiera privatizado desde luego Pemex, dejándole exclusivamente la exploración y extracción de crudo para respetar el concepto de la nacionalización del petróleo. El resto de la industria, como la petroquímica, la vendería sin más a particulares nacionales o extranjeros en la medida en que el gobierno retuviera el control del crudo. ¿Cuántos barriles de petroleo se pueden extraer con la ostentosa torre de Pemex? Ninguno, ¿verdad? Pues esa empresa se podría administrar con cincuenta funcionarios y empleados, además de una buena plantilla, como la hay, de ingenieros petroleros y un buen número de computadoras. Los miles y miles de trabajadores que trabajaban en la paraestatal serían absorbidos en su caso por los nuevos inversionistas si es que ellos deseaban retenerlos. Si no, en seis años se absorberían los desempleados en otras fuentes de trabajo. ¡Acabemos con los mitos!, Pascual, tal y como tú lo dijiste muchas veces, acabemos con el país de lo irreversible antes que irreversiblemente nos volvamos a ir al abismo... Para acabar con ellos sólo necesitas darle a la gente información de la realidad, tal y como hicimos con las escuelas oficiales: Publica las auténticas cifras de Pemex, el número de empleados y el resultado de su gestión y el resto acerá por sí solo. Simplemente di la verdad...

Pascual se incorporó acomodándose sobre la bestia colocando ambas manos sobre las ancas. Se preparaba a una confesión política emotiva y genuina.

Josefa agregó que ella hubiera segmentado la Comisión Federal de Electricidad en varias regiones del país al igual que los Ferrocarriles Nacionales de México, poniéndolos a la venta igualmente por regiones o por tramos y concesionando de inmediato nuevas rutas para comunicar el país a la brevedad posible. Ella dejaría a los empresarios el manejo de las empresas y al gobierno los asuntos de gobierno. -Donde haya un burócrata hay un problema -asentó la antropóloga en un desplante de sinceridad. La ciudadanía no tenía por qué subsidiar con sus impuestos el peso de la nómina de unaelite de burócratas privilegiados contratados en empresas descentralizadas, cuyas escandalosas prestaciones las pagaba el pueblo también por la vía de los aumentos de tarifas. El próximo presidente debería tomar estas medidas...

Ella hubiera disminuido el Instituto Mexicano del Seguro Social a su mímima expresión al igual que el ISSSTE para que operaran exclusivamente en aquellas areas a donde no llegaba la medicina privada. Si una empresa contrataba seguro de gastos médicos para sus empleados y funcionarios ante hospitales privados que brindan mucho mejor servicio que los públicos y si además contaba con planes de pensiones y jubilaciones, de invalidez, enfermedad y muerte, cuyos recursos quedarían afectados a través de fideicomisos irrevocables, ¿no se le podía exentar de sus aportaciones al Seguro Social si estaba pagando con creces cantidades indexadas a los beneficiarios? —Se puede reducir el tamaño del aparato del gobierno siempre y cuando uno no se deje vencer, como tú mismo lo demostraste, por la demagogia ni por el miedo a la oposición.

Josefa hubiera privatizado la administración de las cárceles como ya acontecía en Inglaterra, el servicio de basura, el de agua, el de limpieza, por supuesto el de la luz, el correo y hasta el cobro de impuestos concesionándoselo a empresas particulares con una estricta supervisión del Estado. Era más barato supervisar que hacer y operar. Donde hubiera más de dos burócratas juntos ya se daría un problema de trascendencia nacional. No permitiría la existencia de areas reservadas a las cooperativas ni a ningún otro grupo por ningún concepto. Vendería PIPSA, la remataría o la liquidaría entre los dueños de periódicos del país. Ya no permitiría más chantajes del gobierno hacia la prensa libre. Además que los diarios pagaran el costo del papel. ¿Subsidios? Escasos, muy escasos, los haría desaparecer gradualmente. Establecería la libre competencia, suprimiría las prótesis oficiales que habían enfermado al aparato productivo. La salud de un país se encontraba en el desarrollo de sus propias fuerzas, en su capacidad de valerse por sí mismo sin ayudas ni subsidios ni artificios que cuando desaparecieran se derrumbarían juntos con las esperanzas de la República. No habría restricción alguna para quien quisiera competir.

Pascual la escuchaba con deleite y con no menos sorpresa. Más aun cuando Josefa sacó de una de sus alforjas una bota con vino tinto que Alonso, ¡ay! Alonso, estaba en todo, les había preparado para que no pasaran sed en el camino... Tú sabes, los santos calores del Bajío...

—¿Y en el Departamento del Distrito Federal? —inquirió Pascual levantando la bota de vino y dejando caer un chorro generoso sobre su boca.

—De cada diez personas, seis están subsidiadas en la capital de la República, Pascual. Además el Departamento ni siquiera paga el costo de la educación que absorbemos nosotros en la federación como tú bien sabes- sentenció mostrando un profundo conocimiento de las diversas areas del gobierno que no dejaba de llamar la atención del presidente ni dejaba igualmente de halagarlo. Es muy fácil decir que tienes un superavit cuando no pagas las partidas más importantes ni haces obras públicas con tal de presumir miles de millones de pesos en tesorería sólo para proteger tu prestigio político: Haz, cobra, reduce los subsidios valientemente, impón, juégatela, decídete, ataca la contaminación ambiental, limpia la ciudad, dale mucho más presupuesto a la policía para erradicar el crímen -condenó sin ningún miramiento mientras Pascual le devolvía la bota con una sonrisa sardónica en el rostro. —Todos sabemos que el estado 32 nunca será aprobado porque implica el pago de muchos impuestos más a cargo de los capitalinos, impuestos que no se pagan porque la federación subsidia el presupuesto para cuidar la estabilidad política y la tranquilidad en la capital de la República...

Esa era Josefa, la verdadera Josefa, la misma que se crecía con autenticidad tan pronto invadían el terreno de lo político. —Es fácil decir, pero difícil hacer —repuso el presidente sin ocultar su simpatía.

—De acuerdo, Pascual, sólo que tú me preguntaste lo que yo haría y en esas estoy, ¿no?

Unas veces caminaron al paso, otras trotaron, otras más se lanzaron al galope sin que ninguno de los ayudantes se atreviera a seguirlos ni siquiera a media distancia. Era un feliz momento de distracción, de recuerdo de aquellos años en que igual habían montado en el rancho de don Silverio, el de los Colorines, el que estaba cerca de Teotihuacán, ¿te acuerdas, Jose? ¿Te acuerdas como nos perseguían los perros? ¿Te acuerdas cuando nos sorprendía la lluvia a mitad del camino? ¿Te acuerdas con qué apetito comíamos la paella que nos preparaba a veces tu tío Paco? ¿Te acuerdas, te acuerdas, te acuerdas...?

En un punto del camino Pascual se apeó haciendo lo propio Josefa. Imposible desprenderse del tema. Éste parecía interminable en aquella mañana fresca del mes de Octubre. Ambos jalaron a los animales de las bridas y juntos emprendieron a pie el camino. Josefa mascaba una varita de paja de trigo.

Recordaron los viejos tiempos, los años de estudiantes, en particular el día aquel en que Pascual le había dicho que en la academia no valían las emociones ni los antecedentes políticos ni los económicos ni las influencias de ningún genero: todo lo que contaba en las aulas eran los argumentos, la información, los datos, los hechos, las cifras, ¿verdad que eras una niña mimada? Reían, reían como muchachos jóvenes. Su relación demostraba la posibilidad de la existencia de una amistad entre un hombre y una mujer. Recordaban cuando nadaban en las pozas del rancho de su padre, don Silverio y las regañadas de su madre cuando los veía llegar mojados y no menos dispuestos a someterse a la catilinaria de Mamá Cortines, como Pascual se dirigía cariñosa y respetuosamente a Hercilia.

—¿Quién puede nadar ahora en las pozas? —preguntó repentinamente la antropóloga—. ¡Nadie, Pascual, nadie! Generación tras generación hemos envenenado y destruido nuestro medio ambiente como si pudiéramos reponerlo como por arte de magia —adujo apesadumbrada—. Desde la revolución mexicana nada había amenazado tanto la vida de los mexicanos como el actual ecocidio: Nuestros ríos están contaminados o en vías de extinción, las lagunas se encuentran amenazadas por sus bajos niveles de agua o igualmente envenenadas sin ningún tipo de fauna acuática; nuestros mares están azotados por la polución, hemos acabado con las selvas, con los bosques y hemos propiciado la desertización de setenta y cinco por ciento del territorio nacional. Los puntos verdes de nuestra geografía cada vez son más escasos, mientras los niños mexicanos responden que el cielo es gris y no azul, según las estadísticas que hemos levantado en la secretaría. ¿Qué hemos hecho Pascual?, ¿qué hemos hecho? Los mexicanos abandonamos nuestro patrimonio arquelógico, sobre todo el precolombino, nuestras ruinas son verdaderas ruinas... ¿Qué se hizo de la Ciudad de Los Palacios? ¿Qué? ¿Por qué hemos acabado tan irresponsablemente con nuestro propio medio ambiente, el lugar donde seguirán viviendo nuestros hijos?

—Ya sé —se contestó ella sola— por la misma razón por la que exportamos el ahorro de generaciones de mexicanos al extranjero sin detenernos a pensar que estamos serruchando la mismísima rama sobre la que estamos sentados...

—El patrimonio de los mexicanos —sentenció en confianza el Presidente de la República— termina en su propia casa, esa la barren, la asean y la tienen albeando para recibir a las visitas, ¿la banqueta? puede seguir siendo de ellos —agregó mientras se inclinaba a cortar un trébol— pero no hacen nada por la calle ni por los monumentos históricos ni por los parques públicos ni por los ríos y lagunas como tú dices, porque simplemente no los consideran suyos. ¿Por qué cuando se habla de constantes desfalcos en el gobierno la gente no toma la calle y protesta? Muy fácil Josefa —afirmó sin inmutarse— porque no lo sienten suyo, los impuestos, el dinero depositado en las arcas de la nación tampoco lo consideran suyo, es un problema de identidad —Explicó que él había ordenado una serie de obras en Palacio Nacional: ¿Tú crees que alguien fue a preguntar qué estábamos haciendo porque era uno de los principales patrimonios culturales de los mexicanos? —inquirió con la suave templanza que él acostumbraba— no, a nadie se le ocurrió, pareciera como si estuviéramos haciendo obras menores en la casa del vecino y esa puede caerse en mil pedazos al igual que las reparaciones que llevamos a cabo en la catedral. ¿Quién protestó cuando tiraron medio centro histórico en busca del palacio de Axayácatl? Se derribaron irreparablemente casas de más de tres siglos, un imponente acervo y nadie levantó un dedo... de modo que no te sorprendas de la fuga de capitales ni de la devastación ecológica que yo escasamente pude contener porque, eso sí, todos se quejan pero pocos —un político siempre se cuida de hacer generalizaciones— muy pocos participan y se responsabilizan...

Josefa no dejaba de asombrarse ante la sinceridad de Pascual. Desde que éste había sido encumbrado hasta la presidencia nunca habían tenido una conversación tan íntima como la presente. El momento era inolvidable. Bien lo sabía ella: con ningún otro funcionario del gabinete tendría Pascual semejante nivel de confianza. Parecían tener la misma sangre, haber sido cortados con la misma tijera, con los mismos principios y valores, la misma educación, la misma vocación, auténtica vocación política. No buscaban el poder por el poder mismo, sino lo entendían como la oportunidad de hacer, de cambiar, tal y como su amigo de toda la vida había logrado cambiar la mentalidad de buena parte de la población preparándola para el futuro.

—Yo dispondría de buena parte del ejército para detener el ecocidio al igual que combate con buen éxito el narcotráfico —apuntó una Josefa entusiasmada— acordonaría el Ajusco decretándolo zona ecológica y no dejaría que se colocara un ladrillo más para garantizar la recarga del acuífero y por lo mismo el abastecimiento de agua a la Ciudad de México. El ejército podría ayudar a salvar las selvas y los bosques siempre y cuando sepamos crear en paralelo diversas alternativas regionales de empleo.

Pascual detuvo de golpe la marcha. Sin soltar las bridas y calzándose bien el sombrero le preguntó a su secretaria de Estado: —¿Por qué no me dijiste todo esto antes?

Josefa guardó un prudente silencio. Ella nunca se precipitaría en dar una respuesta de ningún tipo. Su experiencia en la política se lo recomendaba a cada paso.

—Ya me habías enseñado la importancia de los momentos políticos cuando te renuncié la primera vez. Bien lo dice Alonso: No es lo mismo ver los toros desde la barrera —agregó con aparente humildad. ¿Hablar?, hablamos todos. Yo hablo, tú hablas, él habla, pero a la hora de hacer como tú decías, la situación resulta mucho más compleja sobre todo si cargas sobre tus espaldas el peso de la responsabilidad.

Pascual sonreía espontáneamente cuando apareció de nueva cuenta a la distancia el casco de la hacienda. —¿Me hiciste las setas al mole con nopalitos...?

—Señor presidente —repuso gozosa Josefa— sus deseos son órdenes para mí...

Pascual advirtió que ya no había visto a las mujeres tallando la ropa contra las piedras del río.

—Después de que me dijiste —hizo la secretaria un emotivo paréntesis— que mientras nuestras mujeres siguieran humillándose lavando la ropa de rodillas contra las piedras seguiríamos padeciendo una especie de esclavitud y jamás nos desarrollaríamos, ¿te acuerdas?, pues Alonso y yo las instalamos en el galerón que ves allá al fondo...

Pascual reía limpiándose el sudor con un paliacate azul: —No pierdas de vista —hablaba el gran amigo en tono francamente fraternal— que a las mujeres mexicanas se les concedió el derecho a votar apenas durante la administración de Ruiz Cortines, Jose, hace nada, ¿me entiendes?, nada... Escasamente se preguntaban todavía en el siglo XVIII si ustedes las mujeres tenían o no alma, ¿te imaginas? A eso agrégale el machismo nacional estimulado todavía por una iglesia machista que no admite por ejemplo que las mujeres oficien la misa y donde Dios es hombre, invariablemente hombre y las mujeres son portadoras de la culpa original y eterna.

—Debemos hacerle justicia a las mujeres, Pascual, es absolutamente cierto: el país seguirá siendo medio país mientras no las incorporemos a la economía y a la política en un necesario nivel de igualdad. Por ejemplo —adujo la antropóloga dejando perplejo a Pascual— aquí las mujeres se llenan de niños aun contra su voluntad colocándose en cada alumbramiento un cúmulo insoportable de piedras en las alas de las que ya no se desprenderán en lo que les quede de vida. ¿Qué haces en un país civilizado si ya la madre se niega a tener otro hijo más? ¿No es cierto que uno de de los primeros derechos que deben concurrir en una mujer es el de ser madres, el de la maternidad voluntaria? —Si ellas decidían no tener un hijo que los hospitales nacionales las apoyaran en el legrado para no mandarlas a manos de verdaderos cuchareros que no hacían sino desangrarlas hasta la muerte en clínicas clandestinas. La legislación actual favorecía a las mujeres ricas que terminaban con el problema viajando en primera clase al extranjero, por contra, las humildes, enfrentaban aquí en la tierra un infierno al igual que los chamacos indeseados—. Es injusto Pascual condenar en vida a las más humildes familias mexicanas que se cuentan por millones si la educación sexual que implantamos apenas está llegando con muchas dificultades a las sierras y a los pueblos. Si tienes dinero te salvas aquí en la tierra como en el cielo...

—En este país causarás una nueva revolución antes que legislar a favor del aborto —contestó el presidente sin proyectar la menor emoción.

—No, no legislarás a favor del aborto, legislarás a favor de la maternidad voluntaria —interceptó Josefa el argumento sin caer en el barbarismo de la palabra— legislarás a favor del derecho a decidir sobre el ejercicio de la maternidad de millones de mujeres mexicanas: ¡No se les puede imponer ser madres! ni vale la posición de defensa de la vida cuando cientos de miles de madres mueren en México al año por falta de condiciones higiénicas. Si de hecho ya se da el problema por más traumático que éste sea para una mujer, que las proteja la ley, Pascual, que las ampare porque abortarán de cualquier manera dentro o fuera de la ley y con o sin la bendición o el permiso apostólico: ¡Lo harán! Además, ¿con qué argumento defiende la iglesia el derecho a la vida y por otro lado se pronuncia a favor de la pena de muerte, eh?

Se impuso el último trago de vino tinto que Pascual apuró manchándose toda la cara y la camisa. El tema era tan espinoso en México que prefería evadirlo. La maternidad voluntaria sería uno más de los problemas ingentes que dejaría sin resolver.

Josefa se echó al hombro la bota vacía y con la otra jaló de las bridas a su alazán. Había llegado el momento del descanso. Ya no quiso decirle a Pascual que lo primero, lo primerísimo que ella haría, su primer acto como Presidente de la República, consistiría en una visita a la Suprema Corte de Justicia de la Nación para demostrarle respeto y autonomía en el ejercicio de sus facultades constitucionales. En mi gobierno se impondría la ley y se harían valer las instituciones. Propondría varias reformas a la Carta Magna, entre ellas, permitiría que los hijos de extranjeros nacidos en México pudieran ser candidatos a la presidencia; en su gobierno no habrían mexicanos de segunda ni de tercera. ¿No pagaban todos los mismos impuestos? La Cámara de Diputados de la República ratificaría las designaciones de los Secretarios de Estado. Disminuiría las facultades del Presidente de la República, las consignadas en la Constitución, para dar lugar al nacimiento de una auténtica democracia. Modificaría las disposiciones respectivas para cuando muriera el Presidente en funciones, volviendo a la Constitución de 1857: el presidente de la Corte sería presidente interino sólo para convocar a elecciones en un término que no excedería de doce meses contados a partir de la muerte o de la invalidez del Jefe de la Nación. Nadie podría demandar la desaparición de poderes de ningún Estado de la Federación ni la distribución de impuestos podría ser utilizada en lo sucesivo como una herramienta de centralización del poder federal. La derrama de impuestos en el país se haría en proporción a la riqueza generada por cada Estado. Los jueces serían electos por el pueblo para promover la independencia del poder judicial. Legislaría para proteger a los niños y a las mujeres tanto a las que pernoctaban en las calles como las que abandonaban sus maridos desertando de sus abligaciones conyugales y proyectándolas a la miseria con todas sus consecuencias sociales y educativas. Desde luego abriría los medios masivos de difusión sin entregarlos a empresarios reaccionarios vinculados al sistema. Los medios eran espejos para que México se viera reflejado en su realidad sin maquillajes ni afeites. Era la feliz hora de la verdad.

Josefa tenía sed de hablar, sed de decir, de hacer, de cambiar. La movía un impulso natural hacia la evolución, la libertad y el progreso, una desesperación creciente le robaba la paz interior haciéndola sentir inmóvil ante una situación crítica en la que vivían cuarenta millones de marginados. Ella creía tener la fórmula, la solución para alterar el ritmo y el destino de los acontecimientos. Por esa razón no se calló y le contó a Pascual todo sus planes, le reveló su inconformidad, le hizo saber la necesidad de reformar una buena parte del cuerpo de leyes vigentes.

Pascual sonreía volteando a ambos lados del camino como si lo fuera a atropellar una locomotora en plena marcha mientras ya cruzaban bajo aquel hermoso portón colonial rematado con la divisa tallada en cantera de la ganadería Los Cuatro Vientos. ¡Qué refrescante sensación la de ingresar con tanto calor al Patio de los Naranjos! El presidente vio en uno de los extremos una hamaca: —Esa ya es mía, yo la gané —dijo Pascual interrumpiendo prácticamente a Josefa, quien le inclinó al presidente el sombrero para adelante en una actitud amistosa en la que ella se daba por enterada del mensaje... Había llegado finalmente la hora del tequila...

Por supuesto le sirvieron al presidente su mole con tallos de setas y nopalitos, además de una sopa de hongos y una carne preparada con una salsa de vino blanco y champiñones: Todo un menú a preparado con hongos. Macrina hacía verdaderas proezas en la cocina escogiendo los mejores ingredientes de la temporada. Hasta allá fue a buscarla Pascual para que todos juntos le tributaran un aplauso a modo de homenaje. Como siempre apareció a la vista de todos secándose la manos con el mandil e inclinando la cabeza al lado derecho. Tal vez ese fue el día más feliz de su existencia.

La comida transcurrió entre bromas y alegrías, aderezadas con los comentarios de El Chato, quien siempre tenía la palabra ocurrente en la punta de la lengua. El Presidente de la República tomó su helicóptero rumbo a Los Pinos cuando la tarde languidecía. La siesta en la hamaca la tomaría otro día. Me esperan, Jose, me esperan...

Estados Unidos solicitaba la revelación de la identidad del candidato mexicano a la Presidencia de la República, de sobra sabemos, parecían decir en su actitud, que la opinión del pueblo de México no cuenta, usted señor presidente, usted tiene la última palabra: Díganos en consecuencia quién es el futuro padre de los mexicanos, no venga ahora a impartir lecciones de democracia ni a decirnos que esperemos al recuento de los votos contenidos en las urnas para darnos una respuesta como acontece en los países en donde prevalece el respeto a la ley y al orden jurídico y se impone la voluntad de la mayorías. En México las mayorías las representa un solo hombre: usted, el Jefe de la Nación. Usted es sin duda alguna el gran elector, el gran y único intérprete del sentir de los mexicanos. Díganos entonces, díganos usted quién es su sucesor para que nosotros en consecuencia establezcamos una estrategia adecuada en razón de él. Estará usted de acuerdo que nosotros no podremos intervenir en su decisión pero eso sí: no actuaremos de igual forma en uno o en otro caso. Habrá que atenerse a las consecuencias... Nosotros también hemos estudiado con lupa a cada uno de los aspirantes y tenemos delineada una política concreta según se pronuncie usted finalmente por cualquiera de ellos y justo es decirlo, hay políticas de la Casa Blanca que convienen más que otras a México simplemente en función de su candidato definitivo. ¿Quién es? Díganos...

Nosotros no podríamos hablar así con los Jefes de Estado salientes de otros países en donde el voto ciudadano pesa, resuelve y decide. Aquí en México usted decide y por lo mismo, usted disculpará el atrevimiento, pero los intereses de Estados Unidos, sobre todo tratándose de un vecino como México, están antes que ninguna otra consideración amistosa. De modo que ¡diga usted!

En noviembre de ese mismo año las presiones políticas empezaron a ser insoportables para Pascual. Lo que había sido manejable tres meses antes ahora parecía salirse de control. El respeto a la figura presidencial parecía perder consistencia por instantes. La ansiedad y la desesperación hacían acto de aparición en la arena política. El disimulo y la discreción pasaban a un segundo término. No, ya no habían sonrisas ni los debates encubiertos eran ya supuestamente amistosos. El episodio en que el Jefe de la nación se había dedicado a contemplar llegaba a su fin, ya no podría seguir observando cómodamente instalado en su platea el desempeño de cada uno de los candidatos; no, la creciente tensión entre ellos podría lastimar gravemente a quien él había escogido como vencedor absoluto.

Los golpes bajos se repartían ya sin el menor disimulo, los francotiradores salían de sus escondites retirándose las máscaras del rostro, los mensajes velados estaban a punto de convertirse en un intercambio de violentos epítetos, las zancadillas y las emboscadas ya eran asuntos de todos los días: el ambiente político se descomponía por instantes y bien pronto ninguna autoridad ni siquiera la presidencial podría someterlo. Todos los días aparecían noticias en la prensa respecto a los defectos y antecedentes negativos de todos los aspirantes; el rumor, el medio más efectivo de comunicación entre todos los mexicanos ante el escepticismo histórico que habían despertado tradicionalmente los medios informativos públicos y privados, destruía cotidianamente las diversas imágenes de los precandidatos a la Presidencia de la República. El chiste había hecho su entrada triunfal en el escenario desde tiempo atrás. Uno de los más viejos instrumentos de aplicación de justicia entre los mexicanos adquiría de nueva cuenta su carta de naturalización. Se imponía una decisión antes de que esta contienda política se convirtiera en un vulgar pleito callejero del que todos saldrían severamente dañados, tan dañados que aun el vencedor carecería del prestigio moral indispensable para poder gobernar el país. El discurso político bajaba de nivel según se acercaba la hora final del "destape". Los nervios iban en aumento en la medida en que el presidente, vestido de frac, se acercaba a la chistera para ejecutar el acto de magia supremo con el que tanto impresionaba y despertaba la atención de los mexicanos.

El Presidente de la República entendía que no podría diferir más su decisión. En su viaje de regreso en helicóptero de Los Cuatro Vientos a Los Pinos, Pascual decidió finalmente y para la sorpresa inaudita de la comunidad nacional e internacional, abrir un debate interno en el PRI entre todos los militantes del partido oficial interesados en llegar a la Presidencia de la República. Los priístas y sólo ellos escogerían en cónclave cerrado a su candidato después de que éste hubiera convencido y derrotado a sus oponentes en público, a la vista de la nación, al ofrecer una mejor plataforma política, un más refrescante y promisorio esquema de gobierno, más alternativas de crecimiento económico y desarrollo social, cultural y ecológico, además de demostrar una personalidad más seductora y versátil. Él no tomaría una decisión de competencia exclusiva de la nación en edad de votar. Pasaría a la historia como el primer Jefe de Estado que respetaría la voluntad popular con todos los riesgos políticos y económicos inherentes a una decisión de esa naturaleza.

El lunes siguiente convocaría urgentemente a Los Pinos al gabinete, al gabinete ampliado y a los gobernadores priístas para decirles las siguientes palabras que conmoverían al mundo político mexicano:

—Señores precandidatos —así, sin más, ¿no eran todos precandidatos incluida Josefa, salvo que tuvieran alguna limitación constitucional? Pues entonces por qué razón no llamarlos por su nombre por más sorpresa que pudiera producirles. El aire podría cortarse con la mano-:

"He decidido hacer de su conocimiento que todo aquél que tenga pretensiones presidenciales deberá renunciar a su cargo esta misma semana, antes del plazo establecido por la ley para empezar su campaña en el seno de nuestro partido.

"Señores —sentenciaría con toda solemnidad—: Si mi gobierno llegara a pasar a la historia sólamente por haber concluido con el tapadismo, esa oscura tradición política que debe avergonzarnos, sólo por esa única razón yo me daría por satisfecho. Soy un presidente demócrata. Me debo a mi pueblo y por lo mismo él y sólo él habrá de ser el único gran elector y en ningún caso el Jefe del Ejecutivo tenga las cualidades y los méritos que tenga. Si nunca toleré imposiciones en mi gobierno menos impondré yo ahora a una persona para que dirija los destinos de mi país al modo de los caciques políticos de principios de siglo.

"Soy universitario señores, tengo un título y una profesión, soy un amante de la libertad, un auténtico demócrata respetuoso de los derechos políticos y de los derechos humanos de mis semejantes y simplemente con ese carácter quiero aprovechar el honroso cargo de Presidente de la República con el que me distinguió el Congreso de la Unión, para dejar a mi país la mejor herencia que cualquiera de sus hijos puede entregarle con el fundado propósito de cambiar radicalmente su destino: Heredaré una vigorosa estructura democrática por la que podremos transitar en el presente y en el futuro todos los mexicanos de todas las edades, sexos, creencias, profesiones y posibilidades económicas. Heredaré una estructura política, un andamiaje social sobre el que podremos asentar el desarrollo económico con el que todos soñamos.

"¡Que quede bien claro señores —amenazaría con tono enérgico—: Convenzan primero a nuestro partido con sus planteamientos y actitudes. Convénzanlo ante las cámaras de televisión, ante la prensa en general. Convénzanlo por medio de debates públicos entre todos ustedes. Convénzanlo con argumentos y estrategias de la conveniencia de votar por cada uno de ustedes. Exhiban su preparación, sus cualidades oratorias, su estilo, su personalidad, sus valores, sus convicciones, su ideología, su plataforma política. Comprométanse, exijan, demanden, acusen, señalen sin represalias, propongan con valentía... ¡Gánense la nominación primero entre todos nosotros, los militantes priistas! ¡Quien quiera ser presidente, señores, que renuncie esta misma semana! La decisión es de ustedes; la elección final corresponde al pueblo de México.

"Sólo una advertencia —exclamaría severamente antes de concluir—: Quien use mi nombre para influir en su designación lo aplastaré sin piedad con todo el peso del poder del Presidente de la República. Queremos un México más libre y más próspero. Queremos escuchar, señores, la verdadera voz del México Nuevo. ¡Oigámosla!"

Sin embargo, a la mañana siguiente el panorama era ya muy distinto. Los fantasmas nocturnos, los miedos ancestrales, las voces de la impotencia, el temor a las represalias, a la traición, a la deslealtad, los verdaderos sentimientos ocultos tras la máscara de continuidad, los sobados pretextos fundados en la incapacidad operativa y en los insustanciales principios patrióticos de la oposición, en la inmadurez cívica y política del pueblo, condujeron a Pascual Portes Obregón después de una serie de pesadillas inauditas que le anunciaban un conjunto de regresiones sin fin si permitía elecciones libres sin su ingerencia ni influencia, a tomar una decisión equivocada con las mismas justificaciones de quienes le habían precedido en el poder desde la época de Calles.

Por supuesto ya no le ordenó a Pasquel que convocara a los interesados al Salón Carranza: Había entendido a través de su sueño que el poder que él no ejerciera lo ejercería otro, un tercero que podría conducir de nueva cuenta al país por la ruta de la perdición y el extravío que ya había padecido México con veradadero horror y con el enorme peligro de una nueva confrontación armada. ¿Y si alguien manipulaba al partido, al PRI un partido acostumbrado a la manipulación desde su fundación, un partido sin voz propia? ¿Y si además *ese alguien* empezaba una campaña de desprestigio en contra suya y de sus colaboradores, familiares y amigos? ¿Y si *ese alguien* daba un giro a la economía o era un entreguista a la causa yanqui o un fanático de izquierda que ignoraba el estruendoso derrumbe del socialismo soviético? ¿Y si *ese alguien* era un enemigo personal? ¿Y si *ese alguien* salía como el presidente peruano dando un golpe de estado para eternizarse en el poder? ¿Y si *ese alguien* fuera un nuevo Calles o un nuevo Obregón? ¿Y si *ese alguien* fuera en síntesis un traidor *a la causa*?

El Presidente de la República, temeroso de la verdadera identidad de *ese alguien* que hubiera podido ganar en un debate abierto la candidatura frente a las bases del partido en términos de los propios estatutos del PRI, prefirió inclinarse por garantizar la tenencia del poder dentro del mismo sistema que desde su fundación en 1929 había negado el feliz y no menos indispensable arribo de la democracia en México. ¿Cómo dejar México en manos de *ese alguien* que yo ni siquiera conozco y que puede dar marcha atrás el lento reloj de la historia patria? Ni hablar...

Profundamente escéptico por *ese alguien*, un *traidor* más que pudiera engañar al pueblo de México, el Presidente de la República, decidió entonces votar él mismo por el sistema cerrado, por el del carro completo de extracción porfiriana, por el sistema represivo carente de garantías individuales, por el sistema corrupto e ilegítimo que ignoraba la voluntad popular y que había propiciado el enriquecimiento ilegítimo de un sinnúmero de hornadas de funcionarios sexenales que habían entendido impúnemente el tesoro público como un apetitoso botín. Pascual se había decidido por el sistema que había propiciado el surgimiento de cuarenta millones de mexicanos en la miseria, casi la mitad de la población, además de millones de analfabetos y de comunidades indígenas apartadas de la civilización y carentes de los más elementales satisfactores inherentes a la dignidad humana. Pascual se pronunciaba por el ecocidio, ¿por qué no?, después de tantas décadas de PRI absoluto, el PRI era responsable igualmente absoluto de todo cuanto hubiera acontecido en México de bueno y de malo durante su reinando intransigente y férreo de ya mucho más de medio siglo. Sí, sí pero *ese alguien*, *ese alguien*...

Si había buenas o malas carreteras el PRI, el PRI sería el único responsable porque jamás había dejado intervenir a la oposición ni por las buenas ni por las malas en la construcción ética, política y material del país. El PRI había sido el amo y soberano en el escenario político nacional, ¿sí? pues sobre él y sólo sobre él recaería el veredicto final de la historia. Él sería el único reo, el único culpable, el único acusado el día en que se instalara finalmente el supremo e inapelable tribunal de la nación. ¡Nadie más! Con nadie podría compartir la culpa porque el PRI invariablemente se había negado a compartir el poder, de tal forma que la gloria, en caso de haberla, sería del PRI y el infierno al que habían conducido al país en su conjunto, ese no lo pagaría desde luego el PRI, sino que lo seguirían pagando en vida las decenas de millones de mexicanos instalados en los más bajos estratos económicos y sociales, mientras que los funcionarios corruptos, los causantes del desperdicio y de la involución, enriquecidos al amparo del sistema, continuarían disfrutando sus fortunas en las playas doradas de la Costa Azul del Mediterráneo de sus sueños.

¡Falso!, mil veces ¡falso! que la conducta de los mortales tarde o temprano se encontrara frente a una justicia inmanente, frente a un derecho natural aplicable a falta de la jurisdicción dictada por tribunales representados por hombres. ¿Que la justicia divina supliría la humana...? ¿Quién dijo semejante blasfemia? ¡Falso!, mil veces ¡falso! ¿Quién dijo que nadie se iría de este mundo sin pagar todas sus deudas y sin purgar en vida sus equivocaciones y vicios? ¿Cuántas veces se enterraba a políticos bandidos, auténticos prófugos de la justicia, defraudadores profesionales de los ahorros de la nación envueltos en la bandera tricolor mientras su ataúd de caoba finamente barnizada descendía hasta su última morada al ritmo de los vigorosos acordes del himno nacional, cuya interpretación concluía cuando el sonido de un clarín lejano ordenaba la detonación de treinta salvas para honrar la memoria de un corrupto difunto que había desgastado las esperanzas de su país con promesas que nunca cumplió? No, no existía la justicia establecida por los hombres, no, pero tampoco existía la justicia divina desde el momento en que se homenajeaba así a los ladrones. Menudo premio, menudo reconocimiento... Si Dios, sí, sí era cierto, si Dios ya no existía entonces todo estaba permitido...

Bien, muy bien lo había dejado asentado Belisario, ¡ay! Belisario querido, ahora le había dado también por hacer poemas:

En época de las bárbaras legiones
de lo alto de las cruces
colgaban a los ladrones,
hoy, en pleno siglo del progreso y de las luces,
del pecho de los ladrones

cuelgan las cruces...

El presidente no propuso un cambio para purificar el sistema político y sanear en consecuencia a la sociedad mexicana. El presidente sabía que al elegir él mismo al candidato estaría votando por un sistema cerrado y el sistema cerrado, nadie podía ignorarlo, representaba más corrupción, más impunidad, más involución, más miseria, más descomposición social, más ignorancia, más deserción escolar, más privilegios en lugar de la imposición de la ley, más desigualdad, más intolerancia, más peligro de un levantamiento civil, más desesperación e irritación ciudadana, más provocación, más injusta distribución de la riqueza, más millones de mexicanos en la miseria —a pocos escapaba ya que a estas alturas del siglo XX la democracia y sólo la democracia propiciaba el ambiente idóneo para el desarrollo del hombre- y sin embargo, el presidente votó por el sistema cerrado en contra de la libertad, de la evolución y por lo mismo en contra de México.

¿Y qué querías?, dime, a ver dime, ¿querías que entregara yo en charola de plata el poder a la oposición? ¿Eso querías? Dime, tú, sabihondo, ¿cuál político sobre la faz de la tierra, qué político en los anales de la historia ha entregado gratuitamente el poder a la oposición en su afán de democratizar a su país? ¿Cuál?, ¿cuál conoces? ¡Dímelo!

La idea no es entregar el poder a la oposición, ése que se lo gane aquella operando siempre dentro de la ley. La idea es impedir que una sola persona pueda tomar decisiones trascendentes que corresponden a millones de mexicanos y a cambio escuchar la verdadera voz de México, ¿usted la conoce, señor?

Creo conocerla, sí, pero la realidad es que los mexicanos no saben todavía decidir lo más conveniente a sus intereses...

Con ese mismo pretexto que usted sorprendentemente vuelve a usar a estas alturas del siglo, se suprimieron las aspiraciones políticas de los mexicanos por lo menos en los últimos cien años. México según ustedes todavía no está listo para la democracia. ¿Cuándo estará? Primero el desarrollo económico, ¿y la democracia...?, esa que espere, sin detenerse ninguno de ustedes a considerar que la democracia implica legalidad y la legalidad estabilidad y la estabilidad es progreso, señor... Porfirio Díaz comenzó con esa cantaleta que condujo a una revolución...

Mentiras y más mentiras, mire cómo está el país, si yo no elijo ellos pueden elegir a su vez a una persona indeseable que eche por tierra mi trabajo y el de quienes me han precedido en el cargo. No podemos exponernos a que un rufián llegue a Los Pinos y derogue de un plumazo el trabajo de tantos mexicanos después de tantas generaciones.

Señor, por favor, se está usted repitiendo: ¿Quiere usted decir que los mexicanos son unos menores de edad incapaces de elegir? O sea que, ¿usted decide para que ellos no vayan a pronunciarse por uno de entre los cuarenta millones de mexicanos que el sistema proyectó a la miseria, de tal forma que quede garantizada la supuesta bonanza que sólo el PRI sabe despertar y propiciar?

Sí.

Pero si esas personas son precisamente un subproducto del sistema que ha imperado en México en las últimas décadas. Ellos son el resultado de sus políticas económicas y sociales, no aparecieron por generación espontánea, señor. ¿Cómo es posible que usted ahora tema la llegada al poder uno de esos sujetos desarrollados al amparo del sistema que ustedes han prohijado? Ellos son la consecuencia de la inexistencia de la división de poderes federales, como también lo es la Ciudad de México, señor... Ellos son la consecuencia obvia y directa de estimular un sistema cerrado como el que ahora mismo usted vuelve a propone e insiste en defender.

Solo uno de nosotros debe quedarse en el poder. Uno de nosotros que nos entienda y respete...

Lo que encierran sus palabras, señor, es un miedo cerval a la libertad y a la democracia en donde se urgan a diario los bolsillos de los políticos corruptos. Lo que teme usted es que la oposición saque de los archivos de la nación las infamias que ha cometido el PRI durante tantas décadas y las publique y las divulgue y las distribuya exhibiendo verdades que ustedes siempre intentarían ocultar. Los grupos cerrados están saturados de cómplices y estos cómplices defienden hasta la cerrazón sus intereses esgrimiendo argumentos bastardos como los que usted, señor, utiliza para tratar de defenderse. En el interior de las sociedades cerradas se produce el caldo de cultivo idóneo para el desarrollo de la mentira. ¿Por qué no abrirlas y oxigenarlas? ¿Por qué temer a la democracia? ¿Por qué? ¿Quién, señor, teme a la democracia y por qué razón la temerá?

La oposición no continuaría mis políticas, la oposición no respetaría a mis colaboradores, amigos y familiares, la oposición conduciría al país por peligrosos derroteros, la oposición no arreglaría nada porque no sabe nada ni está preparada para nada ni tiene la imagen que se necesita para representar a México en el exterior ni tiene los conocimientos profesionales ni la experiencia ni la sensibilidad política para administrar este país tan complejo ni cuenta con el espíritu nacionalista para defenderlo... No pierdas de vista cómo al menor problema empiezan las peregrinaciones a la Casa Blanca para solicitar la intervención directa de los príncipes rubios en los asuntos internos de México tal y como aconteció el siglo pasado cuando los miramones de ahora fueron a Europa a pedir que un soberano igualmente rubio nos gobernara ante nuestra supuesta incapacidad de hacerlo. Juárez lo fusiló. Nosotros jamás permitiremos que estos secuaces, hijos de Miramón y Mejía, vengan ahora a tratar de gobernarnos. Lo impediremos a cualquier precio...

¿Pero por qué no dejar que los mexicanos decidan si quieren que los hijos de Miramón los gobiernen o no? ¿Qué tal que ese sea el verdadero rostro histórico de México, señor? Usted por qué tiene que decidir por nadie, menos mucho menos, si se trata de más ochenta millones de mexicanos? Déjelos decidir, se podría usted llevar una sorpresa... Gracias a haberlo impedido al día de hoy, señor, escasamente conocemos el verdadero rostro de México. Ustedes no han dejado que el pueblo madure, no han dejado que el pueblo se equivoque porque en el fondo se sienten titulares de la verdad.

No podemos permitir que se equivoquen, nos ha costado mucho trabajo lograr lo que hemos logrado. No podemos jugar con el país ni someterlo a pruebitas....

Ese, señor, es el discurso del hombre que siempre tiene un pretexto para no ceder el poder, para retenerlo a cualquier precio como usted dice. Los tiranos, aun cuando usted no lo sea ni se parezca en nada a los políticos que voy a citar a continuación, siempre tienen un pretexto, mejor dicho, una disculpa, sí, sí, una disculpa para mantenerse al frente de sus respectivos países. ¿Cree usted que Franco no argumentaba lo mismo que usted respecto a los españoles? ¿Y Castro? Hace las veces de una avestruz que por el hecho de meter la cabeza en un agujero se siente fuera de peligro... ¿Cree usted que Fidel Castro no esgrime los mismos argumentos para tratar de morirse con el poder en la mano? ¿Y Trujillo y Batista y Ubico y Papá Doc y la dinastía de los Tachos Somozas nicaragüenses y los Carías Andino y Pérez Jiménez entre tantísimos otros más? ¿Qué pretexto cree usted que urdió Calles cuando se negó a entregarle el poder a Vasconcelos para "dárselo" a Portes Gil, a Ortiz Rubio, a Rodríguez y finalmente a Cárdenas? ¿No son los mismos que utiliza usted? ¿Verdad que a la oposición ni tomarla en cuenta? ¿Piensa usted que Calles creía saber siempre mejor lo que convenía a México o en realidad era una estrategia diabólica para eternizarse en el poder como Jefe Máximo de la Revolución? Dígame, dígame, señor... ¿Por qué razón Cárdenas le entrega el poder a Avila Camacho y no a Mújica ni mucho menos a Almazán ganara o no ganara éste último las elecciones? Avila Camacho y todos los demás no piensan en la gente ni en la democracia: anteponen a todo y ante todo los intereses del sistema y se coluden para defenderlo a costa de la dignidad, la integridad y el desarrollo de México. Ninguno pensó en el momento de ejecutar la sucesión en términos distintos de los suyos, señor... Cada uno de sus antecesores esgrimió el mismo pretexto que opone usted a mis argumentos: Que si nadie es tan capaz como ustedes ni tan profesional y preparado ni tan patriota ni tan nacionalista... Pretextos señor, pretextos como los de todos los tiranos incluido nuestro ilustre José de la Cruz Porfirio Díaz. No se puede impedir que un país decida ni se puede negar su derecho a la libertad, a elegir, señor, aun cuando se recurra al mejor de los pretextos sin caer en la tiranía por más disimulada que ésta sea, señor...

Pues no abriré el puño en beneficio de México...

No se preocupe, señor, se lo abrirán y por la fuerza a usted o a cualquiera de sus sucesores. No pierda de vista que los mexicanos son sujetos observadores por naturaleza y casi nunca hablan, no hablan ni siquiera cuando cuelgan de los postes de telégrafo a los represores causantes de todos sus males hasta dejar en el horizonte una línea macabra de cadáveres para hacer escarmentar a los temerarios...

Pues no abriré el puño: Yo escogeré al mejor hombre para México y México me lo agradecerá... Tomaré la decisión por ochenta millones de mexicanos según reza la tradición... El que me siga en el poder que dé el siguiente paso: Yo no me responsabilizaré ni seré el eslabón que al romperse haga estallar por el aire a un sistema que tanto nos ha dado...

¿Dado? ¿A quiénes señor? ¿A quiénes...? ¿Tal vez a los cuarenta millones de mexicanos que escasamente sobreviven en la miseria...? Suya es la decisión, suyas serán también las consecuencias. Suya la responsabilidad, suya la consciencia por el destino de México...

Pascual Portes Obregón tenía una disculpa, una muy buena disculpa: Todos los políticos siempre tienen una buena disculpa por lo que hicieron y otra disculpa por lo que no hicieron. Una disculpa, invariablemente una disculpa...

El señor presidente Pascual Portes Obregón se miró al espejo una fría mañana del mes de noviembre. Ya no tenía la menor duda respecto a la identidad de su sucesor. La decisión estaba tomada. Hoy mismo destaparía a su candidato. Imposible esperar ni un día ni una hora ni un minuto más. Ella compartía sus puntos de vista políticos, sociales, educativos, culturales, económicos, ecológicos, morales, históricos y profesionales... Todo, todo lo compartía con ella. Todo. Ella continuaría su obra, culminaría el viejo proyecto legislativo en el que ambos habían creído desde jóvenes. Ella concluiría el ambicioso plan de reconstrucción nacional fundado en la revolución educativa, ella y sólo ella creía tanto como él en la educación como detonador del desarrollo político, social y económico de un país. Ella edificaría escuelas para maestros, escuelas para policías, escuelas para campesinos, escuelas para guarda-bosques, escuelas para hoteleros, escuelas para choferes, escuelas para pepenadores, escuelas para presos en las cárceles de la nación, cada cárcel una escuela, cada empresa una escuela, escuelas para guías en zonas arqueológicas, escuelas para recatar a las prostitutas, escuelas para los niños de la calle, escuelas para periodistas, escuelas, escuelas, escuelas, siempre escuelas para todos en todas las regiones en todos los niveles de todo el país.

Ella vigilaría la reparación ecológica de México, rehabilitaría al país, auténtica y ejecutivamente vería por la preservación del medio ambiente tal vez mucho mejor que él mismo. Ella iría como primer acto de su gobierno a visitar la Suprema Corte de Justicia de la Nación para rendirle sus respetos a la máxima instancia jurisdiccional de México, después iría al Congreso de la Unión a garantizar la división de poderes. Ella sustraería gradualmente recursos del PRI hasta que este partido fuera financiado como los demás, es decir, únicamente con el soporte económico de sus militantes prescindiendo de los recursos del Estado para aplastar ilegalmente a la oposición en México. Ella, ella, ella nombraría tal vez a un Procurador General de la República extraido de las filas de la oposición para iniciar, ahora sí dentro de su gobierno, el proceso tan ansiado de renovación moral de la sociedad, con ella se acabarían los estafadores del erario público, las hornadas sexenales de funcionarios corruptos. El procurador podría comenzar con él mismo, con el propio Pascual, el presidente saliente; podría continuar igualmente con Josefa, ella no temería a nadie, se trataba, y al él le constaba, de una funcionaria modelo incapaz de mancharse por dinero ni por nada. ¡Que la revisaran, que la auditaran, que verificaran cada renglón de su patrimonio! La herencia que en su momento recibiría de su padre sí que la donaría a la beneficencia pública o a las arcas de la nación de donde nunca debería haber salido. Ninguna duda duda podía recaer sobre su honestidad ni sobre su capacidad ni sobre la autenticidad de sus principios. Ella continuaría, firmemente convencida, la alianza comercial con Estados Unidos y Canadá sin complejos ni temores respecto a la pérdida de soberanía aducida por los emisarios del pasado. Las relaciones diplomáticas con ella llegarían a su más alto nivel. Ningún Jefe de la Casa Blanca resistiría un intercambio de palabras con ella sin quedar prendado de su inteligencia y su belleza. Ella misma sería la mejor embajadora de México. Nadie la superaría. Ella era enemiga del artificio, de los maquillajes, enemiga de los embustes y de las mentiras, de la demagogia y sus subsidios, de las promesas incumplidas de los políticos y del clero. Una feroz combatiente de los derechos de la mujer, a la que incorporaría a la brevedad y como ninguna otra persona, al desarrollo económico de México.

El genuino cariño de esta mujer por su tierra y por sus gentes. Sus profundas convicciones profesionales y morales. Su intransigente deseo de someterse a la ley y a la voluntad política de los ciudadanos, la hacían la candidata ideal. Por otro lado si de verdad las mujeres eran más ordenadas que los hombres, más honestas que los hombres, más puntuales que los hombres, igual o más capaces que los hombres en tantísimas areas del saber, si eran más dignas que los hombres y menos proclives a vicios que ellos; si eran muchas veces más decididas, más enérgicas, más templadas, si de verdad deseaba engranarlas al desarrollo de México aquilatando en todo lo que valían como seres humanos igualmente dotados, ya era la hora de extinguir de un plumazo los conceptos machistas, las perversiones fundadas en las diferencias sexuales, ya era la hora de distinguir a la mujer mexicana como la forjadora igualmente del México moderno con las mismas prerrogativas que los hombres. Se presentaba la oportunidad hsitórica de hacerlo: Nadie conocía a Josefa como él, nadie sabía como él de lo que Josefa sería capaz e incapaz...

La disculpa seguía siendo eficaz y vigente...

Esa misma tarde llamó por teléfono al Presidente del Comité Ejecutivo del Partido Revolucionario Institucional. Josefa estaba de gira en la delegación de Tláhuac verificando los conocimientos de historia de México de uno de los profesores en una humilde escuela oficial. Jamás un secretario de educación había pisado él mismo la cantidad de escuelas oficiales como Josefa lo había hecho para bascular la calidad de la enseñanza y para motivar a los maestros subrayando la importancia de su trabajo.

—Señor presidente —le disparó Pascual de pie y a bocajarro como era su costumbre al líder del PRI quien palidecía en esos momentos ante la duda de saber la identidad del elegido— he oído —le dijo tan pronto se soltaron las manos después de un breve saludo— que los tres sectores del Partido han mostrado su simpatía por la candidatura de la señora doctora Josefa Cortines de Cuevas y quiero expresarle mi total respaldo a ese movimiento que distinguirá históricamente a las mujeres de nuestro país.

El general Malpica no pudo ocultar su estupor —¿Uuuuuna mujer...?

—Sí señor, hay razones para ello.

El Jefe del PRI consciente de que nunca se le deberían pedir explicaciones a un Presidente de la República, simplemente alcanzó a decir con un hilo de voz guardando como pudo el equilibrio -pero señor, nadie había pensado en ella...

—¿Nadie?, señor general, creo que no hizo usted bien sus auscultaciones en el partido —asestó un golpe demoledor el presidente— imagínese usted que hasta aquí me llegaban a diario las solicitudes y las muestras de simpatía de los tres sectores del partido y por esa razón, respetuoso del sentir mayoritario del PRI, decidí inclinarme por la candidatura de esa gran mujer en la que México entero bien pronto depositará todas sus esperanzas. Le puedo garantizar —dijo mientras ya lo acompañaba a la puerta muy a su estilo— que los tres sectores del partido no se equivocan, ¿no cree usted...?

Pascual había ordenado al secretario de gobernación que dispusiera doscientos camiones saturados de acarreados en las inmediaciones de Tlalpan. Temía que el Presidente del PRI fuera a destapar a su propio candidato desoyendo la postura de los tres sectores del partido en el sentido de postular a Josefa a la Presidencia de la República. Ya llevaba Pascual muchos años en política como para que alguien viniera a madrugarlo torciendo una decisión histórica surgida de las filas del partido de la revolución... ¡Cuál no sería la sorpresa de Malpica que cuando éste estaba abordando su coche con rumbo tal vez al partido para comunicar la buena nueva o simplemente la nueva, o bien, cuando ya se dirigía con rumbo desconocido decidido a llevar a cabo un viraje espectacular que echara por tierra la decisión de "su propio partido", ya escuchó un *flash* informativo en que se hacía saber que los tres sectores del partido habían localizado a Josefa Cortines de Cuevas en una humilde escuela en Tláhuac manifestándole su deseo de que aceptara la postulación como candidata a la Presidencia de la República, la primera mujer en la historia de México que se ostentaría con semejante cargo para gloria y orgullo de todos los mexicanos amantes de la igualdad y del progreso!

De pronto y como por arte de magia, la escuela apareció cubierta con propaganda del partido, inmensas mantas anunciaban la identidad de la candidata con las frases que la habían hecho famosa: "Invierta hoy en escuelas y no el día de mañana en cárceles." "Es mejor pagar el costo de la educación y no el de la miseria." "Sólo podemos ser el resultado de lo que estudiamos en la escuela." "Becar a un estudiante cuesta dinero, no hacerlo costará mucho más." "Desenterremos México." "La ignorancia nos sujeta con un pie en el atraso." Se había hecho el milagro político. Imposible llegar hasta donde estaba ella. Tláhuac se desquiciaba. Todos los políticos de México querían llegar hasta donde estaba ella para felicitarla y para ponerse a sus órdenes. Volaban de cualquier parte de México o del extranjero. Se transportaban en tren, en barco, en chinampa, en automóvil, en lo que tuvieran a su alcance. Se desvanecían la teorías de los pitonisos envueltos en su turbante tricolor: Una mujer en la Presidencia de la República conduciría a una nueva revolución, sentenciaron frente a una bola de cristal ciertamente opaca. Se equivocaban. Hombre o mujer nadie se perdería el momento del primer abrazo, del primer saludo, del primer apretón de manos se encontrara donde se encontrara Josefa y fuera quien fuera el candidato: ¿Yo, yo fui el primero, te acuerdas que yo fui? ¿Te acuerdas que siempre te lo dije y te fui fiel y quise que tú llegaras y que eras la más capaz, la más competente, la carta escondida del presidente? ¿Te acuerdas que yo te lo aseguré? ¡Que no se te olvide, ¿eh? ¿Te acuerdas cuando yo te dejaba copiar matemáticas en la escuela?

Los militantes del partido, los acarreados, los simpatizantes rompían todo a su paso hasta dar con la señora secretaria de educación pública. Quien se tropezara y cayera arrollado por la turba perecería sin duda linchado. El presidente acababa de localizar unos instantes antes a Josefa para decirle lacónicamente:

—¿Jose...?

—Sssiii...

—Jose, te llamo para decirte que te prepares porque me acaban de informar que los tres sectores del partido se han pronunciado por tu candidatura a la presidencia...

—¿Por mi candidatura?

—Sí, por tu candidatura —dijo como siempre antes de colgar como si se hubiera interrumpido la comunicación—. Te felicito, Jose, el partido ha hecho una gran elección... Prepárate, Jose, prepárate -repitió como si tuviera mucha urgencia antes de despedirse: Me esperan, Jose, me esperan... Felicidades otra vez...

¿Por teléfono? Sí, por teléfono: El mensaje no podía tener un mayor contenido democrático: "los tres sectores del partido se han pronunciado por tu candidatura a la presidencia", "el partido ha hecho una gran elección..." ¡Felicidades! Además Pascual quiso garantizarse hasta el último momento la máxima discreción para cuidarla evitando la menor filtración.

Fueron los tres segundos que cambiaron la vida de Josefa. No había tenido tiempo de colgar ni de llamar siquiera a Alonso, ¡ay! Alonso quería que tú fueras el primero en saberlo, cuando escuchó unas sonoras porras desde la calle. Se estremeció. Los poros de la piel se le despertaron uno a uno en cuestión de segundos. Se le secó la boca. Se apoderó de ella un repentino frío. Las manos las tenía heladas. Palidecía, sabía que palidecía. Alonso, Alonso, mi vida, ¿dónde estás? Las piernas difícilmente podían sostenerla y tenía que erguirse, mostrar serenidad y destreza. Una líder ya de sus tamaños jamás podría mostrar miedo aun cuando estuviera paralizada. Le resultaba imposible contener tanta emoción; reventaría, sí, reventaría siendo incapaz de administrar tantos sentimientos encontrados. ¿Ella candidata a la Presidencia de la República? Lo había pensado, sí, en efecto, lo había deseado en su más íntimo fuero interno, pero la realidad podía aplastarla.

De golpe la asaltaron unos deseos enormes de hablar, de dirigirse a la gente, a su gente, se sentía con unos brazos inmensos, tan inmensos que podría abrazar a toda la concurrencia al mismo tiempo. Conmocionada como estaba bien sabía ella que podría conmocionar aun más a su auditorio. Bien lo sabía ella: en sus manos tenía la herramienta necesaria para instrumentar el cambio, el cambio con el que ella había soñado, el cambio con el que habían soñado todos los mexicanos desde que había comenzado la historia. Tenía en sus manos la clave secreta, una clave que le había costado descifrar toda la vida y la clave era suya, ella la dominaba. La clave era la educación. ¡Ay! si Calles no hubiera atropellado tan a su estilo a Vasconcelos y lo hubiera dejado llegar a la Presidencia de la República...

Esa mañana de noviembre surgió la figura de la primera mujer que ocuparía la silla presidencial en la historia de México. Bien pronto se pondría banda tricolor en el pecho y comenzaría el cambio mágico tan esperado: La instrucción escolar operaba con efectos mágicos. Josefa Cortines de Cuevas llegaba a la Presidencia de la República. Las agencias de noticias comunicaban la fausta nueva al mundo entero. ¿En México, un país de machos, una mujer? Sí, sí, en México, sólo que México estaba cambiando, evolucionaba, ya no era la misma fotografía que había conocido la humanidad de un sombrerudo envuelto en un sarape recargado contra una palmera mientras dormía la famosa siesta. Se trataba de otro país. México se alistaba a entrar con el pie derecho en el futuro. ¿Pruebas? Una mujer sería por primera vez Jefa del Estado Mexicano... Ya se vería a corto plazo la gran diferencia...

La celebración entre familiares y amigos íntimos se llevó a cabo por supuesto en la casa de Josefa y Alonso ya muy entrada la noche. A Hercilia, nada menos que a Hercilia Bonilla de Cortines, no la dejaban entrar una serie de ayudantes y guardaespaldas desconocidos encargados de la seguridad de la precandidata hasta que rindiera su protesta formal ante los militantes de su partido reunido en pleno tal vez en un estadio para darle cabida a la gran mayoría de representantes regionales.

—No puede entrar señora —le dijeron a Hercilia un par de agentes de traje negro y lentes oscuros de más de dos metros de altura— la fiesta es para familiares y amigos —insistieron al verla forrada con sus martas favoritas que ahora se había hecho colocar igualmente en un sombrero según le había sugerido la comadre Concha quien se encontraba a su lado.

Hercilia iba a contestar furiosa en los términos a que ella recurría cuando alguien la atropellaba pero no fue necesario, la comadre Concha disparó por atrás de ella un tiro fulminante que derribó a ambos custodios al piso:

—Jovencitos —dijo dejando caer las palabras sin mostrar el menor disgusto y sí en contra un encendido orgullo— tal vez ustedes no lo saben y por eso los diculparemos, pero están ustedes hablando con la señora madre nada más ni nada menos —y aquí es donde acentuó sus palabras— de la señora Presidenta de la República...

391

Poco tardaron los guardaespaldas en abrir paso a empujones y casi colocar un tapete rojo como el que le colocaban en la basílica de Guadalupe para conducir a Hercilia y a sus comadres hasta la presencia de su hija y sobrina...

—Con esos bichos en la cabeza y esos pintados de boca, ¿quién lo iba a creer, no tú...?

Una a una llegaron las tías, cada cual sin dejar de proyectar su extracción provinciana de principios de siglo. Belisario también llegó y abrazó largamente a su hermana acariciándole la cabeza repetidamente sin soltarla. Por instantes se separaba de ella para retirarle el pelo de la frente y volviendo a estrecharla entre marcados sollozos que ella compartía en su contagio. La reunión era entre amigos, de modo que cabía la exaltación de las emociones. Belisario besaba a su hermana en las mejillas, tomándola nuevamente de la cabeza y besándole una y otra vez la frente con los ojos anegados por las lágrimas similares a las de Alonso, quién contemplaba discretamente la escena a la distancia.

El propio Alonso la había sorprendido cuando ésta llegaba de Tláhuac y subía la escalera a toda velocidad para estallar juntos en mil pedazos. Ahí la encontró y la besó igualmente, estrechándola firmemente contra él y guardando un hermético silencio en el que ambos se dijeron todo. Se sentaron en uno de los escalones y hasta ahí llegaron uno a uno el pequeño Rodrigo y la gran Claudia Eugenia sin entender cabalmente la situación pero captando que algo maravilloso le estaba pasando a su madre. Los tres abrazaron a Josefa, la cuestionaron, le preguntaron, la animaron mientras ella pedía conmovida y sin soltar a los suyos que no la dejaran, que no la abandonaran, que siempre la apoyaran, que siempre le revelaran sus inconformidades y sus deseos, pero eso sí, pedía dentro de su llanto emotivo, no me dejen, no me dejen, no me dejen...

Llegó también Silverio, don Silverio. Alonso lo condujo hasta su hija. No podía ocultar su confusión, no alcanzaba a aceptar tan feliz realidad, una realidad divorciada de sus planes originales, pero al fin y al cabo una realidad con la que él soñó toda su existencia para él mismo o para su hijo Belisario. No se movía. Siempre se había impresionado ante el poder. Éste lo avasallaba, lo motivaba, lo deprimía, lo estimulaba y lo atemorizaba, en síntesis le imponía y le atraía como nada en su vida. ¡Qué María Antonieta ni qué María Antonieta...! Josefa lo vio inmóvil, desgarbado, encorvado, mientras dos ojos suplicantes —una mirada que ella jamás olvidaría— la veían estupefactos, sumisos, respetuosos, sorprendidos y resignados. Curiosamente a Josefa le parecieron los ojos de un condenado a muerte, los de un hombre que ya se había desprendido de todo para entregarse a su último destino en esta tierra... No había ilusión en sus ojos, tal vez un gran arrepentimiento, un profundo dolor combinado con una intensa alegría, la mayor satisfacción a la que un hombre como él podía acceder.

La señora precandidata tomo la iniciativa y lo abrazó. Fue entonces cuando al esconder su cabeza tras la de ella Silverio lloró, lloró la golpiza del Natalicio de su Majestad la Reina del Reino Unido, lloró, los años del rebenque hasta que Hercilia lo quemó; lloró sus millones de dólares sustraídos ilegalmente del tesoro público; lloró el robo de urnas que le había permitido llegar a ocupar el puesto de subsecretario de agricultura; lloró el robo de figuras precolombinas; lloró el no haberle dedicado más tiempo a Josefa y que sin embargo, ella hubiera podido escalar por sí sola nada menos que hasta la primera magistratura del país; lloró las mentiras, la infidelidad, la deslealtad, la corrupción, sí, lloró y lloró, pero bien sabía Josefa que lloraba en razón de su presente y futura posición, lloraba por una emoción natural y genuina que el tiempo haría desvancer hasta verse obligada a controlarle las manos y la lengua: las personas como él no cambiaban. Lo dejaría inmovilizado durante todo su mandato para evitar un escándalo público.

Hasta Narciso Henríquez vino a felicitarla. La privatización de escuelas había resultado todo un éxito. Hasta entre los propios ganaderos habían fundado su propia Escuela de Ganadería para formar a estudiantes que ellos mismos posteriormente se arrebataban para incorporarlos a sus haciendas. Los muchachos al salir de la Universidad ya tenían asegurado su futuro siempre y cuando se hubieran graduado con los debidos reconocimientos académicos. La felicitaron todos los convidados a la fiesta que se había celebrado en el Patio de Los Naranjos y otros tantos más empresarios y amigos que habían colaborado estrechamente con ella en la Secretaría de Educación.

Belisario se quedó hablando con su hermana hasta muy entrada la madrugada y ahí mismo le manifestó todo su apoyo, un apoyo incondicional y permamente mientras él no se retirara de las letras ni de la historia de México, ya se había traicionado una vez y había entendido que la página que no escribiera hoy ya no la volvería a escribir: se moriría con la pluma en la mano tratando siempre tratando de redactar pasajes novelados de la historia de su país.

—Sí, sí, pero publica hermano, publica ya le respondió Josefa sin esconder cierta ansiedad. Desde que saliste de la Secretaría de Relaciones escribes y escribes, lo sé, pero no has publicado ni una línea: Todos son planes y planes, ideas inmejorables, sí, pero que no las vacías en el papel, no las ejecutas, no las materializas en libros, en obra, en novelas al alcance de todos. Suéltate, Beli, suéltate ya. Tienes el argumento, sabes decirlo y quieres decirlo, ¿entonces por qué no lo haces y nos sorprendes con una buena

393

obra de la que todos ya nos imaginamos algo? Era momento de festejar y no de discutir, pero la coyuntura finalmente se había dado, una coyuntura que Josefa había esperado largo tiempo para no herir la susceptibilidad de su hermano.

—Siento Jose —repuso Belisario apesadumbrado— que todo lo que tengo que decir ya fue dicho o que alguien ya lo dijo mucho mejor que yo. En realidad —continuó sin esconder su desilusión— tengo la sensación de que no aporto nada nuevo ni mejoro en nada lo ya existente. Vivo —concluyó entristecido— en un mundo pálido y plano, insípido e incoloro en el que no cuento con la emoción de la revelación... Alguien, ese es mi sentimiento frustrante, siempre ya se me adelantó y lo dijo mejor de lo que yo podría soñar, a mí ya no me queda nunca nada que agregar...

—No es cierto lo que dices, Beli querido, tú y yo discutimos cien veces tus temas y ambos sabemos que nadie ha incursionado por ahí. Manejas novedades, novedades que ignoran la gran mayoría de los lectores —exclamó para ayudarlo y motivarlo.

Belisario no respondía. Sólo se concretó a agregar mientras en tanto se disponía a retirarse al ver cómo Alonso se acercaba a su mujer con arrumacos, ¡Ay! Alonso, chamaco travieso: Lo único cierto es lo que yo siento y yo siento, Jose, que no tengo nada qué decir que no haya sido ya dicho por alguien mil veces mejor que yo —le dijo mientras la besaba y se despedía.

Hablaremos, sí, sí, hablaremos...

Cuando Alonso y Josefa cerraron la puerta después de despedir al último de los familiares, perdón, cuando la señora candidata a la Presidencia de la República y su marido cerraron la puerta, nada podía enturbiar su emoción, se abrazaron, se estrecharon el uno contra el otro como nunca antes lo habían hecho hasta casi caerse envueltos en las cortinas de la sala. Ya Alonso le había enviado un par de guiños pícaros a su mujer durante el convivio. Ella se los había devuelto con un imperceptible movimiento de los labios que él recibió esbozando una leve sonrisa.

Hablaron y hablaron, discutieron planes y estrategias, pensaron en los niños, analizaron su matrimonio, evaluaron los peligros, midieron los riesgos sobre todo en lo que podía ser respecto a Rodrigo y a Claudia Eugenia que ya desde los siete años de edad le estaba dando por escribir cuentos, bascularon el tipo de vida que les tocaría enfrentar a lo que Josefa agregó:

—Tendrás que ser un gran primer *damo* del país...

—¿Yo? ¿Damo yo? —respondió mientras estallaba en una contagiosa carcajada— yo me realizo como profesional con mis vacas, Jose, ahí alcanzo la plenitud como ganadero —confesó sonriente y seguro de sí mismo— no puedo pedirle más a la vida en ese aspecto y como hombre —hizo un espacio jalándola de la cintura contra él— no tengo esos complejos ni me valgo de ti para realizarme en mi vida, además —le besó el cuello con ternura— te tengo a ti, una mujer que nunca me acabaré aun cuando pudiera viva diez mil vidas —le murmuró al oído mientras ya subían juntos la escalera rumbo al templo del amor...

Cerraron la puerta, prendieron la chimenea y apagaron todas luces como una parte indispensable de la liturgia amorosa. Él Alonso no dejó que ella se desabrochara ni siquiera un botón. Uno por uno los fue abriendo el ganadero hasta que la blusa cayó flotando en el ambiente tras los talones de su mujer al igual que las hojas se precipitan lentamente al suelo anunciando la llegada del invierno. Ella desanudó en un instante su corbata de moño tirándola como una victoria más a cualquiera de los lados de la habitación. Se besaban a cada paso mientras él le rodeaba su cuello con sus brazos forjados en las rudas faenas del campo. Sus manos ásperas que podían provocarla hasta el delirio hicieron caer de inmediato la falda junto con todos los obstáculos de los que debería prescindir Josefa para poder exponerla con toda su gracia ante el umbral de los milagros. El fuego inestable y caprichoso dibujaba travieso con colores encendidos sus formas de mujer, escondiéndolas de inmediato para incendiar aun más la imaginación de Alonso. La textura de su piel no había cambiado desde sus años de estudiante: ¡Qué mujer, qué delicadeza, cuantos cuidados le dispensaba a su feminidad para brindársela a Alonso a su máxima expresión...! ¡Qué fortaleza de sus músculos, qué vigor de sus carnes, qué labios venenosos, qué pétalos de piel, qué cabellera perfumada!

Cuando se envolvieron en un abrazo eterno, cuando se convirtieron en un sólo ser con una sola boca, unas mismas piernas, un solo torso, una sola espalda, unos mismos ojos, un mismo cuerpo con una sola respiración desacompasada, con los mismos sudores, ansias, angustias y un mismo deseo descontrolado, suelto, feliz, compulsivo y audaz, con las manos y el rostro crispados, poseídos por un divino apetito, feroz, envidiable, bíblico, el destino final entre un hombre y una mujer que se aman con el privilegio con el que lo hacían Josefa y Alonso, Alonso y Josefa, la pareja, la solución natural, la fuente de inspiración, de fuerza y de vitalidad para soportar y conllevar, compartir y disfrutar la existencia; la existencia de la mujer amada y anhelada ante cuya presencia las dificultades se erosionan y desvanecen, señora presidenta de la República, puedes enloquecerme con tu solo aliento... Cuando hasta sus dedos, sus manos, sus piernas y sus alientos afligidos se entrelazaron y se fundieron un último adios, Jose de mi vida, resumes a todas las mujeres que han existido en la historia, cuando las voces se hicieron inaudibles y desaparecieron todos los silencios y los colores, cuando la vertiginosa corriente de un río los arrastraba sin resistencia alguna hacia una catarata voluminosa, interminable y abismal, cuando la luz del arcoiris promisorio y juvenil empezaba a aparecer frente a ellos, en ese momento empezaron a girar, una, dos, mil vueltas que los proyectaron conjuntamente a un viaje por las llanuras mexicanas. En instantes recorrieron nuestra geografía, en otros tantos nuestra historia. Vieron desde las alturas el Templo Mayor con las dos gradas manchadas de sangre y los dos adoratorios, el altar de los cráneos y el campo para el juego de pelota, el Palacio de Axayácatl antes de la muerte de los Dioses, la dorada civilización azteca, la gran Tenochtitlan en su máximo esplendor y sus más de setenta y ocho edificios, un lago, un lago tambien vieron en este viaje excepcional, un lago donde habia cañas blancas, peces y ranas blancas, sabinos, sauces llorones, ahuehuetes, espadañas, tules y nopales, además de aves extrañas con los más diversos plumajes que revoloteaban escandalizadas sobre un águila que se había posado sobre una chumbera y que descuartizaba una serpiente... Se apareció ante ellos fugazmente la figura del gran tlatoani Moctezuma II vestido con una túnica esmeralda y un gran penacho multicolor decorado con enormes plumas de papagayo... ¿Les hablaba? No, no les hablaba, como tampoco les habló Chimalpopoca ni Netzahualcóyotl soñador y fantasioso... Otra visión tuvieron en este peregrinar meteórico a través del tiempo, la del cadáver de Cuauhtémoc, el joven abuelo, el águila que cae, colgado de un árbol al final de la expedición encabezada por Cortés a las Hibueras. Asistieron al nacimiento de Huitzilopochtli de Coatlicue y a la matanza de Coyolxauhqui y vieron a Quetzalcoátl perderse entre la espuma del mar de la que emergían como en la bruma unas enormes naves capitaneadas por hombres barbados que no respetarían ni nuestras leyes ni a nuestras mujeres ni nuestros templos, palacios, costumbres y dioses y se quedarían durante muchos siglos para enseñarnos muchas artes y técnicas, pero también para quemarnos con leña verde según ordenaba un dios vengativo que quería ver cómo nos consumían las llamas en presencia del pueblo.

Vieron al cura Hidalgo, al párroco de Dolores dar el grito de independencia en una madrugada lluviosa de septiembre... Lo vieron llamar a libertad agitando un estandarte con la figura de la virgen de Guadalupe... Vieron igualmente el fusilamiento de Morelos hincado y de espaldas al paredón, como se fusila a los traidores, después de que su iglesia, comprensiva y apostólica, le había retirado los sacramentos junto con la piel sangrante de las manos... Azorados constataron el encumbramiento de su altísima serenísima el emperador don Agustín de Iturbide y de inmediato, en escena seguida, su fusilamiento. Llegaba la independenca de España y con ella el desmembramiento por norte y sur de la Nueva España: por el sur Guatemala se escindía y por el Norte Estados Unidos nos robaba en una guerra artera y ventajosa la mitad de nuestro territorio. Josefa casi alcanza arañar a Antonio López de Santa Anna cuando gritaba: Seré famoso y nunca ningún mexicano me olvidará. Me muero famoso, sí, ja, ja, ja... Aparecieron Comonfort, Juárez, Maximiliano y sus fantasías imperiales, Lerdo de Tejada sin faltar Porfirio Díaz con las manos maquilladas para esconder el color oscuro de su piel como siempre quiso aparecer en la historia. Pudieron ver a Huerta y al embajador Wilson tramando en la residencia oficial de Estados Unidos el asesinato de Madero y de Pino Suarez hasta que la visión se les nubló por el estallido de la revolución en donde de golpe amanecieron asesinados Zapata, Carranza, Villa, Obregón, llegando hasta Calles, llamándose el padre del México contemporáneo, después de quedarse con un poder absoluto similar al que tuvo Díaz en sus mejores años. Las revoluciones servían para centralizar más aun el poder o no servían para nada... Su sueño empezó a desvanecerse cuando vieron solo escudos, escudos por doquier, tal vez eran espejos y escudos del PRI por el resto de la historia, escudos y espejos por todos lados, lados que reflejaban una doble realidad, escudos con la bandera nacional y el doloroso contraste de los dos Méxicos, el de la felicidad y el de la tristeza, el de la miseria y el de la riqueza, el de la cultura y el de la ignorancia; los pañuelos de seda y los paliacates, las residencias y los jacales, la legalidad y la arbitrariedad, los huaraches y los zapatos, la libertad y la represión, el sometimiento y la humillación, los sombreros de paja y los de fieltro francés, las telas de manta y los cortes ingleses, el mezcal y el whisky, el tequila y el cognac, los escamoles y el caviar, los automóviles y las carretas, las autopistas y las veredas, los tractores y las yuntas: Un país de contrastes que desde las alturas proyectaban un sinnúmero de pequeñas humaredas, ¿humaredas?, no, no eran humaredas, eran mechas, sí, mechas prendidas que solo con la escuela y el empleo se podrían extinguir.

La escuela, la escuela, pensó para sí Josefa al amanecer. Ahí perdimos el rumbo: Sí, cuando dejamos de pensar en la escuela nos extraviamos... lo he confirmado.

Un grupo de coches negros esperaba en su casa espectacularmente protegida: Esa misma mañana rendiría su protesta como la primera candidata mujer a la Presidencia de la República...

Cuajimalpa, México, Distrito Federal, verano de 1993.